LA CHAMBRE AUX ÉCHOS

DU MÊME AUTEUR
DANS LOT 49

Trois fermiers s'en vont au bal, traduit de l'anglais (États-Unis) par Jean-Yves Pellegrin

Le Temps où nous chantions, traduit de l'anglais (États-Unis) par Nicolas Richard

Richard Powers

La chambre aux échos

Traduit de l'anglais (États-Unis) par
Jean-Yves Pellegrin

Collection

LOT49

le
cherche
midi

COLLECTION LOT 49 DIRIGÉE PAR CLARO & HOFMARCHER

À mon père et à mon frère.
Le traducteur

Ouvrage publié avec le concours
du Centre national du livre.

Titre original : *The Echo Maker*
Publié aux États-Unis par Farrar, Straus and Giroux, New York.

23, rue du Cherche-Midi, 75006 Paris.

Vous pouvez consulter notre catalogue général et l'annonce
de nos prochaines parutions sur notre site Internet :
cherche-midi.com

Pour trouver l'âme, il faut la perdre.
A. R. Luria

Première partie

Je ne suis personne

Nous sommes tous des fossiles en puissance qui conservons dans nos corps les vestiges grossiers de nos existences passées, traces d'un monde où les créatures vivantes filent sans guère plus de constance que les nuages, de siècle en siècle.

Loren Eiseley, *L'Immense Voyage*, « La déchirure »

À la tombée de la nuit, les grues se posent en flot continu. Par rubans, elles déroulent leurs trajectoires descendantes, lâches sur le fond du ciel. De tous les points de l'horizon, elles arrivent par flottaisons de douze et tombent avec le jour. Des populations de *Grus canadensis* s'installent sur la rivière en dégel. Elles s'amassent sur les bancs de sable où elles grappillent, battent des ailes et trompettent : première vague d'un exode massif. De minute en minute, les oiseaux se posent en nombre croissant et l'air rougeoie de leurs cris.

Un cou s'allonge ; derrière, flottent les pattes. De la taille d'un homme, les ailes s'incurvent vers l'avant. Tendues comme des doigts, les rémiges basculent l'oiseau dans le plan du vent. La tête couleur sang s'incline et les ailes se touchent ; un prêtre en habit consacrant le pain. La queue se cambre et le ventre s'arque, surpris par le surgissement du sol. Les pattes lancent des talonnades, leurs articulations inversées battent l'air tel un train d'atterrissage endommagé. Une autre grue plonge et trébuche, emportée vers l'avant ; elle lutte pour se faire une place sur cette aire d'attente surpeuplée, le long de ces quelques kilomètres d'eau assez larges et limpides pour laisser croire qu'ils sont sûrs.

Le crépuscule arrive tôt, et il en sera ainsi quelques semaines encore. Sous l'empiétement des saules et des peupliers, le ciel bleu métallique flamboie d'un rose bref puis s'effondre dans l'indigo. Derniers jours de février sur la Platte, les brumes froides de la nuit stagnent au-dessus de l'eau, gelant les éteules restées là depuis l'automne, qui emplissent les champs près des berges. Les oiseaux agités, grands comme des enfants, se pressent aile contre aile sur cet arpent de rivière qu'ils ont appris à trouver de mémoire.

À la fin de l'hiver, ils convergent ici, comme de toute éternité, et tapissent la plaine humide. Dans cette lumière, quelque chose de saurien persiste en eux : les plus vieux volatiles de la terre, à un saut de puce du ptérodactyle. Alors que l'obscurité tombe enfin, le monde rejoint ses commencements, ce crépuscule vieux de soixante millions d'années qui vit débuter cette migration.

Un demi-million d'oiseaux – les quatre cinquièmes des grues du Canada que compte la planète – rentrent au bercail sur la rivière. Ils empruntent le couloir central de migration, ce sablier posé sur le continent. Ils remontent du Mexique, du Nouveau-Mexique et du Texas : des dizaines de lieues par jour, et des centaines à couvrir avant d'atteindre le nid gravé dans la mémoire. Pendant quelques semaines, l'étendue d'eau abritera cette volée longue de plusieurs kilomètres. Puis au coup d'envoi du printemps, les grues prendront leur envol et rallieront à l'estime le Saskatchewan, l'Alaska ou des destinations plus lointaines.

La migration de cette année a toujours eu lieu. Quelque chose en ces oiseaux retrouve l'itinéraire tracé des siècles avant que leurs parents le leur montrent. Et chacun se rappelle le trajet à venir.

Ce soir, de nouveau, les grues brassent les tresses de l'eau. Pendant une heure encore, leurs cris amassés résonnent dans l'air qui se vide. Les oiseaux battent des ailes et chahutent, enfiévrés de migration. Certains arrachent au sol des brindilles gelées qu'ils lancent en l'air. Ici et là, des débordements nerveux tournent à l'affrontement. Peu à peu, les grues s'installent dans un sommeil vigilant et échassier, la plupart restent debout dans l'eau ; quelques-unes, plus loin, attendent dans les récoltes coupées.

Un crissement de freins, le froissement de la tôle sur l'asphalte, un cri étranglé puis un autre éveillent la volée. Le camion décolle et part en tonneau dans le champ. Un panache fuse au milieu des oiseaux. Dans un sursaut, ils quittent le sol en voletant. Le tapis affolé se soulève, décrit des cercles, puis retombe. Une clameur qu'on croirait venue de créatures deux fois plus grosses s'élève sur des kilomètres avant de s'éteindre.

Au matin, ce tumulte n'a jamais existé. De nouveau, il n'y a que l'ici et le maintenant, le toron de la rivière, un festin de grains perdus qui porteront les nuées vers le nord, par-delà le cercle polaire. Aux premières lueurs, les fossiles reviennent à la vie, testent leurs pattes, tâtent l'air glacial, se libèrent d'un bond, bec tendu vers le ciel, gorge déployée. Et puis, comme si la nuit n'avait rien retranché, oubliant tout sauf cet instant, les grues de l'aube se mettent à danser. À danser comme avant le début de la rivière.

Son frère avait besoin d'elle. Cette pensée protectrice guidait Karin dans la nuit étrangère. En transe, au milieu d'un long virage en épingle à cheveux, elle avait suivi la 77 depuis Sioux City, en direction du sud, puis cap à l'ouest, par la 30, sur les traces de la Platte. Impossible, dans son état, d'emprunter les petites routes. Encore sous le choc du coup frappé à deux heures du matin : « Karin Schluter ? Ici l'hôpital du Bon Samaritain de Kearney. Votre frère a eu un accident. »

L'auxiliaire ne voulait rien dire de plus par téléphone. Sinon que Mark avait versé dans le fossé sur la North Line et était resté coincé à l'intérieur de son camion où les secours venus le désincarcérer l'avaient retrouvé presque gelé. Un long moment après avoir raccroché, elle n'avait plus senti le bout de ses phalanges, enfoncées dans ses joues. Le visage insensible, comme si c'était elle qui gisait là-bas dans la nuit glaciale de février.

Ses doigts gourds et bleuis agrippaient le volant tandis qu'elle filait au milieu des réserves. D'abord les Winnebagos, puis le territoire onduleux des Omahas. Le long de la route défoncée, les arbustes ployaient sous des aigrettes de neige. Winnebago Junction, le terrain des assemblées, le tribunal indien, la caserne des pompiers volontaires, la station où elle prenait de l'essence détaxée, l'enseigne en bois, peinte à la main, qui disait « Artisanat local », l'école – Foyer des Indiens – où elle avait donné bénévolement des cours particuliers avant de fuir, désespérée ; l'endroit lui tournait le dos, hostile. À l'est de Rosalie, sur le long tronçon de route vide, un homme seul, de l'âge de son frère, vêtu d'un manteau trop étriqué et d'une casquette – *« Go Big Red »* – se frayait un chemin parmi les congères du bas-côté. Au passage de Karin, il se retourna, l'air hargneux, pour repousser l'intrusion.

Les points de suture de la ligne médiane entraînaient la jeune femme vers le fond noir enneigé. Ça n'avait aucun sens : Mark, un pilote quasi professionnel, sur une petite route toute droite qu'il empruntait comme on respire. Quitter la chaussée, en plein Nebraska. Autant dire : tomber d'un cheval de bois. Elle jonglait avec la date. Le 20/02/02. Fallait-il y voir une signification ? Elle frappa le volant du plat de la main et la voiture fit un écart. « Votre frère a eu un accident. » À vrai dire, Mark avait pris depuis longtemps tous les mauvais virages de l'existence, et à contresens ! D'aussi loin qu'elle se souvienne, le téléphone avait toujours sonné à des heures indues. Mais jamais encore pour un appel comme celui-là.

Elle écoutait la radio afin de ne pas s'endormir. Elle tomba sur une causerie bizarroïde où l'on discutait des meilleurs moyens de protéger son animal domestique contre les attentats terroristes à l'eau contaminée. Dans le noir, le chœur des voix détraquées, empesées de parasites, s'insinuait en elle et lui murmurait qui elle était : une femme seule sur une route déserte, à cinq cents mètres de son propre désastre.

Enfant, Mark débordait d'attention : il veillait sur son dispensaire pour vers de terre, avait vendu ses jouets pour empêcher la saisie de la ferme, interposé entre ses parents son corps de huit ans, cette nuit atroce où, dix-neuf ans plus tôt, Cappy avait étranglé Joan dans le nœud coulant d'un fil électrique. Karin gardait cette image de son frère, tandis qu'elle tombait tête la première dans l'obscurité. Tous les accidents de Mark venaient de là : trop d'attention portée aux autres.

Passé Grand Island, à trois cents kilomètres de Sioux, au point du jour, à l'instant où le ciel virait au pêche, elle entrevit la Platte. Ce premier éclair jailli du fond bourbeux l'apaisa. Quelque chose attira son regard, une marée ondoyante couleur perle, mouchetée de rouge. D'abord, elle se crut grisée par la grand-route. Haut d'un mètre vingt, un tapis d'oiseaux s'étalait jusqu'à la ligne lointaine des bois. Pendant plus de trente ans, elle avait vu ce spectacle à chaque printemps, et pourtant, devant cette masse dansante, elle donna un coup de volant qui faillit l'expédier sur les traces de son frère.

Il avait attendu le retour des grues pour partir dans le décor. En octobre déjà, après avoir accompli ce même trajet pour se rendre à la veillée funèbre de leur mère, Karin avait trouvé que Mark touchait le fond. Il campait dans le neuvième cercle de l'enfer Nintendo avec ses amis de l'usine de conditionnement, éclusait son pack de bières en guise de brunch, et s'en allait fin bourré rejoindre l'équipe de nuit. « Une tradition à défendre, mon lapereau : question d'honneur familial. » Elle n'avait pas eu la force alors de le ramener à la raison. Il ne l'aurait pas écoutée. Pourtant, il avait passé l'hiver et s'était même ressaisi un peu. Pour en arriver là.

Kearney s'étirait devant elle : ses faubourgs épars, son complexe hypermarché fraîchement sorti de terre, l'auge à graillon du fast-food sur l'ancienne artère de la Deuxième Avenue. La ville entière lui sembla tout à coup n'être qu'une vulgaire bretelle d'autoroute. La sensation du familier l'emplit d'un calme étrange et déplacé. Elle était chez elle.

Elle trouva l'hôpital du Bon Samaritain comme les oiseaux trouvent la Platte. Elle parla au traumatologue et s'efforça de comprendre ce qu'il disait. « État stationnaire », « relativement grave » et « coup de chance » revenaient sans cesse dans sa bouche. Il semblait assez jeune pour avoir fait la bringue avec Mark un peu plus tôt dans la soirée. Elle aurait bien voulu voir son diplôme. Mais elle se contenta de lui demander ce que « relativement grave » voulait dire et hocha poliment la tête à la réponse opaque qu'il lui fit. Elle demanda au docteur ce qu'il entendait par « chance » ; il lui répondit : « Celle d'être en vie. »

Les pompiers l'avaient extirpé de la cabine au chalumeau. Sans l'appel anonyme passé depuis une station-service située aux franges de la ville, il aurait pu rester toute la nuit dans ce cercueil, juste en contrebas de l'accotement, sur cette petite route, coincé contre le pare-brise, à se vider de son sang et à mourir de froid.

Ils la laissèrent entrer dans l'unité de soins. Une infirmière tenta de la préparer, mais Karin n'entendait rien. Elle se trouvait face à un fouillis de cordons et de moniteurs. Un amas de bandages blancs gisait sur le lit. Un visage tuméfié, couleur arc-en-ciel et couvert d'écorchures, reposait au cœur d'un entrelacs de tubes. Les lèvres et les joues sanguinolentes étaient incrustées de granules. Sur le crâne, l'embrouillamini des cheveux laissait place à une zone nue d'où sortaient des câbles électriques. On avait marqué le front au fer d'une grille brûlante. Couvert d'un mince sarrau turquoise, le frère de Karin peinait à respirer.

Elle s'entendit l'appeler au loin. « Mark ? » Au son de sa voix, les yeux s'ouvrirent comme ceux, durs et en plastique, des poupées de son enfance. Pas un mouvement, pas un battement de cils. Rien, jusqu'à ce que la bouche happe l'air sans émettre de son. Karin se pencha au-dessus de l'appareillage. Un sifflement flitrait entre les lèvres, par-dessus le murmure des moniteurs. Souffle parmi les blés prêts pour la moisson.

Son visage la reconnut. Mais rien ne sortit de la bouche hormis un filet de salive. Son regard suppliait, terrifié. Il lui réclamait quelque chose, la vie ou la mort. « Tout va bien ; je suis là », dit-elle. Mais l'affirmation ne fit qu'accroître le désarroi de Mark. Elle faisait monter en lui l'anxiété : tout ce que les infirmières avaient proscrit. Elle détourna les yeux, fixa n'importe quoi pour fuir ce regard animal. Les détails de la chambre se gravèrent dans sa mémoire : les rideaux tirés, l'électronique menaçante alignée sur deux étages, les murs citron, la table roulante placée le long du lit.

Elle fit une nouvelle tentative : « Markie, c'est Karin. Tu vas t'en tirer. » Dire ces mots leur prêtait une espèce de vérité. Un geignement s'échappa de la bouche scellée. Mark tendit une main reliée à une perfusion et attrapa Karin par le poignet. Son geste la stupéfia. La prise, faible mais implacable, l'attirait vers l'enchevêtrement des tubes. Il tendait les doigts vers elle, affolé, comme si, en cette fraction de seconde, elle pouvait encore empêcher le camion de quitter la route.

L'infirmière la fit sortir. Karin Schluter alla s'asseoir dans la salle d'attente du service de traumatologie : de vieux magazines de santé, l'effroi, et au bout d'un long couloir, un terrarium qui sentait l'antiseptique. À côté de Karin, têtes baissées, en salopettes et sweat-shirts sombres, des rangs de fermiers accompagnés de leurs femmes se faisaient face, assis sur des sièges rembourrés couleur abricot. Elle imaginait : père terrassé par une crise cardiaque ; mari blessé dans un accident de chasse ; enfant victime d'une overdose. Là-bas dans un coin, un téléviseur muet diffusait les images d'un désert montagneux semé de guérilleros. Afghanistan, hiver 2002. Passé un instant, elle remarqua une goutte de sang qui perlait le long de son index droit, là où elle s'était rongé la cuticule. Elle se regarda quitter son fauteuil et s'éloigner vers les toilettes, où elle vomit.

Plus tard, à la cafétéria de l'hôpital, elle ingurgita une mixture tiède et gluante. Puis elle se retrouva dans l'une de ces cages d'escalier en béton coulé, destinées à n'être vues qu'en cas d'incendie : elle appelait à Sioux City la grosse boîte d'informatique et d'électronique grand public pour laquelle elle travaillait, au service clientèle. Comme si son patron pouvait l'apercevoir à l'autre bout du fil, elle lissa sa jupe froissée en laine bouclette. Elle lui raconta l'accident en termes aussi vagues que possible. Rapport d'un sang-froid remarquable : trente ans passés à taire les vérités de la famille Schluter. Elle demanda deux jours de congé. Il lui en proposa trois. Elle protesta tout d'abord mais opta bien vite pour le consentement reconnaissant.

Revenue dans la salle d'attente, elle trouva, réunis en cercle et vêtus de flanelle, huit hommes d'âge mûr dont les regards alentis scrutaient le sol. Un murmure montait de la cohorte, comme un souffle de vent venu narguer les volets solitaires d'une ferme. Le son s'élevait puis retombait par vagues. Elle mit un instant à comprendre : un groupe de prière, rassemblé pour une autre victime admise peu de temps après Mark. Liturgie de Pentecôte improvisée, censée couvrir tous les risques que le scalpel, la chimie et le laser ne pouvaient prévenir. Le don des langues s'était emparé du cercle des hommes comme se propagent les conversations anodines dans les réunions de famille. Le pays natal : celui auquel on n'échappe jamais, même en cauchemar.

Chance. Stationnaire. Ces mots aidèrent Karin à tenir jusqu'à la mi-journée. Mais lorsque le médecin revint lui parler, les mots avaient changé : « œdème cérébral ». Quelque chose avait fait grimper la pression dans la boîte crânienne de Mark. Les infirmières tentaient de faire baisser la température de son corps. Le docteur fit mention d'un respirateur et d'un drain ventriculaire. Adieu chance et état stationnaire.

Quand on l'autorisa à revoir Mark, elle ne le reconnut pas. La personne qu'on lui présenta cette fois se trouvait dans un état comateux, son visage absorbé par les traits d'un inconnu. Elle l'appelait, mais ses yeux refusaient de s'ouvrir. Les bras restaient inertes, même lorsqu'elle les pinçait.

L'équipe médicale vint la trouver. Ils lui parlaient comme si elle souffrait d'un traumatisme crânien. Elle essaya de leur soutirer des informations. Mark avait un taux d'alcoolémie juste inférieur à la limite autorisée dans le Nebraska : trois ou quatre bières consommées quelques heures avant de prendre le volant. À part cela, rien de notable dans son organisme. Le camion était fichu.

Deux policiers la prirent à part dans le couloir et l'interrogèrent. Elle leur dit ce qu'elle savait, c'est-à-dire rien. Une heure plus tard, elle se demandait si elle avait imaginé cette conversation. En fin d'après-midi, un homme d'une cinquantaine d'années, en chemise de travail bleue, vint s'asseoir à côté d'elle, dans le coin où elle attendait. Elle parvint à se retourner et à cligner les yeux. Impossible, même dans cette ville : on la draguait en pleine salle d'attente du service de traumatologie.

« Vous devriez prendre un avocat », fit l'homme.

Elle cligna de nouveau les yeux et secoua la tête. Le manque de sommeil.

« Vous êtes avec le gars qui a bousillé son camion ? J'ai lu l'article dans le *Telegraph*. Franchement, vous devriez prendre un avocat. »

Elle hochait la tête, incapable de s'arrêter. « Vous êtes de la partie ? »

L'homme eut un mouvement de recul. « Foutre non ! Simple conseil d'ami. »

Elle finit par trouver le journal et lut l'entrefilet sur l'accident, jusqu'à ce que le feuillet tombe en miettes. Elle attendit dans le terrarium aussi longtemps qu'elle le put, puis partit rôder aux abords de la salle de soins et revint s'asseoir. Toutes les heures, elle suppliait qu'on la laisse voir Mark. Chaque fois, elle essuyait un refus. Elle somnolait par intervalles de cinq minutes, calée dans le fauteuil abricot aux lignes design. Mark surgissait dans ses rêves comme le chiendent après un feu de prairie. L'enfant qui, par compassion, acceptait toujours dans son équipe les moins bons joueurs. L'adulte qui n'appelait que lorsque l'alcool le poussait au bord des larmes. Karin avait la bouche pleine d'une écume pâteuse et les yeux enflammés. Elle alla se regarder dans la glace des toilettes à l'étage : chancelante, le teint brouillé, la frange rousse aussi emmêlée qu'un rideau de perles. Mais encore présentable, attendu les circonstances.

« Il s'est produit un revirement », expliqua le docteur. Il parlait d'hématome, d'ondes bêta et de millimètres de mercure, de lobes et de ventricules. Karin finit par comprendre. On allait devoir opérer Mark.

Ils pratiquèrent une incision dans sa gorge et placèrent une valve à l'intérieur de son crâne. L'équipe cessa de répondre aux questions de Karin. Des heures plus tard, de sa plus belle voix d'employée au service clientèle, elle demanda à revoir Mark. On lui répondit que l'opération l'avait trop affaibli. Les infirmières proposèrent à Karin de lui donner quelque chose, et il lui fallut un moment pour saisir qu'elles parlaient de médicaments.

« Oh, non merci, dit-elle. Je vais bien.

– Rentrez chez vous, lui conseilla le traumatologue. Ordre du médecin. Vous avez besoin de repos.

– Il y a des gens qui dorment par terre dans la salle d'attente. Je peux aller me chercher un sac de couchage et revenir aussitôt après.

– Il n'est rien que vous puissiez faire pour l'instant », affirma le docteur. Mais ce ne pouvait être vrai ; pas dans le monde d'où elle venait.

Elle promit de partir se reposer si on la laissait voir son frère, rien qu'un instant. Ils acceptèrent. Les yeux toujours fermés, Mark demeurait sans réaction.

C'est alors qu'elle vit le billet. Il attendait là, sur la table de nuit. Personne ne sut lui dire quand il était apparu. Un messager s'était glissé dans la chambre sans se faire voir, alors même qu'on tenait Karin l'écart. Une écriture en pattes de mouche, aérienne : le griffonnage d'un immigrant du siècle dernier.

Je ne suis Personne
mais ce Soir sur la North Line
DIEU me conduit jusqu'à toi
pour que Tu puisses Vivre
et ramener quelqu'un d'autre.

Une nuée d'oiseaux, où chacun flamboie. Étoiles précipitées à terre, changées en balles de fusil. Incarnations de particules rouge feu, nichées en ces lieux, parties d'un corps et corps en partie.

À jamais : sans changement mesurable.

Nuée de cendres incandescentes. Puis, quand s'éclaircit cette grisaille de souffrance : l'eau, encore et toujours. Étendue si plate que sa lenteur l'exclut du règne des liquides. Rien, au fond, qu'un flux. Un cours sans suite, à peine en amont de la conscience. Le froid, une chose lui aussi, et incapable de le sentir.

Fil effilé de l'eau qui décline d'un centimètre par kilomètre. Torse aussi long que le monde. Ruban glacé de la source à l'embouchure. Vastes méandres, coudes millénaires, lacets paresseux qui traînassent, renversent le courant pour retenir en leurs alambics, encore et encore, cette longue goutte solitaire que le lit accomplit déjà.

Pas même une rivière, pas même cette langueur de l'Ouest, aqueuse et brune, sans temps ni autre, sinon de temps à autre, dans ce tressaillement. Colonne blanche allumée en ce flot de lumière. Puis dans l'air, explosion d'une pure terreur, qui s'élève d'un bond, retombe et s'élance dans toutes les directions, hormis celle de la cible.

Un son ne vaut pas un mot ; pourtant il dit : viens. Suis-moi. Tente la mort.

Rien que de l'eau, pour finir. Étendue étale qui s'étire sur son fil. Une eau qui n'est rien, mais qui dans rien ne tombe.

Elle descendit dans l'un de ces motels pour touristes amateurs de grues, au bord de l'autoroute. L'établissement semblait tout juste sorti des cartons. La chambre coûtait une fortune. Mais Karin se trouvait à proximité de l'hôpital ; rien d'autre ne comptait. Elle passa une nuit sur place, puis dut trouver autre chose. En tant que proche parente de la victime, elle pouvait bénéficier du centre d'accueil situé à deux rues du Bon Samaritain, un foyer subventionné par la poussière tombée des poches du plus grand cartel de la planète, pourvoyeur mondial de la restauration rapide. Quatre ans plus tôt, du temps où leur père mourait d'une insomnie incurable, Mark et elle avaient baptisé l'endroit le Clown's Club. Quarante jours d'agonie, et dans les derniers temps, pour demeurer près de lui alors qu'il avait enfin consenti à se faire hospitaliser, leur mère restait parfois dormir au Clown's. Karin n'avait pas la force d'affronter ce souvenir, pas maintenant. Elle préférait s'installer chez Mark, à une demi-heure de route.

Elle sillonna les environs à la recherche de Farview où, quelques mois après la mort de leur père, Mark s'était offert un pavillon sur catalogue avec sa part du maigre héritage. Elle se perdit en chemin et dut s'arrêter dans une station Texaco pour demander à un sosie de Walter Brennan le Domaine du Pas des Eaux. Blocage psychologique. Karin ne voulait pas que Mark habite là. Mais depuis le décès de Cappy, Mark n'écoutait plus personne.

Elle finit par trouver la maison en modules préfabriqués, la fierté de son frère entré dans l'âge adulte. Il l'avait achetée juste avant de débuter comme agent de maintenance qualifié à l'usine de conditionnement de Lexington. Le jour de la signature, Mark était allé fêter son acquisition aux quatre coins de la ville, comme s'il venait de se fiancer.

Derrière la porte d'entrée, un chapelet de crottes toutes fraîches accueillit Karin. Tapie dans un coin du séjour, Blackie poussait des gémissements de désarroi coupable. La jeune femme fit sortir la pauvre bête et lui donna à manger. Dans le jardinet grand comme un timbre-poste, le border colley retournait à ses travaux de berger : elle battait le rappel des écureuils, des flocons de neige, des piquets de clôture – de tout ce qui pouvait convaincre les humains qu'elle restait digne de leur affection.

Le chauffage était coupé. Sans Mark et sa manie de ne jamais fermer à fond un robinet, les canalisations auraient claqué. Elle ramassa le monticule de crottes et s'en débarrassa dans le jardin gelé. La chienne s'approcha d'elle, pour faire ami ami, mais surtout pour apprendre où se trouvait Mark. Karin s'accroupit sur le perron et cala son visage entre les montants glacés de la rambarde.

Prise de frissons, elle rentra. Au moins pouvait-elle préparer la maison pour le retour de son frère, s'occuper du ménage en souffrance depuis des semaines. Dans ce que Mark appelait la pièce à vivre, elle remit d'aplomb des piles de magazines : véhicules customisés et demoiselles dénudées. Elle rassembla des CD éparpillés et les rangea derrière le bar à panneaux que Mark avait installé lui-même, sans trop de réussite. Dans la chambre à coucher, une fille en bikini de cuir noir, étendue sur le capot d'un camion de collection, se décrochait du mur. De dégoût, Karin arracha l'affiche. Ce ne fut qu'au spectacle des lambeaux entre ses mains qu'elle vit ce qu'elle avait fait. Elle trouva un marteau dans la remise et essaya de remettre le poster en place, mais il était trop abîmé. Elle le jeta à la poubelle en se maudissant.

La salle de bain était un TP de sciences nat' en pleine efflorescence. Mark ne disposait d'aucun matériel de nettoyage hormis de cure-pipes et un savon senteur cuir. Elle fouilla la cuisine à la recherche de vinaigre blanc ou d'ammoniaque, mais ne trouva rien de plus détergent que des cannettes de bière. Elle exhuma de sous l'évier un plein seau de chiffons et un flacon de poudre à récurer qui rendit un bruit sourd lorsqu'elle le secoua. Elle en fit sauter le couvercle. À l'intérieur, elle découvrit un sachet de pilules.

Elle s'assit sur le carrelage de la cuisine et pleura. Elle pensa rentrer à Sioux City, limiter les dégâts et reprendre le cours de sa vie. Elle retournait les comprimés du bout du doigt. Accessoires pour maison de poupées ou articles de sport : assiettes blanches, disques d'haltères rouges, soucoupes volantes miniatures, couleur parme et frappées de monogrammes illisibles. À qui voulait-il les cacher là-dessous, sinon à lui-même ? Elle crut reconnaître la coqueluche locale : l'ecstasy. Elle en avait pris une fois, deux ans plus tôt, à Boulder. Une soirée passée à se mélanger la cervelle à celle d'autrui et à serrer dans ses bras de parfaits inconnus. Hébétée, elle prit une pilule et la fit rouler sur sa langue. Elle l'en retira aussitôt d'un geste vif et vida tout le sachet dans le broyeur d'ordures. Elle fit rentrer Blackie qui glapissait. La chienne vint lui renifler les mollets : besoin de sa présence.

« Ça va, promit-elle à l'animal. Tout va rentrer dans l'ordre – bientôt. »

Elle passa dans la chambre, musée dédié aux dents de vache, aux minéraux colorés et à des centaines de capsules de bouteille exotiques montées sur des supports bricolés. Elle inspecta le placard. Aux côtés des vêtements en jean et en velours côtelé – sombres le plus souvent –, trois combinaisons tachées de graisse, marquées du logo ACI, pendaient à un crochet au-dessus des bottes de travail crottées que Mark mettait chaque jour pour se rendre à l'usine. Une idée soudain la saisit : ce dont elle aurait dû s'occuper la veille. Elle appela l'entreprise de Mark. Les Abattoirs et Conserveries de l'Iowa, plus gros fournisseurs mondiaux de viande premier choix : bœuf, porc et produits assimilés. Elle tomba sur un menu automatisé. Puis sur un autre. Puis sur une musique guillerette, puis une voix guillerette, puis sur une personne au timbre éraillé qui lui servit du « madame » en continu. Madame. Quand exactement Karin avait-elle pris la place de sa mère ? Une conseillère du service du personnel la guida pas à pas dans la mise en œuvre de la procédure d'invalidité. Pendant l'heure nécessaire au règlement des formalités, Karin éprouva le soulagement de se rendre utile. Cétait un plaisir cuisant.

Elle appela ses propres employeurs, à Sioux. Une grosse affaire, la troisième du pays sur le marché des ordinateurs. Des années plus tôt, quand les clones du PC avaient pris leur essor, cette boîte était sortie de la nébuleuse des sociétés de vente par correspondance grâce aux troupeaux de Holstein qui figuraient sur ses publicités – une astuce toute bête. Quand Karin avait quitté le Colorado pour revenir à contrecœur au Nebraska et décrocher un poste dans cette entreprise, Mark s'était moqué d'elle. « Tu vas bosser au service clientèle de la boîte aux bovidés ? » Inexplicable, en effet. Elle était revenue à la dure réalité après s'être consacrée des années durant à ce qu'elle prenait alors pour une progression de carrière : d'abord standardiste à Chicago, puis vendeuse d'espaces publicitaires pour des revues professionnelles branchées de Los Angeles, elle était devenue le bras droit et, pour finir, le visage de deux entrepreneurs « point com' » de Boulder, qui s'apprêtaient à empocher des millions grâce à un monde en ligne où l'on pouvait se fabriquer de somptueux *alter ego*, mais qui, en fin de compte, s'étaient traînés l'un l'autre devant les tribunaux. Passé trente ans, il ne lui restait plus assez de temps ni d'orgueil pour miser sur l'ambition. Il n'y avait pas de honte à s'acquitter d'un honnête labeur pour le compte d'une société robuste et sans la moindre prétention. Si son destin l'attendait au service clientèle, elle servirait cette clientèle avec toute la compétence dont elle serait humainement capable. De fait, elle s'était découvert un talent caché pour le règlement des contentieux. En deux mails et quinze minutes au téléphone, elle savait convaincre l'acheteur prêt à lâcher une bombe incendiaire sur l'établissement qu'elle et son entreprise de plusieurs milliers de salariés ne désiraient rien tant que le respect de cet homme et son amitié fidèle.

Impossible d'expliquer cela à son frère, ni à personne : statut et satisfaction ne valaient rien. La compétence était tout. Désormais, sa vie ne la mènerait plus en bateau. Elle possédait un travail, qu'elle faisait bien, un nouveau deux pièces sur berge en copropriété, dans le quartier sud de Sioux City, et elle partageait même, avec un aimable mammifère du service technique, une pointe de fébrilité qui menaçait de tourner à la relation suivie d'un mois à l'autre. Mais ensuite. En un coup de fil, la réalité l'avait rattrapée.

Qu'importe. Rien à Sioux ne la réclamait. Celui qui avait vraiment besoin d'elle se trouvait à l'hôpital, sur une île sombre, sans autre famille pour s'occuper de lui.

Elle appela son chef de service et se recoiffa quand il prit la communication. Il vérifia ses jours de congé et dit qu'elle pouvait s'absenter encore une semaine à compter du lundi suivant. Aussi déférente que possible, elle confia n'être pas certaine que ce délai suffise. Son patron répondit qu'il jugeait cela pourtant souhaitable. Elle le remercia, s'excusa encore, raccrocha et repartit dans un ménage plus effréné.

Armée d'un simple liquide vaisselle et de papier absorbant, elle refit de l'appartement un endroit supportable. Elle s'examina dans la glace de la salle de bain tandis qu'elle en nettoyait les salissures : une pacificatrice professionnelle de trente et un ans, deux kilos à perdre, des cheveux roux trop longs de quarante centimètres pour son âge, à la recherche désespérée de quelque chose à réparer. Elle saurait se montrer à la hauteur. Mark serait bientôt de retour pour éclabousser gaiement le miroir. Elle regagnerait le pays de la boîte aux bovidés, où on la respectait pour son travail et où seuls des inconnus lui demandaient de l'aide. Elle tira la peau sèche de ses joues en remontant vers les tempes et ralentit sa respiration. Elle finit le lavabo et la baignoire, puis alla vérifier dans sa voiture le contenu de son sac : deux pull-overs, un pantalon de sergé et trois dessous de rechange. Elle se rendit au centre commercial de Kearney, acheta un pull, deux jeans et de la crème hydratante. Même ces petits riens tentaient encore le diable.

Je ne suis Personne mais ce Soir sur la North Line... Elle s'enquit de ce billet auprès de l'unité de traumatologie. De l'avis général, il était simplement apparu sur la table de chevet peu après l'admission de Mark. Une bonne sœur d'origine hispanique, qui portait sur la poitrine un crucifix compliqué tout incrusté de grosses pierres turquoise, affirmait que personne en dehors de Karin et du personnel hospitalier n'avait été autorisé à voir son frère au cours des premières trente-six heures. Elle fournit les justificatifs qui en donnaient la preuve. La bonne sœur tenta de confisquer la feuille de papier, mais Karin refusa de s'en défaire. Elle en aurait besoin pour Mark, quand il reviendrait à lui.

Du service de traumatologie, on le transféra dans une chambre où elle pouvait rester à son chevet. Mannequin terrassé, il gisait sur le lit. Deux jours plus tard, il ouvrit les yeux l'espace d'une demi-minute, pour les refermer aussitôt. Mais il les rouvrit ce soir-là, au crépuscule. Le lendemain, elle compta qu'il avait ouvert les yeux six fois. Et chaque fois, sur le spectacle saisissant d'un film d'horreur.

Son visage commençait à s'animer comme un masque en latex. Son regard déconnecté la cherchait. Assise à ses côtés, elle glissait sur des éboulis au rebord d'une carrière profonde.

« Qu'est-ce qu'il y a, Mark ? Dis-moi. Je suis là. »

Elle suppliait les infirmières de lui donner quelque chose à faire, n'importe quoi, aussi modeste que fût la tâche, pour se rendre utile. On lui donna des chaussettes spéciales en nylon et des baskets qu'elle devait mettre aux pieds de Mark et retirer à quelques heures d'intervalle. Elle le fit toutes les quarante minutes et lui massait aussi les pieds. Cela faisait circuler le sang et prévenait les caillots. Assise auprès du lit, elle pétrissait et malaxait. Une fois, elle se surprit à réciter à mi-voix la vieille profession de foi des Jeunesses agricoles :

ma tête à de plus justes pensées,
mon cœur à une plus grande loyauté,
mes mains à servir davantage
et mes forces à une vie meilleure...

comme si elle était revenue au temps du lycée et que Mark fût son projet pour la foire régionale.

Servir davantage : elle avait voulu cela toute sa vie, munie d'une simple licence en sociologie de l'université du Nebraska. Assistante scolaire dans la réserve des Winnebagos, bénévole aux soupes populaires du centre de L.A., employée à titre gracieux auprès d'un cabinet juridique de Chicago. À Boulder, pour les beaux yeux d'un petit ami potentiel, elle avait même participé à des marches altermondialistes, brèves apparitions où le zèle qu'elle mettait à scander ses slogans ne parvenait à dissimuler son profond sentiment de stupidité. Elle serait restée chez elle à demeure, se serait attachée à préserver sa famille, si sa famille l'avait laissée faire. À présent, son dernier parent était allongé à côté d'elle, inerte, incapable d'objecter aux services rendus.

Le docteur plaça un robinet métallique dans le cerveau de son frère, pour le drainer. Une monstruosité, mais un succès. À l'intérieur du crâne, la pression chuta. Kystes et sacs se résorbèrent. Le cerveau disposait maintenant de toute la place voulue. Elle le dit à Mark. « Il ne te reste plus qu'à guérir à présent. »

Les heures filaient. Mais les journées s'étiraient à l'infini. Assise auprès du lit, elle lui rafraîchissait le corps à l'aide de couvertures réfrigérantes spéciales, lui ôtait et lui remettait ses chaussures. Tout ce temps, elle lui parlait. Aucun signe n'indiquait qu'il l'entendait, mais elle parlait sans cesse. Il fallait bien que vibrent les tympans et que derrière ceux-ci les nerfs frémissent. « Je t'ai apporté des roses du supermarché. Elles sont belles, non ? Et elles sentent bon. L'infirmier te change ta perfusion, Markie. Ne t'inquiète pas ; je reste là. Il faut que tu te lèves pour voir les grues, cette année, avant leur départ. C'est incroyable. Je n'en avais jamais vu autant. Elles arrivent par flopées. Il y en a toute une bande qui s'est posée sur le toit du McDo. Elles manigancent quelque chose. Dis donc, Mark. Tes pieds sentent le moisi. Comme du vieux Roquefort. »

« Sens mes pieds. » Punition rituelle subie en représailles de toute transgression, dès qu'il avait commencé à la dépasser en force. De nouveau, pour la première fois depuis l'enfance, elle respirait son corps stagnant. Roquefort et vomi caillé. Comme les chatons sauvages que Mark et elle avaient dénichés, tapis sous le perron, l'année de ses neuf ans. Aigre-doux, comme ces forêts de moisissures dans l'assiette de pain humide, couverte et oubliée là, sur le conduit de la chaudière : expérience scientifique pour un exposé qu'il avait dû préparer en classe de sixième. « Quand tu seras rentré, on te fera couler un bon bain moussant. »

Elle lui racontait le défilé des visites au chevet de son voisin de chambre tombé dans le coma : des femmes en tablier, des hommes en chemise blanche et pantalon noir, comme des mormons des années soixante, envoyés en mission. Il recueillait toutes ses histoires, le visage pétrifié, jusqu'au moindre muscle.

La deuxième semaine, un homme d'un certain âge entra dans la chambre, vêtu d'un pardessus bouffant qui lui donnait l'allure d'un bibendum Michelin bleu électrique. Il se posta devant le lit d'à côté et cria au voisin inconscient de Mark. « Gilbert. Mon garçon. Tu m'entends ? Réveille-toi maintenant. Nous n'avons plus de temps à perdre avec ces enfantillages. Ça suffit, compris ? Il faut qu'on rentre à la maison. » Une infirmière vint mettre fin au tapage et emmena le protestataire. Après cela, Karin cessa de parler à Mark. Qui ne sembla rien remarquer.

Le docteur Hayes dit que le seuil des quinze jours marquait le point de non-retour. Sur dix victimes de traumatisme crânien, neuf revenaient à elles dans cet intervalle.

« Les yeux, c'est bon signe, annonça-t-il. Son cerveau reptilien montre une activité soutenue.

– Il a un cerveau de reptile ? »

Le docteur Hayes sourit, à l'image de ces médecins aperçus dans les vieux films du ministère de la Santé.

« Comme nous tous. Vestige de notre longue évolution en ce monde. »

À l'évidence, il n'avait pas grandi dans les parages. La plupart des gens du coin n'étaient guère évolués. Les parents Schluter tenaient tous deux les théories de Darwin pour de la propagande communiste. Mark lui-même la mettait en doute. « Si ces millions d'espèces évoluent toutes en permanence, comment ça se fait qu'une seule soit devenue intelligente ? »

Le docteur expliqua. « Le cerveau possède une aptitude étonnante à se reconfigurer. Mais il ne saurait échapper à son passé. Il ne peut qu'ajouter à ce qui existe déjà. »

Karin se représentait les demeures délabrées de Kearney, superbes architectures victoriennes toutes en bois, augmentées de briques dans les années trente, puis d'aluminium et d'aggloméré, dans les années soixante-dix.

« Qu'est-ce qu'il fait... son cerveau-reptile ? Quel genre d'activité montre-t-il ? »

Le docteur Hayes débita une liste de termes : bulbe rachidien, pont de Varole, mésencéphale, cervelet. Elle copia ces mots dans un minuscule carnet à spirale où elle notait tout, pour aller voir plus tard dans un dictionnaire. À entendre le neurologue, le cerveau semblait plus bancal que les petits chariots que Mark bricolait naguère avec de vieux casiers mis au rancart et des bouteilles de détergent découpées.

« Et son cerveau supérieur... ? Qu'est-ce qui vient ensuite, après le reptile ? Un genre d'oiseau ?

– La structure située immédiatement au-dessus est le cerveau mammalien. »

Karin remuait les lèvres tandis qu'il parlait, pour s'aider. C'était plus fort qu'elle.

« Et celui de mon frère... ? »

Le docteur Hayes se fit plus circonspect. « Difficile à dire. Nous ne discernons aucune lésion manifeste. Il y a de l'activité. De la régulation. L'hippocampe et l'amygdale cérébelleuse ont l'air intacts, mais nous avons constaté des pics d'activité dans le complexe amygdalien, siège de certaines émotions négatives, comme la peur.

– Selon vous, mon frère aurait peur ? » Saisie d'un frisson, elle repoussa d'un geste les paroles réconfortantes du médecin. Mark éprouvait des sensations. Peur ou autre, qu'importe.

« Et son cerveau... humain ? Celui au-dessus du mammalien ?

– Il recolle les morceaux. Le cortex préfrontal s'efforce de synchroniser son activité pour que la conscience revienne. »

Elle demanda au docteur Hayes toutes les brochures sur les traumatismes crâniens dont l'hôpital disposait. Avec un feutre vert à pointe fine, elle souligna chaque indication porteuse d'espoir. « Le cerveau est l'ultime frontière. Plus nous en savons, plus nous apparaît ce qu'il reste encore à découvrir. » Quand elle rencontra de nouveau le docteur Hayes, Karin était prête.

« Docteur, vous avez envisagé l'un de ces nouveaux traitements contre les traumas crâniens ? » Elle plongea le bras dans son sac à la recherche de son petit carnet à spirale. « Les agents neuroprotecteurs ? Le cerestat ? Le PEG-SOD ?

– Houlà ! Impressionnant. On a fait ses devoirs. »

Elle s'efforçait d'afficher la compétence qu'elle voulait voir en lui.

Le docteur Hayes joignit les mains, le bout des doigts sur ses lèvres. « Les choses vont vite dans ce domaine. On a suspendu l'utilisation du PEG-SOD après des résultats insuffisants lors d'un deuxième essai de phase trois. Et je ne crois pas que le cerestat soit indiqué.

– Docteur. (Voix du service clientèle.) Mon frère essaie d'ouvrir les yeux. Vous dites qu'il est peut-être terrifié. Nous sommes preneurs de tout ce que vous pourrez lui donner.

– La recherche sur le cerestat – l'Aptiganel – est abandonnée. Un patient sur cinq en est mort.

– Mais vous avez d'autres médicaments, non ? » Elle consulta son carnet, tremblante. D'un instant à l'autre, ses mains allaient se changer en colombes et s'envoler au loin.

« Pour la plupart, ils en sont encore au premier stade expérimental. Il faudrait que vous fassiez partie d'un programme d'essais thérapeutiques.

– Ce n'est pas déjà le cas ? Je... » Elle fit un geste en direction de la chambre. Dans un coin de sa tête résonnait ce slogan entendu à la radio : « Hôpital du Bon Samaritain... Le plus grand centre médical entre Lincoln et Denver. »

« Il vous faudrait changer d'établissement. Aller là où des études sont en cours. »

Elle le regardait. Un peu arrangé, il aurait pu jouer les médecins-conseils dans les programmes télé du matin. Si elle existait à ses yeux, elle ne représentait alors qu'une source de complications. Sans doute la trouvait-il pitoyable, sous tous rapports. Dans le cerveau reptilien de Karin, quelque chose détestait cet homme.

Soulèvement dans des champs inondés. Une ondulation berce les roseaux, une vague. La douleur encore, puis plus rien.

Quand la conscience revient, il est en train de se noyer. Son père lui apprend à nager. Le courant lui traverse les membres. Quatre ans, et son père qui le tient sur l'eau. Il s'envole, puis s'emballe, puis s'enfonce. Son père lui attrape une jambe, l'entraîne vers le fond. Le retient sous la surface, une main inflexible sur sa tête, jusqu'à expiration de toutes les bulles. « La rivière va te mordre, mon garçon. Tiens-toi prêt. »

Mais il n'y a pas de « mordre », pas de « prêt ». Il n'y a que « se noyer ».

Surgit une pyramide de lumière, des diamants brûlants, des champs d'étoiles spiralés. Son corps traverse des triangles de néon, un tunnel ascendant. L'eau au-dessus de lui, ses poumons en feu, et puis il explose vers la surface, l'air libre.

À l'emplacement de sa bouche, de la peau glabre. Quelque chose de solide enserre cet orifice. Maison remaniée ; fenêtres condamnées. La porte n'est plus une porte. Les muscles tirent sur les lèvres mais pas d'espace pour les ouvrir. Rien que des tuyaux, à la place des mots. Visage défoncé, ramassé à l'intérieur des orbites. Encastré dans un bâti de métal, l'enfer où il lui faut rester. Ses moindres mouvements : une souffrance pire que la mort. Peut-être la mort est-elle déjà passée. Passée et repassée, par un bout de sa vie, puis s'en va. Qui voudrait vivre après pareille chute ?

Une salle pleine de machines, l'espace qu'il ne peut rejoindre. Quelque chose se détache de lui. Des gens entrent et s'effacent trop vite. Des visages se pressent près de son visage sans bouche, ils enfoncent leurs mots en lui. Il les mâche et les recrache en bouffées de sons. Quelqu'un dit « Sois patient », mais pas à lui. *Patient. Un patient.* Voilà ce qu'il doit être.

Des jours, qui sait ? Impossible à dire. Le temps volette alentour, ailes brisées. Des voix passent, reviennent parfois, mais l'une d'elles est aussi près que possible du toujours là. Un visage presque comme le sien, si proche qu'il lui réclame quelque chose, ne serait-ce que des mots, au moins. Ce visage – elle – comme une pluie qui pleure. Rien d'elle ne dira ce qui s'est passé.

Un besoin tente de s'arracher à lui. Besoin de *dire*, plus que d'être. Une bouche, et tout sortirait. Alors elle saurait ce qui s'est passé, saurait que sa mort ne fut pas ce qu'elle semble.

Flux de la pression, comme un fluide comprimé. Son crâne : écrasement infini, enseveli déjà. De la sève s'épanche de son oreille interne. Du sang, de ses yeux engorgés. Pression mortelle, encore, après tout ce qui suinte de lui. Pensées en devenir, un million de plus que n'en peut contenir sa cervelle.

Un visage flotte tout près, qui forme des mots sur les flammes. Dit « Mark, reste », mais lui, il donnerait sa vie pour qu'elle cesse de retarder sa mort. Il pousse sur la chose qui l'oppresse. Les muscles tirent mais la peau ne veut pas. Trop de mou. Il s'acharne sans fin à treuiller les tendons de son cou. La tête finit par s'incliner. Plus tard – des vies après – lève le bord de la lèvre supérieure.

Trois mots pourraient le sauver. Mais l'effort de tous ses muscles ne parvient à libérer un seul son.

Des pensées palpitent dans une veine. Du rouge ramène une pulsation dans ses yeux, puis ce trait blanc surgi du noir où il fut précipité. Une chose sur la route qu'il n'atteindra plus jamais. Crie près de lui tandis que sa vie roule. Quelqu'un, ici dans cette pièce, qui va mourir avec lui.

Le premier mot vient. Il monte à la surface par une plaie plus grande que sa gorge. La peau qui a poussé par-dessus la bouche se rompt et le mot force le passage de la brèche sanguinolente. *Je*. Le mot siffle, si long qu'elle ne l'entendra jamais. *Je ne voulais pas.*

Mais lorsqu'ils frappent l'air, les mots se changent en êtres volants.

Quinze jours plus tard, Mark se redressa et gémit. Karin se trouvait à son chevet, à un mètre cinquante de son visage. Il souleva le buste, et elle laissa échapper un cri. Ses yeux divaguèrent et l'aperçurent. Le cri de Karin se changea en rire, puis en sanglots, tandis que Mark clignait les yeux, le regard posé sur elle. Elle prononça son nom, et le visage tressaillit sous les tuyaux et les cicatrices. Une nuée de soignants envahit bientôt la chambre.

Bien des transformations s'étaient opérées en sous-sol, au temps où il gisait transi. Maintenant, il commençait à poindre, comme le blé d'hiver sous la neige. Il tourna la tête, le cou tendu. Ses mains s'envolèrent, maladroites. Ses doigts tirèrent sur l'appareillage invasif. Sa sonde gastrique surtout le répugnait. Quand ses bras lui permirent de mieux s'y cramponner, les infirmiers lui imposèrent des entraves souples.

Par moments, quelque chose l'épouvantait, et il se débattait pour y échapper. Le pire, c'était la nuit. Une fois, alors que Karin s'en allait, un flot de substances chimiques vint déferler en lui, et d'un bond, il se mit presque à genoux sur son lit d'hôpital. Elle dut l'immobiliser pour l'empêcher d'arracher ses tubes.

Elle le regardait revenir, d'heure en heure, comme dans un film scandinave à l'atmosphère pesante. Il l'observait de temps à autre, hésitant : proie ou prédateur ? Un jour, il céda à une pulsion sexuelle animale, oubliée l'instant d'après. Parfois, elle n'était qu'une taie sur son œil dont il essayait de se débarrasser. Il lui lançait le même regard humide et amusé qu'il lui avait décoché, adolescent, quand, chacun de leur côté, ils étaient rentrés en catimini de leurs escapades nocturnes, aussi ivres l'un que l'autre. « Toi aussi ? J'ignorais que tu avais ça dans le sang. »

Il commença à faire entendre des sons par le tube de trachéotomie – des râles étouffés, langage secret, sans voyelles. Chaque raclement lacérait Karin. Elle harcelait le docteur pour qu'il intervienne. Ils mesurèrent les tissus cicatrisés et le liquide céphalor-achidien, attentifs à tout, sauf aux borborygmes frénétiques de Mark. Ils remplacèrent sa canule trachéale par une autre, fenêtrée, percée de trous minuscules, une lucarne placée dans la gorge, assez large pour laisser passer les sons. Et à chacun de ses cris, Mark implorait quelque chose que Karin ne parvenait pas à identifier.

Il était redevenu celui qu'elle avait aperçu pour la première fois, à quatre ans, depuis le palier du deuxième étage – ce ballot de chair enveloppé dans une couverture bleu layette, que ses parents ramenaient à la maison. Son souvenir le plus lointain : debout en haut de l'escalier, elle se demande pourquoi son père et sa mère perdent leur temps à gazouiller devant cette chose bien plus stupide que les chats du quartier. Mais elle avait vite appris à aimer le nouveau-né, le plus merveilleux des jouets qu'une fillette puisse espérer. Pendant un an, elle l'avait emmené partout comme une poupée, jusqu'au jour où, sans son aide, il s'était mis à faire quelques pas stupéfaits. Elle l'assommait de babillage, l'enjôlait et le soudoyait, lui tendait des crayons de couleurs et de la nourriture qu'elle tenait hors de sa portée tant qu'il n'en prononçait pas correctement le nom. Pendant que sa mère s'employait à amasser des trésors dans les cieux, Karin avait élevé son frère. Une fois déjà, elle lui avait appris à marcher et à parler. Nul doute qu'assistée du Bon Samaritain, elle y parviendrait encore. Au fond d'elle-même, elle remerciait presque le ciel de la deuxième chance qui lui était offerte d'éduquer Mark, et de réussir, cette fois.

Seule à son chevet, entre deux visites d'infirmières, elle recommença à lui parler. Les mots allaient peut-être lui réenclencher le cerveau. Aucun des livres de neurologie qu'elle avait parcourus ne rejetait cette possibilité. Personne n'en savait assez long sur le sujet pour dire ce que son frère pouvait ou non entendre. Elle retrouvait la sensation éprouvée, enfant, quand elle devait coucher Mark, tandis que ses parents allaient miauler des cantiques chez le voisin, autour de l'harmonium Hammond, avant leur première banqueroute et la fin des mondanités. Karin : nounou amateur qui dès son plus jeune âge empochait deux dollars pour maintenir son petit frère en vie une nuit de plus. Markie : défoncé au Milk Dud et Coca cerise, qui la forçait à compter sans fin avec lui, l'obligeait à faire des expériences de télépathie, ou à raconter les longues épopées d'Animalia, le pays où les humains ne vont pas, contrée peuplée de héros, de coquins, de crapules et de victimes, autant de figures inspirées des bêtes de la ferme familiale.

Des animaux, toujours. Les bons et les nuisibles, ceux qu'il fallait protéger et ceux qu'il fallait exterminer. « Tu te rappelles la couleuvre dans la grange ? » lui demanda-t-elle. Les yeux de Mark vacillèrent, fixés sur l'idée de la créature. « Tu devais avoir neuf ans. Tu as pris un bâton et tu l'as tuée sans l'aide de personne. Pour nous protéger tous. Très fier, tu es allé trouver Cappy et il t'a fichu une belle raclée. "Tu viens de nous coûter huit cents dollars de récolte. Tu ne sais donc pas ce que mangent ces bêtes-là ? Qu'est-ce que tu as à la place de la cervelle ?" Tu n'as plus jamais tué de serpent. »

Il l'observait, un frémissement à la commissure des lèvres. Il semblait l'écouter.

« Tu te souviens d'Horace ? » La grue blessée qu'ils avaient recueillie quand Mark avait dix ans et Karin quatorze. L'aile endommagée par une ligne haute tension, l'oiseau s'était posé en catastrophe sur leur exploitation, pendant la migration de printemps. En les voyant, l'animal s'était lancé dans une ronde d'intense panique. Il avait fallu tout un après-midi pour l'approcher, lui laisser le temps de s'accoutumer à leur présence, jusqu'à ce que l'oiseau se fût résigné à la capture.

« Tu te souviens quand on l'a lavé, comment il t'arrachait la serviette des mains d'un coup de bec pour s'essuyer tout seul ? L'instinct, comme celui qui les pousse à s'enduire de boue pour s'assombrir le plumage. N'empêche. Nous, on trouvait cette bête-là plus intelligente que n'importe quel humain sur la planète. Tu te rappelles comment on essayait de lui apprendre à danser ? »

Tout d'un coup, Mark émit une plainte. Ses bras donnèrent des coups de fléau. Une secousse souleva le torse et la tête partit en avant. Les tubes cédèrent, l'alarme aiguë du moniteur retentit. Karin appela le personnel de garde tandis que Mark s'affolait au milieu des draps. Elle était en larmes quand arriva l'infirmier. « Je ne sais pas ce que j'ai fait. Qu'est-ce qui se passe ?

– Regardez-moi ça, dit l'infirmier. Il essaie de vous serrer dans ses bras. »

Elle se précipita à Sioux, pour sauver ce qui pouvait encore l'être. Elle n'avait pas repris son travail à la date convenue et avait atteint la limite de ce qu'elle pouvait demander par téléphone. Elle alla trouver son chef de service. Il écouta les détails de son histoire en hochant la tête avec sollicitude. Un cousin à lui avait reçu un club de golf sur le crâne. Ça lui avait abîmé le lobe « variétal », un nom comme ça. Il n'avait plus jamais été le même après. Le chef de Karin espérait que cela n'arriverait pas à Mark.

Elle le remercia puis lui demanda la permission de rester là-bas encore quelque temps.

Combien de temps ?

Impossible à dire.

Son frère ne se trouvait-il pas à l'hôpital ? Entre les mains de professionnels ?

Elle pouvait prendre un congé sans rémunération, marchanda-t-elle. Pour un mois.

Son chef lui expliqua que la législation en matière de congé maladie ne s'appliquait pas aux fratries. Un frère, aux yeux de la loi, n'était pas un membre de la famille.

Peut-être pouvait-elle résilier son contrat, puis ils la rembaucheraient quand son frère irait mieux.

Pas impossible, dit le chef. Mais il ne garantissait rien.

Elle en fut blessée. « Je suis compétente, dit-elle. Autant que n'importe qui dans la partie.

– Vous êtes mieux que ça », concéda le chef, et Karin se gonfla d'orgueil, malgré les circonstances. « Seulement, je n'ai pas besoin de compétence. Juste de quelqu'un qui soit là. »

Elle récupéra ses affaires, abasourdie. Quelques collègues gênés lui témoignèrent leur sympathie et lui souhaitèrent bonne chance. Mise à la porte avant même d'avoir réussi son entrée. Un an plus tôt, elle s'était imaginée gravir les échelons de l'entreprise, faire carrière, commencer une vie nouvelle, au milieu de gens qui ignoraient tout de son passé, ne connaissaient rien d'elle hormis sa disponibilité affable. Elle aurait dû savoir que Kearney – la marque des Schluter – viendrait lui réclamer des comptes. Elle se demanda si elle devait passer au service technique, annoncer la nouvelle à son flirt, Chris. Mais elle préféra l'appeler sur son portable depuis le parking. Lorsqu'il entendit sa voix, il lui servit un long silence, la double ration. Deux semaines sans mail ni coup de fil. Elle se confondit en excuses jusqu'à ce qu'il consentît à parler. Quand il eut fini de bouder, Chris manifesta beaucoup d'inquiétude. Il demanda ce qui s'était passé. Une honte familiale sans fond empêchait Karin de tout révéler. Pour lui, elle s'était faite pétillante, légère, facile à vivre, sophistiquée même, si l'on s'en tenait aux normes indigènes. Mais elle n'était qu'une bouseuse élevée par des illuminés, affublée d'un frère lymphatique qui avait réussi à retomber en enfance. « Une urgence familiale », se contentait-elle de répéter.

« Tu reviens quand ? »

Elle lui expliqua que cette urgence lui avait coûté son emploi. Magnanime, Chris cracha sur l'entreprise. Il menaça même d'aller tirer l'affaire au clair auprès du chef de service. Elle le remercia mais fit valoir qu'il devait penser à lui. À son emploi. Elle ne connaissait pas cet homme, et il ne la connaissait pas. Pourtant, quand il ne rétorqua rien, elle se sentit trahie.

« Où es-tu ? » demanda-t-il. Paniquée, elle répondit : « Chez moi. »

« Je peux passer te voir, proposa-t-il. Ce week-end, ou quand tu voudras. Pour aider. Selon les besoins. »

Elle éloigna le téléphone de son visage parcouru de spasmes. Elle lui répondit qu'il était trop gentil, qu'il ne fallait pas s'inquiéter comme ça pour elle. À ces mots, il se renfrogna de nouveau. « Très bien dans ce cas, dit-il. Content d'avoir fait ta connaissance. Prends soin de toi. Et bonne route. »

Elle raccrocha, des jurons à la bouche. Mais sa vie à Sioux ne lui avait jamais pleinement appartenu. Elle avait pris, tout au plus, une bonne cuite de simplicité dont il lui fallait maintenant se dégriser. Elle fit un saut à son appartement pour s'assurer que tout était en ordre et se doter d'une garde-robe plus réaliste. La poubelle n'avait pas été sortie depuis des semaines et l'endroit empestait. Des souris avaient grignoté sa batterie de boîtes en plastique hermétiques : des lentilles jonchaient les plans de travail et le beau sol tout neuf. Elle ne pouvait plus rien pour les philodendrons, le schefflera et les fleurs de lune.

Elle nettoya les lieux, coupa l'eau et régla les impayés. Frais qu'aucune mensualité nouvelle ne viendrait plus couvrir désormais. En verrouillant la porte derrière elle, elle se demandait à quoi il lui faudrait encore renoncer, pour Mark. Sur la route qui la ramenait vers le sud, elle se repassa toutes les recettes de gestion de crise apprises pendant sa formation. Elles défilaient sur le pare-brise comme les diapositives d'une présentation PowerPoint. Règle numéro un : vous n'êtes pas en cause. Numéro deux : le monde et vous poursuivez des objectifs distincts. Numéro trois : l'esprit peut changer l'enfer en paradis, le paradis en enfer.

Elle devait sa compétence à l'éducation de son frère. Elle avait fait de cette tâche une expérience de psychologie : dans des circonstances identiques, mais avec des parents différents, sa propre chair, son propre sang, pouvaient-ils donner quelque chose de bon ? En échange de cette attention désintéressée, Mark ne lui avait transmis qu'une inépuisable provision de sa principale particularité : une absence totale de projet. « Les animaux m'aiment bien », affirmait-il à onze ans. Et c'était vrai, sans exception. Tout ce qui vivait à la ferme lui accordait sa confiance. Même les coccinelles grimpaient sans crainte sur son visage et trouvaient entre ses sourcils un endroit où nicher. « Qu'est-ce que tu voudras faire quand tu seras grand ? » avait-elle demandé un jour par mégarde. Sur les traits de Mark se lisait l'excitation : « Hypnotiseur de poulets. »

Mais du côté des humains, nul ne savait au fond que faire de cet enfant. Gamin, il avait commis quelques bêtises : brûlé le crib à maïs en y jetant des allumettes enveloppées de papier aluminium. S'était fait pincer derrière le poulailler en ruine en train de se tripoter. Avait tué un veau de deux cent vingt kilos à peine sevré en arrosant sa nourriture d'un cocktail de médicaments, persuadé que l'animal souffrait de douleurs. Pire, il avait zozoté jusqu'à l'âge de six ans, bien près de convaincre père et mère qu'il était possédé par le démon. Des semaines durant, Joan l'avait obligé à dormir au pied d'un mur qu'exorcisait un crucifix consacré à l'huile sainte, pour que des gouttes en tombent sur sa tête, dans son sommeil.

À sept ans, il avait pris l'habitude de passer de longs après-midi dans une prairie à un kilomètre de la maison. Quand leur mère lui demanda un jour ce qu'il fabriquait là-bas pendant des heures, il répliqua : « Je m'amuse, c'est tout. » Quand elle voulut savoir avec qui, il répondit d'abord : « Avec personne. » Puis se ravisa : « Avec un ami. » Elle lui interdit de sortir avant qu'il lui eût donné le nom de cet ami. Il dit, un sourire timide aux lèvres : « Il s'appelle monsieur Thurman. » Il raconta alors tous les bons moments que monsieur Thurman et lui avaient passés ensemble. Aux cent coups, Joan Schluter rameuta la police de Kearney au grand complet. Après avoir mis la prairie sous surveillance et soumis Mark à un interrogatoire approfondi, les enquêteurs informèrent les Schluter effarés que non seulement monsieur Thurman n'était pas fiché à l'identité judiciaire, mais ne possédait en fait aucune espèce d'identité, sinon dans l'esprit de leur fils.

Karin représentait la seule chance offerte à Mark de survivre à son adolescence. Quand il eut treize ans, elle voulut lui montrer la voie du salut. « C'est facile », avait-elle déclaré. Au lycée, elle avait découvert à sa grande stupeur qu'elle pouvait se faire apprécier, y compris de l'élite, en se laissant habiller par les autres et en acceptant qu'ils lui inculquent leurs goûts musicaux. « Les gens aiment bien qu'on les rassérène. » Mark ignorait la signification de ce mot. « Il te faut une marque personnelle, lui dit-elle. Un signe distinctif. » Elle le poussa à entrer dans un club d'échecs, à pratiquer le cross, à rejoindre les Jeunesses agricoles, et même une troupe de théâtreux. Il n'accrochait à rien, jusqu'au jour où il croisa la bande qui devait l'adopter au seul motif qu'il avait réussi le test d'inaptitude à s'insérer dans tout autre groupe – une bande de paumés qui l'avait affranchi de Karin.

Quand Mark eut trouvé sa tribu, sa sœur ne put plus grand-chose pour lui. Elle se concentra alors sur son propre salut, décrocha sa licence de sociologie, le premier diplôme jamais obtenu dans une famille où l'on tenait la fac pour une forme de sorcellerie. Elle força Mark à la suivre à l'université du Nebraska. Il tint une année, lui qui n'avait jamais eu le cœur de contrarier ses nombreux conseillers en se déclarant enfin majeur. Elle partit à Chicago travailler comme standardiste dans l'un des cabinets comptables d'un grand groupe automobile, au quatre-vingt-sixième étage du Standard Oil Building. Sa mère lui téléphonait souvent, des appels longue distance, rien que pour écouter sa voix d'hôtesse. « Où as-tu appris à parler comme ça ? Ce n'est pas bon ! Tu t'abîmes les cordes vocales. » Elle quitta Chicago pour Los Angeles, la ville la plus fabuleuse du monde. Elle tenta de convaincre Mark. « Tu pourrais être un tas de choses ici. Trouver un boulot n'importe où. Les employeurs de la région s'arrachent les gens faciles à vivre. Tu as les parents que tu as, ce n'est pas de ta faute. Tu pourrais t'installer ici et personne ne serait obligé d'entendre parler d'eux. » Et même lorsque son envol avait montré les premiers signes du déclin, Karin avait continué d'y croire : les gens aiment bien qu'on les rassérène.

Quand Mark serait rétabli, elle relancerait la machine, pour eux deux. Elle remettrait son frère en selle, l'écouterait, l'aiderait à se découvrir. Et cette fois, elle l'emmènerait avec lui, au pays de la raison.

Elle avait conservé le billet et le relisait chaque jour. Sorte d'amulette magique : *Ce Soir sur la North Line, Dieu me conduit jusqu'à toi.* À l'évidence, l'auteur de ce mot – l'âme sainte qui avait découvert l'épave et s'était rendue à l'hôpital la nuit de l'accident – reviendrait pour entrer réellement en contact, maintenant que Mark était réveillé. Karin attendit patiemment une explication longtemps retardée. Mais personne ne vint s'identifier ou apporter un quelconque éclaircissement.

On livra un bouquet de printemps en provenance d'ACI. Vingt collègues de Mark avaient signé une carte de prompt rétablissement. Certains avaient ajouté des plaisanteries, encouragements graveleux que Karin n'arrivait pas à décoder. Le pays entier savait ce qui était arrivé à Mark : une sirène de police ne pouvait retentir dans la région du Big Bend sans que tout le monde, de Grand Island à North Platte, ne soit en mesure de vous expliquer par le menu qui avait chié de travers et comment.

Quelques jours après le changement de canule trachéale, les meilleurs amis de Mark lui rendirent enfin visite. Karin les entendit arriver depuis le fond du couloir.

« Merde, y fait pas chaud dans ce coin de l'univers.

– T'as raison. J'ai les gonades qui me remontent dans les orbites. »

Ils déboulèrent dans la chambre, Tommy Rupp en gilet de chasse et Duane Cain en veste camouflage microfibres. Les Trois Mousses queutards, réunis pour la première fois depuis l'accident. Ils lancèrent à Karin une volée de salutations guillerettes. Elle faillit leur demander où ils s'étaient cachés. Rupp s'avança vers le lit où Mark gémissait et lui tendit la main. Mark, sous l'impulsion d'un lointain réflexe, lui adressa un geste de salut.

« Putain, Gus. Ils ne se sont pas foutus de toi. » Rupp désignait les moniteurs. « Tu te rends compte ? Tout ce matos, rien que pour ta pomme. »

Derrière lui, Duane se démanchait le cou. « Il récupère bien, tu ne trouves pas ? » Il se retourna vers Karin restée en retrait à côté du lit. Des tatouages dépassaient du col de son T-shirt à manches longues : muscles rouges dessinés sur le torse glabre, aussi précis et réalistes que des planches d'anatomie. On aurait dit un écorché. Il chuchotait d'une voix lente et sonore à l'attention de tous ceux qui sortaient du coma. « C'est du délire. Il a fallu que ça tombe pile sur celui qui le méritait le moins. »

Rupp prit Karin par l'épaule. « Il a bien morflé. »

Elle sentit la température grimper dans son bras, du poignet jusqu'en haut. La plaie des rousses : elle piquait un fard plus vite que détale le lièvre à travers la bruyère. Elle se dégagea et se passa la main sur les joues. « Tu aurais dû le voir la semaine dernière. » Elle ne parvint pas à contrôler le ton de sa voix.

Cain et Rupp échangèrent un regard : *Mon frère, elle en a gros, la frangine. Gaffe aux griffes de la mère Mao.* L'air sérieux et dégagé, Cain se voulait coopératif. « On appelait souvent l'hôpital. On sait qu'il s'est réveillé depuis peu. »

Rupp avait pris le diagramme de Mark et branlait du chef. « Est-ce qu'au moins ils font quelque chose d'utile pour lui ? » Il fallait au monde de nouveaux gestionnaires, évidence si manifeste que seule une poignée d'élus s'en rendait compte.

« Il a fallu faire baisser la pression qui s'exerçait sur son cerveau. Il ne réagissait à rien.

– Mais maintenant le revoilà », déclara Rupp. Il se tourna vers Mark et du poing lui donna un léger coup dans l'épaule. « Pas vrai, Gus ? Le grand retour. Comme avant. »

Mark restait immobile, l'œil fixe.

Karin ne put se contenir : « Vous le voyez au mieux de sa forme depuis...

– On s'est tenu au courant », insista Duane. Il grattait ses muscles tatoués. « On a suivi l'affaire. »

Un fleuve de phonèmes s'écoula du lit. Les bras de Mark ondulaient. Sa bouche faisait : « Ah... ah, keuh keuh keuh. »

« Vous le perturbez, dit Karin. Il ne faut pas l'énerver. » Elle voulait les flanquer dehors, mais voir Mark s'agiter ainsi la mettait en émoi.

« Tu rigoles ? » Rupp approcha du lit une chaise vide. « Une visite, c'est ce qui peut lui faire le plus de bien. N'importe quel toubib un peu d'équerre te le dira.

– Il a besoin de ses potes, reprit Duane en écho. Pour relever son taux de sérotonine. Tu connais la sérotonine ? »

Karin se retint de lever les mains au ciel. Elle acquiesça, malgré elle. Pour garder l'équilibre, elle s'enveloppa dans ses bras, puis sortit de la chambre. Quand elle eut franchi la porte, elle entendit un bruit de chaises et Tommy Rupp qui disait, « Vas-y mollo, camarade. Tout doux. Qu'est-ce que tu veux nous dire ? Frappe un coup pour oui, deux coups pour non... »

Si quelqu'un savait ce qui s'était passé la nuit de l'accident, c'était bien ces deux-là. Mais elle se refusait à les interroger devant Mark. Elle quitta l'hôpital pour aller errer du côté de Woodland Park. Fin d'après-midi sous un ciel brun violet. Mars avait lancé l'un de ses printemps trompeurs, ces leurres qui faisaient baisser la garde à la ville entière avant de lui asséner un dernier coup de froid polaire. Des volutes de vapeur montaient des amas de neige sale. Elle prit un raccourci par le centre de

Kearney et son quartier d'affaires voué à la déroute pour des temps aussi lointains que l'avenir le laissait entrevoir. Prix en baisse, chômage en hausse, population vieillissante, fuite des jeunes actifs, exploitations familiales vendues à l'industrie agroalimentaire pour une bouchée de pain et l'appât de la nouveauté : la géographie avait scellé le destin de Mark longtemps avant sa naissance. Seuls les damnés restaient là pour se réunir.

Elle passa devant des demeures aux solides charpentes qui s'effacèrent bientôt devant des masures à toitures goudronnées. Elle quitta l'Avenue E et remonta l'Avenue I, entre la Trente-et-unième et la Trente-cinquième Rue, pour pénétrer à l'intérieur d'une photo grandeur nature de son passé. La maison de son premier amour ; la maison du premier garçon avec lequel elle n'avait pas fait l'amour ; la maison d'une amie de vingt ans, qui l'avait reniée un beau jour, six semaines après son mariage : la faute à une prétendue réflexion venue du jeune époux. Voilà donc la ville à laquelle Karin s'était efforcée d'échapper à trois reprises, rattrapée chaque fois par une catastrophe familiale perverse. Kearney lui gardait en réserve une pierre tombale déjà toute taillée, et la jeune femme n'avait plus rien à faire, sinon déambuler au hasard de ces rues cimetière jusqu'à tomber sur la stèle.

Avant de mourir, Joan Schluter avait confié à sa fille une photographie sur papier cartonné de l'arrière-grand-père Swanson devant sa maison miteuse, cette chapelle de la désolation, à quarante kilomètres au nord-ouest de ce qui allait devenir Kearney. Sur le cliché, l'homme tenait en main la moitié de sa bibliothèque : *Le Voyage du pèlerin* ou la Bible ; l'image était trop floue pour permettre de le dire. Derrière lui, contre le mur de la maison en pisé, accrochée aux bois d'un cerf, pendait une cage dorée, achetée dans l'Est au prix fort et trimbalée en carriole à travers les plaines, sur des centaines de lieues, occupant un précieux volume où l'on aurait pu entreposer des outils ou des médicaments. La cage à oiseau n'était pas une priorité. Le corps pouvait toujours survivre à l'isolement. Mais il fallait compter avec l'esprit.

Les habitants disposaient aujourd'hui d'une cage plus dorée encore : le haut débit bon marché. Internet avait gagné le Nebraska comme l'alcool une peuplade de l'âge de pierre : un don du ciel attendu par les descendants de tout pionnier sur ces terres sablonneuses, seul moyen de survivre à pareil vide. Dans la métropole de Sioux, Karin elle-même abusait du Web chaque jour : sites de voyages, ventes aux enchères où l'on dénichait des vêtements à petits prix, mais très portables, coffrets gourmands que Karin offrait à ses collègues pour les gagner à sa cause, et, une fois ou deux, les sites de rencontres. La Toile : ultime remède contre le mal des grandes plaines. Mais les petits trafics de Karin demeuraient sans conséquence, comparés à la dépendance de Mark. Lui et ses acolytes assuraient à eux trois la survie d'une vingtaine d'avatars en ligne, dialoguaient en largonji avec des ménagères de chat-rooms, plaçaient de longs commentaires sur des blogs consacrés aux théories de la conspiration et diffusaient des images douteuses sur photofolly.com. Après l'usine, ils consacraient la moitié de leur temps libre à accumuler des points d'expérience pour des personnages de fantaisie évoluant dans divers mondes alternatifs. Karin s'épouvantait de voir combien d'heures Mark était disposé à engloutir dans un ailleurs purement imaginaire. Mais à présent, il se trouvait enfermé dans un espace plus lointain encore, inaccessible aux messages instantanés. Et tous les effets néfastes du Web que Karin avait redoutés pour Mark lui semblaient désormais une bénédiction.

Elle traîna en ville assez longtemps pour que s'émousse la capacité d'attention déficiente de Cain et Rupp. Les lampadaires s'allumèrent, dans les rues qui bénéficiaient d'un éclairage. Les groupes de bâtiments défilaient, se dupliquaient, les rues proposaient une simulation plus prévisible que les jeux en ligne auxquels Mark s'amusait. Sur Central, elle fit demi-tour en direction de l'hôpital, pressée d'avoir de nouveau son frère pour elle seule.

Mais Cain et Rupp se trouvaient encore là, vautrés sur leurs chaises. Mark était assis dans le lit. Le trio jouait à s'envoyer une boulette de papier. Les lancers de Mark étaient chaotiques. Certains partaient en arrière et le projectile allait heurter le mur derrière lui. Il lançait aussi bien qu'un chimpanzé en costume marin fait de la bicyclette. Mais il lançait. Cette résurrection pétrifia Karin : le progrès le plus spectaculaire que Mark eût accompli depuis que son camion avait quitté la route.

Cain et Rupp lui expédiaient des lobs sournois qu'il tentait de rattraper une demi-seconde trop tard. La balle improvisée rebondissait sur sa poitrine, son visage, ses mains affolées. Et l'humiliation de chaque impact déclenchait un son qui ne pouvait être qu'un rire très déformé. Karin voulait hurler. Battre des mains pour exprimer sa joie.

Dans le couloir, tandis qu'ils s'en allaient, elle remercia les amis de son frère. Pourquoi pas ? La rescapée en elle avait dépassé le stade de l'orgueil.

Rupp lui adressa un signe d'au revoir. « Il est toujours là. Ne te fais pas de bile. On va le repêcher. »

Elle décida de leur demander s'ils étaient ensemble la nuit de l'accident. Mais elle ne voulait pas compromettre leur brève alliance. Elle montra le billet. « Ça vous dit quelque chose ? »

Ils haussèrent tous deux les épaules. « Que pouic.

– C'est important », dit-elle. Mais ils affirmèrent ne rien savoir.

Duane Cain, qui s'éloignait en crabe dans le couloir, la rappela : « Tu ne sais pas ce qu'est devenue la bête, par hasard ? »

Elle le regardait, déroutée, l'œil rond. Celle de l'Apocalypse ? Ou des rites ancestraux ?

« Son camion, quoi. Il est complètement foutu ? On pourrait... Enfin... On pourrait y jeter un œil, si tu veux. »

La police l'interrogea encore. Elle leur avait parlé au lendemain de l'accident mais ne gardait aucun souvenir de cette conversation. Plus tard, quand elle se sentit en meilleure forme, ils revinrent lui demander des précisions. Deux officiers la retinrent quarante minutes dans l'une des salles de conférence de l'hôpital. Ils lui demandèrent si elle savait quoi que ce soit sur l'emploi du temps de son frère le soir de l'accident. Avait-il eu de la compagnie ? Lui avait-il confié récemment des problèmes personnels, avait-il mentionné des changements dans son travail, des difficultés qu'il devait affronter ? Était-il tendu, dépressif ?

Ces questions dérapaient dans l'esprit de Karin. Son frère ? Vouloir se supprimer ? L'idée lui semblait si farfelue qu'elle ne pouvait répondre. Elle avait passé plus de la moitié de sa vie à cinq mètres de Mark. Elle savait quelles notes il avait obtenues en sciences sociales au lycée, connaissait la marque de ses sous-vêtements, la couleur de ses friandises préférées, le deuxième prénom et le parfum de chacune des filles qu'il avait désirées. Elle pouvait terminer toutes ses phrases avant qu'il ait eu le temps de les finir. Jamais il n'avait parlé de mourir, même par plaisanterie.

Ils lui demandèrent s'il s'était montré irritable ou agressif au cours des dernières semaines. Pas plus que d'habitude, répondit-elle. Ils lui apprirent qu'il s'était rendu au Silver Bullet, un bar miteux sur la route 183. Elle expliqua qu'il y allait souvent, après le travail. Qu'il était un conducteur avisé. Qu'il ne prenait jamais le volant s'il se sentait éméché. Que son camion, c'était son bébé.

Ils voulurent savoir s'il se contentait seulement de boire. Elle leur dit que oui, et cela semblait la vérité même. Elle l'aurait affirmé sous serment devant une cour de justice.

Son frère avait-il dernièrement proféré ou reçu des menaces ? Avait-il jamais fait état de sa participation à des actions violentes ou dangereuses ?

C'était l'hiver. Les routes étaient glissantes. Ce genre de chose arrivait tous les quinze jours. Insinuaient-ils qu'il ne s'agissait pas d'un banal accident ?

Ils avaient calculé la vitesse de Mark à partir des traces de gomme. Au moment où il avait quitté la route, Mark freinait pour ralentir son camion lancé à cent trente kilomètres-heure.

Ce chiffre ébranla Karin. Mais elle ne laissa rien paraître. Elle revint à la charge : parti en pleine nuit et à trop vive allure étant données les circonstances, il avait dû ne plus distinguer le rebord de la route.

Il n'était pas seul, déclara la police. On avait retrouvé trois traces de pneu différentes sur le tronçon de la North Line où Mark avait perdu le contrôle de son véhicule. D'après la reconstitution, une fourgonnette légère qui allait vers l'est avait franchi la ligne médiane pour se déporter sur la file de Mark avant de rectifier sa trajectoire et de disparaître. Devant cette embardée, Mark, qui arrivait dans l'autre sens, avait donné un premier coup de volant à droite, puis avait contre-braqué et traversé la route avant de finir cul par-dessus tête dans le fossé de gauche. Un troisième véhicule, une berline de taille moyenne qui se dirigeait elle aussi vers l'ouest, s'était rabattu sur le bas-côté, et à en croire sa distance de sécurité, devait avoir eu tout juste le temps d'éviter la collision.

La scène se déployait sous les yeux de Karin : séquence de téléréalité au montage insolite, filmée caméra au poing. Quelqu'un qui avait perdu le contrôle de sa camionnette arrivait droit sur Mark. Celui-ci ne pouvait pas piler à cause du véhicule de derrière.

Les enquêteurs relevèrent la faible probabilité de voir trois conducteurs se croiser par hasard sur un bout de route en rase campagne, passé minuit, un jour de semaine, et à la vitesse de cent trente kilomètres-heure pour au moins l'un d'entre eux. Ils expliquèrent que Mark appartenait à une catégorie à haut risque : celle des hommes de moins de trente ans domiciliés dans une petite ville du Nebraska. Ils demandèrent à Karin si son frère avait jamais participé à des rodéos. Des courses de nuit sur route déserte ; un passe-temps occasionnel dans la région.

S'ils faisaient la course, demanda-t-elle, est-ce qu'ils n'auraient pas tous roulé dans la même direction ?

La police laissa entendre qu'il existait des variantes plus dangereuses. Pouvait-elle leur toucher un mot des amis de son frère ?

Elle parla en termes vagues de ses collègues d'ACI. Ils étaient soudés, affirma-t-elle ; ils formaient un clan. À l'écouter, on aurait presque cru que Mark était populaire. Étrange : elle voulait que même la police pense du bien de lui. Même ces hommes qui cherchaient à lui faire croire qu'un inconnu avait poussé son frère hors de la route. Ils se fichaient de savoir ce que Mark devenait. Mark ne représentait qu'une série de traces de pneu. Tout au long de l'entretien, elle avait tenu entre ses doigts le billet caché dans son sac de toile. Ce billet écrit par celui qui avait trouvé Mark, et l'avait ramené. *Je ne suis Personne...* Pouvait-on l'accuser de dissimulation de preuves ? Mais si elle le leur montrait, ils le lui confisqueraient, et elle perdrait son seul talisman.

Elle demanda qui avait signalé l'accident. Ils dirent qu'on avait appelé d'une cabine, depuis la station Mobil après la sortie de l'autoroute, un homme d'âge indéterminé, qui avait refusé de donner son nom.

Le conducteur de l'un des deux autres véhicules ?

Les flics n'en savaient rien, ou ne voulaient rien dire. Ils la remercièrent et la laissèrent disposer. Ils ajoutèrent qu'ils étaient désolés pour son frère et lui souhaitèrent un prompt rétablissement.

Pour qu'ils puissent l'arrêter, songea-t-elle en leur adressant un grand sourire et un signe d'au revoir.

Survient un envol, qui n'est pas toujours la mort. Un essor qui ne finit pas toujours en fracas. Allongé immobile, il traverse toutes les lumières imaginables, les rayons le pénètrent comme de l'eau. Il se solidifie, mais pas d'un seul coup. Par sédimentation, comme le sel lorsque la mer s'évapore. Et il s'écaille, tandis qu'il fige.

De temps en temps, un courant le met à flot. Déferle dans ses membres brisés. Le plus souvent, il rechute dans l'accident. Mais parfois, un fleuve le soulève, au-dessus des collines grises et basses, ailleurs.

Ses débris émettent et reçoivent encore, mais ne communiquent plus. Des mots gouttent dans sa tête. Moins des mots que des sons. *Tête de bouc. Tête de bouc.* Simple tic-tac, rien moins que les battements de son cœur. Le son crépite, comme de l'huile de moteur qui perle. Tête de bouc. Bête à queue. Tête à cornes. Coup de queue. En avant. Queue en tête. Par les cornes. Bête à terre. Abattue. Fini. Le fracas. La chute. Sombrer encore sous la ligne d'eau, sans fond. Cliquetis des mots dans sa tête, convoi sans fin. Parfois il court à côté des fourgons, jette un œil à l'intérieur. Parfois, ce sont les mots qui le cherchent et le dévisagent.

Il est réveillé, ou pas loin. Son corps s'en vient et s'en va. Possible qu'il soit là en personne et assiste à tout. Seulement il ne le sait pas, lorsque ce à quoi son esprit s'accroche s'en vient et s'en va.

Des idées lui parviennent, à moins qu'il ne parvienne jusqu'à elles. Un jeu, toujours, et les scores affluent, au gré des classements. Des personnes l'entourent, toute une marée, une foule comme une pensée énorme et changeante. Il ne s'est jamais connu lui-même. Chaque humain : une phrase solitaire, lancée au milieu d'une représentation trop longue et trop lente pour qu'on l'entende.

Le temps ne sert qu'à mesurer la douleur. Et il a du temps à revendre. Quelquefois, dans un sursaut, il se souvient, veut s'en aller coûte que coûte, réparer, défaire. Le plus souvent, il reste immobile, traversé par le bourdonnement des signaux venus du monde déconnecté, un essaim de moucherons qu'il voudrait saisir et tuer. Ils se dispersent quand il tente de les attraper.

Merveille : il pourrait compter à n'en plus finir, y compris tous ces essaims, rien qu'en additionnant un plus un. Et honorer ses dettes, honorer ses paris. Tutoyer les sommets. Depuis un poste d'observation placé sur une colline. Les gens peuvent tout accomplir. Ils ne savent pas qu'ils sont des dieux, qu'ils survivent même à la mort. Les gens pourraient bâtir un hôpital où l'on maintiendrait en vie toute espèce de vie. Et alors, peut-être, un jour la vie leur rendrait-elle la pareille.

Un brave gamin, celui dans lequel il logeait naguère.

Petit à petit, le besoin disparaît. Plus de chute, Plus d'ascension. Rien que l'être.

Les gens n'ont pas d'idées. Les idées ont tout.

Un jour, il baisse les yeux et se voit, voit sa main, qui lance. Il a donc une main, et cette main peut saisir des objets. Son corps, qui prend forme à travers ce lancer. Sait répéter un geste. Même sans lui, ou sans personne pour y croire.

Autre chose qu'il est censé se rappeler. Autre chose, pour sauver quelqu'un. Message désespéré. Mais peut-être rien d'autre que cela.

Le corps médical fondit sur Mark. Karin les gênait de plus en plus, devenue inutile maintenant que les thérapeutes prenaient le relais. Mais elle restait à proximité, pour aider, là où elle le pouvait, à tirer son frère de vingt-sept ans de la petite enfance où il était retombé. Elle entrouvrit ce possible, assez pour apercevoir le soupçon de quelque chose qui, avec le temps, deviendrait soulagement.

Elle consigna dans son carnet les gestes exécutés par les soignants, les exercices incessants. Sur des pages et des pages, blanches et impeccables, elle mit en ordre les journées de Mark. Elle nota l'heure où il se leva et posa le pied par terre. Décrivit ses premiers efforts infructueux pour se tenir debout, agrippé au rebord du lit. Observé de près, le moindre spasme de ses sourcils faisait figure de miracle. Le carnet était le pensum de Karin et sa récompense. Chaque mot valait une renaissance. Seul le combat primitif de Mark la maintenait à flot. Il aurait besoin qu'on lui repasse le fil de ces jours, à des mois de là. Et elle voulait être prête.

L'implacable répétition des exercices rendait assommant ce temps de rééducation. Un orang-outang se serait mis à marcher et à parler, rien que pour échapper à cette torture. Quand Mark parvint enfin à se tenir debout, Karin l'emmena d'abord faire le tour de sa chambre, puis le tour du poste des infirmiers, puis le tour de l'étage. Sondes et perfusions disparurent, le délivrant de ses liens. Ensemble, à petits pas traînants, ils formaient un minuscule système solaire aux orbites enchâssées. Soulagement impensable, sensation qu'elle croyait ne plus jamais retrouver : marcher à ses côtés, tout simplement.

Le tube fenêtré fut retiré de la gorge, laissant la voie libre aux mots. Pourtant, Mark ne parlait pas. Karin, qui copiait l'orthophoniste, répétait sans relâche : « Aah. Ooh. Ou. Mm mm mm. Teuh teuh teuh. » Mark fixait des yeux le mouvement des lèvres, sans le reproduire. Il restait allongé sur le lit à murmurer, comme un animal piégé sous un boisseau, effrayé à la pensée que les créatures parlantes puissent le réduire au silence une fois pour toutes.

Il oscillait entre docilité et colère. À force d'observer les thérapeutes, Karin apprit à jouer de chaque humeur. Elle fit l'expérience de l'installer devant la télévision. Quelques semaines plus tôt, il s'en serait repu. Mais quelque chose dans la succession rapide des images, dans les lumières aveuglantes et les bandes-son survoltées provoqua ses geignements aussi longtemps qu'elle n'eut pas éteint le poste.

Un soir, elle lui demanda s'il aimerait qu'elle lui lise quelque chose. Il émit un grognement qui ne ressemblait pas à un non. Elle commença par un vieux numéro de *People* ; Mark ne sembla pas s'en formaliser. Le lendemain matin, elle partit fouiller les rayons du Grenier, une boutique de livres d'occasion sur la Vingt-cinquième Rue, jusqu'à ce qu'elle eût trouvé ce qu'elle y cherchait. Une série d'aventures sur la jeunesse : *L'Île inattendue*, *Le Ranch aux mystères* et *L'Étrange Fourgon*. Trois des dix-neuf volumes originaux vaguaient là, dans le flot des reventes, comme les quatre orphelins dans leur monde saboté par les adultes. Parmi les rayonnages aux odeurs de moisi, elle resta feuilleter les pages de garde des albums et finit par tomber sur un « M.S. » impérieux, tracé d'une main mal assurée. Fléau d'une vie passée dans une bourgade au bord d'une rivière peu profonde : vos avoirs les plus précieux refaisaient toujours surface, à la revente sans fin.

Elle s'assit et lui fit la lecture pendant des heures. Elle lisait à voix haute jusqu'à ce que, de l'autre côté du rideau coulissant, les personnes en visite se mettent à proférer des jurons dans leur barbe. La lecture apaisait Mark, surtout la nuit, lorsque, aspiré vers le bas, il se laissait de nouveau entraîner dans l'accident. Au fil de la lecture, son visage se heurtait au mystère de lieux oubliés. Parfois, au milieu d'une phrase, Karin prononçait un mot – « bouton », « oreiller », « violette » – qui suscitait chez Mark l'envie de se redresser et de parler. Elle cessa d'appeler les infirmiers. Ils ne savaient que lui administrer des sédatifs.

Voilà des années qu'elle n'avait plus lu à voix haute. Elle estropiait les phrases, écorchait les mots. Mark écoutait, les yeux ronds comme des soucoupes, à croire que les mots étaient pour lui une forme de vie inconnue. Leur mère avait bien dû leur lire des histoires, au temps de l'enfance. Mais Karin n'arrivait pas à se figurer Joan Schluter en train de lire quoi que ce soit, hormis le récit anticipé des Derniers Jours dont les flammes rougeoyaient déjà en tous lieux.

Joan avait enfin entrevu ces Derniers Jours pour la première fois, dix-huit mois plus tôt. Comme aujourd'hui, Karin avait alors veillé auprès d'un lit, veillée inverse de celle-ci. Leur mère, emportée *in extremis* par un flux verbal, avait laissé échapper toutes les paroles éludées au fil des années consacrées à sa progéniture. « Ma chérie ? Jure-moi que si je commence à radoter, tu abrégeras mon supplice. Verse de la ciguë dans mon jus de pruneaux. »

Mots prononcés tandis qu'elle serrait le poignet de Karin, la forçant à regarder.

« Si jamais tu aperçois les signes. Si ça se répète. Pour des riens. Même si tu ne trouves pas ça très grave. Promets-moi, Kar. Enfile-moi un sac en plastique sur la tête. Ça ne me dit rien d'assister à ce genre d'épilogue.

– Mais maman, c'est contraire aux commandements de Dieu.

– Pas dans ma Bible. Montre-moi le passage.

– Mettre fin à tes jours ?

– Justement, Kar. Ce n'est pas moi qui le ferai !

– J'y suis. Tu veux que moi j'aille en enfer à ta place. Tu ne tueras point.

– Qui parle de tuer ? Il s'agit de charité chrétienne. On le faisait tout le temps pour les bêtes, à la ferme. Promets-moi, Kar. Promets-moi.

– Gare à toi, maman. Tu radotes. Ne me mets pas en difficulté.

– Tu sais ce que je veux dire. Je ne plaisante pas. »

La plaisanterie n'avait jamais compté parmi les préoccupations de Joan Schluter. Pourtant, rendue à la dernière extrémité, elle avait eu des mots tendres, des mots affectueux et effroyables, pour excuser ses échecs de mère. Vers la fin, elle avait demandé : « Karin, tu veux bien prier avec moi ? » Et Karin, qui s'était juré de ne jamais plus adresser la parole à Dieu, dût-il lui-même engager la conversation, avait incliné la tête et remué les lèvres en silence.

« Les assurances vont verser un peu d'argent, dit Joan. Pas beaucoup, mais un peu. Tu sauras en faire quelque chose de bien ?

– Qu'est-ce que tu veux dire, maman ? Quel bien veux-tu que je fasse ? »

Mais sa mère ne savait plus ce qu'était le bien. Elle savait seulement qu'il fallait le faire.

En plein milieu du *Ranch aux mystères*, Karin s'interrompit : « Tu sais quoi, Mark ? Après une éducation comme la nôtre, on a bien de la veine de ne pas être complètement démolis.

– Démolis, acquiesça son frère. Pas complètement. »

Elle se leva d'un bond, une main sur la bouche pour renvoyer un cri au fond de sa gorge. Elle le dévisageait. Il se recroquevilla au fond de son lit, caché sous les draps jusqu'à ce que le danger s'éloigne. « Mon Dieu ! Mark, tu as parlé. Tu peux dire des choses.

– Mon Dieu. Mon Dieu. Mark. Mon Dieu », dit-il. Puis le silence retomba.

« Écholalie. » C'est le nom qu'avait dit le docteur Hayes. « De la persévération. Il imite ce qu'il entend. »

Karin ne se laisserait pas emberlificoter. « S'il peut prononcer un mot, ça doit bien avoir un *sens* pour lui, non ?

– Là, vous touchez à des questions auxquelles la neurologie ne sait pas encore répondre. »

Les paroles de Mark décrivaient les mêmes boucles ténues que ses pas. Un après-midi, il enchaîna des « poules, poules, poules, poules » pendant près d'une heure. Karin croyait entendre une symphonie. Comme elle le faisait se lever pour qu'il marche, elle lui dit : « Allez, Mark. On va nouer tes lacets. » Ces mots déclenchèrent une rafale de « nouer lacets, délasser, assez noué ». Il continua sur sa lancée si longtemps que Karin se crut victime, elle aussi, d'une atteinte cérébrale. Mais dans l'euphorie, au milieu de cette répétition hypnotique, elle crut entendre un « trop serré ». Et quelques boucles plus tard, il formula un « nous deux enlacés ».

Il fallait bien que ces mots signifient quelque chose. Même s'ils ne formaient pas tout à fait des pensées, Mark leur imprimait la force du sens. Elle le faisait déambuler dans un couloir d'hôpital bourré de monde, lorsqu'il lâcha soudain : « On a un sacré boulot, dis donc. »

Elle le prit dans ses bras et le serra fort, toute à sa joie. Il comprenait. Pouvait s'exprimer. Seule récompense dont elle eût besoin.

Il se libéra de l'étreinte et se détourna. « C'était bien et tu gâches tout. »

Elle suivit son regard. Là, dans la rumeur du couloir, elle finit par entendre. Dotée d'une acuité animale que Karin avait perdue, l'oreille de Mark percevait alentour des bribes de conversations éparses qu'il assemblait. Les perroquets possédaient davantage d'intelligence innée. Elle attira Mark contre elle, enfouit son visage dans la poitrine de son frère, et se mit à pleurer.

« On s'en sortira », dit-il, les bras collés le long du corps. Elle le repoussa en arrière pour examiner son visage. Ses yeux en disaient moins que le vide.

Mais elle lui donna à manger, l'emmena marcher, lui fit la lecture, sans relâche, sans jamais douter qu'il reviendrait. Elle avait plus d'énergie pour cette rééducation que jamais auparavant pour aucune des tâches qu'elle ait dû accomplir.

Frère et sœur se trouvaient seuls le lendemain matin quand les surprit une voix de souris surgie d'un dessin animé. « Alors ! Comment ça va aujourd'hui, vous deux ? »

Karin se leva d'un bond en poussant un cri, et se jeta au cou de l'intruse. « Bonnie Travis. Où tu étais passée ? Qu'est-ce que tu as fichu tout ce temps ?

– Désolée, dit la souris. Mais je ne savais pas trop si... »

Elle plissa les yeux et sa lèvre inférieure se contracta. Prise d'une peur subite, elle saisit Karin par les épaules. Lésion cérébrale. Pire que la contagion. Les naïfs en devenaient méfiants et la foi la plus solide se trouvait ébranlée.

Mark était assis au bord du lit, en jean et chemise verte, paumes plaquées sur les genoux et tête droite. On aurait cru qu'il voulait imiter la statue de Lincoln. Bonnie Travis le serra dans ses bras. Aucun signe ne montrait qu'il avait senti l'étreinte. Bonnie eut un mouvement de recul pour se dépêtrer de ce geste manqué. « Oh, mon Marko ! Je me demandais dans quel état tu serais. Mais je te trouve plutôt bonne mine. »

Il avait la tête rasée, sillonnée par le lit de deux grands fleuves qui balafraient la ligne morcelée du partage des eaux. Son visage, toujours excorié, ressemblait à un noyau de pêche de vingt-cinq centimètres. « Je me demandais, dit Mark. Mais je te trouve plutôt bonne. »

Bonnie se mit à rire et le teint Camay de son visage vira au rouge Coca. « Houlà ! Écoutez-moi ça. Duane m'avait dit que tu ne parlais pas, mais moi je te reçois cinq sur cinq.

– Bonne, répéta Mark. Bonne bonne bonne. » Le cerveau reptilien, sorti se chauffer au soleil.

Bonnie Travis gloussait. « Pour te dire la vérité, je me suis arrangée un peu avant de venir. »

La bouche de la femme-souris déversait un flot de mots dénués de sens, anodins, stupides, salvateurs. Le haut débit façon Travis, dont le torrent avait assommé Karin des années durant, lui faisait à présent l'effet d'un long déluge d'avril qui recharge les nappes phréatiques, regonfle les sols. Toute à son babil, Bonnie tirait sur sa jupe de laine prune et sur son pull grenu tricoté main dont les empiècements olive confluaient vers les couleurs de la Platte au mois d'août. Au bout de la chaîne qu'elle portait à son cou dansait un Kokopelli joueur de flûte.

L'année précédente, après les obsèques de leur mère, Karin avait interrogé Mark : « Vous êtes ensemble, maintenant ? C'est ta copine ? » En quête d'une protection, si minime fût-elle.

Il s'était contenté de grommeler. « Même si c'était le cas, elle ne s'en apercevrait pas. »

Devant un Mark immobile, Bonnie entreprit la description exhaustive de son nouveau travail, très récente reconversion de cette serveuse au long cours. « Je t'assure, je me suis dégoté le boulot dont rêvent toutes les nanas. Tu peux chercher cent sept ans, tu ne devineras jamais. Je ne pensais même pas que ça existait. Guide à la Grande Arche des Pionniers. Tu savais que cet édifice est le seul monument au monde à enjamber une autoroute ? Je ne comprends toujours pas pourquoi on ne fait pas plus d'entrées. »

Mark écoutait, bouche ouverte. Karin fermait les yeux et savourait cette merveilleuse inanité humaine.

« Je dois me déguiser en pionnière. Avec une robe en coton qui touche par terre. Et une capote à petite visière franchement coquette. Le grand jeu, quoi. Et il faut que je réponde à toutes les questions des visiteurs, comme si j'étais d'époque. Tu sais, comme si on se trouvait cent cinquante ans en arrière. Tu serais soufflé par ce que les gens te demandent. »

Karin avait oublié à quel point l'existence pouvait être enivrante d'insignifiance. Mark était posé sur le bord du lit, tel un pharaon de grès, l'œil rivé sur les mouvements de la bouche compliquée de Bonnie. Par crainte de s'arrêter, elle continuait de dégoiser sur les tipis dressés sur la bretelle d'autoroute, la débandade d'une horde de bisons reconstituée, la réplique grandeur nature d'un relais Pony Express, le récit épique de la construction de la Lincoln Highway. « Et le tout pour seulement huit dollars vingt-cinq. Dire que certains trouvent ça trop cher !

– Une sacrée affaire, dit Karin.

– Les gens viennent de partout, tu serais épatée. De la République tchèque. De Bombay. De Naples, en Floride. Beaucoup font halte pour les oiseaux. Ils commencent à être sacrément connus, ces piafs. On a dix fois plus de guetteurs de grues qu'il y a six ans de ça, *dixit* mon patron. Ces volatiles font la renommée de la ville. »

Mark partit d'un rire. Du moins cela y ressemblait-il, un rire ralenti à l'extrême. Même Bonnie tressaillit. Elle bafouilla, puis rit à son tour. Elle ne voyait pas quoi ajouter. Ses lèvres se figèrent, le feu lui monta aux joues, et les larmes aux yeux.

Vint pour Karin le moment de changer les chaussures et les chaussettes de Mark, vieux rituel du temps où il fallait activer la circulation sanguine de son frère cloué au lit, et que la jeune femme entretenait faute d'une autre occupation. Assis, Mark attendait, docile, pendant qu'elle lui retirait ses Converse All-Stars. Bonnie se ressaisit et, pour aider Karin, s'occupa de l'autre pied. Le pied nu de Mark dans sa main, elle demanda : « Ça te dirait, que je te fasse les ongles ? »

Il sembla peser cette idée.

« Tu veux lui vernir les... ? Il va en faire une attaque.

– Juste pour rire. C'est un truc auquel on s'est déjà amusé, par le passé. Il adore. Il appelle ça ses griffes postérieures. Je sais ce que tu penses, mais il n'y a rien de franchement tordu là-dedans. Marko ? »

Il ne remua pas la tête, ne cligna pas les yeux. « Il adore », dit-il d'une voix sourde et triste. Bonnie battit des mains et regarda Karin. Karin eut un haussement d'épaules. La demoiselle plongea dans son sac à franges pour en exhumer des flacons de vernis mis là de côté pour cette occasion précise. Bonnie convainquit Mark de s'allonger et de lui abandonner ses pieds. « Gelée de cerise ? Ou bien bleu ecchymose ? Non. Le noir engelure ? Va pour le noir. »

Depuis sa chaise, Karin assistait au rituel. Elle était revenue six ans trop tard pour aider Mark. Qu'importe ce qu'elle ferait à présent : aussi loin pousserait-elle la rééducation, c'est à ça qu'il retournerait. « Je reviens » promit-elle, et elle quitta la chambre. Sans manteau, elle fila à la station Shell dont elle rêvait depuis une semaine. Elle abattit la somme sur le comptoir et demanda un paquet de Marlboro. Le caissier se gaussa : il manquait deux dollars. Six ans s'étaient écoulés depuis qu'elle avait acheté des cigarettes pour la dernière fois, et voilà que les prix avaient doublé dans ce laps de temps bêtement voué à l'abstinence. Elle ajouta la différence et sortit avec son butin. Elle porta une cigarette à ses lèvres que le seul goût du filtre faisait déjà frémir. D'une main tremblante elle l'alluma et aspira. Un nuage d'indescriptible soulagement se propagea dans les poumons et se diffusa dans ses membres. Les yeux fermés, elle fuma la moitié de la cigarette puis l'éteignit avec soin avant de la replacer dans l'étui. De retour à l'hôpital, elle s'assit sur un banc froid au bord de la rampe d'accès, juste devant les portes en verre coulissantes, et fuma l'autre moitié de la cigarette. Après six années de haute lutte, elle voulait freiner autant que possible sa longue et lente dégringolade vers le point exact d'où elle était partie. Mais elle comptait bien savourer chaque petit pas sur le chemin de la récidive.

Dans la chambre, la pédicure remballait son matériel. Assis sur le lit, Mark contemplait ses orteils comme un paresseux une branche d'arbre sur un écran de cinéma. Bonnie virevoltait et jacassait. « Pile dans les temps, dit-elle à Karin. Tu veux nous prendre en photo ? » Bonnie fouilla dans son sac à malice et en sortit un appareil jetable. Elle se plaça à côté des griffes postérieures de Mark ; le vert citron de ses yeux faisait un pendant délirant au violet appliqué sur les ongles.

Quand Karin porta à sa pupille le viseur en plastic, son frère sourit. Qui savait ce qu'il savait ? Karin ne pouvait même pas répondre de Bonnie.

Bonnie la bienheureuse reprit son appareil. « J'en ferai faire des doubles pour vous deux. » Elle frictionna l'épaule de Mark. « On va se payer du bon temps, toi et moi, quand tu seras revenu à cent pour cent. »

Il sourit et l'observa. Puis d'un geste vif, il voulut attraper les seins de la jeune femme sous le pull-over et, de sa main libre, s'empoigna l'entrecuisse. Des syllabes ruisselèrent de ses lèvres : *Ma fourche, mon foutre, enfourche ça, fourre-toi-la, te faire foutre.*

Bonnie lança un cri aigu, fit un bond en arrière et repoussa la main de Mark à coups répétés. Les doigts crispés sur sa poitrine, elle reprit son souffle, tremblante. Les convulsions se changèrent en fou rire nerveux. « Du bon temps, d'accord, mais peut-être pas à ce point. » Avant de partir, elle embrassa quand même le crâne convalescent de Mark. « Je t'adore, Marko ! » Il voulut se lever pour la suivre. Karin le retint, cajoleuse et rassurante, mais il finit par la repousser d'un mouvement d'épaule, puis se laissa tomber sur le lit, le dos arc-bouté, les yeux remplis de douleur. Karin rattrapa Bonnie dans le couloir. Cachée derrière le chambranle de la porte, Bonnie pleurait.

« Oh, Karin ! Je suis désolée. J'ai essayé de tenir tant que j'ai pu. Je n'imaginais pas ça. Ils m'avaient dit de m'attendre à tout. Mais à ce point.

– Tout va bien, mentit Karin. Ce n'est que l'humeur du moment, rien d'autre. »

Bonnie réclama une longue étreinte, que Karin lui accorda, pour l'amour de son frère.

Quand elles se séparèrent enfin, Karin demanda : « Tu sais ce qui s'est passé la nuit où... ? Les garçons t'en ont parlé... ? »

Bonnie chercha, désireuse de répondre quelque chose. Mais Karin tourna les talons et la laissa partir. De retour dans la chambre, elle trouva Mark sur le lit, qui tendait le cou et scrutait le plafond, comme figé au milieu d'un exercice, après avoir oublié de reprendre le cours de son existence.

« Mark ? Je suis là. Nous revoilà tous les deux. Tu vas bien ?

– À cent pour cent, dit-il. Nous revoilà. » Il secoua la tête d'un air grave et se tourna vers elle. « Mais peut-être pas à ce point. »

D'abord il n'est nulle part, puis il n'y est plus. Le changement s'opère à la dérobée, une vie s'avance et en traverse une autre. À l'instant où il repasse de l'autre côté, il aperçoit le non-lieu où il a séjourné. Pas même un endroit avant que jaillisse le flux des sensations. Alors, il se défait de tout le néant dont il était fait.

Ici, il y a un lit où il vit. Mais un lit plus grand que la ville. Il repose sur cette étendue colossale : baleine affalée dans la rue. Bête échouée, longue de plusieurs quartiers. Créature océanique, déboussolée, restituée à la pesanteur accablante, tuée par la gravité.

Rien d'assez massif ne peut l'avoir porté jusqu'ici, ni l'en soulever. Un ventre avachi, qui occupe toute la rue. Des nageoires accrochées dans les clôtures, piquées sur la pointe aiguë des arbres. Couché au bord d'une enfilade de boîtes blanches aux toits goudronnés, aux cheminées pastel coiffées de fumée, spirales qu'un enfant aura griffonnées.

Cette baleine est douleur, et froid cuisant. Orage de données que lui communique sa peau. Plantée sur cette plate prairie, laissée là par une vague repartie trop vite. Des mâchoires énormes, plus hautes qu'un garage, frappent la terre, et résonnent. Chaque cri venu du gouffre de la gorge lézarde les murs et brise les vitres. Au loin, à plusieurs rues de là, la queue de l'animal ensablé donne des coups de battoir. Cerné de maisons, cloué au sol par cette marée basse fulgurante.

Au-dessus d'elle, des kilomètres d'air pèsent si fort que la baleine ne peut plus respirer. Incapable de soulever ses propres poumons. Elle agonise dans un océan asséché, ensevelie sous ce qu'elle doit maintenant inhaler. Le plus gros des êtres vivants, Dieu en personne, ou presque, étalé de tout son long, les muscles défaits. Seul son cœur, aussi vaste qu'un palais de justice, bat encore.

Il veut la mort, si tant est qu'il veuille quelque chose. Mais la mort recule avec l'eau qui reflue. Respirer déclenche un tremblement de terre. La baleine suffoque et roule sur elle-même, écrasant des vies, comme l'air qui l'écrase. Des tempêtes font rage dans son cerveau. Des harpons et des filins pendent à ses flancs. Sa peau pèle en lambeaux de blanc.

Des semaines, des mois, et les râles de la montagne animale en putréfaction se taisent. Les fragments éparpillés de la ville sont ramenés par les courants. Minuscules, des vies acheminées par voies terrestres piquent le monstre à coups d'épingles et d'aiguilles, le lacèrent, viennent réclamer leurs maisons démolies. Les oiseaux picorent sa chair décomposée. Les écureuils en arrachent des morceaux et les enfouissent en prévision de l'hiver. Les coyotes lustrent ses os devenus ivoire étincelant. Les voitures passent sous l'arche immense de ses côtes. Des feux tricolores pendent aux nœuds de ses vertèbres.

Bientôt, des branches et des feuilles lui sortent des os. Les résidents le traversent et ne voient que *rue, pierre, arbres.*

Ses membres lui reviennent, si lentement qu'il ne peut le savoir. Allongé dans le lit qui rétrécit, il dresse un inventaire. Côtes ? Oui. Ventre ? OK. Bras ? Une paire. Jambes ? Idem. Doigts ? Beaucoup. Orteils ? Peut-être. Sans cesse il recommence et trouve un résultat différent. Il se récapitule, comme ces vieilles machines rafistolées. Démonter. Nettoyer. Remonter. Récapituler.

Le lieu qui l'a expulsé veut maintenant le reprendre à tout prix. On lui enfonce des sondes, interminable kyrielle de prélèvements obligatoires. Des mots, à en juger la façon dont les gens les disent. « Ça ça ça va va va ? » Une chose qu'il pourrait entendre dans les champs, la nuit venue, s'il prenait le temps d'écouter. « Mark mark mark », ils le forcent. Caquetage qui se duplique à chaque réemploi. En vain. Le silence ne peut le couvrir. Ils le lisent à livre ouvert, dans la presse. Le délogent à haute voix. Ils le fondent, l'activent, le reprennent à zéro. Des mots sans langue. Et lui : une langue sans mots.

Mark Schluter. Chaussure, chemise, service. Immenses boucles de lui. Des pas qu'il fait. En rond et rond, petits pas, retour. Prolonger le traitement selon besoin. Quelque chose prend pied au-dehors : un lui assez grand pour qu'il puisse remonter dedans. Au milieu du bruit et de l'agitation, il reste caché bien au fond. Parfois, surgit un champ de maïs, et les pieds qui fleurissent s'adressent à lui. Il ne s'était jamais aperçu que toutes les choses parlent. Pour entendre, il fallait ralentir l'allure. À d'autres moments, apparaît une laisse de vase, un flux dans deux centimètres d'eau. Son corps est un petit vaisseau. Sur ses membres, les poils sont des rames qui frappent le courant. Son corps : une masse innombrable de créatures microscopiques rassemblées par le besoin.

À la longue, des notions s'extirpent de sa gorge. Qui rote des mots et les met bas. Petites lycoses qui sautent du dos de leur onde maternelle puis se propagent. Chaque courbe en ce monde est un dire. Branches qui battent aux carreaux. Traces dans la neige. « Coup de chance » est là, qui gravite autour de lui. « Roulée », haletant, heureux de le revoir. « Bonne », fleur mauve qui perce au centre de la pelouse.

Dernier instant fracturé, où il pourrait encore sentir : *Quelque chose sur la route qui m'a abîmé.* Mais ensuite la guérison le ramène – à la dégoulinade des pensées et des mots.

Certains jours sa colère était si forte que rester allongé suffisait à déchaîner sa fureur. Alors le thérapeute demanda à Karin de s'en aller. D'aider en disparaissant. Elle alla camper à Farview, dans la maison modulaire de son frère. Elle nourrit sa chienne, régla ses factures, mangea dans ses assiettes, regarda sa télévision, dormit dans son lit. Elle ne fumait que sur le perron, dans le vent glacial du mois de mars, assise sur une chaise humide de metteur en scène dont le dossier portait une inscription CHLUTER CONTRE CHLUTER ; ainsi, le salon n'empesterait pas le tabac lorsque Mark serait enfin de retour. Elle essayait de s'en tenir à une cigarette par heure. Elle s'obligeait à la faire durer, à en savourer la fumée, les yeux clos, l'oreille aux aguets. À l'aube et au crépuscule, quand son ouïe se fut affinée, elle entendit claironner sur les grues, derrière la pulsation militante des cassettes de gym que se passait la voisine et la rumeur des convois longue distance sur l'autoroute. Karin atteignait le filtre en sept minutes, puis, un quart d'heure plus tard, elle commençait à regarder sa montre.

Elle aurait pu appeler une demi-douzaine d'amis, mais elle ne le fit pas. Quand elle se rendait en ville pour des courses, elle se cachait de ses anciennes camarades de classe. Elle ne pouvait cependant pas les éviter toutes. Des connaissances surgies d'une adaptation cinématographique de son passé venaient interpréter leur propre rôle, mais en y mettant bien plus d'affabilité qu'autrefois, dans la vraie vie. Leur compassion était avide de détails. Comment allait Mark ? Retrouverait-il un jour toutes ses facultés ? Elle leur répondait qu'il touchait au but.

Il lui restait un numéro de téléphone dans le bout des doigts. Les soirs où Mark la mettait en déroute, elle rentrait avec deux litres de cette bière guatémaltèque qu'elle prisait fort du temps de la fac, s'arsouillait tranquillement devant Classic Movies Channel, puis commençait à composer le numéro, rien que pour sentir l'aiguillon de l'interdit. Au bout de quatre chiffres, elle se rappelait qu'elle n'était pas encore morte. Que tout pouvait encore advenir. Elle se débarrasserait de lui comme de la nicotine, même si en purger son organisme avait pris plus longtemps. Robert Karsh – Karsh le baratineur, le roublard, l'impénitent : classe de première au lycée de Kearney, promotion 89, le meilleur espoir masculin, l'infatigable spécialiste du bon plan, celui à qui elle avait dû intimer l'ordre de sortir de sa voiture à deux cents bornes de nulle part, la seule personne, en dehors de son frère, qui ait toujours su lire dans ses pensées. Elle entendait sa voix, mi-évangéliste, mi-pornographe, qui déjà la rappelait à elle, à trois petits chiffres de ses doigts en vadrouille.

Dix ans de privation chimique (colère et envie, culpabilité et ressentiment, nostalgie et lassitude) déferlaient en elle tandis qu'elle composait ce numéro réflexe. Mais elle s'arrêtait toujours à la dernière seconde. Elle n'avait pas vraiment besoin de lui : seulement d'une preuve que son frère n'allait pas l'emporter au royaume souterrain de la lésion cérébrale.

Le rituel de l'autodégradation mêlé à la bière et aux cigarettes toujours plus abondantes lui embrasait le teint, et de nouveau cette couleur feu n'appartenait plus qu'à elle. Elle écoutait les CD pirates de Mark – ses groupes de *metal* au succès d'un jour, maîtres extatiques de l'inexorable. Puis elle retournait s'étendre sur le lit et tombait sans fin dans la profondeur du matelas, en chute libre dans l'air pur. Elle se caressait, comme Robert la caressait autrefois – *encore en vie* –, tandis que la chienne de Mark observait depuis la porte, perplexe. Ces simples tests du corps se changeaient peu à peu en plaisir dès lors que Karin parvenait à empêcher ses mains de penser.

Question d'orgueil : elle ne composa le numéro complet qu'une seule fois. Fin mars, les jours rallongeant, elle avait emmené son frère accomplir l'une de ses premières sorties en extérieur. Ils déambulaient dans le parc de l'hôpital tandis que Mark concentrait toute son attention sur un objet impénétrable. Autour d'eux, les premiers insectes printaniers emplissaient l'air de leur bourdonnement. L'aconit d'hiver disparaissait déjà, tandis que crocus et jonquilles pointaient sous les derniers monticules de neige. Une oie à front blanc passa dans le ciel. Mark renversa le cou. Il ne put voir l'oiseau mais, lorsque Mark baissa la tête, un souvenir rayonnait sur son visage. Un sourire plus franc qu'elle ne lui en avait jamais vu depuis la mort de leur père fit irruption sur ses lèvres. La bouche était ouverte, prête pour le mot « oie ». Karin l'encourageait du regard et des mains.

« O-O-O-ordure. Saloperie. Sale pute de merde. Suce ta chatte pourrie tu l'as dans le cul. »

Il souriait fièrement. Estomaquée, elle s'écarta, et le visage de Mark s'assombrit. Elle repoussa l'assaut des larmes, reprit son frère par le bras, et, feignant le calme, le remit dans la direction du bâtiment. « C'est une oie, Mark. Tu te souviens des oies ? Toi aussi, tu en es une belle, et bien sotte, tu le sais ?

– Merde pute bite » scandait-il, concentré sur ses pieds paresseux.

C'était le traumatisme, non son frère. Rien que des sons : des choses dépourvues de sens, des choses enfouies, que la blessure faisait remonter. Il ne voulait pas l'agresser. Elle s'était répété cela tout le long du trajet retour vers Farview. Mais elle ne croyait plus rien de ce qu'elle se répétait. Tous les espoirs qui l'avaient portée pendant des semaines avaient disparu dans ce torrent d'obscénités moqueuses. Elle avait retrouvé la Homestar dans l'obscurité profonde. Une fois à l'intérieur, elle était allée droit au téléphone et avait composé le numéro de Robert Karsh. L'ascension régulière de Karin vers l'autosuffisance s'apprêtait à renouer avec l'abaissement.

La fille cadette répondit. Préférable au frère aîné. Son « allô » prononcé d'une voix traînante comptait au moins une syllabe de trop. Sept ans. Quels parents laissaient ainsi leur fillette de sept ans répondre au téléphone, la nuit venue ?

Karin retrouva le nom de l'enfant. « Ashley ? »

Pleine de confiance, la toute petite voix repartit d'un grand « ouiii ! » façon Cartoon Network. Austin et Ashley : des prénoms à vous marquer des enfants à vie. Karin raccrocha et composa d'instinct un autre numéro, un numéro qu'elle songeait appeler depuis des semaines.

Quand il prit la communication, elle dit, simplement : « Daniel ». Au bout d'un silence interdit, Daniel Riegel répondit : « C'est toi. » Elle sentit monter en elle un si grand soulagement qu'elle ne parvenait à comprendre pourquoi elle n'avait pas appelé plus tôt. Il aurait pu l'aider, dès le soir de l'accident. Lui qui connaissait Mark. Le vrai Mark, le gentil. À lui, elle aurait pu parler tout autant du passé que de l'avenir.

« Où es-tu ? » demanda-t-il.

Karin se mit à pouffer. Horrifiée, elle se ressaisit. « Ici. Je veux dire, à Farview. »

De sa voix de naturaliste, ce timbre sourd qu'il employait sur le terrain pour désigner des choses que la peur mettait facilement en fuite, Daniel dit : « À cause de ton frère. »

On aurait cru de la télépathie. Puis elle se souvint : petite ville. Elle se laissa sombrer dans la douceur des questions de Riegel. La délivrance des réponses allait bien au-delà de ce que les mots pouvaient décrire. Karin se retournait comme un gant à chaque phrase : Mark progressait à pas de géant ; son état était plus que désespéré. Il parvenait à penser, à identifier des objets et pouvait même s'exprimer ; il restait pris au piège de la carcasse de tôles, marchait comme un ours de cirque et jasait comme un perroquet pervers. Daniel lui demanda comment elle allait. Bien, vu les circonstances. Les journées étaient longues, mais elle pouvait faire face. *Avec de l'aide*, suppliait sa voix, malgré elle.

Elle pensa un instant lui demander de venir la retrouver quelque part, mais elle ne voulut pas risquer de l'effrayer. Alors elle se contenta de parler ; sa voix dessinait des volutes comme la houle. Elle essayait de prendre pour lui les intonations de la femme capable qu'elle était presque devenue. Elle n'avait même pas le droit d'entrer en contact avec cet homme. Mais son frère avait failli mourir. La catastrophe mettait le passé entre parenthèses et offrait à Karin un asile provisoire.

Jusqu'à l'âge de treize ans, Mark et Daniel avaient été inséparables, deux siamois, enfants des bois, qui débusquaient des tortues boîtes ornées, découvraient des nids de colins, campaient devant des terriers qu'ils rêvaient d'habiter. Puis, au collège, quelque chose s'était produit. En quatrième, d'un trimestre à l'autre, une brouille les avait éloignés. Une longue, très longue guerre de position. Danny avait choisi la compagnie des animaux, Mark les avait abandonnés pour le monde. « Je grandis », s'était-il expliqué, comme si l'amour de la nature représentait une fixation d'adolescents. Il n'entretint plus aucune relation avec Daniel. Des années plus tard, après que Karin eut commencé à fréquenter Danny de son côté, aucun des garçons ne fit jamais mention de l'autre en sa présence.

Avec Daniel, la situation s'était gâtée presque dès le début. Elle avait fui à Chicago, puis à Los Angeles, pour finir par rentrer au bercail, la queue basse. Daniel, en infatigable idéaliste, lui avait rouvert sa porte sans poser de questions. Il avait fallu qu'il la surprenne au téléphone avec Karsh, en train de l'imiter à voix basse, pour la flanquer enfin dehors. Elle s'était précipitée chez son frère en quête de soutien. Mais quand Mark, loyal envers elle, avait commencé à dénigrer Daniel, évoquant les noirs secrets d'antan, Karin s'était retournée contre lui avec tant de dureté qu'ils ne s'étaient plus adressé la parole pendant des semaines.

À présent, la voix de Daniel la rassurait : Karin valait mieux que son passé. Il l'avait toujours dit, et la vie lui lançait maintenant un défi qui en apporterait la preuve. Le ton de Daniel n'était pas loin de la convaincre.

La bêtise humaine ne signifiait rien, et surtout pas ce que les hommes croyaient. On pouvait s'en débarrasser, comme du fil de soie qui vous chatouille le visage. Les méchancetés involontaires n'avaient pas d'importance. Seul comptait son frère désormais. Daniel l'interrogea sur le traitement de Mark – bonne question qu'elle aurait dû poser aux médecins depuis longtemps. Elle l'écoutait comme une vieille chanson aimée puis oubliée, celles qui concentrent en trois minutes le chapitre complet d'une existence. « Ça me ferait plaisir de venir à l'hôpital, dit-il.

– Tu sais, en ce moment, il ne s'intéresse pas à grand monde. » Quelque chose en elle refusait qu'il voie Mark dans cet état. Elle attendait de Daniel qu'il lui raconte Mark, le Mark d'avant. Les anecdotes qu'après trop de jours passés à son chevet elle n'était plus certaine d'avoir bien présentes à l'esprit.

Elle eut en revanche la présence d'esprit de lui demander de ses nouvelles. Cette diversion lui fit du bien, même si elle ne parvint pas à se concentrer sur les détails. « Comment ça se passe à la Réserve naturelle ? »

Écœuré par les compromis, Daniel avait quitté la Réserve. Il travaillait maintenant pour le Refuge des grues du comté de Buffalo, une structure plus modeste, plus réactive, plus militante. À la Réserve, on travaillait sur le long terme, animé de bonnes intentions, mais avec bien trop de complaisance. Au Refuge, la tendance était plus dure. « Si on veut sauver une chose qui existe depuis des millions d'années, on ne peut pas jouer la carte de la modération. »

Elle avait été bien pitoyable de prendre cet homme à la légère. Avec sa sobre détermination, il valait dix fois mieux qu'elle et Karsh réunis. Elle n'arrivait pas à croire qu'il accepte encore de lui adresser la parole. Cela aussi, l'accident l'autorisait. Un bref instant, il rendait chacun d'eux meilleur. Elle avait erré dans une tempête de neige ; transie de froid, elle était tombée sur une cabane et un feu. Elle voulait que se prolonge cette conversation, lente et sinueuse, en chemin vers nulle part. Pour la première fois depuis l'appel téléphonique de l'hôpital, elle se sentait capable d'accomplir tout ce que le désastre exigeait d'elle. Du moment qu'elle pouvait parler à cet homme de temps en temps.

Daniel l'interrogea sur sa vie d'avant l'accident. Il posait ses questions en apartés discrets, comme s'il se trouvait allongé dans un champ, immobile, l'œil collé à ses jumelles. « Je me débrouille, répondait-elle. J'apprends beaucoup sur moi-même. Il se trouve que j'ai une certaine aptitude à travailler avec des personnes irritées. » Elle lui décrivit toutes les responsabilités qui avaient été les siennes, dans cet emploi qu'elle venait de perdre. « Ils disent qu'ils pourront peut-être me reprendre, quand ce sera fini.

– Tu vois quelqu'un ? »

Elle se remit à glousser. Décidément, quelque chose chez elle ne tournait pas rond. Quelque chose dont le contrôle lui échappait. « Seulement mon frère. Neuf à dix heures par jour. » Cet aveu suffit à la terrifier. « Daniel ? Ce serait vraiment bien si on pouvait se poser un moment quelque part. Si tu as le temps. Je ne veux pas être un poids. J'ai pas mal... de fil à retordre, c'est tout. Je sais que je suis la dernière à avoir le droit de te demander ça... Mais je ne vois pas trop comment débrouiller ce truc toute seule. »

Longtemps après avoir raccroché, elle l'entendait encore lui répondre : « Bien sûr. Ça me fera plaisir. À moi aussi. »

Elle pourrait apprendre, songeait-elle en s'endormant. Apprendre à ne plus être cette trouillarde qui se protège de tout. Tirer un trait sur le temps perdu à repousser d'incessants affronts imaginaires. L'accident changeait la donne, lui offrait une occasion de racheter tous ses vieux délits de fuite. Ces dernières semaines l'avaient vidée – rien qu'en lui infligeant le spectacle de son frère mis à nu. Comme il lui devenait facile à présent de flotter au-dessus d'elle-même, et d'embrasser du regard tous les besoins meurtriers qui la dominaient, pour démasquer en eux le simulacre. Aucun n'avait le pouvoir de la blesser, hormis celui qu'elle leur prêtait. Chaque obstacle auquel elle s'était heurtée n'était qu'un piège chinois qui s'ouvrait sitôt qu'elle cessait de tirer dessus. Elle pouvait simplement observer, apprendre à connaître le nouveau Mark, écouter Daniel sans devoir forcément le comprendre. Les autres avaient leur histoire, qui n'était pas la sienne. Tout être vivant était au moins aussi effrayé qu'elle. Il suffisait de s'en souvenir pour aimer la terre entière.

Écho lali. Coco pelli. Coca pala. Choses vivantes, toujours parlantes. Comment sait-on qu'elles sont vivantes ? Toujours à dire : « Regarde », à dire : « Écoute », à dire : « Tu vois ce que je veux dire ? » Que peuvent dire les choses, qu'elles ne sont déjà ? Les choses vivantes émettent ce genre de sons, juste pour dire ce que le silence dit mieux. Les choses mortes sont ce qu'elles sont déjà ; elles peuvent se taire en paix.

Les humains, ce sont les pires. À le bassiner de leurs mots. Pires que les cigales par une chaude soirée d'été. Ou des grouillis de grenouilles, et ça croasse à tout casser. Écoutez-moi ce chambard. Écoutez-les, ces oiseaux.

Mais des oiseaux crieraient plus fort. Sa mère le disait bien. Plus vaine la chose, plus grand le bruit. Prenez le vent : ce grand raffut qui ne va nulle part, sans rime ni raison, or rien sur terre n'est plus vain que le vent.

Quelqu'un dit que les oiseaux lui manquent. Comment donc ? Les oiseaux arrivent à jet continu. Comment pourraient-ils lui manquer, eux qui ne manquent pas ? C'est sûrement aux rochers que les animaux ressemblent le plus. Eux ne disent que ce qu'ils sont. Un « maintenant » plus long, un « avant » plus bref, ils vivent en ce lieu dont il vient de sortir.

Il a su ce qu'était ce lieu, mais désormais, ce n'est plus qu'un dire.

Et ils lui en font dire des choses, les humains. Ils l'emmènent en virée, et c'est tuant. L'enfer en enfilade, pare-chocs contre pare-chocs, pire que l'autoroute, avec des gens qui fusent dans tous les sens, bien trop vite pour manquer. Et malgré ça, ils veulent qu'on parle, même en bougeant. Comme si parler n'était pas assez délirant. Mais quand ils se mettent à le triturer, ils le laissent s'allonger. L'eau qui dort a plus d'un tour dans son sac. Ce qu'il aime : qu'on lui rende son corps, et que cesse le besoin. Rester couché, simplement, dans la rumeur du monde, tandis que soudain le courant de tous les canaux lui traverse la peau.

Le temps revenu, il faut travailler un peu. Debout, les porcs ! Faut y mettre du chien. Voilà qu'on le loge dans une bétaillère. Dans un vieux fourgon, avec d'autres orphelins comme lui. Il en a vu de pires. Difficile de dire où il se trouve au juste. Il ne dit rien. Des riens le disent. Le peu qu'il a dans la tête fiche le camp. Des pensées en sortent qu'il ne pensait pas à lui. Nul ne sait toujours ce qu'il veut dire. Ce n'est pas gênant. Et d'ailleurs, il ne se gêne pas non plus.

Une fille passe, qu'il aimerait bien se faire. Chose faite, peut-être déjà. Mais quand même, ce serait bon de faire la chose. Ça pourrait coller. L'un à l'autre, toujours. Encore. Un corps, pour deux, à corps perdu. Après tout, ces oiseaux-là, ils s'accouplent pour la vie. Les oiseaux lui manquent. Qui sont les humains, pour mieux faire ? Compagnons à jamais. Ils montrent à leurs petits la route du toit de la terre et le chemin du retour, le chemin qu'il a su trouver.

Fortiches, ces oiseaux. Comme disait toujours son père. Un papa qui les connaissait au point de les tuer.

Quelque chose dans ce souvenir-là le tue, sur place, et puis ça passe.

Babil, mais aussi Babel. Dis-le, mais dis-le donc, ajuste le dire. Dis-le, c'est facile, ça. Écho. Lali.

Fini. Rideau. En cet instant précis. Où il n'est pas. C'est pour ça qu'ils le font parler. Pour montrer qu'il appartient aux choses vivantes, et non aux pierres.

Pas très sûr du pourquoi, ni du comment il se trouve là. Il a eu un accès dans. Quelque chose de plus dantesque que cet acte-ci, mais les jacasseurs n'en pipent mot. Toutes ces choses dont il faut parler, des millions de choses mouvantes, et celle-là, personne n'en dit rien. La plupart du temps, quand ils parlent, rien ne se passe. Rien sinon ce qui est déjà. Ce qui lui est arrivé : une chose que même les choses vivantes ne veulent pas dire.

Elle lui faisait la lecture en continu : son unique contribution. D'un air placide, Mark traversait les tribulations racontées. Il se laissait porter par les phrases aux cadences de chemin de fer. Karin, elle, sentait la plus prévisible des histoires lues à voix haute lui remonter le long de l'échine. La mésaventure du jeune garçon qui s'introduit dans une maison abandonnée, puis s'écroule, frappé à la tête, pour finir ligoté et bâillonné à la cave, força la jeune femme à refermer le livre, incapable de poursuivre. Le traumatisme crânien l'avait abîmée. Voilà que même les histoires pour enfants devenaient réalité.

Les Mousses queutards reparurent pour récidiver. « On n'avait pas promis ? » lança Tommy Rupp. « On ne l'avait pas dit, qu'on viendrait à la rescousse pour requinquer notre lascar ? » Ils déballèrent des ballons en mousse équipés d'ailettes, des jeux électroniques et même des voitures radiocommandées. Mark réagit, frappé d'abord d'une sourde stupéfaction, puis saisi d'un ravissement mécanique. Au bout d'une demi-heure, ses progrès en coordination oculo-manuelle étaient plus manifestes qu'après plusieurs journées de kinésithérapie.

Duane se concentrait sur sa consultation. « Qu'est-ce que tu fabriques avec ta coiffe des rotateurs, Mark ? Pense à ta coiffe des rotateurs. C'est crucial, comme on dit. »

Rupp les forçait à garder le cap. « Oublie ton numéro de sorcier, tu veux ? Et laisse Gus lancer le ballon. J'ai pas raison, Gus ?

– Raison, Gus », fit Mark qui assistait à ce chahut comme en léger différé.

Bonnie passait tous les deux ou trois jours. Mark se délectait de ses visites. Elle venait toujours avec des amusettes : petits animaux en caoutchouc emballés dans du papier métallisé, tatouages en décalcomanie, horoscopes sous enveloppes scellées et décorées. « Vous allez bientôt vous lancer dans une aventure inattendue... » Mieux qu'un livre. Elle pouvait débiter à jet continu les récits drolatiques d'expériences vécues en bordure d'autoroute, à bord d'un chariot couvert qui jamais n'avait atteint son lopin de terre. Un jour, elle se présenta dans son accoutrement de pionnière d'opérette. Mark la regarda, sidéré, entre le vieux satyre et le gosse au jour de son anniversaire. Bonnie lui apporta un lecteur de CD et une paire d'écouteurs, ce dont Karin n'avait pas eu l'idée. Elle lui présenta un coffret de disques : de la musique pour filles, tristes complaintes sur l'aveuglement des garçons ; jamais encore Karin n'avait vu Mark écouter religieusement ce genre de goualante. Mais le casque sur la tête, les yeux clos, il souriait et jouait du tambourin sur ses cuisses.

Bonnie aimait écouter les histoires que Karin lisait à voix haute. « Il n'en perd pas une miette, affirmait-elle.

– Tu crois ? demandait Karin qui s'accrochait au moindre espoir.

– Ça se voit dans son regard. »

L'optimisme de la jeune femme était un opiacé. Karin en était déjà esclave, pire que de la cigarette.

« Je peux tenter un truc ? » demanda Bonnie en lui touchant l'épaule. Ses mains la palpaient sans cesse, et de chaque mot faisaient une confidence. D'une paume caressante, elle se concilia Mark, tandis que de l'autre elle le maîtrisait. « Prêt, Marko ? Montre-nous ce que tu as dans le ventre. Allez : un, deux, trois, nous irons au... »

Il la regardait, bouche bée, sous le charme.

« Vas-y, mon grand. Concentre-toi ! » Elle se remit à chanter : « Un, deux, trois, nous irons au...

– Bois. » La syllabe sortit en une plainte aiguë. Karin resta saisie devant cette première preuve que, quelque part dans son tréfonds, Mark continuait à fabriquer du sens. Son frère qui, à peine quelques semaines plus tôt, réparait encore les machines compliquées des abattoirs parvenait maintenant à compléter la première phrase d'une comptine. Entre ses mâchoires serrées, Karin articula un « oui ! ».

Bonnie continua, guillerette comme l'eau d'un ruisseau. « Quatre, cinq, six, cueillir des ce...

– ... rises !

– Sept, huit, neuf, dans mon...

– ... cul. »

Mortifiée, Karin éclata de rire. Bonnie rassura Mark déconfit. « Hé ! Deux sur trois. Tu es un chef ! »

Elles tentèrent *Une souris verte*. Mark, le visage crispé, concentré jusqu'à l'extase, fit mouche sur « verte », « herbe », « queue », et « disent ». Bonnie se lança dans *Il était un petit homme*, mais rendue assez loin dans la chanson pour se rappeler les derniers couplets, elle s'interrompit et bredouilla des excuses.

Karin prit le relais. Elle mit Mark à l'épreuve sur un air que Bonnie n'avait jamais entendu. Mais pour les Schluter frère et sœur, ces quatre vers concentraient toutes les rigueurs glacées de l'enfance. « Je vois la lune, commença Karin dont la voix ressemblait trait pour trait à celle de sa mère, du temps où les comptines de Joan ne servaient pas encore à exorciser le Malin. Et la lune... »

Mark écarquilla les yeux, saisi par un sursaut de lucidité. Ses lèvres s'ourlèrent d'une grimace prometteuse. « Me voit !

– Dieu bénisse la lune, dit Karin avec assurance – cette vieille psalmodie. Et... »

Mais son frère restait figé, cloué au dossier de son fauteuil, l'œil rivé sur quelque créature inconnue de la science, dont le profil venait de surgir à l'horizon, dans le crépuscule.

Un après-midi, elle était assise auprès de Mark à lui rappeler les règles du jeu de dames, quand une ombre vint glisser sur le plateau. Karin se tordit le cou pour apercevoir, penchée sur son épaule, une silhouette familière en caban marine. La main de Daniel s'approcha, sans la toucher. Il adressa à Mark un « bonjour » affable, comme si les deux hommes n'avaient pas consacré ces dix dernières années à se fuir. Comme si Mark ne faisait pas songer à un robot en fauteuil roulant.

Mark renversa la tête en arrière. Plus vif que jamais depuis l'accident, il bondit sur l'assise de son siège et, l'index tendu, il se mit à geindre : « Non ! Oh non ! À moi. Tu vois ? Là. Là. Là. »

Daniel s'avança pour le calmer. Mark grimpa sur le dossier du fauteuil en hurlant. « Arrête ! Arrête ! » Karin fit sortir Daniel à reculons tandis qu'un des infirmiers du service faisait irruption.

« Je t'appelle », dit-elle. Leur premier face-à-face depuis trois ans. Elle lui prit la main, étreinte criminelle. Puis elle retourna en hâte dans la chambre pour apaiser son frère.

Mark continuait d'avoir des visions. Karin s'efforçait de le rassurer. Mais elle ne comprenait pas ce qu'il avait pu distinguer dans cette ombre allongée tombée de nulle part. Couché dans le lit, il tremblait encore. « Tu vois ? » Elle le tranquillisa et lui mentit, faisant mine de voir clair.

Elle se rendit chez Daniel, après le désastre de l'hôpital. Impression fidèle à son souvenir ; il était solide, mammifère, familier. Inchangé depuis le lycée : longs cheveux blonds tirant sur le roux, petit bouc, visage effilé, tout en longueur – un gentil granivore. Au milieu du bouleversement général, cette continuité la rassérénait. Ils parlèrent un quart d'heure, à un mètre cinquante l'un de l'autre, séparés par la table de la cuisine, tendus et abrutis de réconfort. Elle se dépêcha de partir avant de briser quoi que ce soit, non sans avoir accepté de le revoir.

Leur différence d'âge s'était évanouie. Daniel n'avait jamais été qu'un enfant : dans la même classe que Mark, l'ami de Mark. Voilà qu'aujourd'hui il paraissait plus âgé qu'elle, et Mark, entre eux deux, redevenait nourrisson. Elle l'appela bientôt à toute heure du jour et de la nuit pour qu'il l'aide à affronter l'interminable cortège des décisions accablantes : demande d'indemnités, prime d'invalidité, transfert en rééducation. Elle plaçait sa confiance en Daniel, comme elle aurait dû le faire des années plus tôt. Il avait toujours la meilleure réponse à tout. De plus, il connaissait Mark et devinait ce qu'il aurait voulu.

Daniel ne s'ouvrit pas à elle d'emblée. Impossible, cette fois. Il n'était plus le même, ne serait-ce qu'en raison des blessures qu'elle lui avait infligées. Qu'il passât du temps en sa compagnie la laissait stupéfaite, honteuse et pleine de reconnaissance. Elle ignorait ce que signifiait ce contact renoué, ou ce que lui pouvait y trouver. Pour sa part, le voir correspondait à la différence qu'il y a entre se noyer et garder la tête hors de l'eau. Au terme d'une journée passée dans le chaos du nouveau royaume de Mark, elle se prenait à inventer des raisons d'appeler Daniel. En sa présence, elle pouvait s'abandonner à l'espoir le plus insensé, nourri par tel ou tel infime triomphe que Mark venait de remporter, ou céder à la peur de voir son frère régresser. Daniel accueillait ses paroles une à une avec retenue et circonspection, pour la guider sur le chemin mesuré du juste milieu.

Les humiliations d'autrefois les privaient d'un avenir véritable. Mais ils pouvaient se fabriquer un passé plus reluisant que celui qu'ils avaient saccagé. Le combat de Mark les liait. Leur tâche par procuration : faire table rase des anciennes bassesses, mesurer les progrès de Mark, et ceux qu'il lui restait à accomplir.

Daniel portait à Karin des livres qu'il allait chercher en bibliothèque jusqu'à Lincoln, des ouvrages sur les lésions cérébrales, sélectionnés avec soin pour augmenter l'espérance. Il photocopiait des articles sur les dernières avancées de la recherche neurologique et l'aidait à les déchiffrer. Il téléphonait pour dire qu'il était de retour et soufflait à Karin les questions qu'elle devait poser aux médecins. C'était comme reprendre vie, et elle se laissa porter un peu. Un jour, au comble de la gratitude, elle ne put s'empêcher de le serrer dans ses bras, une étreinte furtive, qui pouvait être démentie.

Elle commençait à voir Daniel sous un nouveau jour. Une part d'elle-même l'avait toujours rejeté : néo-hippie tendance père la vertu, un peu trop bleu blanc bio, toujours au-dessus de la mêlée. Elle mesurait à présent sa longue iniquité. Il voulait simplement que les gens se défassent de leur égocentrisme déplacé, qu'ils se montrent plus humbles devant les millions de chaînons responsables de leur survie, et qu'ils soient aussi généreux envers autrui que la nature envers eux-mêmes. Pourquoi perdait-il son temps avec elle, après ce qu'il avait subi ? Parce qu'elle le lui demandait. Quel intérêt pouvait-il trouver à leur nouvelle relation ? Aucun, sinon une occasion de bien faire, enfin. Réduire, réutiliser, recycler, réparer, racheter.

Ils allaient se promener. Elle le traînait à la salle des ventes, vieux rituel des mercredis soirs auquel sacrifiait l'ensemble du comté. Fréquenter tout autre lieu que l'hôpital, c'était comme entrer au plus coupable des paradis. Daniel n'enchérissait jamais, mais il approuvait chaque fois que partait un lot de seconde main : « Toujours ça de moins dans les décharges ! » Karin, quant à elle, cédait à une vieille obsession enfantine, une passion pour les fantômes des anciens propriétaires encore lovés dans leurs objets délaissés. Elle passait en revue les longues tables pliantes, retournait chaque casserole bosselée, chaque tapis élimé, et inventait des histoires pour expliquer par quels détours ce fourbi avait atterri là. Ensemble, ils achetèrent une lampe : un bouddha lui tenait lieu de pied. Comment pareil objet avait-il pu échouer dans le comté de Buffalo, pourquoi l'avait-on abandonné là ? Seules les inventions les plus extravagantes permettaient de le dire.

À l'occasion de leur septième sortie, au rayon fruits et légumes de la supérette où ils étaient venus improviser le menu d'un dîner, il l'appela « KS » pour la première fois depuis des années. Elle avait toujours adoré ce surnom. Il lui donnait l'impression d'être une autre, le maillon fort d'une équipe placée au sein d'une organisation efficace. « Un jour, tu vas remporter le morceau, lui disait-il, du temps où ni lui ni elle ne savaient combien ce monde laissait peu de morceaux à remporter. Tu apporteras ta pierre à l'édifice. » Et voici qu'à des vies de là, devant un étal de champignons, il laissait de nouveau échapper ce nom, comme si le temps n'avait pas passé. « Si quelqu'un peut le remettre d'aplomb, c'est bien toi, KS. » Peut-être arriverait-elle encore à remporter le morceau, ne fût-ce que pour son frère.

Elle inventait des destinations, des courses indispensables. Un week-end où il s'était mis à faire moins froid, elle proposa une promenade sur les berges de la rivière. Presque par accident, ils arrivèrent au vieux pont de Kilgore. Ni lui ni elle ne laissèrent paraître que l'endroit recelait pour eux une signification. Une gangue de glace enserrait encore le bord de l'eau. Les dernières grues quittaient les lieux pour s'élancer sur le long chemin du nord, vers leur zone de reproduction. Mais Karin les entendait encore, invisibles au-dessus de leurs têtes.

Daniel ramassait de petits galets qu'il lançait dans le fleuve.

« Notre Platte. Je l'aime vraiment. Un kilomètre et demi de large et deux centimètres de fond. »

Elle acquiesçait, souriante. « Trop épaisse pour qu'on la boive, et trop meuble pour la charrue. »

Leçons du primaire, aussi connues que les tables de multiplication. Rien que d'avoir grandi là, ils avaient cette ritournelle dans la peau. « Un sacré fleuve, si tu le couches sur le côté.

– Il n'y a pas meilleur endroit, hein ? » Sur tout autre visage que celui de Daniel, cette bouche en coin aurait presque paru dédaigneuse.

Elle le bouscula doucement. « Tu sais, en grandissant, je croyais dur comme fer que Kearney était une sacrée putain de ville. » Elle fit une grimace. Elle avait oublié : elle détestait se montrer grossière. « Le centre du continent, la piste des mormons, la piste de l'Oregon, la ligne transcontinentale, la route 80. »

Il opina. « Et un milliard d'oiseaux qui empruntent le couloir central de migration.

– Exact. Tout passait par le cœur de cette ville. Je me disais qu'on allait devenir le nouveau Saint Louis, simple question de temps. »

Daniel sourit, baissa la tête et enfonça les mains dans les poches de son caban bleu marine. « Le carrefour de la nation. »

Être ensemble – être, simplement – s'avérait plus facile qu'elle n'avait osé le croire. Elle réprouvait ces emballements de jeune fille, presque obscènes, sachant la cause de leur regain. Elle profitait du désastre, se servait de son frère brisé pour raccommoder son passé. Mais elle ne pouvait s'en empêcher. Quelque chose allait advenir, quelque chose de bon qu'elle n'avait pas provoqué et que l'accident de Mark avait en quelque sorte engendré. Elle et Daniel approchaient un territoire nouveau, paisible, stable, peut-être même innocent, un endroit qu'elle n'avait jamais cru possible. Un endroit qui ne pouvait que secourir Mark.

Ils avancèrent jusqu'au milieu du pont. La structure en treillis oscillait sous leurs pieds. Le bras nord de la Platte glissait en contrebas. Daniel indiquait la direction de tanières et de terriers, désignait des plantes invasives, de menues transformations dans le lit de la rivière qu'elle ne parvenait à déceler.

« Il y a pas mal d'activité aujourd'hui. Là-bas, des sarcelles à ailes bleues. Des pilets. Les grèbes sont en avance cette année, on dirait. Et là, regarde ! Ce ne serait pas un grand damier ? Qui es-tu ? Reviens. Je n'arrive pas à te voir ! »

Le vieux pont branlait, elle saisit Daniel par la manche de son manteau. Il s'interrompit et l'observa : accident de modulation incongru. Elle baissa les yeux et vit sa main qui se balançait au bout de la sienne comme celle d'une écolière. Saint Valentin et Journée du souvenir confondues. Du revers de ses doigts, il frôla les cheveux de Karin aux reflets cuivrés de sou neuf. Une expérience pour naturaliste.

« Tu te rappelles quand je t'interrogeais sur les espèces ? »

Elle restait immobile sous son toucher.

« Je détestais ça. J'étais complètement nulle. »

Daniel tendit la main vers un peuplier qui commençait à peine à bourgeonner. Sur la branche, une tache s'était posée, un petit point moucheté de jaune, aussi agité que Karin. Au nom inconnu. Mais un nom n'aurait fait qu'occulter la chose. L'oiseau sans nom déploya son jabot pour laisser s'envoler la plus délirante des musiques. Il chantait à perdre la tête, certain que la jeune femme parvenait à suivre la mesure. Tout alentour, des réponses fusaient : le peuplier et la Platte, la brise de mars et les lièvres du sous-bois, un signal d'alerte frappé sur l'eau en aval, secrets et rumeurs, nouvelles et négociations, tout l'entrelacs de la vie prenait la parole d'une seule voix. De partout provenaient des claquements et des cris qui ne finissaient nulle part, ne prononçaient pas de jugement, ne faisaient pas de promesse, soucieux seulement de se multiplier et de remplir l'air comme la rivière remplit son lit. Rien de tout cela ne venait d'elle et, pour la première fois depuis l'accident de Mark, Karin se sentait libérée d'elle-même, au bord de la béatitude. L'oiseau chantait encore et glissait en chaque conversation les grappes de sa mélodie. Intemporalité du monde animal : le genre de sons que son frère laissait échapper en s'arrachant au coma. C'était là qu'il vivait à présent. Et c'était là le chant qu'elle allait devoir apprendre pour connaître Mark de nouveau.

Un coup de trompette retentit dans le ciel, les derniers retardataires de la nuée désormais en route vers l'Arctique. Daniel leva les yeux, sur le qui-vive. Karin ne vit rien hormis des cirrus gris.

« Ces oiseaux sont condamnés », dit Daniel.

Elle s'agrippa à son bras. « C'était un cygne chanteur ?

– Un cygne chanteur ? Oh non. Une grue. Un cygne, tu l'aurais reconnu.

– Je ne pensais pas... Pourtant, les cygnes chanteurs, ce sont bien ceux qui...

– Les cygnes chanteurs sont déjà fichus. Il n'en reste que quelques centaines. Tout juste des fantômes. Tu en as déjà vu ? On croirait... une hallucination. Ils se dissipent quand tu les regardes. Non. Pour le cygne chanteur, la messe est dite. Et pour les grues du Canada, ça commence à sentir le roussi.

– Les grues ? Tu rigoles ? Elles sont au moins des milliers de...

– Un demi-million, à peu de chose près.

– Si tu veux. Tu sais, moi, les chiffres. Je n'ai jamais vu autant de grues que cette année.

– C'est symptomatique. La rivière est à bout. Quinze barrages et des systèmes d'irrigation pour trois États. Chaque goutte d'eau est utilisée huit fois avant de nous parvenir. Il y a quatre fois moins de débit qu'avant l'exploitation. La rivière ralentit ; les arbres et la végétation gagnent du terrain. Les arbres effraient les grues. Il leur faut des zones dégagées, pour nicher là où rien ne peut se dissimuler et les surprendre. » Il fit un long demi-tour sur lui-même, l'œil aux aguets. « Leur seule escale tranquille, c'est ici. Il n'y a pas d'autre endroit disponible au milieu du continent. Elles sont fragiles : leur taux annuel d'accroissement est faible. Toute perturbation importante de l'habitat signifiera leur perte. Rappelle-toi, les cygnes chanteurs, autrefois aussi nombreux que les grues. Dans quelques années, on pourra dire adieu à une espèce qui existe depuis l'éocène. »

Il était resté ce vagabond que Mark avait adopté, ce coureur de fond efflanqué capable de distinguer ce que les autres ne voyaient pas. Il était l'homme que, naguère, Mark aurait pu devenir. Le petit Mark. *Les animaux m'aiment bien.*

« Si elles sont aussi menacées, pourquoi y en a-t-il autant ?

– Avant, elles nichaient tout le long du Big Bend, sur plus de deux cents kilomètres. Maintenant, elles se contentent d'une centaine, et ça diminue encore. Le même nombre d'oiseaux s'entasse sur une zone deux fois plus réduite. Les maladies, la tension, l'anxiété. C'est pire qu'à Manhattan. »

Des oiseaux angoissés : elle étouffa un rire. Daniel portait un deuil plus grand que celui des grues. Il aurait voulu que les humains se montrent à la hauteur de leur condition : dotés de conscience, semblables à des dieux, l'unique entreprise jamais tentée par la nature pour se connaître et se protéger. Mais le seul animal conscient de la création avait mis les lieux à feu et à sang.

« Elles sont à l'étroit, enrôlées dans l'un des spectacles les plus grandioses du moment. C'est comme ça que le tourisme lié aux grues a explosé. Un fameux business, et du coup on consomme de plus en plus d'eau à chaque printemps. Pour que le show soit encore plus impressionnant l'année suivante. » Il parlait presque avec indulgence, s'efforçant de comprendre. Mais son aptitude à saisir l'espèce humaine s'amenuisait plus vite que l'habitat.

Il frissonna. Karin posa une main sur la poitrine de Daniel. Sans réfléchir, il enveloppa la jeune femme dans une étreinte mélancolique, incertaine de sa cause. Il effleura le flamboiement des cheveux et pénétra sous le col ouvert de la veste en daim. Excitation coupable au regard des circonstances. Mais à cette pensée, l'excitation grandissait encore. Ce contact arrachait Karin à la pesanteur des dernières semaines. Son corps cédait au ravissement des frimas printaniers. Quoi qu'il advienne, elle ne serait plus seule.

Comme ils regagnaient la ville par la route, ce fil à plomb de géomètre tendu sur la courbe des champs qu'un fin duvet de verdure commençait à couvrir, elle lui demanda : « Il ne sera plus jamais comme avant, n'est-ce pas ? »

Daniel fixait la route. Elle avait toujours apprécié cette qualité. Il se taisait tant qu'il n'avait pas quelque chose à dire. Il finit par incliner la tête sur le côté : « Personne n'est jamais comme avant. Il faut observer et écouter, c'est tout. Voir dans quelle direction Mark va s'engager. Et l'attendre au lieu du rendez-vous. »

Karin glissa une main sous la veste de Daniel. Elle se mit à lui caresser le flanc sans y penser, les imaginant quitter la route et faire un tonneau. Il lui prit doucement le poignet, l'air déconcerté.

Ils se retrouvèrent dans l'appartement éclairé aux bougies, comme aux temps de leur jeunesse et de leur premier réveillon de Noël. Elle avait trouvé refuge devant le chauffage d'appoint. Daniel sentait la couverture de laine tout juste sortie d'une armoire. Assis derrière elle, il l'entourait de ses bras et lui déboutonnait sa chemise. Elle se lova dans le péril de la récidive.

Sous la caresse des doigts, Karin sentit se hérisser le bas de son dos. Il suivit la courbe de l'abdomen, l'œil aussi surpris et avide qu'au premier jour, huit ans plus tôt. « Tu vois, là ? redisait-elle de mémoire. La cicatrice de mon appendicite. J'avais onze ans. Pas très sexy, hein ? »

Daniel rit de nouveau. « Faux. Hier comme aujourd'hui. Des années plus tard. » Du bout du nez, il se mit à lui titiller l'aisselle. « Il y a des femmes qui n'apprennent donc jamais. »

Elle le fit rouler à terre et se dressa au-dessus de lui, le cou tendu : une prêtresse au plumage gris. Nouvelle espèce en voie de disparition qu'il fallait protéger. Elle se cambra, exposée.

Quand ils furent de nouveau inertes, elle lui remit l'acte de reddition qu'il n'avait pas demandé. « Daniel ? Qu'est-ce que c'était, cet oiseau dans l'arbre ? »

Allongé sur le dos, épouvantail végétalien. Lui aussi conservait en ses muscles relâchés des années de questions refoulées qu'il n'oserait plus jamais poser. Dans le noir, il parcourait l'inventaire de leur vie commune, les espèces aperçues ce jour-là. « Ça... ça porte pas mal de noms. Mais toi et moi, KS, on peut l'appeler comme ça nous chante. »

Karin faisait tourner Mark sur le manège de leur steeple-chase quotidien lorsqu'il eut sa première pensée abstraite. Mark marchait encore comme relié à une longe. Il s'arrêta pour écouter à la porte d'un patient. Quelqu'un sanglotait et une voix plus âgée disait : « Ça va. Tout ça n'a aucune importance. »

Mark écoutait, sourire aux lèvres. Il leva la main et dit : « Tristesse. » Là, dans le couloir, devant cet exploit intellectuel, Karin fut émue aux larmes.

Elle assista une nouvelle fois à la première phrase complète prononcée par son frère. L'ergothérapeute l'aidait à boutonner ses vêtements quand Mark proféra ces mots comme un oracle : « J'ai des ondes magnétisme dans le cerveau. » Conscient de son état, et désormais capable de le nommer, il cacha son visage derrière ses poings. Le barrage avait cédé et un flot de paroles se déversait, maintenant.

Le lendemain soir, il pouvait soutenir une conversation – lente, confuse, mais intelligible. « Pourquoi cette chambre est si bizarre ? Je ne mange pas ce genre nourriture d'habitude. On dirait vraiment qu'on est à l'hôpital. » Toutes les heures, il demandait huit fois ce qui lui était arrivé. Chaque fois, la nouvelle de l'accident le laissait sous le choc.

Ce soir-là, alors que Karin lui disait au revoir, Mark se précipita sur la fenêtre pour essayer de l'ouvrir en poussant sur la vitre de sécurité scellée dans le bâti. « Je suis en train de dormir ? Je suis mort ? Réveillez-moi... C'est quelqu'un d'autre qui rêve. »

Elle approcha de la fenêtre et le prit dans ses bras. Puis l'éloigna de la vitre qu'il frappait à coups répétés. « Markie. Tu ne dors pas. Tu as eu une sacrée journée. Ton lapereau est là. Je reviens demain. »

Il la suivit jusqu'à la chaise en plastique à côté du lit, sa prison. Mais quand elle le fit s'asseoir, il releva la tête, hagard. Il repoussa Karin d'un coup sec dans la poitrine : « Mais au fait, qu'est-ce que tu fiches là ? Qui t'envoie ? »

La peau de Karin se fit métal. « Arrête, Mark », dit-elle, plus cassante qu'elle ne le souhaitait. Puis d'un ton radouci et taquin : « Tu croyais que ta sœur ne prendrait pas soin de toi ?

– Ma sœur ? Tu te prends pour ma sœur ? » Il la poignardait du regard. « Si tu te prends pour ma sœur, c'est qu'un truc ne tourne pas rond dans ta caboche. »

Elle devint inquiétante de méthode. Elle argumentait, produisait des preuves : c'était comme lire à voix haute une nouvelle histoire. Plus elle faisait montre de calme, plus il s'emportait. « Réveillez-moi, hurlait-il. Ce n'est pas moi. Je suis coincé dans la tête d'un autre. »

Elle tint Daniel éveillé toute la nuit, parcourue de frissons au souvenir de cette scène. « Tu n'imagines pas l'air qu'il avait pour me dire ça. "Tu te prends pour ma sœur ?" Si sûr de lui. Pas même l'ombre d'une hésitation. Tu ne peux pas savoir l'effet que ça fait. »

Daniel l'écouta, la nuit entière. Elle avait oublié son inépuisable patience. « Il a fait un grand pas. Maintenant, il lui faut tout remettre bout à bout. Le reste viendra très vite. »

Au matin, elle se sentait de nouveau prête à le croire.

Des jours plus tard, Mark refusait encore de la reconnaître. Tout revenait en place : qui il était, l'endroit où il travaillait, ce qui lui était arrivé. Mais il continuait de soutenir que Karin était une actrice qui ressemblait beaucoup à sa sœur. Au terme de nombreux examens, le docteur Hayes mit un nom sur la chose. « Votre frère manifeste les symptômes d'une pathologie appelée syndrome de Capgras. Il s'agit d'un type de délire d'identité. Ça peut se produire dans le cas de certains troubles psychiatriques.

– Mon frère n'est pas un malade mental. »

Le docteur tressaillit. « Non. Mais il se trouve confronté à des obstacles majeurs. On peut rencontrer ce syndrome dans les traumas crâniens, même si cela est extrêmement rare. Des lésions, sans doute en plusieurs endroits précis... On ne recense que deux cas dans toute la littérature. Avant votre frère, je n'avais jamais vu de Capgras causé par un accident.

– Comment un même symptôme peut-il avoir deux causes complètement différentes ?

– Ce n'est pas clair. Il se peut qu'il n'y ait pas qu'un seul syndrome. »

Plusieurs façons de ne pas reconnaître les siens. « Pourquoi il fait ça ?

– D'une manière bien difficile à quantifier, vous ne correspondez pas à l'image qu'il a de vous. Il sait qu'il a une sœur. Il se rappelle tout ce qui la concerne. Il sait que vous lui ressemblez, que vous agissez comme elle, que vous vous habillez comme elle. Sauf que, pour lui, vous n'êtes pas sa sœur.

– Il reconnaît ses amis. Et même vous, il vous reconnaît. Comment peut-il reconnaître un étranger, et pas...

– Dans presque tous les cas, la personne atteinte du syndrome n'identifie plus ses proches. Père ou mère. Conjoint. La zone du cerveau qui reconnaît les visages est intacte. Et la mémoire aussi. Mais la zone qui traite les associations affectives s'est en quelque sorte déconnectée.

– Pour lui, je n'ai pas l'air d'être sa sœur ? Qu'est-ce qu'il voit quand il me regarde ?

– Ce qu'il a toujours vu. Mais il ne vous... sent pas assez pour vous croire. »

Une lésion qui affectait seulement la perception des êtres chers. « Côté émotions, je suis invisible à ses yeux ? Et donc, il décide... ? » Le docteur Hayes acquiesça d'un signe de tête à faire froid dans le dos. « Mais son cerveau, sa... pensée ne sont pas endommagés, c'est bien ça ? Est-ce que rien de plus grave ne nous attend ? Parce que, dans ce cas, je suis certaine de pouvoir... »

Le docteur leva la main. « La seule certitude en matière de traumatisme crânien, c'est l'incertitude.

– Quel est le traitement ?

– Pour l'heure, il faut observer, voir comment son état évolue. D'autres problèmes peuvent surgir. Des déficiences secondaires. Mémoire, cognition, perception. On a connu des améliorations spontanées. Le mieux est de laisser faire le temps et de poursuivre les examens. »

Il répéta la même formule, deux semaines plus tard.

Elle ne croyait pas que Mark fût atteint d'un quelconque syndrome. Son esprit mettait simplement de l'ordre dans le chaos causé par la blessure. Chaque jour, il redevenait plus fidèle à lui-même. Un brin de patience, et le nuage se dissiperait. Mark était déjà revenu d'entre les morts ; il se relèverait de cette moindre perte. Karin était qui elle était, et il faudrait bien que Mark s'en aperçoive une fois ses idées éclaircies. Elle fit front comme le médecin le lui avait demandé : un petit pas après l'autre. Elle faisait travailler Mark, sans rien précipiter. L'emmenait jusqu'à la cafétéria. Répondait à ses questions saugrenues. Lui apportait ses deux magazines de *tuning* préférés. Par de vagues allusions à l'histoire familiale, elle déclenchait et affermissait ses souvenirs. Mais elle devait faire mine de ne pas trop en savoir sur lui. Elle avait essayé une fois ou deux ; chaque prétention à l'intimité entraînait des complications immédiates.

Un jour il demanda : « Est-ce qu'au moins tu pourrais te renseigner pour savoir comment va ma chienne ? » Elle promit de le faire. « Et pour l'amour de Dieu, tu veux bien demander à ma sœur de venir maintenant ? Si ça se trouve, elle n'est même pas au courant. » Elle avait appris alors à ne rien répondre.

Elle se contenait devant Mark. Mais le soir venu, seule avec Daniel, elle entretenait ses peurs les plus terribles. « J'ai abandonné mon travail. Je suis revenue dans une ville à laquelle je ne peux échapper, j'habite dans la maison de mon frère, où je vis de mes économies. Je lis des histoires pour enfants depuis des semaines, impuissante. Et maintenant, il me dit que je ne suis pas moi. À croire qu'il veut me punir de quelque chose. »

Daniel se contentait de hocher la tête et de lui réchauffer les mains. Elle aimait cela chez lui : s'il n'y avait rien à dire, il ne disait rien.

« Je me démène, depuis si longtemps. Il va beaucoup mieux maintenant. Avant, il n'arrivait même pas à ouvrir les yeux. Pourquoi faut-il que ce soit aussi effrayant ? Pourquoi je ne peux pas rester assise dans mon coin, à attendre que ça passe ? »

De ses doigts, Daniel détendait le dos noué de Karin qu'il déchargeait de toute son électricité statique. « Ménage-toi, disait-il. Il va avoir besoin de toi un bon bout de temps.

– J'aimerais bien. Il me traite pire qu'une étrangère. Je suis transparente. Si seulement je pouvais... s'il voulait dire enfin ce dont il a besoin.

– Dissimuler, c'est naturel, dit Daniel. Un oiseau fera tout pour ne pas montrer qu'il est blessé. »

Son frère pilotait son corps comme le pire des apprentis conducteurs. Tantôt, il partait d'un bond en avant, au mépris des limitations de vitesse. Tantôt, il paniquait devant une fissure dans le lino. Certains jours, il réussissait à résoudre toutes les énigmes qu'inventaient les thérapeutes. D'autres jours, il n'arrivait même pas à mâcher sans se mordre la langue.

Il n'avait aucun souvenir de l'accident. Mais sa mémoire s'était remise en marche. Karin rendait grâce à toutes les puissances. Il demandait encore deux fois par jour comment il était arrivé là, mais plutôt par défi, pour traquer les moindres reformulations de Karin. « Ce n'est pas ce que tu as dit la dernière fois. » Il posait souvent des questions au sujet de son camion, voulait savoir s'il était aussi amoché que lui. Elle restait très évasive.

Vu de l'extérieur, Mark faisait des progrès époustouflants. D'une visite à l'autre, ses pas de géant laissaient tout le monde pantois, y compris ses amis. Il se montrait plus volubile qu'avant son accident. Entre deux accès de rage, il retrouvait la gentillesse qu'il avait perdue à l'âge de huit ans. Karin lui annonça que les médecins voulaient le faire sortir de l'hôpital. Mark jubilait. Il se voyait rentrer chez lui. « Tu pourras dire à ma sœur qu'on m'a donné le feu vert ? Dis-lui que Mark Schluter est sorti. Je ne sais pas ce qui l'a retenue, mais elle saura où me trouver. »

Elle se mordit la lèvre et s'interdit même d'acquiescer. Elle avait lu dans l'un des livres de Daniel qu'il ne fallait jamais souscrire à un délire.

« Elle doit se faire du mouron. Il faut que tu me promettes maintenant. Où qu'elle soit, il faut la mettre au courant. Elle était du genre à me materner sans arrêt. C'est son grand truc à elle. Ses lettres de noblesse. Une fois, elle m'a sauvé la vie. Mon père était à deux doigts de me briser le cou comme du bois sec. Je te raconterai un jour. Affaire personnelle. Mais crois-moi : sans ma sœur, je serais mort. »

Rester là sans rien dire était pour elle un déchirement. Et pourtant, elle ressentait une fascination malsaine devant cette occasion d'apprendre ce que Mark disait vraiment lorsqu'il parlait d'elle à quelqu'un d'autre. Elle endurerait cette épreuve, autant de temps qu'il en faudrait à Mark pour retrouver la raison. Et sa raison s'affermissait chaque jour.

« Peut-être qu'ils la retiennent. Pourquoi ils ne me laissent pas lui parler ? Quelqu'un fait des expériences sur moi ? Ils veulent savoir si je vais te confondre avec elle ? » Il remarqua sa détresse, mais la prit pour de l'indignation. « Bon. D'accord. Tu m'as aidé, toi aussi, à ta façon. Tu es là tous les jours. La marche, la lecture, tout le bazar. Je ne sais pas ce que tu cherches. Mais j'en suis le fiduciaire reconnaissant.

– Bénéficiaire », répondit-elle. Il la regarda, interdit. « Tu as dit "fiduciaire". Tu voulais dire "bénéficiaire". »

Il se rembrunit. « Parce que je parle au singulier. Tu lui ressembles beaucoup, tu sais ? Pas tout à fait aussi jolie, peut-être. Mais c'est bluffant. »

Une vague de vertige la submergea. Elle se ressaisit et enfonça la main dans son sac, d'où elle tira le billet. « Regarde un peu, Mark ! Je ne suis pas seule à prendre soin de toi. » Thérapie sans préméditation. Elle savait que son frère devait encore reprendre des forces avant de se replonger dans l'accident. Mais elle pensait que cela pourrait l'ébranler et lui remettre les idées en place. Asseoir son autorité, en quelque sorte.

Il s'empara du papier et le fixa. Il l'inspecta en le tenant plus ou moins près de son visage, puis le lui rendit. « Qu'est-ce que ça raconte ?

– Mark ! Tu sais lire. Ce matin encore, tu as lu deux pages à l'ergothérapeute.

– Bout de bon Dieu ! On ne t'a jamais dit que tu parlais comme ma mère ? »

Celle qu'elle avait passé sa vie à ne pas vouloir devenir. « Tiens. Jette encore un œil.

– Enfin, merde ! Regarde-moi ce machin. Tu parles d'une écriture. On dirait une toile d'araignée. De l'écorce d'arbre ou je ne sais quoi. Dis-moi ce qu'il y a là-dessus. »

L'écriture était spectrale, en effet. Elle serpentait comme celle, illisible, de leur grand-mère suédoise. Karin estimait à quatre-vingts ans l'âge de son auteur ; un immigrant de naguère, inquiet à l'idée que le moindre contact ne l'oblige à livrer des informations à la base de données. Bien qu'elle les eût mémorisés depuis longtemps, elle lut les mots sur le chiffon de papier. *Je ne suis Personne mais ce Soir sur la North Line Dieu me conduit jusqu'à toi pour que Tu puisses Vivre et ramener quelqu'un d'autre.*

Mark appuya sur la cicatrice qui sinuait le long de son front. Il reprit le billet. « Qu'est-ce ça veut dire ? Dieu a conduit quelqu'un ? Et d'abord, si Dieu m'a à la bonne, comment ça se fait qu'il ait envoyé valser ma pure merveille dans le fossé. Badaboum ! Je dirais plutôt que le Très-Haut se fout de ma gueule. »

Elle le prit par le bras. « Tu te souviens de ça ? »

Il se libéra. « C'est toi qui m'as tout raconté. Vingt fois par jour. Qui pourrait oublier à ce train-là ? » Il tripotait le morceau de papier. « Non, non. Ce serait trop tarabiscoté. Et tout ça pour attirer mon attention ? Trop alambiqué, même pour Dieu. »

Les propos de leur mère un an plus tôt, au sujet de sa calamiteuse agonie : « On pourrait s'attendre à plus d'efficacité de la part du Tout-Puissant. »

« Quel qu'il soit, l'auteur de ce mot t'a trouvé, Mark. Il ou elle est venu te voir en réanimation. Et a laissé ça pour toi. Pour que tu saches. »

Un son lui sortit de la gorge, le hurlement d'un chien dont les pattes arrière viennent de passer sous le break de son maître. « Savoir quoi ? Qu'est-ce que je dois en faire, de ce truc ? Il faut que j'aide quelqu'un à revenir d'entre les morts ? Et je fais comment, moi ? Les morts, je ne sais même pas où on les a mis. »

Une froide tenaille saisit Karin par l'épine dorsale. De ténébreuses histoires, des jeux auxquels la police avait fait allusion. « Qu'est-ce que tu veux dire, Mark ? De quoi tu parles ? »

Il agitait les bras au-dessus de sa tête, se protégeait du mal comme d'un essaim d'abeilles. « Qu'est-ce que j'en sais, moi ?

– De quels... morts tu ne... ?

– Je ne sais pas qui est mort. Je ne sais pas où est ma sœur. Je ne sais même pas qui je suis. Et cet hôpital soi-disant, c'est peut-être bien un studio de cinéma, où on colle les gens pour leur faire croire que tout est normal. »

Elle bredouilla des excuses. Le mot ne voulait rien dire. Elle tendit la main pour le reprendre. Mais d'un geste vif, il le plaça hors d'atteinte.

« Il faut que je trouve qui a écrit ça. Cette personne sait ce qui m'est arrivé. » Il fouilla les poches arrière de son pantalon, un jean noir trop ample qui lui dégringolait sur les hanches, son préféré, celui que Karin lui avait ramené. « Merde. Je n'ai même pas de portefeuille pour le mettre dedans. Pas de carte de sécu. Même pas un badge d'identification. Que dalle. Pas étonnant que je sois paumé.

– Je t'apporterai ton portefeuille demain. »

Il la fixa, le visage enflammé. « Tu vas entrer chez moi pour le récupérer ? » Comme elle ne répondait rien, il voûta les épaules. « Ouais, j'imagine que s'ils peuvent vous charcuter la cervelle sans qu'on s'en doute, ils doivent aussi avoir les clés de chez vous. »

Ils demandent à Mark Schluter qui il pense être. Facile à première vue, mais leurs questions cachent toujours de petits traquenards. Il s'y dissimule tout le temps quelque chose. Allez savoir pourquoi, ils cherchent à le coincer. Lui ne peut que répondre et garder la tête froide.

Ils lui demandent où il vit. Il montre du doigt tout ce merdier médical, le cirque des gens en blanc. Ce ne serait pas plutôt à eux de le lui dire ? Ils reformulent leur question : peut-il leur donner son adresse ? Mark Schluter, 6737 Sherman Road, Kearney, Nebraska. Paré à la manœuvre, mon commandant. Ils répondent : Vous en êtes bien sûr ? Jusqu'à quel point veulent-ils donc qu'il soit sûr ? Ils demandent si sa maison se trouve à Kearney ou Farview. Nouvelle tentative désespérée de déstabilisation. Oui d'accord, maintenant, il vit à Farview. Mais ils ne lui ont jamais dit qu'il devait répondre au présent.

Ils lui demandent ce qu'il fait. Question piège. Il traîne avec des amis. Va écouter des concerts, au Silver Bullet ou ailleurs. Cherche des ailerons à vendre sur eBay. Joue à des jeux vidéo. Regarde la télé. Promène sa chienne. Sur Internet, il a un personnage de brigand dont il bichonne les statistiques quand rien d'autre ne se présente. Il tait l'évidence : le fait qu'ils le traitent lui-même comme un personnage de jeu en ligne.

C'est tout ? Rien d'autre ? Ils n'ont pas besoin de tout savoir, non ? Ça ne les regarde pas, ce qui se passe une fois qu'on a fermé la porte de chez soi. Mais il n'y est pas ; ils veulent savoir quel métier il fait. Où il travaille. Si c'est ça, pourquoi ne pas l'avoir demandé plus tôt ?

Il leur parle de son emploi d'agent de maintenance qualifié. Explique quelles machines sont un cauchemar à entretenir, et quelles autres, un rêve. À peine trois ans de boîte et il palpe déjà seize dollars de l'heure. Ils ne lui demandent pas ce qu'il ressent devant les bêtes, et c'est tant mieux. Ça le fout en rogne, qu'on lui demande ça. Tout le monde en bouffe, de ces bestiaux ; il faut bien que quelqu'un les tue. Et puis, ce n'est pas lui qui s'en charge : il se contente de prendre soin des installations. Il commence à se demander pourquoi ils lui posent tant de questions sur l'usine. Il n'y est pas allé depuis quelques jours ; ça pourrait bien sentir le coup fourré. Peut-être qu'on cherche à lui faucher sa place. Un bon job qui paye bien, et par ces temps de crise... Un tas de types vous zigouilleraient pour moins que ça.

Ils lui demandent qui était vice-président du temps des bouches. Hallucinant. Et quoi d'autre ? Les sénateurs du trou de son cul ? Ils lui disent de compter à rebours de trois en trois à partir de cent. Pourrait-on savoir, s'il vous plaît, s'il s'agit là d'une compétence particulièrement utile ? Ils le soumettent à une flopée de tests : entourez ceci, barrez cela, et tout le toutim. Mais là encore, ils se payent sa fiole : les caractères sont trop petits, ou on ne lui donne que dix secondes pour faire le boulot d'une demi-heure. Il leur explique que sa vie lui plaît telle qu'elle est, et qu'il n'a pas franchement envie de passer un entretien pour en changer ; s'ils veulent le virer du programme, qu'ils ne se gênent pas. Ils se contentent de rire et le soumettent à des tests supplémentaires.

Bizarre, cet interrogatoire. Des toubibs lui affirment qu'ils sont ses amis. Des tests démontrent qu'il est incapable d'exécuter certaines tâches qu'à l'évidence il parvient à accomplir. Ils devraient plutôt pratiquer leurs examens sur la femme qui a pris les traits de sa sœur.

Arrivent ses potes, mais eux aussi lui font une drôle d'impression. Duane-o est plutôt égal à lui-même. Lui, on ne peut pas le contrefaire. Branchez-le sur n'importe quel sujet, le terrorisme par exemple : « Le djihad, tu connais ? Voilà ce que le département d'État ne pige pas à propos des islamistes. Y a pas à tortiller, ils appartiennent à un pays étranger.

– Les islamistes ? Je croyais qu'on disait les musulmans. J'ai tort si je les appelle comme ça ?

– Oh, "tort" ! Tort, c'est un concept relatif. Personne ne va aller dire que tu as "tort", dans l'absolu... »

Un flot d'incroyables absurdités, comme seul le gars Cain peut en débiter. Rupp parle et se comporte normalement lui aussi, mais il a un truc qui cloche à l'allumage. Et ça, ce n'est pas Tommy Rupp. L'homme qui a fait embaucher Mark aux abattoirs, qui lui a appris à tirer au fusil, qui l'a initié à des expériences alternatives insoupçonnées – Rupp l'éclair – lui, il devrait savoir expliquer ce qui se trame.

Il demande à Rupp s'il sait quelque chose au sujet de la fille qui se fait passer pour Karin. Il le dévisage comme si Mark venait de se transformer en loup-garou. Une saloperie a contaminé son stock de bouffe. Il est tendu comme un arc vingt-quatre heures sur vingt-quatre, à croire qu'il est d'enterrement tous les jours. Le vrai Ruppie ne se faisait jamais de bile. Il savait lâcher du lest. Le vrai Ruppie pouvait rester toute la journée en chambre froide à trimbaler des quartiers de vache sans même le sentir. Rien ne le glaçait. Ce type-là, en revanche, ne dégèle jamais.

Toute cette machination est bien déroutante, mais Mark ne peut que subir. Ils lui cachent quelque chose, quelque chose de grave. Son camion, détruit. Sa sœur, disparue. Chacun crie son innocence. Personne ne veut lui parler de l'accident ou des quelques heures qui l'ont précédé et suivi. Rien à faire sinon rester le cul dans son fauteuil à jouer les imbéciles et voir ce qu'il peut apprendre.

Duane-o et Rupp lancent une partie de poker fermé. Thérapeutique, qu'ils disent. Alors, soit : il s'y colle. Mais ils jouent avec des cartes truquées dont piques et trèfles sont identiques. Le jeu est bizarre lui aussi, avec beaucoup trop de six, de sept et de huit. Ils misent des autocollants d'ACI ; la pile de Mark s'amenuise comme les troupeaux de bisons. Ils ne cessent de lui seriner qu'il a déjà tiré des cartes alors que c'est faux. Un jeu de cons pour les glands. Il le leur dit. Et eux : « Schluter, tu as toujours adoré ce jeu. » Il ne se donne pas la peine de démentir.

Ils passent des heures à écouter des compilations que Duane télécharge et grave sur des CD. La musique a beaucoup changé depuis son départ. Le son lui scie les nerfs. Nom de Dieu ! Qui peut écouter un truc pareil ? Jamais rien entendu d'aussi branque. Qu'est-ce que c'est ? Du *country metal* ?

Rupp perd patience. Arrête de te tortiller et sers-toi de tes oreilles, Gus. Du *country metal* ! Tu es encore sous morphine, ou quoi ?

Le *country metal*, ça existe, soutient Cain. C'est un genre parfaitement répertorié. Tu ne savais pas ? Pas d'erreur, Duane est bien Cain.

Pourtant, ces deux-là échangent des regards qui donnent à Mark l'envie d'aller se cacher. Quand ils sont là, il ne s'entend plus penser. Trop de choses se bousculent pour qu'il arrive à saisir ce qui cloche. Mais quand ils sont partis, il n'y a plus de pistes à suivre. Impossible d'expliquer ce qu'on ne peut pas voir.

Le sosie de Karin a l'air si vrai, c'est ça, le hic. Assis dans son coin, Mark suit les règles prescrites, il écoute quelque chose de relaxant, mais voilà que cette fille vient le harceler. Elle ne veut pas lâcher son numéro. Elle entend la musique. Des polyphonies hawaïennes ?

Je ne sais pas. Ça ressemble à des polkas polynésiennes, ou quelque chose du même tonneau.

Elle s'emballe : où tu as trouvé ça ?

Va savoir. Une infirmière me l'a donné parce que j'ai été bien sage.

Mark ? Tu es sérieux ?

Quoi ? Tu crois que je l'ai piqué à un désorbité d'Alzheimer ? Et qu'est-ce que ça peut te foutre ? Tu me fliques, maintenant ?

Alors, elle s'excite : tu aimes vraiment ça pour de bon ?

Quoi ? Où est le problème ? Pourquoi je n'aimerais pas ?

Il se trouve que... Non, rien. Je suis certaine que tu aimes. C'est sûrement de la bonne musique. Elle a les yeux rouges et tout gonflés, comme si on avait jeté du sel dedans.

Tu ne me connais pas. J'écoute ça tout le temps. Tu vois, j'aime bien... la musique débile. Quand je suis seul. Sous le casque... avec les... cache-oreilles.

Comme s'il venait de lui avouer qu'il aimait se travestir, ou une bizarrerie de ce style. Ça la retourne. Je n'en doute pas, dit-elle. Moi aussi.

Il ne saisit pas très bien. Ça la turlupine vraiment. Il n'y pige rien de rien. Il faut parler moins, observer plus. Il pourrait consigner ça par écrit, mais on risquerait d'utiliser ses notes comme pièces à conviction.

Même Bonnie, la belle et simple Bonnie, n'est plus pareille. On dirait un fantôme, un personnage sorti d'une de ces vieilles séries télé, avec sa petite coiffe de pionnière et sa robe qui touche par terre. À croire qu'elle a changé de vie, qu'elle se nourrit de racines et habite une tanière recouverte d'herbe, comme un gros chien de prairie, là-bas sur l'autoroute, du côté de l'Arche. Il faut qu'elle fasse croire à tout le monde que sa mère clamse dans une tempête de neige, et que son paternel est emporté par une sécheresse, le tout façon fresque biblique, même si ses vieux sont encore de ce monde et habitent une zone résidentielle protégée aux abords de Tucson. Personne n'est vraiment qui il prétend être ; il est censé en rire et entrer dans leur jeu.

Malgré ça, Bonnie reste aussi sexy qu'une chaîne cryptée, même dans cette robe qui lui arrive aux chevilles. Alors il ne discute pas avec elle. À vrai dire, toute cette panoplie est assez affriolante, surtout la capote des temps anciens. Ça le requinque de rester assis à côté d'elle, bouche ouverte, pendant qu'elle confectionne de petites cartes et autres babioles. Vœux de prompt rétablissement destinés à de parfaits inconnus alités dans les chambres voisines. Photos de nouveau-nés dans leurs berceaux en osier, à l'attention de législateurs en poste à Washington. Il s'assoit tout contre elle, pour l'aider, colorier d'une main l'intérieur des figures, tandis qu'il laisse l'autre posée sur elle. S'il n'y a personne dans la pièce, il peut promener ses doigts un peu où il veut.

Mais les cartes ne se montrent guère coopératives. Il donne un coup de stylo dans l'une d'entre elles et la pointe de son instrument laisse un trou dans le dessus de la table. Qu'est-ce qui cloche ? demande-t-il. C'est de la merde.

Elle bondit. Elle a peur de lui. Mais elle l'entoure de ses bras. Tu t'en sors très bien, Marko. C'est étonnant à quel point. Tu n'as pas été très frais pendant un temps.

Ah bon ? Mais je reprends du poil de la bête, hein ? Je vais redevenir comme avant ?

Ça y est déjà. Regarde-toi !

Il l'observe, mais ne peut dire si elle ment. Il essuie ses yeux plombés. À titre de comparaison, il sort la carte de vœux qui lui a été adressée : *Je ne suis Personne*... Alors, bienvenue au club. Tu n'es pas tout seul.

Des semaines s'écoulèrent, dont Karin ne pouvait rendre compte. Tandis que les thérapeutes auscultaient son frère, testaient sa mémoire et son aptitude à saisir les détails de l'ordinaire, elle laissait filer les jours. Une part d'elle-même avait décroché. Pas étonnant, quand Mark l'accusait d'imposture deux fois par jour. Des jours comme ça, elle n'avait guère envie de s'en souvenir.

Ils transférèrent Mark en rééducation. Écrasante déception. « C'est donc ça, *sortir* ? C'est encore pire ici que là-bas. Un hôpital pénitentiaire, ni plus ni moins. Et qu'est-ce qui se passe si je ne me pointe pas au tribunal ? »

En réalité, la clinique de Dedham Glen présentait un mieux par rapport au Bon Samaritain. Tout en pastels et galets, l'endroit pouvait passer pour une maison de retraite à loyer modéré. Mark ne révéla jamais s'il reconnaissait ou non l'établissement où ils avaient consigné leur mère en phase terminale. Il occupait une chambre individuelle, les couloirs étaient plus gais, la nourriture meilleure et le personnel plus qualifié qu'à l'hôpital, plus froid et plus stérile.

Surtout, il y avait Barbara Gillespie, l'aide-soignante du service. Bien qu'elle fût nouvelle dans l'établissement et approchât la quarantaine, Barbara travaillait avec autant d'ardeur qui si elle s'était établie à son compte. Dès le départ, on aurait juré qu'elle et Mark se connaissaient depuis toujours. Mieux que Karin, Barbara était capable de dire ce que

Mark voulait, y compris quand il ne le savait pas lui-même. Grâce à Barbara, la clinique prenait un air de villégiature familiale en multipropriété. Elle se montrait si rassurante que les Schluter frère et sœur s'efforçaient de lui plaire en affichant plus de solidité qu'ils ne pouvaient se le permettre. Au contact de Barbara, Karin se prit à croire aux guérisons complètes. Mark tomba amoureux d'elle au bout de quelques jours et Karin ne tarda pas à le suivre. Elle vivait pour ses échanges avec l'assistante, inventait de menus problèmes afin de pouvoir la consulter. En rêve, Karin s'imaginait avec Barbara Gillespie aussi proche que deux sœurs se réconfortant l'une l'autre, comme si elles connaissaient Mark depuis la petite enfance. Dans la vraie vie, Barbara apportait presque autant de consolation à Karin et la préparait aux épreuves encore à venir.

Karin saisissait toutes les occasions d'observer Barbara dans l'espoir d'imiter sa maîtrise et sa grâce tranquille. Un soir, elle fit son portrait à Daniel, dans la pénombre de sa cellule monacale. Elle essayait de ne pas paraître trop élogieuse. « Quand elle te parle, elle est toujours à cent pour cent avec toi. Je n'ai jamais rencontré quelqu'un de plus présent. Elle n'est jamais à contretemps. À penser au patient d'après, ou à celui d'avant. Elle est là où elle se trouve. Moi je passe mes journées à réparer mes trois dernières sottises ou à éviter les trois prochaines. Mais Barbara, elle est tout simplement... posée. Elle est là. Il faut la voir à l'œuvre. C'est l'infirmière parfaite pour Mark. Très à l'aise avec lui. Même quand l'envie me démange de lui flanquer un oreiller sur la figure, elle l'écoute, lui et toutes ses théories. Elle se sent bien mieux dans son corps que n'importe qui. Je parierais qu'elle n'a aucune envie d'être quelqu'un d'autre. »

Dans le noir, Daniel posa une main sur le front de Karin pour la mettre en garde. Elle était allongée sur son futon à même le sol, dans une chambre si vide que les trois plantes vertes y faisaient figure de reliquat abandonné là par la nature après liquidation des stocks. Les rares meubles de l'appartement en sous-sol provenaient tous de la récupération. La bibliothèque (remplie des publications du Bureau de recherches géologique et minière, des brochures du Service de conservation des ressources naturelles et de guides régionaux) consistait en un empilement de cagettes. Deux tréteaux et une vieille porte en chêne rescapée d'un chantier de démolition servaient de table de travail. Même le frigo était un réfrigérateur minibar pour chambre d'étudiant, remis à neuf et acheté dix dollars aux chiffonniers de Goodwill. Daniel maintenait à seize petits degrés la température de son appartement. Il avait raison, bien sûr : son mode de vie était le seul défendable. Mais Karin projetait déjà de rendre les lieux habitables.

« Cette femme possède son propre thermomètre intérieur, poursuivit-elle. Son horloge atomique. La dernière personne sur cette planète à ne pas compter son temps. Elle est si égale. Si tranquille. Une bulle d'attention permanente.

– Douée pour l'observation des oiseaux, on dirait.

– Mark ne la met jamais en difficulté, même quand il débloque à plein tube. Aucun résident ne la perturbe, et il y en a dans le lot qui sont gratinés. Elle n'attend pas des gens qu'ils soient comme ci ou comme ça. Elle ne voit que toi, que la personne en face d'elle.

– Que fait-elle pour lui ?

– Officiellement ? Elle est aide-soignante. Elle se conforme au planning, administre de menus traitements, veille aux besoins quotidiens de Mark, s'assure de son état cinq fois par jour, suit l'évolution de sa folie, nettoie derrière lui. C'est la personne la plus sous-employée que je connaisse, moi y compris. Je ne comprends pas pourquoi ce n'est pas elle qui dirige l'établissement.

– Dans ce cas, elle ne s'occuperait pas de ton frère.

– Juste. » Monosyllabe de feinte sagacité : elle copiait Daniel. Son vieux complexe du caméléon. Être celui avec qui l'on est.

« L'avancement professionnel peut se révéler nuisible, dit Daniel. Il faut faire ce que l'on aime sans se soucier de son statut.

– Oui. Ça, c'est tout Barbara. Elle ramasse le linge sale de Mark comme si elle dansait un ballet. »

La main de Daniel décrivait des cercles prudents sur le bras de Karin. Elle comprit alors : il jalousait cette femme, enviait le tableau qu'elle en brossait. La patience était sa vanité secrète, le don qu'il voulait posséder sans rival.

« Elle reste écouter Mark quand il se lance dans ses théories abracadabrantes, comme si toutes ses divagations étaient parfaitement plausibles. Comme si elle le respectait totalement. Ensuite, elle creuse la question avec lui, sans condescendance, jusqu'à ce qu'il voie d'où vient son erreur.

– Hum ! Elle a servi chez les scouts ?

– Mais je trouve qu'il y a comme une tristesse en elle. Un profond stoïcisme, mais de la tristesse. Elle ne porte pas d'alliance, ni la marque d'un anneau autour du doigt. Va comprendre. C'est si étrange. Elle est exactement celle que j'ai essayé de devenir toute ma vie. Daniel ? Tu crois qu'il y a une intention derrière tout ça ? »

Il fit mine de ne pas saisir. Il vivait comme un anachorète et méditait quatre fois par jour. Il avait sacrifié sa vie à la protection d'une rivière vieille de plusieurs dizaines de milliers d'années. Il vouait un culte à la nature. Il avait placé Karin elle-même sur un piédestal depuis l'enfance. À tous égards, il était la foi incarnée. Mais le mot « intention » le rendait nerveux.

Elle jacassait. « Pas besoin de... Appelle ça comme tu voudras. Depuis l'accident, je n'arrête pas de me dire que nous avançons peut-être tous sur des chemins invisibles, sans savoir. Des chemins qui nous mèneraient vraiment quelque part. »

Il se raidit. Les rapides de son souffle cascadaient sur les seins de Karin. « Je ne sais pas, KS. Tu crois que si ton frère a eu un accident, c'est pour te guider vers cette femme ?

– Pas moi. Lui. Tu sais quel genre de vie il menait, avant. Tu vois ses amis ? Avant Barbara Gillespie, Mark n'avait jamais craqué que pour des ratés, et ce depuis... » Elle se tourna sur le côté pour lui faire face et enrouler un bras autour de sa taille. « Depuis toi. Je me trompe ? »

Ce piètre compliment le fit tressaillir. Les liens de l'enfance, rompus à la puberté. Le Danny Riegel que Mark avait aimé autrefois n'était pas cet homme allongé près d'elle, à trente centimètres de là. « Tu crois que ce pourrait être ça, son... chemin ? Cette femme serait venue pour le sauver de lui-même ? »

Elle retira son bras. « Tu caricatures. » Au moins ne la tournait-il pas en ridicule, comme un autre l'aurait fait. Mais elle s'entendait parler, entendait le désespoir dans sa voix. Elle finirait un jour par ressembler à sa mère et prendrait *Écritures vivantes* pour un alphabet runique.

« Faut-il que cette femme soit un signe du destin ? demanda Daniel. Pourquoi ne pas y voir une simple aubaine dans la vie de Mark, pour changer ?

– Mais sans l'accident, il ne l'aurait jamais rencontrée. »

Daniel se leva et alla à la fenêtre, nu comme un ver, sans prendre garde. Un enfant sauvage. Le froid de son appartement ne l'affectait pas. Il éprouvait la valeur de l'argument. Elle appréciait ce trait de caractère, l'indéfectible bonne volonté avec laquelle il éprouvait sa valeur à elle. « Personne n'avance tout seul sur son chemin. Tout est lié. Sa vie, la tienne, celles de ses amis... la mienne. Il y a d'autres... »

À le voir fixer par la fenêtre tous ces chemins enchevêtrés, elle songeait aux trois séries d'empreintes conjuguées dont la police avait parlé. Celles qu'ils avaient remarquées et mesurées. Mais combien de conducteurs avaient filé sur l'asphalte cette nuit-là sans laisser de traces ? Elle s'assit dans le lit et remonta le plaid pour couvrir sa nudité. « Tu es la personne la plus mystique que je connaisse. Tu proclames partout l'existence d'une essence vivante qu'on ne peut même pas... » Impitoyable, Robert Karsh s'était moqué de lui. Le Roi des Ents. Le Druide. Le Petit Géant vert. Et Karin avait pris part au concert – prête à toutes les bassesses, pour être confortée.

Daniel s'adressait à quelque chose au-delà de la fenêtre. « Un million d'espèces en voie de disparition. Difficile à ce compte-là d'exiger un chemin à soi. »

Ces mots sonnaient comme un reproche. Elle sentit la gifle. « Mon frère a failli mourir. Je ne sais pas ce qui va lui arriver. S'il pourra retravailler, si son cerveau, sa personnalité... Ne m'en veux pas si j'ai besoin d'un peu de foi pour survivre. »

En ombre chinoise sur le fond de la fenêtre, il porta ses mains au sommet de son crâne. « T'en vouloir ? Mais jamais de la vie ! » Il revint vers le lit. « Jamais. » Il lui caressa les cheveux, contrit. « Bien sûr qu'il existe des forces qui nous dépassent. »

Elle le sentait dans sa caresse : des forces qui nous dépassent tant que nos chemins ne signifient rien pour elles.

« Je t'aime » dit-il. Dix ans après les faits, aveu pourtant prématuré, d'une certaine façon. « Pour moi, tu es ce qu'il y a de meilleur dans l'être humain. Jamais tu ne m'as paru plus digne qu'en cette minute. » Il voulait dire fragile. Démunie. Dans le faux.

Elle laissa le jugement de Daniel faire son chemin. Elle se réfugia sur son torse étroit pour essayer d'étouffer ses paroles à l'instant même où elle les prononçait. « Dis-moi que quelque chose de bon pourrait encore sortir de cette histoire.

– C'est possible » dit-il. Toutes les bassesses, pour la conforter. « Si cette femme peut aider Mark, alors elle sera notre chemin. »

Daniel méditait : c'était son plan à lui. Quand il adoptait la position du lotus, il fallait que Karin quitte l'appartement. Non qu'elle craignît de le gêner : Daniel oubliait tout lorsqu'il se mettait à l'écoute de sa respiration. Mais le voir si tranquille et absent l'irritait. Elle se sentait abandonnée, comme si la montagne de problèmes que lui posait Mark ne représentait pour Daniel qu'un obstacle sur la voie de la transcendance. Il ne restait jamais en transe plus de vingt minutes d'affilée, du moins à la montre de Karin. Mais pour elle, ces instants menaçaient de virer à l'éternité.

« Qu'est-ce que tu cherches là-dedans ? demandait-elle en s'efforçant de prendre une voix neutre.

– Rien ! Je veux que ça m'aide à ne rien vouloir. »

Elle serrait dans son poing l'ourlet de sa jupe. « Quel bienfait ça te procure ?

– Ça me transforme un peu plus... en objet à mes propres yeux. Dépourvu d'identité. » Il se frotta la joue et leva les yeux au plafond, à onze heures. « Ça rend mon intérieur plus transparent. Ça diminue la résistance. Affranchit mes certitudes. Et du coup, à chaque pensée nouvelle, à chaque nouveau changement, ce n'est plus autant... comme si je mourrais.

– Tu veux que ça te fluidifie ? »

Il hocha la tête, comme si elle venait de le rejoindre à mi-parcours. Karin trouvait l'idée presque abominable. Mark s'était liquéfié. Et elle ne pouvait pas aller plus loin dans sa propre liquéfaction que l'accident ne l'y avait déjà contrainte. Ce qu'elle voulait – ce qu'elle attendait de Daniel – c'était une terre ferme.

La dernière grue disparue, Kearney retrouva son vrai visage. Les guetteurs de grues (deux fois plus nombreux qu'à peine cinq ans plus tôt) s'évaporèrent avec les migrateurs. Toute la ville éprouvait le soulagement de ne plus être obligée de jouer son propre rôle pendant les dix prochains mois. Jouir de la célébrité chaque printemps, pour une chose qui, dans le meilleur des cas, vous prenait en grippe – il y avait là de quoi ternir l'image qu'une localité a de soi.

D'autres oiseaux arrivèrent dans le sillage des grues. Vague après vague, des oiseaux par millions franchissaient le minuscule étranglement d'un sablier aux dimensions continentales. Des oiseaux que Karin Schluter voyait depuis l'enfance, sans les remarquer : Daniel connaissait le nom de chaque spécimen. Il se promenait avec un index alphabétique des quatre cent quarante-six espèces du Nebraska au grand complet : *Anas, Anthus* et *Anser, Buteo lineatus, Branta canadensis* et *Bucephala, Calidris, Catharus, Carduelis*... le tout couvert de ratures et de notes prises sur le terrain, illisibles, à demi effacées.

Karin partait observer les oiseaux en sa compagnie, pour ne pas céder à la folie. Les après-midi où Mark s'emportait contre elle et où elle ressentait le besoin de s'évader, elle allait au nord-ouest avec son amateur d'oiseaux, sur les dunes de sable, au nord-est, sur les étendues de lœss, à l'est ou à l'ouest, sur les tresses méandreuses de la rivière. Elle balançait entre la jubilation et la culpabilité d'avoir abandonné son frère, ne fût-ce qu'un après-midi. Elle avait éprouvé cette sensation à l'âge de dix ans quand, rentrée d'une partie de cache-cache un soir d'été, elle s'était aperçue, mais seulement en entendant les cris d'orfraie de sa mère, qu'elle avait oublié son petit frère, tapi dans une conduite en béton, attendant là qu'on vienne l'y dénicher.

Dehors, dans l'air qui tiédissait, Karin sentait pour la première fois qu'elle avait frôlé la catastrophe. Une semaine de plus au chevet de Mark et elle se serait mise à croire aux théories qu'il échafaudait sur son compte. Ils étaient partis pique-niquer près des sablonnières humides, juste au sud-ouest de la ville. Elle venait de mordre dans une tranche de concombre quand tout son corps fut pris de convulsions si violentes qu'elle ne put déglutir. Recroquevillée sur elle-même, elle cachait son visage tremblant. « Mon Dieu. Qu'est-ce que je serais devenue, ici, sans toi, avec ce qui lui arrive ? »

Il la prit par les épaules et la redressa. « Je n'ai rien fait, dit-il. J'aimerais tant. » Il lui proposa son mouchoir ; le dernier homme en Amérique qui s'essuyât encore le nez dans un carré de tissu. Elle l'utilisa sans se soucier des bruits horribles qu'elle faisait.

« Je ne peux pas m'en aller d'ici. J'ai essayé, à plusieurs reprises. Chicago. Los Angeles. Boulder, même. Chaque fois que je prends un nouveau départ, que j'essaie de paraître normale, cet endroit me ramène à lui par la peau des fesses. Toute ma vie, j'ai rêvé d'autosuffisance, loin d'ici. Et regarde où j'ai atterri ! Les quartiers sud de Sioux City.

– On revient tous, un jour. »

Elle laissa échapper un rire mêlé à une toux grasse. « Moi je ne suis jamais vraiment partie ! Prise au piège d'une boucle stupide. » Elle balaya l'air d'un grand geste de la main. « Pire que ces foutus piafs. »

Il tressaillit, mais pardonna.

Après le déjeuner, ils aperçurent quelques nouveaux spécimens : des rouges-queues, des pipits, un roitelet solitaire à couronne dorée et même un pic de Lewis qui vagabondait par là. Les herbages offraient peu de cachettes. Daniel enseigna à Karin l'art de voir sans être vu. « L'astuce, c'est de se faire tout petit. Ramener la sphère des bruits à l'intérieur de celle de la vision. Élargir son périmètre ; ne s'intéresser qu'aux mouvements. » Il la fit s'asseoir sans bouger pendant un quart d'heure, puis quarante minutes, puis une heure, à guetter, jusqu'à ce que sa colonne vertébrale menace de se fendre et qu'une créature inconnue sorte de son enveloppe déchirée. Mais l'immobilité était salutaire, comme la plupart des souffrances. Son pouvoir d'attention avait rendu les armes. Il fallait ralentir la cadence, se poser. Observer le silence en compagnie d'un autre, par choix et non à cause d'une blessure. Son frère ne la reconnaissait toujours pas ; son obstination faisait vraiment froid dans le dos. Elle n'imaginait pas que ce symptôme bizarre et instable pût durer si longtemps. Immobile pendant une heure, sur un talus où un massif d'andropogons revenait à la vie, dans une bulle de silence débridé, elle fit l'épreuve de son impuissance. Comme elle se ratatinait et que la mer d'herbe s'étirait, elle entrevit l'étendue de l'existence : des millions de tests imbriqués, plus de réponses que de questions, et une nature si profusément prodigue qu'aucune expérience individuelle n'avait d'importance. La prairie mettait chaque histoire au banc d'essai. Cent mille couples de martinets en période de reproduction déposaient leurs œufs à la volée, sur les poteaux téléphoniques véreux comme sur les cheminées fumantes. Une nuée d'étourneaux tourbillonnait dans le ciel, issue, selon Daniel, d'une poignée d'oiseaux lâchés dans Central Park, un siècle plus tôt, par un fabricant de médicaments qui voulait que l'Amérique abrite chacun des oiseaux mentionnés dans Shakespeare. La nature pouvait vendre à perte ; elle compensait par le volume. Elle lançait des paris sans relâche, sans se soucier de les perdre presque tous.

Daniel faisait preuve d'une même munificence. Cet homme qui refusait de s'accorder de simples douches chaudes entoura Karin d'attentions tout l'après-midi. Il interprétait pour elle les empreintes et les traces. Il lui trouva un nid de guêpes, une boulette de hibou, et le minuscule crâne blanchi d'une fauvette dont la minutie outrepassait le talent du meilleur joaillier. « Tu connais ce vers de Whitman ? lui demanda-t-il. "Après avoir épuisé ce qu'il y a dans les affaires, la politique, la convivialité et ce qui suit – tu as découvert que rien de cela ne satisfait enfin, ou ne persiste – que reste-t-il ? La Nature reste." »

Il voulait la réconforter. Mais ces mots lui parurent implacables, irréfléchis et pleins d'indifférence : bien proches de ce que son frère était devenu.

Quand ils furent rentrés de leur journée d'exploration, Daniel lui tendit une boîte en carton restée un mois à l'arrière de sa Plymouth Duster vieille de vingt ans. Elle se doutait qu'il s'agissait d'un cadeau pour elle, mais elle attendait qu'il ait le cran de le lui offrir. Elle souleva le mince couvercle, déjà prête à manifester sa gratitude, quel que fût l'échantillon d'histoire naturelle qu'il lui avait déniché. La boîte s'ouvrit : le spécimen à l'intérieur, c'était elle. Collection complète de toutes les babioles dont elle avait pu lui faire cadeau. Ils s'assirent sur le bout de terrain situé derrière l'appartement tandis qu'elle examinait ce passé embaumé. Des billets griffonnés de sa plume d'elfe trempée dans des encres de couleur que jamais elle n'aurait utilisées ; les chutes de leurs sempiternelles plaisanteries, qui ne lui évoquaient plus rien ; et même quelques tentatives de poèmes abandonnées en cours de route. Les talons de deux tickets de cinéma pour un film qu'ils n'avaient sûrement pas vu ensemble. Des esquisses du temps où elle savait dessiner. Une carte postale de sa mésaventure à Boulder : « Je me disais bien que j'aurais dû vendre mes stock-options le mois dernier. » Une figurine articulée de Mary Jane, objet du désir de Spiderman. Karsh la lui avait donnée sous prétexte qu'elle était son portrait craché. Karin l'avait remise à Daniel (provocation stupide) au lieu de la jeter au feu pour la réduire en dioxines, comme il aurait fallu le faire.

À l'évidence, elle ne lui avait jamais rien offert de valeur. Mais il avait tout conservé. Il avait même gardé le faire-part du décès de sa mère, paru dans *Le Chaînon*, et découpé bien après le temps où il aurait dû expédier la boîte entière à l'incinérateur. Sa piété était aussi angoissante que la froideur de Mark. Horrifiée, elle regardait cette capsule de vieilleries. Karin ne valait pas la peine d'être sauvegardée.

Daniel l'observait, plus immobile que lorsqu'il guettait les oiseaux. « Je me disais simplement que si tu te sentais un peu déracinée, KS, tu voudrais peut-être... » Il tendit la main : dix années ramassées dans le creux de sa paume. « Ça ne fait pas trop obsessionnel, j'espère. »

Elle saisit la boîte, accablée par cette vaine conversation, mais incapable de le réprimander. Les biens temporels de Daniel tenaient tout entier dans deux valises, et il avait gardé ceci. Elle pourrait à présent lui donner de vraies choses, des cadeaux choisis rien que pour lui, des objets qu'il ne serait plus navrant de conserver. Pour commencer, il lui fallait un manteau de demi-saison.

« Est-ce que je peux... Tu veux bien que je la garde encore un moment ? J'ai besoin de... » Elle posa une main sur la boîte, puis se toucha le front. « C'est toujours à toi. C'est juste que... »

Il parut satisfait, mais elle était trop bouleversée pour en avoir la certitude. « Garde-les, dit-il. Garde-les tant que tu voudras. Montre-les à Mark, si ça te dit. »

Jamais, pensa-t-elle. *Jamais*. Trop loin de la Karin qu'elle voulait qu'il reconnaisse.

S'il refusait de voir en elle sa sœur, Mark lui adressait néanmoins des reproches lorsqu'elle s'absentait un après-midi. « Où t'étais passée ? Tu es allée faire ton rapport aux autorités, hein ? Ma sœur ne se défilerait jamais comme ça, sans prévenir. Ma sœur est très loyale. Tu aurais dû te renseigner quand tu t'entraînais à la remplacer. »

Ces paroles la comblaient d'espérance, et l'accablaient.

« Explique-moi un truc. Qu'est-ce que je fous encore en rééducation ?

– Tu étais vraiment très abîmé, Mark. Ils veulent juste s'assurer que tu es remis à cent pour cent avant de te renvoyer chez toi.

– J'y suis, à cent pour cent. À cent dix pour cent. Cent quinze. Dans cette affaire, le meilleur juge, c'est bien moi, non ? Pourquoi faut-il qu'ils croient d'abord leurs examens ?

– Ils sont prudents, voilà tout.

– Ma sœur ne m'aurait pas laissé croupir ici. »

Karin se laissait gagner par l'étonnement. Même si le moindre changement dans ses habitudes le perturbait encore, Mark redevenait lui-même avec toujours plus de constance. Il s'exprimait plus clairement, mélangeait moins les mots. Il améliorait ses résultats aux tests de cognition. Il parvenait à répondre à un plus grand nombre de questions sur son passé avant l'accident. Puisqu'il revenait à la raison, Karin céda à la tentation de lui prouver son identité. Elle glissait de menus détails dans la conversation, des anecdotes que seul un Schluter pouvait connaître. Elle l'aurait à l'usure et au bon sens, armée d'une logique implacable. Par un après-midi d'avril, alors qu'ils se promenaient au bord de la canardière artificielle de Dedham Glen, dans la grisaille et le crachin, elle fit allusion à la fois où leur père était parti jouer les faiseurs de pluie aux commandes de son avion d'épandage reconverti pour l'occasion.

Mark secoua la tête. « Mais d'où tu tiens ça, toi ? C'est Bonnie qui te l'a dit ? Rupp ? Ils trouvent ça étrange, eux aussi, ta ressemblance avec Karin. » Le visage de Mark s'assombrit. Elle le vit penser : *Elle devrait être là, maintenant. Ils ne veulent pas lui dire où je suis.* Mais il nourrissait trop de soupçons pour formuler ses réflexions à voix haute.

Que signifiait la parenté, s'il rejetait sa parentèle ? On ne pouvait se dire la femme d'Untel sans que celui-ci fût d'accord ; les années passées auprès de Karsh lui avaient appris cela. On ne devenait pas l'ami de quelqu'un par simple décret, ou alors, elle eût été très entourée. Même chose pour une sœur, à un détail technique près. Si Mark ne devait plus jamais reconnaître en elle sa chair et son sang, à quoi serviraient toutes les objections qu'elle pourrait lui opposer ?

Leur père avait eu un frère autrefois. Luther Schluter. Ils avaient appris son existence un beau jour ; Karin avait alors tout juste treize ans et Mark presque neuf. Cappy Schluter avait soudain tenu à les emmener sur une montagne de l'Idaho, quand bien même il leur fallait pour cela manquer une semaine d'école. « On va rendre visite à votre oncle. » Comme s'il était entendu qu'ils avaient toujours soupçonné son existence.

Cappy Schluter avait traîné sa progéniture à travers le Wyoming dans un break Rambler bordeaux et menthe, Joan assise à côté de lui, à la place du mort. Aucun des enfants ne pouvait lire en voiture sans vomir, et Cappy interdisait la radio à cause de tous les messages subliminaux qui manipulaient l'auditeur inconscient. Ne restaient donc que les histoires de leur père, chroniques des jeunes frères Schluter, pour les escorter sur les mille quatre cents kilomètres de paysage les plus impitoyables de la terre. Depuis Ogallala et jusqu'à Broadwater, Cappy leur raconta le temps où les Schluter exploitaient les Sandhills, d'abord comme cultivateurs bénéficiaires du Kincaid Act, puis comme ranchers, quand le gouvernement leur avait retiré la terre de sous les pieds. De Broadwater à la frontière du Wyoming, il entreprit de les distraire avec les exploits de chasse de son frère aîné, ou comment quatre douzaines de lièvres cloués à la façade sud de la grange avaient permis à la famille de passer l'hiver 1938.

Pour les aider à tenir la distance, Cappy Schluter servit à ses enfants la liste, agrémentée de sinistres détails, de tous les adversaires que Luther Schluter avait mis au tapis pour accéder à la troisième place du championnat de lutte du Nebraska. « Votre oncle est un puissant gaillard », avait-il répété par trois fois sur trois kilomètres. « Un puissant gaillard qui pouvait tout encaisser. Avant d'être en âge de voter, il avait déjà vu trois hommes mourir. Le premier était un camarade d'école primaire, noyé dans un silo à grains alors qu'ils jouaient dedans tous les deux. Le deuxième était un vieil employé du ranch, emporté par à une rupture d'anévrisme lors d'une partie de bras de fer ; il avait rendu l'âme dans le creux du biceps de Luther. Le troisième était son propre père, mort alors qu'ils allaient ensemble secourir quatorze têtes de bétail prises dans une tempête de neige.

– Le père d'oncle Luther ? » avait demandé Mark à l'arrière de la voiture. Karin lui avait fait signe de se taire, mais Cappy était resté droit comme un i, dans la posture du vétéran de la guerre de Corée, sourd au monde extérieur.

« Trois hommes avant d'être en âge de voter, et une femme, peu après. »

Sur la banquette arrière, les enfants étaient traumatisés. Pendant la majeure partie du voyage, Mark se réfugiait dans un cocon, contre la poignée de la portière, et s'entretenait à voix basse avec son ami secret, monsieur Thurman. Ces centaines de kilomètres de confidences murmurées entre l'enfant et le fantasme exaspéraient Karin, elle qui n'arrivait pas à visualiser sa meilleure amie, bien réelle, quittée dix heures plus tôt, et moins encore un compagnon imaginaire. Ils n'avaient pas dépassé Casper que Karin malmenait déjà son frère. Leur mère leur flanquait alors des raclées depuis le siège avant, d'abord à coups de cartes routières serrées en rouleau, puis avec un exemplaire cartonné d'*Au jour du jugement*. Volant bien en mains, Cappy se contentait de rouler, le cou déformé par cette pomme d'Adam grotesque qui lui donnait l'allure d'un héron à l'affût.

Ils finirent par arriver chez leur oncle, un homme qui, trois semaines plus tôt, n'avait jamais seulement figuré sur une quelconque photo de famille. Quelle que fût autrefois la puissance du gaillard, elle l'avait abandonné de longue date. Cet oncle-là n'aurait pas résisté au courant d'air produit par le battant d'une porte de grange. Luther Schluter, réparateur de chaudières qui vivait reclus sur une falaise solitaire près des chutes de l'Idaho, se mit presque aussitôt à débiter des théories encore plus copieuses que celles de leur père. Washington et Moscou avaient manigancé ensemble la guerre froide pour que leurs populations se tiennent à carreau. Le monde regorgeait d'abondantes ressources pétrolières dont les multinationales refusaient d'ouvrir les vannes afin de préserver leurs bénéfices. L'Observatoire de la santé savait que la télévision provoquait des tumeurs au cerveau, mais il se taisait pour pouvoir toucher des pots-de-vin. Le voyage s'était-il bien passé ? Pas de pépins avec la voiture ?

De leurs années de brouille, Cappy et Luther ne dirent pas un mot. Ils s'assirent aux deux bouts d'un sofa miteux, devant l'âtre en galets de la cabane que Luther avait construite de ses mains : l'un citait un nom du temps de leur enfance dans le Nebraska, l'autre l'identifiait. Luther raconta à sa nièce et à son neveu des histoires étonnantes au sujet du jeune Cappy : comment il s'était fait une entaille sur l'arête du nez en laissant choir une grosse pierre qu'on l'avait mis au défi de lever au-dessus de sa tête. Comment il s'était trouvé marié à une autre femme avant Joan. Comment il avait fait de la prison sur un malentendu impliquant trente-huit balles de foin et une camionnette Chevrolet remplie de céréales. Chaque fable leur révélait un père de plus en plus inattendu. Mais ce qui l'était davantage encore, c'était de voir Cappy Schluter, plein de révérence pour ce vieillard chancelant au teint cireux, se soumettre sans broncher à la séance des réminiscences. Jamais Mark et Karin n'avaient vu leur père aussi intimidé par qui que ce soit. Leur mère, elle aussi, acceptait de ce parent retrouvé des commentaires qu'elle n'aurait pas tolérés de Satan en personne.

Ils étaient repartis deux jours plus tard. Luther avait donné à chacun des enfants cinq dollars en argent et, à se partager, un exemplaire du *Manuel pratique de survie en pleine nature*. Karin lui fit promettre de venir les voir dans le Nebraska en faisant mine de ne pas comprendre qu'il serait mort d'ici quatre mois. À l'heure du départ, le nouvel oncle de Karin serra Cappy dans ses deux griffes. « Elle a fait ce qu'elle a fait. Je n'ai jamais voulu manquer de respect à sa mémoire. »

C'est à peine si Cappy avait acquiescé. « Je n'ai pas arrangé les choses, moi non plus », répondit-il. Les deux hommes échangèrent une poignée de main très raide et prirent congé. Karin n'avait conservé aucun souvenir du voyage retour.

Oncles surgis de nulle part et frères sur le point de disparaître. Au bord de la fausse canardière de Dedham Glen, elle comprit la détresse de Mark. Elle en était la cause, en n'étant pas celle qu'elle était. Son amygdale, se souvint-elle. Son amygdale ne communique plus avec son cortex. « Tu te rappelles l'oncle Luther ? » demanda-t-elle. En le bousculant un peu, déloyale sans doute.

Vêtu d'un blouson de base-ball et coiffé du bonnet marin bleu qu'il portait pour dissimuler les cicatrices sur son crâne rasé, Mark s'arc-boutait contre le vent. Il marchait comme s'il exécutait des acrobaties. « Toi, je ne sais pas, mais moi, je n'ai jamais eu d'oncles.

– Allons, Mark. Tu te souviens de ce voyage. On s'est farci un tiers des États-Unis rien que pour rendre visite à un type dont les parents ne s'étaient même pas donné la peine de nous parler. » Elle lui serra le bras, trop fort. « Tu n'as pas oublié. Les centaines de kilomètres passés sur la banquette arrière, sans même le droit de pisser. Ton ami monsieur Thurman et toi, vous bavardiez comme si vous... »

Il se libéra de l'étreinte et s'immobilisa. Il plissa les yeux et posa une main sur son bonnet. « Arrête. Je t'interdis de me trafiquer la cervelle. »

Elle fit des excuses. Ébranlé, Mark, demanda à rentrer. Elle le conduisit vers le bâtiment. Il baissait et remontait la fermeture éclair de son blouson, l'esprit en ébullition. Un instant, il sembla sur le point de briser ses chaînes et de la reconnaître. Devant la porte du vestibule, il murmura : « Je me demande bien ce qu'il est devenu, ce bonhomme-là.

– Il est mort. Juste après notre retour. C'était à cause de ça, le voyage. »

Mark chancela, les traits torturés. « Qu'est-ce que c'est que ces conneries ?

– La vérité. Ils s'étaient fâchés au sujet de la mort de leur mère. Cappy avait coupé les ponts parce que Luther avait dit... Mais quand il a appris que celui-ci allait mourir... »

Mark émit un grognement et rabroua Karin d'un geste de la main. « Pas lui. Ce type-là n'a jamais rien représenté pour moi. Je parlais de monsieur Thurman. »

Elle resta sidérée, saisie d'épouvante.

Mark partit d'un rire sec et étouffé. « Les amis imaginaires, quoi ! Une fois que tu t'en es débarrassé, tu crois qu'ils vont casser les pieds à un autre môme aussi frappé que toi ? Mais au fait... » Il fit une grimace, incrédule. « Je ne sais pas t'a raconté ce voyage. Mais il s'est bien planté. »

Jack est le père de cette personne, mais cette personne n'est pas le fils de Jack. Qui est-elle ? À l'évidence, la question n'a aucun sens pour qui y réfléchit à deux fois. C'est le barjo qui l'a pondue qu'on aurait dû envoyer en rééducation, pas lui. Comment veulent-ils qu'il sache qui est « cette personne » ? Ce pourrait être n'importe qui. Mais ils s'acharnent à lui poser ce genre de questions débiles, même quand il leur signale poliment que tout ça est un tantinet tordu. Aujourd'hui, l'interrogateur est une interrogatrice tout juste sortie de l'université de Lincoln, et à peu près du même âge que lui. Pas un bulldog, mais elle grogne effroyablement et débite des dingueries :

« Une jeune femme se présente dans un magasin pour un emploi. Elle remplit le formulaire de candidature. Le patron regarde et dit : "Hier, nous avons enregistré la candidature d'une personne qui porte le même nom de famille que vous, a les mêmes parents que vous, et est née exactement le même jour, la même année. – Oui, explique la jeune femme. C'est ma sœur. – Vous devez donc être jumelles, conclut le patron. – Non, répond la jeune femme. Pas du tout." »

Et Mark est censé trouver ce qu'elles sont. Bon alors ? L'une d'entre elles a été adoptée, c'est ça ?

Absolument pas. C'est ce que lui dit la poulette venue de l'université, dont la bouche ressemble à deux asticots en train de se monter dessus. Une petite bouche qui pourrait bien faire de l'usage, faute de mieux. Mais une source d'emmerdes pour le moment, avec ses questions foireuses. Elle lui dit : deux jeunes femmes portent le même nom, ont les mêmes parents, la même date de naissance. Oui, elles sont sœurs. Mais non, elles ne sont pas jumelles.

Elles se ressemblent, ou un truc dans le genre ?

Super Interrogatrice dit que ça n'a pas d'importance.

Oh que si, ça en a, répond Mark. On a deux frangines, des jumelles à tous les coups, mais elles disent qu'elles n'en sont pas. Pas moyen d'aller vérifier qu'elles se ressemblent, histoire de savoir si elles mentent ou non, et vous me dites que ça n'a pas d'importance ?

Passons à la question suivante, dit Super Interrogatrice.

J'ai une meilleure idée, dit Mark. On va entrer dans ce débarras, là-bas, et faire connaissance.

Je ne crois pas, disent les asticots. Mais ils ont un peu la tremblote.

Pourquoi non ? Ça pourrait être pas mal. Je suis un bon gars.

Je n'en doute pas. Mais nous sommes là pour en apprendre davantage sur vous.

Justement. Quel meilleur moyen ?

Essayons d'abord la question suivante.

Ce qui veut dire que si je réponds bien à cette question... ?

Pas tout à fait.

Puisqu'on parle de sœurs, à moi de vous poser une question : où est passée la mienne ? Vous pourriez en toucher un mot aux autorités, s'il vous plaît ?

Mais elle n'en fera rien. Elle ne veut même pas lui donner la réponse à l'énigme des jumelles. Elle dit que s'il lui vient une idée, il n'a qu'à le lui faire savoir. Ça le fout en l'air. Cette question est si merdique qu'il n'en dort pas de la nuit. Il cogite dans sa petite chambre du Pavillon des Estropiés. Il est couché là, dans le lit qu'ils ont préparé pour lui, à penser aux jumelles qui prétendent ne pas en être. À penser à Karin, à l'endroit où elle pourrait se trouver, à ce qui lui est vraiment arrivé et que personne ne veut évoquer. Les toubibs disent qu'il a un syndrome. Les toubibs doivent être de mèche.

C'est peut-être une sorte d'allusion sexuelle. Du genre : tu veux la voir, ma paire de jumelles ? Il soumet l'énigme à Duane et Ruppie. Duane-o dit : ça a peut-être un rapport avec la Parthénon genèse. Tu connais la Parthénon genèse ? Phénomène également répertorié sous le nom de génération spontanée.

Rupp décroche un grand coup dans les côtes de Cain. Tu as bouffé de la vache folle ? Il n'y a pas de réponse, déclare Rupp. Et celui-là, il en a dans le cigare. Si lui ne trouve pas, c'est que c'est introuvable.

Tu as peut-être mal compris la question, suggère Duane-o. Il existe un phénomène appelé chevauchement. C'est comme dans le jeu du téléphone arabe...

Ferme ta grande gueule d'Irlandais, tonne Ruppie. Tu as avalé trop de mercure. Le poisson, c'est du poison. Le jeu du téléphone arabe ! Nom de Dieu.

J'avais *Collapse* sur la sonnerie de mon portable, dit Mark. C'était quelque chose. Mais on a trafiqué mes réglages.

Écoute, dit Rupp. C'est la logique même. Quelle est la définition du mot « jumelles » ? Deux filles, nées des mêmes parents, au même moment.

Pile ce que j'ai répondu, dit Mark. Pourquoi ils ne t'examinent pas, toi aussi ?

Rupp s'emporte. De quoi tu te plains ? À toi *la vida loca*, mon pote. Service à domicile, repas chauds. Le câble. Des femmes expertes pour te donner de l'exercice.

Ça pourrait être pire, acquiesce Duane. Tu pourrais pointer avec ces terroristes afghans à Guantanamo. Ces cocos-là, ils ne sont pas près de mettre un orteil dehors avant longtemps. Et l'Américain qu'ils ont enlevé ? Il était camé, bourré, barjo, neuneu ou quoi ?

Mark hoche la tête. La planète entière se défonce au crack. Les thérapeutes, qui font des heures sup' pour le convaincre qu'il ne tourne pas rond. La fausse Karin, qui cherche à l'embrouiller. Rupp et Duane, aussi démunis que lui. La seule en qui il ait confiance, c'est son amie Barbara. Mais elle travaille pour l'ennemi, obscur planton à Sing Sing Light.

Rupp est absorbé dans ses pensées. Il s'agit peut-être de bébés-éprouvette, dit-il. Deux sœurs. Deux embryons différents, implantés...

Tu te souviens des jumelles Schellenberger ? lance Duane, excité comme une puce. Est-ce que quelqu'un se les est faites ?

Rupp se renfrogne. Ça me paraît évident, Einstein. L'une d'elles n'a pas foutu le camp, en terminale, pour aller mettre bas ?

Je savais bien qu'il y avait du sexe là-dessous, dit Mark. Tu ne peux pas avoir une paire de jumelles sans le sexe qui va avec, pas vrai ?

Je pensais à l'un de nous trois, gémit Duane-o.

Rupp branle du chef. Si seulement cette Barbara Gillespie avait une sœur jumelle. Tu imagines ? Deux pour le prix d'une, comme on dit.

Duane se met à couiner comme un coyote. C'est une vioque !

Et alors ? Ce n'est pas pour ça qu'il n'y a plus rien à lui apprendre. Cette femme-là, c'est de la dynamite, je te le dis. Il faut bien comprendre : chez elle, sous l'eau qui dort, il y a une lame de fond qui sommeille.

Faut dire qu'elle a de la classe quand elle marche. Si on décernait un oscar de la démarche, elle aurait une pleine étagère de ces petits homoncules tout chauves. Le concept d'homoncule, vous connaissez ?

Alors Mark se met en colère. Il crie, sans pouvoir s'arrêter. Foutez le camp d'ici. Je ne veux plus vous voir.

Il les effraie. Ses amis (si du moins ce sont ses amis) ont peur de lui. Ils s'affolent : Quoi ? Qu'est-ce qu'on a fait ? Qu'est-ce qui te prend ?

Fichez-moi la paix. J'ai à réfléchir.

Il est debout et les pousse hors de la chambre tandis qu'ils essaient de le raisonner. Mais il en a soupé, de la raison. Les membres du trio s'invectivent quand Barbara surgit de nulle part. Qu'est-ce qui se passe ? demande-t-elle. Alors, il vide son sac. Il en a ras le bol. Ras le bol d'être retenu dans cette fosse à purin. Ras le bol des finasseries, de tous ceux qui vous font croire que tout est parfaitement normal. Ras le bol des questions pièges sans réponse et de ceux qui prétendent qu'il y en a une.

Quelles questions ? demande Barbara. Et rien que cette voix, tombée de ce visage de pleine lune, suffit à le calmer un peu.

Deux sœurs, dit Mark. Nées au même moment, des mêmes parents. Mais elles disent qu'elles ne sont pas jumelles.

Barbara le fait asseoir et elle lui frictionne les épaules. Ces deux-là font peut-être partie d'une famille de triplées.

Rupp se frappe le front. Géniale. Cette femme est géniale.

Duane agite les bras pour demander un temps mort. Vous savez, les triplées, j'y avais pensé. Tout au début. Mais je ne l'ai pas dit.

Bien sûr, petit cachottier. On y a tous pensé, aux triplées. C'est évident. Regardons les choses en face. Tu es un abruti. Je suis un abruti. Le genre humain au grand complet est un abruti.

Mark Schluter se crispe sous la main de Barbara, lutte contre la colère. Alors pourquoi je suis le seul qu'on a bouclé ici ?

Deux jours plus tard, Barbara Gillespie vient le chercher pour une promenade.

Pas besoin d'aller pointer au bureau des mises en liberté conditionnelles ? demande-t-il.

Très drôle, répond-elle. Ce n'est pas le bagne, ici, et vous le savez bien. Allez. En route pour le monde extérieur.

Le monde extérieur est peu digne de confiance. Beaucoup plus délirant qu'avant son accident. Il paraît qu'on est en avril, mais un avril déboussolé qui imite assez bien le mois de janvier. Le vent transperce le blouson de Mark et son crâne est glacé, même sous le bonnet. Il a toujours froid à la tête à présent. Ses cheveux mettent un temps infini à repousser ; la nourriture de la clinique y est pour quelque chose. C'est tout juste si Barbara ne le projette pas hors du vestibule. Attention à la marche, mon mignon. Mais une fois dehors, elle semble décidée à faire le pied de grue devant le banc public installé à côté du parking.

Super, dit-il. L'extérieur dans toute sa splendeur. Je lui donne cinq étoiles. On peut rentrer, maintenant ?

Mais Barbara le retient, taquine. Elle le prend par le bras comme s'ils formaient un vieux couple. Il n'y verrait pas d'inconvénient. Faute de grives.

Encore cinq minutes, mon ami. On ne sait jamais quelle surprise peut vous tomber dessus, quand on patiente le temps qu'il faut.

Sans blague ? Comme cet accident épouvantable dont j'ai été victime, apparemment ?

Barbara désigne quelque chose du doigt, tout excitée. Mais regardez qui voilà !

Comme par hasard, une voiture approche du trottoir. Pas de doute : une Corolla de misère, l'aile toute cabossée du côté passager. C'est la voiture de sa sœur. Sa sœur ! Enfin ! Comme revenue d'entre les morts. Il bondit et se met à crier.

Puis il voit la conductrice derrière le pare-brise, et s'effondre à nouveau. Il est à bout. Ce n'est pas Karin, mais cet agent pas si secret qui a pris sa place. Il y a un chien à côté d'elle, qui s'est précipité contre la vitre et gratte pour la faire descendre. Un border colley, comme celui de Mark. La race la plus intelligente. Le chien a aperçu Mark par la portière et ne tient plus en place. Il se précipite au-dehors à la seconde où Barbara lui ouvre. Avant que Mark ait pu faire un geste, le bel animal est sur lui – l'instinct du berger. Debout sur ses pattes arrière, museau en l'air, il laisse échapper des couinements et des plaintes pathétiques. C'est ça, les chiens. Pas un humain au monde n'est digne de l'accueil que lui réserve le premier clébard venu.

L'actrice qui joue Karin sort du côté conducteur. Elle pleure et rit à la fois. Tu as vu ça ? lance-t-elle. On croirait qu'elle pensait ne jamais te revoir !

La chienne fait des bonds verticaux. Mark lève les bras pour parer l'attaque. Barbara l'exhorte. Mais regardez donc qui est là ! Regardez qui mourait d'envie de vous revoir. Elle se penche et serre l'animal contre son visage. Oui, oui, oui. Tu l'as retrouvé ! La chienne répond d'un glapissement, affection affolée de border colley, puis elle repart à l'assaut de Mark.

Arrête de me lécher. Fous-moi le camp, tu veux ? On ne pourrait pas attacher cette bête, s'il vous plaît ?

La sœur simulée se cramponne à la portière, le visage comme un cotillon d'anniversaire détrempé. On croirait qu'il lui a donné un coup de poing dans l'estomac. Elle recommence à l'asticoter. Mark ! Regarde-la ! Quel animal sur terre peut t'aimer comme ça ?

La chienne se met à pousser des petites plaintes aiguës de bête déroutée. Barbara va rejoindre la fausse Karin, l'appelle mon ange, et lui parle : ça va aller. Ce n'est pas grave. Vous avez bien fait. On réessaiera plus tard.

Plus tard ? gronde Mark. Essayer quoi ? Qu'est-ce que c'est que ces manigances ? Ce clebs est ravagé. Il doit avoir la rage. Faut le piquer avant qu'il me morde.

Enfin, Mark ! Regarde ! C'est Blackie.

Surprise, la chienne de l'agent se met à japper. Au moins là, la bestiole est dans le ton. Blackie ? Vous déconnez ! Couché, Médor !

Peut-être a-t-il un geste qui laisse croire qu'il va frapper l'animal, parce que Barbara s'interpose entre Mark et la bête hurlante. Elle éloigne la chienne et adresse un signe à la Karin en toc, comme pour dire qu'il est temps de remonter dans la voiture.

Mark commence à sortir de ses gonds. Vous croyez que je suis dingue ? Vous croyez que je suis aveugle ? Il va en falloir bien davantage pour me couillonner.

Barbara fait rentrer l'animal dans la voiture, et le moteur quatre cylindres ridicule démarre. Le misérable cabot fait la toupie sur le siège avant, il couine et fixe la copie de Karin. Mark agonit tout ce qui bouge. Arrêtez de m'emmerder ! Que je ne revoie plus jamais ce clébard.

Plus tard, la solitude retrouvée, il s'en veut un peu. Ça le turlupine encore le jour suivant, après une nuit de sommeil. Quand Barbara revient voir si tout va bien, il lui explique. Je n'aurais pas dû crier sur ce chien. Il n'y était pour rien. Certains humains se servaient de lui, c'est tout.

Karin obligea Daniel à l'accompagner sur la North Line. Elle avait évité l'endroit pendant deux mois, comme s'il risquait de la blesser. Mais il lui fallait comprendre ce qui s'était passé cette nuit-là. Quand elle eut enfin trouvé le courage de se rendre sur les lieux, elle se munit d'une protection.

Daniel se gara sur le bas-côté, là où Mark avait quitté la route. Les semaines passées avaient fait disparaître la plupart des indices signalés par la police. Ensemble, ils fouillèrent le fossé peu profond, côté sud, et, à les voir, on aurait juré qu'ils pistaient un animal. *Ramener la sphère des bruits à l'intérieur de celle de la vision.* Ils avançaient à pas comptés parmi les pousses printanières des laîches et des graminées, les phytolaccas, les chardons et les vesces. Le travail de la végétation consistait à tout recouvrir, à transformer hier en maintenant.

Daniel découvrit un petit périmètre parsemé de menus éclats de verre, invisibles sinon à l'œil du naturaliste. Karin accommoda sa vision. Elle vit l'endroit où le camion devait avoir séjourné pendant des heures, renversé sur le toit. Ils remontèrent sur la chaussée, la traversèrent pour rejoindre le côté nord, et repartirent vers l'est, en direction du point où Mark avait perdu le contrôle de son véhicule. La route était vide : le creux de l'après-midi, à la morte saison. Déposées en couches successives, des traînées de gomme recouvraient la surface de l'asphalte. Karin ne pouvait en dater aucune, ni dire ce qui les avait produites. Elle fit deux cents mètres dans chaque sens, Daniel à sa suite. Les enquêteurs de la brigade scientifique avaient passé la zone au peigne fin et reconstitué le fil de cette nuit à l'aide de quelques mesures ambiguës.

Daniel les vit le premier : deux faibles traces de freinage allant vers l'ouest, presque effacées par les intempéries, et qui mordaient sur la voie opposée. Les yeux de Karin les distinguèrent : un dérapage brutal, une feinte sur la droite avant de contre-braquer, et un virage à gauche bien proche de celui que pouvait exécuter un camion léger lancé à pleine vitesse. Tête baissée, elle suivit le bord de la trace, à la recherche de quelque chose. Sur la longue traînée calcaire de l'horizon gris et bas, avec sa cascade de cheveux carotte suspendue dans l'air inanimé, elle aurait pu être une fille de ferme, émigrée de Bohême, qui glanait quelques épis dans les champs. Elle tournait sur elle-même comme un animal mis à mort, prise de frissons à mesure que l'accident se déroulait sous ses yeux. Quand Daniel parvint à sa hauteur, elle tremblait encore. Elle montra du doigt un second groupe d'empreintes à ses pieds.

Celles-ci démarraient trente mètres devant les autres. Un deuxième véhicule venu de l'ouest s'était déporté sur la voie de gauche où il avait dérapé avant de se rabattre. Laissant ces autres traces, le regard de Karin se porta vers l'est et plongea dans le fossé où son frère avait atterri, ce trou dans lequel elle avait elle-même perdu consistance.

Elle déchiffrait les lignes serpentines : le conducteur venu de la ville, peut-être aveuglé par les phares de Mark, devait avoir perdu le contrôle et fait une embardée sur la voie opposée, juste devant lui. Surpris, Mark avait donné un coup de volant à droite, puis à gauche toute ; sa seule et unique chance de survie. La manœuvre avait été trop brutale, et son camion avait quitté la chaussée. L'orteil posé sur la marque de pneu, Karin frémissait. Une voiture approcha. Ils se rangèrent sur le bas-côté. Une femme d'une quarantaine d'années, très citadine, au volant d'une Ford Explorer, accompagnée d'une fillette de dix ans attachée à l'arrière, s'arrêta pour demander si tout allait bien. Karin essaya de sourire et lui fit signe de poursuivre sa route.

La police avait mentionné un troisième groupe d'empreintes. Karin emmena Daniel du côté nord de la route. Côte à côte, ils rebroussèrent chemin en direction de l'est, comme un couple de juncos fouillant le sol. Une fois encore, l'œil de lynx de Daniel découvrit les signes invisibles, une surface tassée de sol sablonneux, deux ombres ténues laissées par le frottement d'une paire de roues, que la débâcle du printemps n'avait pas encore effacées. Karin saisit le bras de Daniel. « On aurait dû prendre un appareil photo. D'ici l'été, toutes ces marques auront disparu.

– La police doit avoir conservé des clichés.

– Je me méfie des images. » Elle parlait comme son frère. Daniel tenta de la rassurer avec douceur, mais elle le rabroua. Elle scrutait les traces.

« Ceux-là ont dû arriver derrière Mark. Tout s'est passé sous leur nez. Ici, ils ont été obligés de rouler sur le remblai. Ils ont dû se retrouver un instant à la hauteur de Mark, ensuite, ils se sont rabattus et ont continué vers Kearney. Ils l'ont laissé dans le fossé. Ils ne sont même pas descendus de voiture.

– Ils ont peut-être compris que c'était grave. Qu'il valait mieux trouver un téléphone au plus vite. »

Elle fronça les sourcils. « À la station Mobil, sur la Deuxième Rue, en plein centre-ville ? » Elle inspecta la chaussée depuis le sommet de la petite côte qui montait vers l'est jusqu'à la faible déclivité en direction de Kearney. « Quelle probabilité ? Il est cinq heures, par une belle journée de printemps, nous sommes en semaine, et regarde la circulation. Une voiture toutes les quatre minutes. Quelle probabilité, passé minuit, fin février... ? » Elle fixait Daniel. Mais Daniel ne calculait pas. Elle lui réclamait des chiffres, il ne lui offrait que de la consolation. « Je vais te la donner, moi, la probabilité, reprit-elle. Qu'on vienne par accident faire une embardée devant toi sur une petite route déserte ? Zéro. Un facteur cependant pourrait accroître de beaucoup cette probabilité. »

Il la dévisageait, comme si une autre Schluter venait à son tour de sombrer dans le délire.

« Les jeux de groupe, lui dit-elle. La police avait raison. »

Le vent se leva, augure précoce du soir. Daniel courba l'échine et sa tête baissée décrivit un arc de cercle. Il était allé à l'école avec les trois garçons. Il connaissait leurs penchants. Pas difficile d'y voir clair : une rude soirée de février, des machines trop puissantes, des jeunes de vingt ans dans un pays accro au grand frisson, au sport, à la guerre et à leurs multiples combinaisons.

« Quel genre de jeux ? » Il examinait l'asphalte visqueux comme s'il méditait. De profil, avec ses cheveux blonds aux épaules qui lui encadraient le visage, il ressemblait encore plus à un archer du peuple des Elfes échappé d'une partie marathon de Donjons et Dragons. Comment avait-il pu grandir dans le Nebraska sans se faire étriper par les amis de son frère ?

Karin saisit l'avant-bras fluet de Daniel et ramena le jeune homme sur la route où attendait leur voiture. « Daniel. » Elle secouait la tête. « Même s'ils te ligotaient dans un bolide de stock-car avec un parpaing sur l'accélérateur, tu ne saurais pas jouer à ce jeu-là. »

Mark boitait toujours et des ecchymoses lui marquaient encore le visage, mais, cela mis à part, il semblait presque guéri. Deux mois après l'accident, si des inconnus s'adressaient à lui, ceux-ci risquaient de le trouver un peu lent et enclin à d'étranges théories, mais sans que cela bouscule pour autant les normes locales en vigueur. Seule Karin savait à quel point il restait inapte à prendre soin de lui-même et, *a fortiori*, des installations d'une usine de conditionnement. Ses journées étaient ponctuées de crises de paranoïa, d'explosions de joie, d'accès de colère et d'explications de plus en plus complexes.

Elle s'efforçait de le protéger sans relâche, même quand il la mettait au supplice. « Ma sœur m'aurait déjà tiré de là. » Ma sœur m'a toujours tiré de toutes les panades. Je ne me suis jamais trouvé dans une pareille panade. Tu n'as pas su m'en tirer. Tu ne peux donc pas être ma sœur. Ce syllogisme dément n'allait pas sans une certaine logique.

Elle avait déjà entendu ces récriminations un nombre incalculable de fois. Mais un seuil avait été franchi et elle perdit pied. « Arrête, Mark. J'en ai ma claque. Tu t'acharnes sur moi sans raison. Je sais que tu souffres, mais ta manie du déni ne mène à rien. Je suis ta sœur, merde ! Et je te le prouverai devant un tribunal s'il le faut. Alors arrête de me faire chier et secoue-toi. Maintenant ! »

À l'instant où ces paroles lui sortirent de la bouche, elle sut qu'elle venait de faire reculer sa cause de plusieurs semaines. Le regard qu'il lui lança alors ressemblait à celui d'une bête aux abois. Il semblait sur le point de la frapper. Elle avait lu les articles : chez les patients atteints du syndrome de Capgras, la fréquence des comportements violents dépassait de beaucoup la moyenne. Un jeune Britannique des Midlands avait ainsi éventré son père pour démontrer qu'il s'agissait d'un robot et en mettre à nu les circuits. Il y avait pire que de se voir accusée d'imposture.

« Laisse tomber, dit-elle. Oublie ce que je viens de dire. »

L'expression de Mark passa de la panique à la perplexité. « Exactement, répondit-il un peu hésitant. Maintenant on se comprend, toi et moi. »

Il n'était pas prêt à affronter le monde. Elle luttait pour retarder son renvoi de la clinique et tenir en respect la mutuelle et les assurances. Elle travaillait au corps le docteur Hayes, pas loin de flirter avec lui, pour qu'il continue de signer la paperasse nécessaire.

Mais même muni d'une excellente couverture de santé, Mark ne pouvait pas rester beaucoup plus longtemps en rééducation. Karin, désormais au chômage, puisait dans ses propres économies. Elle avait entamé l'assurance-vie que lui avait léguée sa mère. *Fais-en quelque chose de bon.* « Je ne suis pas certaine qu'elle destinait cet argent à ce genre d'action, dit-elle à Daniel. Il ne s'agit pas d'un vrai cas de force majeure. Rien qui soit de nature à changer le monde.

– Bien sûr que c'est quelque chose de bon, la rassura Daniel. Et je t'en prie, ne te fais pas de souci pour l'argent. » Presque trop poli pour prononcer le mot. Les lys des champs et tout le tremblement. Pour un peu, la belle assurance de Daniel l'aurait mise en colère. Mais elle le laissa bientôt régler les dépenses quotidiennes – l'essence et la nourriture – et, à chaque fois, elle se sentait de plus en plus bizarre. Mark, insistait-elle, serait à peu près remis d'ici une semaine ou deux. Mais le temps s'envolait, et avec lui la patience des institutions. En outre, la jeune femme voyait s'émousser son sentiment de compétence.

Daniel faisait ce qu'il pouvait pour contenir la panique financière de Karin. Un après-midi, sans crier gare, il lui dit : « Tu pourrais venir travailler au Refuge.

– Pour y faire quoi ? » demanda-t-elle, espérant à moitié tenir là une réponse.

Il détourna les yeux, gêné. « Du travail de bureau. Nous avons besoin de dix doigts sympathiques et compétents. Tu pourrais peut-être te charger de collecter des fonds ? »

Elle essaya de sourire, reconnaissante. Collecter des fonds : bien sûr. De l'école primaire à la Maison Blanche, tous les emplois de ce pays ne consistaient qu'en cela.

« Nous cherchons des personnes capables d'aider les autres à se sentir bien dans leur peau. Une expérience dans un service clientèle serait idéale !

– Oui », dit-elle, pensive. Signifiant par là qu'il montrait trop de gentillesse à son égard et qu'elle se reposait déjà beaucoup trop sur lui. Ajouté à l'argent de sa mère, un petit salaire en échange d'un travail à mi-temps permettrait de stabiliser la situation. Mais elle n'arrivait pas à se défaire de l'idée que Mark allait bientôt recouvrer tous ses moyens et qu'elle pourrait alors récupérer son emploi – ce moi qu'elle avait construit, à partir de rien.

Jamais une quelconque cagnotte ne suffirait à éponger les factures qu'il lui faudrait régler si l'assurance venait à suspendre ses versements. Quand les consultations médicales et les angoisses liées aux demandes d'indemnités l'accablaient, Karin allait trouver Barbara Gillespie. Elle sollicitait si souvent les paroles d'encouragement de l'aide-soignante qu'elle finissait par craindre de voir celle-ci fuir à son approche. Mais la patience de Barbara ne connaissait pas de limite. Elle prêtait l'oreille aux peurs de Karin et lui murmurait sa compassion quand elle lui rapportait des histoires de bureaucratie hospitalière. « Entre vous et moi ? C'est un business. Régi par les lois du marché, au même titre que la vente de voitures d'occasion.

– Juste un peu moins transparent. Un vendeur d'occasions, on peut lui faire confiance, quand même.

– Je suis bien d'accord. Mais ne le répétez pas à mes patrons, ou c'est moi qui pourrais me retrouver à vendre quelques jolis joujoux de seconde main.

– Aucun risque, Barbara. Ils ont trop besoin de vous. »

Elle écarta le compliment d'un revers de main. « Nul n'est irremplaçable. » Chez elle, un simple mouvement du poignet possédait quelque chose de classique – cette compétence des gens de la ville à laquelle Karin avait aspiré pendant quinze ans. « Je ne fais que mon travail.

– Mais pour vous, il ne s'agit pas d'un simple travail. Je vous observe. Il vous mène à la dure.

– Ne dites pas n'importe quoi. C'est vous qu'il mène à la dure. »

Ces charmantes rebuffades renforçaient encore l'admiration de Karin. Elle faisait appel à l'expérience professionnelle de Barbara pour y puiser l'espérance de voir Mark progresser davantage. Barbara refusait d'évoquer d'autres patients. Elle se concentrait sur Mark, comme s'il représentait la somme totale de sa pratique. Ce tact extrême frustrait Karin. Elle avait besoin d'une confidente, quelqu'un avec qui s'apitoyer. Quelqu'un pour lui rappeler qu'elle était bien celle qu'elle était. Quelqu'un qui fût capable de la rassurer et de lui dire que son entêtement n'était pas stupide.

Mais la rigueur professionnelle de Barbara ramenait à Mark toute question. « J'aimerais en savoir plus sur ce qui l'intéresse vraiment. Le conditionnement alimentaire. La customisation. J'ai bien peur de ne pas être très au point là-dessus. Mais les sujets qu'il aborde me surprennent tous les jours. Hier, il voulait mon avis éclairé sur la guerre. »

Karin ressentit un pincement de jalousie. « Laquelle ? »

Barbara fit une grimace. « La dernière, en fait. L'Afghanistan le fascine. Combien de traumatisés s'intéressent tant soit peu au monde extérieur si vite après leur accident ?

– Mark ? L'Afghanistan ?

– C'est un jeune homme d'une extrême vivacité. »

Ces paroles, leur insistance brutale, accusaient Karin. « Si seulement vous l'aviez vu... avant. »

Barbara lui servit son petit hochement de tête rituel, expression combinée de coopération et de réserve. « Pourquoi dites-vous ça ?

– Mark était un sacré numéro. D'une émotivité incroyable parfois. Il lui arrivait de s'emporter – surtout quand il répondait à notre père ou à notre mère. Et il avait de sales fréquentations. Mais c'était un garçon profondément gentil. D'une bonté instinctive.

– Il est toujours gentil. Un amour ! Quand il n'est pas désorienté.

– Ce n'est plus le même. Mark n'était ni cruel, ni stupide. Mark n'était pas sans arrêt aussi en colère.

– Il a peur, c'est tout. Vous aussi, sûrement. À votre place, je serais à ramasser à la petite cuillère. »

Karin voulait se fondre dans cette femme, tout lâcher, laisser Barbara prendre soin d'elle, comme elle avait essayé de prendre soin de Mark. « Vous l'auriez bien aimé. Il s'intéressait à chacun.

– Mais je l'aime bien, dit Barbara. Comme il est. » Et ses mots emplirent Karin de honte.

Arrivé le mois de mai, Karin fulminait. « Ils ne font rien pour lui, dit-elle à Daniel.

– Tu dis qu'ils le font travailler à longueur de journée.

– Ils brassent de l'air. Des exercices absurdes. Daniel ? Tu crois que je devrais mettre Mark quelque part ? »

Il tendit les doigts. Où *ça* ? « Tu disais que cette Barbara faisait merveille avec lui.

– Barbara, oui, bien sûr. Si Barbara était son médecin traitant, nous serions déjà guéris. Bon d'accord, les thérapeutes arrivent à lui faire nouer ses lacets. Ce n'est pas d'un très grand secours, si ?

– Ça aide un peu.

– On croirait entendre le docteur Hayes. Comment ce type-là a-t-il seulement pu décrocher son diplôme ? Il ne veut pas bouger le petit doigt. "Attendre. Observer." Il nous faut du concret. Une opération. Des médicaments.

– Des médicaments ? Tu veux masquer les symptômes ?

– D'après toi, je ne suis qu'un symptôme ? Sa sœur bidon ?

– Ce n'est pas ce que j'ai dit », répondit Daniel. Et l'espace d'une minute, il se fit lointain.

Elle tendit la main, mélange d'excuse et de défense. « Écoute. S'il te plaît, ne sois pas... Je t'en prie, ne me laisse pas tomber maintenant. Je me sens si impuissante. Je n'ai rien fait pour lui. » Et Daniel, frappé d'une profonde incrédulité, l'entendit ajouter : « Sa vraie sœur aurait réussi. »

Dans l'espoir de se rendre utile, Daniel lui apporta deux nouveaux livres. Volumes écrits par un certain Gerald Weber, cogniticien neurologue de New York, une sommité apparemment. Daniel avait entendu son nom aux informations, à propos de la sortie très attendue de son dernier ouvrage. Il s'excusa de ne pas les avoir trouvés plus tôt. Karin examina la photo de l'auteur, un homme doux d'une cinquantaine d'années, aux cheveux gris, qui ressemblait à un dramaturge. Son regard contemplatif fixait un point situé tout au bord de l'objectif. Ses yeux semblaient percer Karin à jour et soupçonner déjà une partie de son histoire.

Elle dévora les livres en trois nuits. Chapitre après chapitre, elle ne pouvait s'arracher à cette lecture déconcertante. Les ouvrages de Weber consignaient ses explorations des divers états possibles de la conscience et, dès les premiers mots Karin ressentit le choc que procure la découverte d'un nouveau continent où nul n'a jamais posé le pied. Les récits de Weber dévoilaient la malléabilité époustouflante du cerveau et l'ignorance sans fond des neurologues. Dans un style sans apprêt et sur un ton modeste, il préférait appuyer ses études sur des cas particuliers plutôt que sur la doctrine médicale en vigueur. « Aujourd'hui plus que jamais, déclarait-il dans *Plus vaste que le ciel*, à l'ère du diagnostic assisté par ordinateur, notre bien-être commun dépend moins de la parole que de l'écoute. » Personne encore ne l'avait écoutée. Cet homme donnait à penser qu'elle pouvait valoir la peine d'être entendue.

Le docteur Weber écrivait :

> L'espace mental est plus grand qu'on ne le peut concevoir. Les cent milliards de cellules contenues dans un seul cerveau établissent chacune des milliers de connections. La force et la nature de celles-ci varient chaque fois qu'on les active. Un cerveau peut entrer dans plus d'états singuliers qu'il existe de particules élémentaires dans l'univers... Si vous demandiez à une poignée de neurologues pris au hasard ce qu'ils savent de la façon dont le cerveau donne forme au moi, le plus doué d'entre eux serait forcé de vous répondre : « Presque rien. »

À travers une série d'études de cas, Weber révélait la surprise infinie lovée dans les replis de la structure la plus complexe de l'univers. Ces livres remplissaient Karin d'une crainte révérencieuse presque oubliée. Elle lut les histoires de cerveaux dont les parties divisées se disputaient leurs propriétaires inconscients : celui-là pouvait dire des phrases mais pas les répéter, telle autre sentait le mauve et entendait l'orange. Devant bon nombre de ces récits, Karin constatait avec gratitude que Mark avait échappé à plus triste sort que le syndrome de Capgras. Mais même lorsqu'il décrivait des personnes privées du langage, pour qui le temps s'était figé, ou qui vivaient enfermées dans un état prémammalien, le docteur Weber donnait l'impression de les traiter comme ses parents les plus proches.

Pour la première fois depuis le jour où Mark s'était assis dans son lit et avait retrouvé la parole, Karin renouait avec un optimisme prudent. Elle n'était pas seule : la moitié de l'humanité souffrait de lésions cérébrales partielles. Elle lut les deux livres, sans en perdre une ligne, et ses synapses se modifiaient à mesure qu'elle dévorait les pages. Leur auteur semblait doté d'un esprit remarquable et pénétrant. Karin ne pouvait être certaine du chemin qu'avait tracé pour elle l'accident de son frère. Mais en quelque façon, elle savait qu'il croisait celui de cet homme.

À en juger par ses propres récits, jamais encore le docteur Weber n'avait exploré une contrée semblable à celle que Mark habitait maintenant. Karin décida de lui écrire, en plagiant volontairement son style. Réussir à attirer un peu l'attention de cet éminent chercheur semblait des plus improbable. Mais peut-être saurait-elle lui rendre irrésistible la bizarrerie même du syndrome de Mark.

Elle écrivit sans grand espoir d'obtenir une réponse. Mais déjà, elle imaginait ce qui se passerait dans le cas contraire. Gerald Weber verrait en Mark une histoire digne de celles que ses livres racontaient. « Ce qui nous sépare de ceux qui se trouvent coincés à l'intérieur de ces vies transformées n'est qu'affaire de degré. Chacun de nous a séjourné sur ces îles troublantes, ne serait-ce qu'un court instant. » Les chances qu'il lût cette lettre étaient infimes. Mais ses livres décrivaient des situations bien plus improbables comme si elles tenaient de l'ordinaire.

« Ces bouquins sont incroyables, dit-elle à son ami. Leur auteur est prodigieux. Comment les as-tu trouvés ? »

Elle avait de nouveau une dette envers Daniel. Et par-dessus le marché, il lui fournissait peut-être la trame d'un possible. De son côté, une fois de plus, elle ne lui avait rien offert en retour. Mais comme toujours, Daniel semblait ne rien attendre sinon l'occasion de donner. Parmi tous les désordres étranges du cerveau que décrivait ce docteur écrivain, aucun n'était aussi insolite que l'attention portée à autrui.

Deuxième partie

Mais cette nuit sur la North Line

Je connais un tableau si évanescent qu'il est bien rare qu'on le voie.

Aldo Leopold, *Almanach d'un comté des sables*

Plus vite qu'ils se sont rassemblés, les seuls témoins disparaissent. Entassés sur la rivière pendant quelques semaines, ils engraissent, puis s'en vont. À un signal invisible, le tapis redevient écheveau. Par milliers, les oiseaux en dénouent la trame et emportent avec eux leur souvenir de la Platte. Un demi-million de grues se dispersent sur le continent. Elles filent vers le nord, un État par jour, et même plus. Les plus vigoureuses couvriront encore des milliers de kilomètres, ajoutés aux milliers qui les ont menées à la rivière.

Les grues entassées en denses cités d'oiseaux s'éparpillent à présent. Elles prennent leur envol par familles, compagnons d'une vie suivis d'un ou deux rejetons qui ont survécu à l'année écoulée. Elles mettent le cap sur la toundra, les narses et les tourbières, ces points d'origine gravés dans la mémoire. Elles suivent des repères – eaux, bois, montagnes – des lieux conquis sur les années passées, grâce à une carte de grue, dans un crâne de grue. Des heures avant l'assaut du mauvais temps, elles font halte pour la journée, car elles prévoient la tempête qu'aucun signe n'annonce. En mai, elles retrouvent les lieux de nidification quittés un an plus tôt.

Le printemps s'étend sur l'Arctique au son de leurs cris archaïques. Un couple qui perchait sur le bord de la route la nuit de l'accident, près du camion renversé, vole vers un arpent lointain des côtes de l'Alaska, dans la baie de Kotzebue. Un revirement saisonnier s'opère dans le cerveau de ces oiseaux à l'approche de leur nid. Ils adoptent un comportement farouchement territorial. Ils s'en prennent même à leurs petits désemparés, ceux dont ils ont pris soin sur le long chemin du retour, et qu'ils chassent maintenant à coups de bec et de battements d'ailes.

Le couple au plumage bleu-gris prend une teinte brune, couleur du fer qui rouille dans ces tourbières. Camouflage de saison : ils se couvrent de feuilles et de boue. Leur nid, large d'un mètre, est un monticule de végétaux et de plumes entouré d'une fosse. Par le trombone serpentin de leur trachée, ils se lancent des appels tonitruants. Ils dansent, exécutent de profondes révérences, frappent l'air vif et salé, se saluent encore, sautent sur place, tournent sur eux-mêmes, se font un capuchon de leurs ailes, le cou renversé en arrière, pris d'une ardeur impulsive à mi-chemin entre plaisir et tension : rituel du printemps au bord septentrional de l'être.

Imaginons que ces oiseaux emmagasinent, fixés comme sur une photographie, les contours de ce qu'ils ont vu. Ce couple est dans sa quinzième année. Il en connaîtra encore cinq. En juin, deux nouveaux œufs, à l'ovale gris moucheté, suivront toutes les paires déjà pondues en cet endroit, un endroit stocké dans la mémoire par toutes ces années écoulées.

Le couple se relaie, comme toujours, auprès de la couvée. Les journées du nord rallongent et, lorsque les œufs éclosent, la lumière luit en continu. Deux poussins émergent, déjà affamés et capables de marcher. Leurs parents chassent à tour de rôle pour le compte des jeunes voraces qu'ils nourrissent constamment : graines et insectes, petits rongeurs, la réserve d'énergie captive de l'Arctique.

En juillet, le plus jeune meurt de faim, tué par l'appétit de son aîné. Cela s'est déjà produit par le passé, chaque année ou presque : une vie commencée dans le fratricide. Seul, le survivant grossit à vue d'œil. En deux mois, il achève sa croissance. À l'époque où s'abîment les longues journées du nord, il étend l'étroit périmètre de ses vols d'essai. En ces nuits-là, du givre se forme sur le nid familial ; une pellicule de glace recouvre la tourbière. L'automne venu, le jeune oiseau est prêt à remplacer la progéniture écartée dans le cortège du long retour vers les terres d'hivernage.

Mais d'abord, les oiseaux muent et retrouvent leur gris d'origine. Quelque chose se produit dans leur cerveau de fin d'été, et les trois individus de cette famille renouent avec un mouvement plus vaste. Ils abandonnent leurs besoins solitaires. Ils se nourrissent avec les autres, restent en groupe pendant la nuit. Ils entendent passer dans le ciel des familles voisines qui empruntent le grand entonnoir de la vallée de la Tanana. Un jour, ils décollent et rejoignent un V qui s'est formé de lui-même. Ils se perdent dans le filet mouvant. Les filets convergent, forment un archipel, et l'archipel, une mer. Bientôt, cinquante mille oiseaux déferlent chaque jour dans la vallée stupéfaite, assourdie par l'éclat de leur fanfare préhistorique, la tresse de ce fleuve de grues aussi vaste que le ciel, aux affluents qui s'écoulent des jours durant.

Il doit y avoir des symboles dans la tête de ces oiseaux, quelque chose qui dit : « Encore. » Les grues enchaînent, en une grande boucle continue et répétée, plaines, montagnes, toundra, montagnes, plaines, désert, plaines. Sans avoir reçu de signal précis, ces volées s'élèvent en une lente spirale, la grande torsade ascendante d'une colonne thermique que, d'un regard jeté à ses parents, le nouveau venu apprend à gravir.

Jadis, voilà bien longtemps, les grues qui se rassemblaient pour leur migration d'automne passèrent au-dessus d'une jeune Aléoutienne, seule dans la prairie. Les oiseaux descendirent sur elle et, battant des ailes tous ensemble, l'emportèrent dans la grande nuée tournoyante pour l'y cacher tandis qu'à coups de trompette ils noyaient les cris de l'enfant. Celle-ci monta dans la spirale de l'air et disparut au sein de la volée en route vers le sud. C'est pourquoi les grues tournent et appellent encore chaque automne lorsqu'elles s'en vont ; elles se remémorent la capture de la fille de l'homme.

Longtemps après, Weber pouvait encore dire à quel instant précis Capgras était entré dans sa vie. Inscrit dans son agenda : vendredi 31 mai 2002, treize heures, Cavanaugh, Union Square Cafe. Les premiers exemplaires d'*Au pays de l'inattendu* sortaient à peine de l'imprimerie, et l'éditeur de Weber voulait qu'ils se retrouvent en ville pour fêter l'événement. Son troisième ouvrage : se faire publier ne présentait plus guère de nouveauté. À ce stade de sa carrière, Gerald Weber envisageait les deux heures de train depuis Stony Brook davantage comme un devoir que comme une partie de plaisir. Mais Bob Cavanaugh tenait à le voir. « Sensas », s'était écrié le jeune éditeur. *Publisher's Weekly* parle d'« exploration décoiffante du cerveau humain menée par un sage au sommet de son art ». « Exploration décoiffante », voilà qui allait faire jaser dans les cénacles de neurologie où l'on n'avait pas pardonné à Weber le succès de ses précédents écrits. Et « sommet de son art », il y avait là-dedans quelque chose de déprimant. Après ça, pas d'autre issue que le déclin.

Weber s'était acheminé jusque dans Manhattan, il avait marché de Penn Station à Union Square d'un pas assez vif pour en tirer quelque bénéfice musculaire. Toutes les ombres étaient faussées : elles le surprenaient encore, plus de huit mois après. Un coin de ciel apparaissait là où il ne pouvait y en avoir. Weber n'était pas revenu depuis le début du printemps où il avait observé ce jeu de lumière troublant : deux énormes batteries de projecteurs braquées vers le ciel, comme un phénomène emprunté à son livre, dans le chapitre consacré aux membres fantômes. Les images se rallumèrent dans son esprit, celles qui s'étaient éteintes doucement au cours des trois derniers trimestres. Ce matin-là – matin inconcevable – était réel ; depuis lors tout n'avait été que mensonge narcoleptique. Il se dirigea vers le sud par les rues d'une insupportable normalité, en songeant qu'il pourrait fort bien se passer de cette ville à jamais.

Bob Cavanaugh l'accueillit au restaurant en le serrant dans ses bras, ce que Weber dut accepter. L'éditeur s'efforçait de ne pas attraper le fou rire. « Je t'avais dit tenue décontractée. »

Weber écarta les bras. « C'est décontracté.

– Tu ne peux pas t'en empêcher, hein ? On devrait sortir un beau livre sur toi, plein de photos sépia. L'élégant neurologue. Le beau Brummell du règne cérébral.

– Ce n'est quand même pas si épouvantable. Si ?

– Épouvantable ? Non, l'ami. Juste délicieusement... archaïque. »

Pendant le déjeuner, Cavanaugh se montra des plus charmant. Il dénigra les succès du moment et raconta le triomphe que les agents littéraires européens faisaient au *Pays*. « Ta plus belle réussite, et de loin, Gerald. Ma main à couper.

– Inutile d'établir des records, Bob. »

Ils échangèrent encore quelques-uns des potins de l'industrie à grande vitesse. Puis autour d'un cappuccino entièrement gratuit, Cavanaugh dit enfin : « Très bien. Assez de civilités. C'est le moment de jouer cartes sur table. »

Trente-trois ans s'étaient écoulés depuis la dernière main de Weber au black-jack. Première année de fac, à Columbus, pour apprendre les règles à Sylvie. Elle voulait jouer des faveurs sexuelles. Une partie agréable : sans perdant. Mais d'une profondeur stratégique insuffisante pour susciter longtemps leur intérêt.

« Je n'ai rien de bien fracassant dans mon jeu, Bob. J'aimerais écrire sur la mémoire. »

Cavanaugh s'anima. « Alzheimer ? Ce genre de choses ? Le vieillissement de la population. La diminution des facultés. C'est du lourd, ça.

– Non. Pas la perte de mémoire. Je voudrais écrire sur la mémoire elle-même.

– Intéressant. Fantastique même. *Cinquante-deux semaines pour améliorer votre*... Non, attends un peu. Qui a tout ce temps aujourd'hui ? Disons plutôt *Dix jours pour*...

– Un panorama simplifié de la recherche en cours. Un aperçu du fonctionnement de l'hippocampe.

– Oh ! C'est tout ? Tu vois disparaître les petits dollars dans mon iris ?

– Tu es un chic type, Robert.

– Je suis un sale type, mais un éditeur de génie. » En s'emparant de la note, Cavanaugh demanda : « Tu ne pourrais pas au moins intégrer un chapitre sur les stimulants de synthèse ? »

De retour à Penn Station, alors que Weber attendait le train pour Stony Brook sous le tableau d'affichage, un homme vêtu d'un gilet bleu miteux et d'un pantalon de velours taché de graisse lui adressa un signe joyeux de reconnaissance. Peut-être l'un des patients avec lesquels il s'était entretenu ; Weber n'arrivait plus désormais à tous les reconnaître. Plus vraisemblablement s'agissait-il de l'un de ces nombreux lecteurs inconscients du fait que les photos publicitaires et la télévision constituaient des médias à sens unique. Ils apercevaient le front haut sous la ligne des neiges éternelles, l'éclat bleuté derrière les lunettes à monture d'acier, la calotte avunculaire, lisse au toucher, et la grande barbe blanche – mélange de Charles Darwin et du Père Noël – et ils le saluaient donc comme un aïeul inoffensif.

L'homme à l'allure négligée s'approcha en lissant les plis de son gilet sale, la tête agitée de petites secousses, les lèvres en mouvement. Les tics nerveux de ce visage intriguaient bien trop Weber pour qu'il songe à se dérober. Les mots sortirent en un flot babillant. « Hé, salut ! Ça fait plaisir de te revoir. Tu te rappelles notre petite équipée dans l'Ouest ? Rien que tous les trois ? Une expédition épatante. Dis donc ? Tu pourrais faire un truc pour moi ? Je ne veux pas de fric cette fois, non. Merci. J'ai ce qu'il me faut. Dis juste à Angela que tout ce qui s'est passé là-bas était optimal. Pas de souci. Peu importe qui elle veut être. Chacun est parfait tel qu'il est. Tu le sais, toi. J'ai pas raison ? Dis-moi, j'ai pas raison ?

– Si. Absolument », répondit Weber. Une forme du syndrome de Korsakoff. Fabulation : invention d'histoires pour repriser les trous de la mémoire. Malnutrition due à un excès prolongé d'alcool ; matériau du réel refondu par une carence en vitamine B. Weber passa les deux heures du voyage retour vers Stony Brook à griffonner des notes sur l'hypothèse selon laquelle l'homme était l'unique créature à pouvoir se souvenir d'événements jamais advenus.

Seulement, il ignorait à quoi rimaient ces notes. Quelque chose le tourmentait, peut-être la tristesse que procure l'aboutissement d'une carrière. Longtemps, plus longtemps qu'il ne l'avait mérité, il avait su avec précision quel prochain livre il voulait écrire. À présent, il semblait que tout fût déjà écrit.

Quand Weber revint chez lui, Sylvie n'était pas encore rentrée de Remédiation. Il alla consulter ses e-mails, partagé entre le frisson et l'effroi de qui a trop attendu pour ouvrir sa boîte de réception. Dernière personne à s'être abonnée à Internet au nord du Yucatan, Weber mourait à présent d'asphyxie, victime de la communication instantanée. Il tressaillit devant le nombre des messages. Il allait passer le reste de la soirée rien qu'à trier le tout. Et pourtant, le gosse de dix ans qui sommeillait en lui frémissait toujours à la perspective de plonger dans le sac de courrier du jour, comme s'il pouvait encore receler le grand prix d'un concours auquel il ne se rappelait plus avoir participé.

Plusieurs messages lui promettaient de faire varier à volonté la taille de n'importe quelle partie de son anatomie. D'autres proposaient des médicaments d'importation pour pallier toutes les carences imaginables. Exhausteurs d'humeur et dopeurs de confiance. Valium, Xanax, Zyban, Cialis. Au prix les plus bas du marché mondial. L'attendait aussi le lot des fortunes colossales mises à sa disposition par des gouvernants exilés de leurs nations turbulentes, qui se disaient vieux amis de l'intéressé. Il trouva, intercalées entre ces envois, deux invitations à des congrès et une nouvelle demande de participation à des lectures débats. Un correspondant auquel Weber avait cessé de répondre depuis des mois lui adressait une énième objection sur son traitement du sentiment religieux et du lobe temporal dans *Mille deux cents grammes d'infini*. Et puis, bien sûr, Weber trouva les habituels appels de détresse qu'il dirigeait d'ordinaire vers le Centre des sciences médicales de Stony Brook.

C'est là qu'il faillit transférer le message du Nebraska après en avoir lu la première ligne. « Cher docteur Gerald Weber, mon frère a survécu à un terrible accident de la route. » Weber avait tiré un trait sur ces terribles accidents. Il avait étudié assez d'histoires brisées pour toute une vie. Il voulait consacrer le temps qu'il lui restait à la description du cerveau en pleine possession de ses moyens.

Mais à la deuxième ligne du message, il se retint de cliquer sur « Faire suivre ». « Depuis qu'il a retrouvé la parole, mon frère refuse de me reconnaître. Il sait qu'il a une sœur. Il connaît tout de sa vie. Il dit que je lui ressemble. Mais affirme que ce n'est pas moi. »

Un syndrome de Capgras provoqué par un accident. Un cas d'une incroyable rareté, aux implications immenses. Et qu'il n'avait encore jamais observé. Mais il avait renoncé à ce genre d'ethnographie.

Il lut deux fois le bref message. Il l'imprima et le relut sur papier. Il le mit de côté et travailla sur le plan de son prochain livre. Comme il n'avançait guère, il parcourut les gros titres du jour. Nerveux, il se leva et se rendit à la cuisine où il prit, à même le pot d'un demi-litre, une cuillerée illicite de glace bio, plusieurs centaines de calories à base de crème de lait. Il regagna son bureau où, jusqu'au retour de Sylvie, il affronta le temps dans un nuage de préoccupations.

Un authentique Capgras causé par un traumatisme crânien : la probabilité était infime. Un cas aussi extrême remettait en question toute approche psychologique du syndrome et ébranlait les hypothèses les plus élémentaires sur la cognition et le processus de reconnaissance. Rejeter de manière sélective son plus proche parent, contre toute évidence... Il relut la lettre une fois encore, emporté par sa vieille addiction. Une nouvelle occasion s'offrait à lui d'aller examiner de bien près, à travers la plus rare des loupes imaginables, toute la perfidie de la conscience et de sa logique.

Sylvie rentra tard. Elle s'engouffra dans le vestibule, incapable de cacher derrière un faux soupir de soulagement le plaisir qu'elle avait pris à une longue journée de travail. « Monsieur mon homme – me voilà ! lança-t-elle depuis l'entrée. Enfin chez soi. J'avais un mari dans le temps. Où est-il passé ? »

Il se trouvait dans la cuisine, où il tournait en rond, mains dans le dos, la lettre serrée dans son poing. Ils échangèrent un baiser, plus subtil qu'au temps de leurs parties de black-jack, un tiers de siècle plus tôt. Plus historique.

« L'appariement monogame », déclara Sylvie. Elle enfouit son nez dans le sternum de Gerald. « Cite-moi une invention plus astucieuse que celle-là.

– Le radio-réveil ? » suggéra Weber.

Elle le repoussa et lui donna une tape sur la poitrine. « Mauvais mari.

– Et le nouveau club-house ? demanda-t-il.

– Un beau rêve, comme toujours. Voilà des années que nous aurions dû changer de locaux. »

Ils comparèrent leurs journées respectives. Sylvie était encore toute à l'effervescence de la sienne. Remédiation remportait un franc succès : la fondation s'appliquait à résoudre les problèmes d'une clientèle disparate que Sylvie elle-même n'avait pas anticipée, trois ans plus tôt, en mettant sur pied ce centre d'assistance et d'action sociales. Après des années d'errance dans des emplois décevants, elle s'était enfin trouvé une vocation insoupçonnée. Soucieuse de ne trahir aucun secret professionnel, elle esquissait à grands traits les contours de ses cas les plus intéressants, tandis qu'ils préparaient ensemble un risotto à la courge. Au moment de passer à table, Weber eût été incapable de répéter avec précision aucune des histoires de Sylvie.

Ils mangeaient côte à côte, sur des tabourets de bar, au comptoir de la cuisine où, depuis le départ de leur fille unique pour l'université, ils avaient partagé leurs repas pendant dix années de plaisir presque ininterrompu. Weber raconta à Sylvie son déjeuner en ville avec Cavanaugh. Il lui décrivit le malade de Penn Station, atteint du syndrome de Korsakoff. Il attendit le moment de la vaisselle pour parler du mail. Attitude stupide, en vérité. Ils vivaient ensemble depuis si longtemps que la simple volonté de feindre la désinvolture suffisait à vendre la mèche, et plus vite que prévu.

Elle eut aussitôt des soupçons. « Je croyais que tu voulais t'atteler à ce livre sur la mémoire. Laisser derrière toi... » Elle semblait consternée, à moins qu'il ne projetât sur elle son propre sentiment.

Il leva son torchon avant qu'elle eût le temps de lui débiter la liste intégrale des arguments qu'il avançait depuis peu. « Syl, tu as raison. Il faudrait que je renonce une bonne fois pour toutes à... »

Elle lui jeta un regard oblique et tenta un sourire. « Tu triches, mon vieux. Il ne s'agit pas de savoir si j'ai raison.

– Non. Non, c'est vrai. Tu as absolument... En fait... » Elle se mit à rire et hocha la tête. Il plaça le torchon à cheval sur sa nuque, comme un boxeur entre deux rounds. « Il s'agit de moi et de ce qui me travaille depuis quelque temps. Savoir ce que je dois faire ensuite.

– Miséricorde ! Ce n'est pas comme si tu replongeais dans la coke ou Dieu sait quoi. »

Elle connaissait la musique. Elle avait travaillé dans un centre de désintoxication à Brooklyn pendant près de dix ans avant de prendre le large pour aller fonder Remédiation. Elle lui adressa un regard où la confiance le disputait au scepticisme et il retrouva alors cette impression qui l'avait poursuivi tout au long de leur alliance aux climats changeants : il était l'indigne bénéficiaire des indulgences de cette femme au cœur d'assistante sociale.

« Je ne vois pas ce qui te chiffonne. Ce n'est pas comme si on venait t'obliger à tenir des promesses faites en public. Si tu trouves dans cette affaire quelque chose qui t'intéresse, où est le mal ? » Elle se pencha vers lui et retira de sa barbe un petit grain de risotto venu s'y perdre. « Ça restera entre nous. » Elle sourit. « Le grand public n'a pas besoin de savoir que tu ne sais pas ce que tu veux ! »

Il laissa échapper un murmure et prit le mail dans la poche de son pantalon au pli toujours impeccable. Du bout de l'ongle, il ouvrit le document incriminé. Il le tendit à Sylvie, comme si cette feuille de papier le disculpait. « Un Capgras provoqué par un accident. Tu te rends compte ? »

Elle se contenta de sourire. « Et tu le vois quand ? Quand est-ce qu'il sort de l'hôpital ?

– C'est le problème. Il est un peu coincé, et un peu fauché aussi, à ce que je comprends.

– Ils veulent que toi tu ailles là-bas ? Je ne dis pas ça pour... Ça me surprend un peu, c'est tout.

– Il faut bien que j'utilise les crédits du labo. Et puis il peut s'avérer préférable d'observer *in situ* ce genre de phénomène. Cela dit, tu as sans doute raison.

– Monsieur mon mari, nous avons déjà discuté de ça, grommela-t-elle, exaspérée.

– Sérieusement. Je ne sais pas. Traverser la moitié du continent pour une consultation bénévole ? Je n'aurai pas de labo. Et puis, voyager est devenu une telle plaie. C'est tout juste s'il ne faut pas se déshabiller avant de monter dans l'avion.

– Mais j'y pense ! Ce ne serait pas au Grand Tour-opérateur de s'occuper de ces choses-là ? »

Il fit une grimace et acquiesça d'un signe de tête. Le Grand Tour-opérateur : dernier vestige de leurs deux éducations religieuses conjuguées. « Si, bien sûr. J'ai dans l'idée que le terrain, c'est fini pour moi. J'ai besoin de me ressourcer, Syl. Je veux rester à la maison, écrire un petit bouquin de vulgarisation scientifique bien pépère. Faire tourner le labo, et peut-être un peu de voile. La panoplie complète de la tranquillité domestique.

– Le plan d'évacuation des quinquas, comme on dit ?

– Passer de bons moments avec ma petite femme...

– Ta petite femme te néglige en ce moment, j'en ai peur. Il faudrait déjà qu'elle reste à la maison ! » Elle le regardait, amusée. « Ah ! C'est bien ce que je pensais. »

Il hochait la tête, perplexe devant son propre cas. Sylvie caressa la tonsure de Weber, leur vieux rituel porte-bonheur.

« Tu sais ? fit-il. À ce stade de mon existence, je pensais vraiment avoir atteint un certain degré de maîtrise. »

Elle le cita : « "Une grande part de l'activité du cerveau consiste à dissimuler cette activité."

– Pas mal. Ça sonne bien. C'est de qui ?

– Ça va te revenir.

– D'un bonhomme. » Il se massait les tempes.

« Bien vu, acquiesça Sylvie. Un bonhomme. Quelle engeance ! On ne peut pas vivre avec. On ne peut pas pratiquer la vivisection dessus. Alors, cet autre bonhomme, qu'est-ce qu'il a donc de si spécial pour que tu replonges ? »

Le métier de Sylvie : convaincre Gerald d'agir selon les plans qu'il avait déjà arrêtés.

« Il s'agit de quelqu'un qui reconnaît sa sœur mais refuse de croire que c'est elle. Pour le reste, son raisonnement et ses facultés cognitives semblent intacts. »

Elle laissa échapper un sifflement sourd, même après avoir passé toute une vie à entendre les récits de Weber. « Un dossier pour Sigmund, on dirait.

– Oui, ça y ressemble. Mais en même temps, le trouble est la conséquence manifeste de la lésion. C'est ça qui rend la chose si étonnante. Un cas de "ni oui ni non" qui pourrait nous aider à trancher entre deux paradigmes très différents de l'esprit.

– Et tu voudrais voir ça avant de mourir ?

– Oh ! On ne pourrait pas donner un tour un peu moins définitif à l'affaire ? La sœur de ce patient connaît mon travail. Elle n'est pas certaine que les médecins aient bien saisi le problème.

– Il y a des neurologues au Nebraska, non ?

– S'ils ont jamais rencontré un syndrome de Capgras en dehors de leurs manuels de médecine, ils y auront vu une forme de schizophrénie ou d'Alzheimer. » Il ôta le torchon de ses épaules et essuya leurs deux verres à vin. « La sœur me demande de l'aide. » Sylvie l'observait : *Tu t'étais juré d'éviter ces gens-là.* « Et puis, les délires d'identité pourraient m'en dire long sur la mémoire.

– Tu veux éclairer ma lanterne ? » Il avait toujours adoré cette expression bien à elle.

« Les sujets atteints du syndrome de Capgras croient que leurs proches ont été remplacés par des androïdes perfectionnés, des sosies, ou des extraterrestres. Ils identifient correctement toute autre personne. Le visage d'un proche déclenche en eux des souvenirs, mais aucun affect. Ce défaut de ratification émotionnelle l'emporte sur les constructions rationnelles de la mémoire. Ou si tu préfères, la raison invente des explications irrationnelles complexes pour rendre compte d'une déficience émotionnelle. La logique repose sur le sentiment. »

Elle se mit à pouffer. « Quel scoop ! Des scientifiques de sexe masculin nous confirment une évidence notoire. Dans ce cas, mon cœur. Va. Cours le monde. Rien ne te retient.

– Ça ne t'ennuierait pas que je m'absente ? Juste deux ou trois jours ?

– Tu vois bien comme je suis débordée en ce moment. Ton départ me donnerait l'occasion de liquider le travail en retard. D'ailleurs, je crois que je vais annuler notre petit rendez-vous vidéo de ce soir. Je dois travailler sur le pronostic VIH d'un enfant pour demain.

– Tu ne serais pas déçue si je... récidivais ? »

Elle se redressa devant l'évier vide, interloquée. « Oh, mon pauvre chéri. Récidiver ? Mais c'est ta vocation. C'est comme ça. »

Ils s'embrassèrent une nouvelle fois. Étonnant que dans ce geste passent encore tant de choses, au bout de trente ans. Il retint entre ses doigts une mèche de cheveux blond caramel et caressa le front de Sylvie. Sa chevelure était moins épaisse qu'au temps de la fac, lorsqu'ils s'étaient rencontrés. Une beauté renversante. Mais il la trouvait plus ravissante aujourd'hui, enfin en paix avec elle-même. Plus ravissante, parce qu'elle grisonnait.

Elle leva les yeux vers lui, curieuse. Ouverte.

« Merci, dit-il. Mais si je ne survis pas à l'aéroport et à son maudit service de sécurité...

– Remets-t'en au Grand Tour-opérateur. Ce genre de truc, c'est *son* rayon. »

Il inventait des noms pour chacun d'eux. Quand les détails d'une existence menaçaient une vie privée, il les remplaçait par d'autres. Parfois, il composait une seule histoire à partir de plusieurs études de cas. Rien d'inhabituel à cette pratique professionnelle courante, qui mettait tout le monde à l'abri.

Il avait autrefois décrit une femme, bien connue dans la littérature scientifique. Dans *Mille deux cents grammes d'infini*, elle s'appelait Sarah M. Suite à une atteinte bilatérale du cortex extrastrié dans l'aire temporale médiane, elle souffrait d'akinétopsie, un cas très rare de cécité quasi totale au mouvement. Le monde de Sarah baignait à jamais dans une lumière stroboscopique. L'existence ressemblait pour elle à une suite de vues arrêtées, liées par de simples traînées fantomatiques.

Elle faisait sa toilette, s'habillait et mangeait en séquences hachées. Les mouvements de sa tête déclenchaient le tambour trépidant d'un projecteur de diapositives. Elle ne pouvait pas se verser du café : le liquide cristallisé restait suspendu au bec de la cafetière et, d'un arrêt sur image à l'autre, la table se couvrait de lacs immobiles. Son chat la terrifiait : il disparaissait en un clin d'œil et réapparaissait à un autre endroit. La télévision lui taraudait les yeux. Un oiseau en vol laissait des impacts de balles dans les carreaux du ciel.

Bien sûr, Sarah M. ne pouvait pas conduire, ni marcher au milieu d'une foule ; elle ne pouvait même pas traverser une rue. Sur le trottoir de sa ville paisible, elle restait paralysée, film arrêté. Un camion au loin aurait pu la faucher à la seconde même où elle posait le pied dans le caniveau. Les images fixes s'accumulaient, les unes derrière les autres en un chevauchement incohérent d'indicateurs cubistes. Les voitures et les gens surgissaient au hasard.

Même les mouvements de son corps ne constituaient à ses yeux qu'une succession de poses raides, une partie d'un-deux-trois-soleil. Et pourtant, paradoxe des plus étrange, seule Sarah M. percevait une sorte de vérité sur la vision, une vérité cachée aux cerveaux ordinaires. Si la vue repose sur les impulsions électriques discrètes des neurones, alors peu importe la rapidité du signal, il n'existe pas de continuité du mouvement, sinon dans le lissage artificiel que l'esprit accomplit.

Le cerveau de Sarah ne différait des autres que dans la mesure où il avait perdu cet artifice. Elle ne s'appelait pas Sarah. Il aurait pu lui donner bien d'autres noms. Elle était apparue dans le stroboscope mental de Weber, à LaGuardia, au moment où celui-ci empruntait la passerelle de l'avion, et elle en avait disparu ce même après-midi, quand il atterrit au beau milieu de la prairie désertée, sans autre transition qu'une coupe sèche.

Il descendit dans un motel aux abords immédiats de l'autoroute. Le MotoRest – il l'avait choisi pour sa pancarte : BIENVENUE AUX GUETTEURS DE GRUES. Dépaysement garanti : « Toto, j'ai l'impression que nous ne sommes plus dans l'État de New York. » Sylvie et lui avaient quitté le Midwest en 1970 sans plus jamais y remettre les pieds. À présent, cette étendue ondoyante, son héritage, lui semblait aussi étrangère que les images transmises par *Sojourner* depuis la surface de Mars. Après avoir quitté l'officine du loueur de voitures à l'aéroport de Lincoln, il avait paniqué un court instant : seul, sans passeport ni devises locales.

Mais une fois dans le hall du MotoRest, il aurait pu se trouver n'importe où. Pittsburgh, Santa Fe, Addis-Abeba : les pastels neutres et apaisants des migrations planétaires. Il s'était présenté un nombre incalculable de fois devant ce comptoir turquoise, sur cette moquette mordorée. À la réception, une douzaine de belles pommes luisantes trônaient dans un panier, toutes identiques et de même calibre. Réelles ou décoratives ? Weber n'aurait su le dire à moins d'y enfoncer les ongles.

Tandis que la réceptionniste s'occupait de sa carte de crédit, Weber feuilletait les piles de brochures touristiques. Toutes remplies d'oiseaux à crêtes rouges. Des nuées, comme jamais il n'en avait vu. « Où est-ce que je peux les voir ? » demanda-t-il.

La réceptionniste prit un air embarrassé, comme si la carte venait d'être refusée. « Ils sont partis il y a deux mois. Ils se trouvent tous dans le nord maintenant, monsieur. Mais si vous voulez les voir, ne bougez pas d'ici. Ils vont revenir. » Elle lui rendit sa Visa accompagnée d'une clé magnétique. Il monta à l'étage, dans une chambre qui faisait semblant de n'avoir jamais été occupée auparavant et promettait de se volatiliser dès que Weber aurait quitté les lieux.

Sur chaque pan de mur, des cartons débitaient leurs messages. Le personnel lui souhaitait personnellement la bienvenue et lui proposait un large éventail de denrées et de services. Dans la salle de bain, une affichette expliquait à Weber que s'il voulait contribuer à sauver la planète, il devait étendre sa serviette sur la barre transversale de la cabine de douche, et dans le cas contraire la laisser traîner par terre. Ces messages avaient été déposés le matin même et seraient remplacés après son départ. Il en existait ainsi des milliers, tous identiques, disséminés entre Seattle et Saint Petersburg. Il aurait pu se trouver n'importe où, dans n'importe quel motel, n'étaient les photos de grues placées au-dessus de son lit.

Il s'était entretenu avec Karin Schluter avant de quitter New York. Il l'avait trouvée très posée et fort bien informée. Mais quand elle l'appela depuis le téléphone de la réception, une demi-heure après qu'il fut arrivé, c'était une tout autre personne. Elle lui parut timide et inquiète à l'idée de venir le voir dans sa chambre. À l'évidence, il était temps pour Weber de mettre à jour ses photos de presse. L'anecdote parfaite pour taquiner Sylvie quand il l'appellerait ce soir.

Il descendit dans le hall où l'attendait la seule proche parente de la victime. La petite trentaine, pantalon de coton havane et chemisier rose : la tenue passe-muraille, comme l'appelait Sylvie. Le costume sombre de Weber – son habituelle livrée de voyageur – épouvanta la jeune femme qui lui lança un regard d'excuse avant même de lui avoir dit bonjour. Ses cheveux très lisses, couleur cuivre (son seul trait distinctif), lui arrivaient au milieu du dos. Cette cascade spectaculaire éclipsait un visage, qu'avec un brin d'indulgence on aurait pu dire reposé. Sans apprêt et de belle constitution, cette jeune femme du Midwest s'engageait déjà sur le chemin de la solennité. Robuste, elle avait peut-être couru le cent dix mètres haies avec son équipe universitaire. Quand Weber posa les yeux sur elle, elle remit de l'ordre dans sa tenue, inconsciemment. Mais quand elle se leva et vint à sa rencontre, main tendue, le sourire courageux qu'elle lui adressa du coin de la bouche méritait toutes les assistances.

Ils se serrèrent la main et déjà les remerciements de Karin Schluter passaient la mesure, comme si la guérison de son frère était acquise. Comme si la simple vue de Weber la transportait. Quand il repoussa ce témoignage de reconnaissance, elle dit : « J'ai apporté quelques documents. » Elle s'assit sur le canapé, à côté de la fausse cheminée, et éparpilla un dossier sur la table basse : trois mois de notes manuscrites assorties d'une copie de tous les documents que l'hôpital et le centre de rééducation avaient mis à sa disposition. Gestes à l'appui, elle se lança dans l'histoire de son frère.

Weber avait pris place à côté d'elle. Au bout d'un instant, il lui toucha le poignet. « Peut-être devrions-nous aller nous présenter au docteur Hayes, avant toutes choses. A-t-il reçu ma lettre ?

– Je lui ai parlé ce matin. Il sait que vous êtes arrivé. Il a dit que vous pourriez voir Mark cet après-midi quand bon vous semblerait. J'ai ses notes quelque part. »

Devant Weber s'étalaient quantité de papiers, vade-mecum pour une planète inconnue. Il s'obligea à ne pas y prêter attention et écouta la version de Karin Schluter. Livre après livre, il avait défendu cette thèse : les faits ne constituaient qu'une part mineure de l'histoire de chaque patient. La façon de raconter cette histoire importait davantage.

Karin disait : « Mark admet qu'un accident s'est produit. Mais il ne se souvient de rien. Il a un blanc. Rien, douze heures avant le tonneau. »

Weber caressait sa barbe poivre et sel. « Oui. Cela arrive parfois. » Après vingt ans de pratique, sa maîtrise était presque parfaite : expliquer aux gens que d'autres avant eux étaient déjà passés par là, sans nier pour autant la nature individuelle de chaque épreuve. « Ça ressemble à ce qu'on appelle une amnésie rétrograde. La loi de Ribot : la mémoire du passé lointain est plus persistante que celle des événements récents. "Le nouveau périt avant l'ancien." »

Pendant qu'il parlait, Karin, qui s'efforçait de ne pas perdre pied, reproduisait le mouvement de ses lèvres. Elle posa une main sur la pile de formulaires. « De l'amnésie ? Mais sa mémoire fonctionne. Il se souvient très bien de sa... sa sœur. Seulement, il refuse... » Elle se mordit les lèvres et baissa la tête. La cataracte de ses cheveux roux tombait sur les feuillets. Il ne pouvait imaginer à quelle extrémité ce rejet devait la pousser.

« Vous dites qu'il reparle sans difficulté. Est-ce que sa voix a changé ? »

Elle inspecta le vide. « Le débit est plus lent. Mark parlait toujours très vite.

– Il cherche ses mots ? Avez-vous noté un changement dans son vocabulaire ? »

Karin retrouva son sourire en coin. « Vous pensez à de l'aphasie ? »

Elle trébucha sur la prononciation. Weber se contenta d'acquiescer.

« Le vocabulaire n'a jamais été son fort. »

Il tenta une autre approche. « Vous êtes très liée à votre frère ? » Condition préalable au syndrome de Capgras. « Vous l'avez toujours été ? »

Elle releva la tête d'un geste brusque, sur la défensive. « Nous sommes la seule famille qu'il nous reste. J'ai essayé de veiller sur lui, tout le temps. Je suis un peu plus âgée que lui, mais... j'ai toujours fait en sorte de ne pas trop m'éloigner, jusqu'au jour où il m'a fallu absolument quitter cet endroit ; question de santé mentale. Mark n'a pas beaucoup le sens des réalités. Il s'est toujours reposé sur moi, un peu. Tous les deux, on a vécu de drôles d'histoires en famille. » Troublée, elle revint au dossier. Elle en sortit deux feuillets. Comme elle les parcourait, son visage se mit à osciller et ses lèvres reprirent leur mouvement. « Tenez. Voilà ce qui n'arrête pas de me travailler. Quand ils l'ont admis aux urgences après l'accident, il était conscient. C'est à peine si... Regardez : son échelle de Glasgow. Même pas dans la zone critique. Ils m'ont laissée le voir cette nuit-là, juste une minute. Et il m'a reconnue. Il essayait de me parler. Je le sais. Mais vous voyez, il y a ce pic plus tard dans la matinée. La pression intracrânienne grimpe d'un coup. »

Elle aurait pu suivre des études pour devenir infirmière de bloc opératoire. Il se lissait la barbe par en dessous. Au fil du temps, il était parvenu à calmer presque tout le monde avec ce geste. « Oui, ça arrive parfois. Le volume de la boîte crânienne ne bouge pas. Si un œdème fait gonfler le cerveau après coup, les séquelles peuvent être plus graves que celles causées par l'impact original.

– D'accord. J'ai lu un article là-dessus. Mais les médecins n'auraient-ils pas dû placer Mark en observation ? Si je comprends bien, dans les premières heures, il aurait fallu... »

Weber promena un regard sur le hall de l'hôtel. Discuter ici avec cette femme était stupide. Elle était si pondérée au téléphone. En personne, elle présentait toutes les complications du désarroi dont Weber ne voulait plus s'embarrasser. Mais un vrai syndrome de Capgras induit par un accident – une rareté susceptible de consacrer ou de renverser toutes les théories de la conscience – voilà qui méritait d'être vu.

« Karin, nous en avons déjà parlé. Je ne suis pas avocat. Je suis un scientifique. J'apprécie que vous m'ayez invité à venir parler avec votre frère. Mais je ne suis pas là pour damer le pion à qui que ce soit. »

Elle retint son souffle. Son visage s'empourpra. Elle tira sur le col de son chemisier. Elle rassembla la gerbe de ses cheveux et les noua comme un écheveau de corde. « Oui. Bien sûr. Je suis navrée. Je pensais que vous... Le mieux est sans doute que je vous conduise à Mark. »

Weber trouvait que le centre de rééducation et de convalescence de Dedham Glen ressemblait à un lycée privé pour banlieue chic : un édifice modulaire, couleur pêche et construit de plain-pied, du genre à passer totalement inaperçu dès lors que l'un de vos proches n'y était pas enfermé.

« Ils ne vont plus le garder ici bien longtemps, dit Karin. Les soins sont excellents mais les assurances plafonnent et Mark meurt d'envie de rentrer chez lui. Il a retrouvé une bonne partie de son tonus musculaire. Il s'habille et se lave tout seul, il s'entend bien avec les autres et tient des discours sensés – le plus souvent. Comparé à ce qu'il était il y a deux semaines, on le croirait normal. Sauf quand il se met à parler de moi. »

Elle conduisit la voiture au parking visiteurs, près de l'entrée. « Nous avons placé notre mère ici, quand elle est tombée malade. Elle est décédée cinq semaines et demie plus tard. J'aurais préféré mourir moi aussi plutôt que de mettre Mark dans cet établissement. Mais c'était la seule solution.

– Vous pensez qu'il vous en veut ? » Vieille habitude : chercher le mécanisme psychologique.

Elle rougit de nouveau. Sa peau était un papier Litmus instantané. Elle désigna une baie vitrée à l'angle du bâtiment. Un jeune homme de vingt-sept ans, mince, de taille moyenne, en sweat-shirt noir et coiffé d'un bonnet bleu layette, attendait, les mains plaquées contre la vitre, encalminé sur la crête d'une vague. « Vous n'aurez qu'à lui demander vous-même dans une minute. »

Mark Schluter vint à leur rencontre dans le couloir de son service. Il marchait comme avec des béquilles, une main appuyée sur la cuisse droite. Des cicatrices à demi effacées ornaient encore son visage. Le collier bien reconnaissable d'une trachéotomie lui barrait la gorge. Il flottait dans son jean noir, et les manches longues du sweat-shirt, trop chaud pour un mois de juin, lui arrivaient aux phalanges. Sur sa poitrine, un chien joueur de cartes et buveur de bière disait : « J'en sais foutre rien, moi ! » Des touffes de cheveux en train de repousser dépassaient de sous son bonnet. Il se dandinait dans le couloir, s'amusait à faire le pendule. Il s'arrêta devant Karin. « C'est lui, le type qui va me tirer de ce merdier ? »

La jeune femme leva les mains au ciel. Ses cheveux se dénouèrent. « Mark. Je t'ai dit que le docteur Weber venait aujourd'hui. Tu n'aurais pas pu enfiler quelque chose de correct ?

– Ma tenue préférée.

– Elle n'est pas convenable pour parler à un médecin. »

Il tendit un bras raide, l'index pointé vers elle. « Ce n'est pas toi qui commandes. Je ne sais même pas d'où tu sors. Va savoir si ces salopards de terroristes arabes ne t'ont pas parachutée ici. Ou peut-être les forces spéciales ? » L'orage cessa aussi vite qu'il avait éclaté. La juste colère retomba dans un soupir. Mark ouvrit les mains et sourit à Weber. « Vous bossez pour le FBI ou quoi ? » Il donna une chiquenaude dans la belle cravate bordeaux. « J'ai déjà causé à vos collègues. »

Karin était mortifiée. « Ce n'est qu'un costume, Mark. On croirait que tu n'en as jamais vu.

– Désolé. On dirait un "fédéral". » D'un geste, il accompagna le mot de guillemets.

« C'est un neuropsychologue. Et un écrivain connu.

– Un neurocogniticien », corrigea Weber.

Mark Schluter se balançait d'avant en arrière. Un rire froid tomba de ses lèvres. « C'est quoi, ça ? Une espèce de psy ? » Weber fit signe que non. « Un psy ! Alors, racontez-moi un peu. Pour qui vous vous prenez, vous ? »

Weber inclina la tête sur le côté. « Expliquez-moi ce que vous voulez dire.

– Ce que je veux dire : celle-là, je sais déjà pour qui elle se prend. Mais vous ? »

Karin soupira. « Nous avons déjà parlé de lui hier, Mark. Il veut simplement discuter avec toi. Allons nous asseoir dans ta chambre. »

Mark se tourna brusquement vers elle. « Je t'ai prévenue. Tu n'es pas non plus ma mère, bordel ! » Il revint vers Weber. « Pardon. C'est juste que je trouve ça pénible. Elle s'est fourré cette idée dans le crâne. Difficile à expliquer. » Mais lorsque Karin s'éloigna dans le couloir, il la suivit clopin-clopant, comme un chiot en laisse.

La chambre était une version modeste de celle qu'occupait Weber au MotoRest, bien qu'infiniment plus coûteuse. Un lit, une commode, un bureau, un poste de télévision, une table basse, deux fauteuils. Sur la commode, deux cartes humoristiques aux couleurs criardes souhaitaient au malade un prompt rétablissement. À côté, gisait un singe en peluche antédiluvien auquel manquait un œil. Une chaîne portable trônait sur le bureau parmi des piles de CD rangés dans leurs boîtiers. Non loin de là, un magazine de mécanique, dont la couverture était saturée de chromes, attendait encore sous son emballage Cellophane. Weber mit en route le magnétophone numérique qu'il gardait dans sa poche. Il pourrait toujours demander la permission plus tard. « Jolie chambre », dit-il pour lancer la conversation.

Mark fronça les sourcils et regarda autour de lui. « Bof. Je n'en ai pas fait grand-chose. Mais je ne vais pas moisir ici longtemps. Je préfère foutre le feu à la cabane plutôt que de prendre racine.

– Dans quel genre d'endroit sommes-nous ici ? » demanda Weber.

Mark le jaugea du coin de l'œil. « Ça ne se voit pas ? » Karin était assise au pied du lit, ses cheveux lui enveloppaient les épaules. Son frère se laissa glisser dans un fauteuil en faisant claquer ses tennis sur le sol, très amusé par le fracas. Il fit signe à Weber de venir s'asseoir en face de lui. Weber s'affaissa sur le coussin de son siège. Mark se mit à glousser. « Vous vous prenez pour un vieux, c'est ça ?

– Ah, s'il vous plaît ! Parlons d'autre chose. Alors, dites-moi. Comment au juste appelle-t-on cet endroit ?

– OK, toubib. » Mark inclina la tête. Il jeta un regard par-dessous ses sourcils broussailleux et chuchota : « Certains ici l'appellent Dead Man's Land. »

Weber cligna les yeux et Mark se mit à hurler de satisfaction. Sur le lit, Karin, désespérée, pinçait la toile de son pantalon.

« Depuis combien de temps êtes-vous ici ? »

Mark lança un regard inquiet vers le lit. Karin détourna les yeux et avisa Weber. Mark s'éclaircit la gorge. « Très bien. Je vais vous le dire. Depuis une éternité.

– Savez-vous pourquoi vous êtes ici ?

– C'est-à-dire ? Pourquoi ici plutôt que chez moi ? Ou bien pourquoi ici plutôt qu'*ad patres* ? Une seule et même réponse. » Mark tira sur le devant de son sweat-shirt et se pencha vers Weber. « Lisez donc ce qu'il y a écrit là-dessus. »

Le chien joueur de cartes et buveur de bière : « J'en sais foutre rien, moi ! »

« Inutile de lui faire ton numéro, Mark.

– Oh dis, ça va ! Qu'est-ce que ça peut te foutre ? C'est bien toi qui m'obliges à croupir dans cette taule.

– Et que fait-on pour vous ici ? » demanda Weber.

L'homme-enfant entra en contemplation. Il caressait son menton glabre. Il aurait tout aussi bien pu discuter politique ou religion. « Eh bien, ici, vous voyez... nous sommes dans une... une clinique. Un endroit où ils vous envoient quand vous êtes esquinté et qu'on ne peut plus rien tirer de vous.

– Vous êtes esquinté ? »

Mark se renversa dans son fauteuil en grognant.

« Disons plutôt les choses comme ça : les médecins prétendent que je ne suis plus tout à fait comme avant.

– Pensez-vous qu'ils ont raison ? »

Mark haussa les épaules. Un spasme lui parcourut le corps. D'une main, il fit descendre le bonnet bleu jusque sur ses sourcils. De l'autre, bras tendu, il désigna Karin.

« Demandez-lui, à elle. Elle n'arrête pas de leur expliquer qui j'étais avant. »

La jeune femme appuya son poignet contre sa tempe et se leva.

« Excusez-moi », dit-elle avant de quitter la chambre d'un pas heurté.

Weber insista : « Vous avez eu un accident ? »

Mark réfléchit : une possibilité parmi bien d'autres. Il s'avachit dans son fauteuil et poussa de l'orteil le sol devant lui.

« J'ai fusillé mon camion, vous savez ? Une épave. Enfin, à ce qu'ils disent. En fait, ils ne m'ont jamais mis de preuves sous le nez. Les preuves, ce n'est pas trop leur partie.

– Je suis navré.

– Vraiment ? » Il se redressa et se pencha de nouveau vers Weber. « Un Dodge Ram de 84, rouge cerise, un bijou. Bloc-moteur revu et corrigé. Arbre d'entraînement modifié. Entièrement customisé. Vous auriez adoré. »

Le type même de l'Américain de vingt ans originaire des grands États vides. Weber tendit le pouce en direction du couloir désert : « Parlez-moi d'elle. »

Les doigts de Mark vinrent toucher son bonnet de laine. « Alors là, toubib. Comment dire ? C'est une drôle d'embrouille. Et les choses vont trop vite pour moi.

– Je vois bien.

– Elle croit que si son imitation est parfaite, je la prendrai pour ma sœur.

– Ce n'est pas votre sœur ? »

Mark siffla entre ses dents et agita l'index, petit bout d'essuie-glace rond et rose. « On en est loin ! Bon d'accord, elle ressemble beaucoup à Karin. Mais il y a des différences flagrantes. Ma sœur, c'est comme... un pique-nique de 1er mai. Cette fille-là, on dirait un déjeuner d'affaires. Vous voyez le genre : l'œil rivé sur sa montre. Avec ma sœur, vous vous sentez en confiance. À l'aise. L'autre, c'est une emmerdeuse de première. Et puis Karin est plus ronde. Le genre pot à tabac, en fait. Celle-là est presque sexy.

– Mais quand elle parle, on ne dirait pas du tout... ?

– En plus, la tête, ce n'est pas trop ça. Vous voyez ce que je veux dire ? L'expression du visage, ces trucs-là. Ma sœur rit à mes blagues. L'autre n'arrête pas d'avoir la trouille. Une vraie pleurnicheuse. Et soupe au lait avec ça ! Un rien la fout en boule. » Il hocha la tête. Quelque chose de long et de silencieux le traversa. « Semblables. Très semblables. Mais il y a un monde de l'une à l'autre. »

Weber jouait avec ses antiques montures d'acier. Il caressa le sommet de son crâne dégarni. D'un geste inconscient, Mark toucha son bonnet.

« Il y en a d'autres ? » demanda Weber. Mark le fixa, l'œil éteint. « Je veux dire, d'autres personnes qui ne seraient pas ce qu'elles paraissent ?

– Ah ben ça ! C'est vous, le psy, non ? Vous devriez savoir que personne n'est "Ce Qu'Il Paraît". » Il s'avança, le visage encadré par les guillemets inquiétants que formaient ses doigts dressés à côté de ses oreilles. « Mais je vois ce que vous voulez dire. J'ai un copain, Rupp. Cet enfoiré-là et moi, on est comme les doigts de la main. À lui aussi, il lui est arrivé un coup tordu. La fausse Karin a dû lui faire un lavage de cerveau. Et puis, ils ont remplacé ma chienne. C'est pas dingue, ça ? Une magnifique border colley noir et blanc, avec une touche fauve sur le col. Je vous demande un peu, quel malade pourrait vouloir... ? » Il s'interrompit. Il jouait au hockey avec ses orteils. Ses mains retombèrent sur ses cuisses. Il se rapprocha de Weber. « Parfois, on dirait un film d'horreur. Je ne pige rien à ce qui se passe. » Ses yeux s'emplirent d'une inquiétude animale, prêts à réclamer de l'aide, même à cet inconnu.

« Cette femme... est-elle au courant de choses que seule votre sœur devrait connaître ?

– Ça, vous savez... Elle a pu se rencarder n'importe où. » Mark se tortillait sur les coussins de son siège, les poings serrés à hauteur du visage, comme un fœtus prêt à parer les premiers coups de l'existence. « Dire qu'on voudrait me faire gober cette imitation au moment même où j'ai le plus besoin de ma sœur.

– Pourquoi cela se produit-il selon vous ? »

Mark se redressa et regarda Weber. « Voilà une bonne question. La meilleure que j'aie entendue depuis un bail. » Ses yeux partirent dans le vague. « Ça doit avoir un rapport avec... ce dont vous parliez tout à l'heure. C'est pour faire tourner la boutique. » Un instant, son esprit s'absenta, aux prises avec un adversaire contre lequel il n'était pas de taille. Puis il revint. « Voilà ce que je crois. Il m'est arrivé quelque chose après... ce qui s'est passé. » Il tendit les mains sans même jeter un regard à Weber. « Ma sœur – ma vraie sœur – et peut-être Rupp ont emmené le camion dans un endroit où je ne pourrai pas le voir. Histoire que ça ne me retourne pas les tripes. Ensuite, ils ont engagé cette autre femme qui ressemblait à ma sœur pour que je ne me rende pas compte qu'elle était partie. » Il regarda Weber, plein d'espoir.

Weber se pencha un peu sur le côté. « Et depuis combien de temps est-elle partie ? »

Mark leva les mains au-dessus de sa tête puis les ramena sur sa poitrine. « Depuis que l'autre est là. » Une souffrance lui assombrissait le visage. « Elle n'est plus dans son appartement. J'ai appelé chez elle. Et il semblerait qu'on l'ait virée de son boulot.

– Que pensez-vous que votre sœur soit en train de faire ?

– Je n'en sais rien. Comme je disais, elle fait peut-être réparer le camion. Si ça se trouve, elle attend que ce soit fini pour entrer en contact. Elle veut me faire une surprise ?

– Depuis des mois ? »

Mark fit une moue sarcastique. « Vous avez déjà retapé un camion ? Ça prend un bout de temps, vous savez. Pour le remettre à neuf.

– Votre sœur s'y connaît en camions ? »

Mark étouffa un rire. « Est-ce que le pape chie sur les catholiques ? Je vous parie que si elle voulait, elle pourrait vous désosser sa japonaise quatre cylindres à bon marché et la remonter bien comme il faut.

– Quel genre de voiture l'autre femme conduit-elle ?

– Ah ! » Mark lança un regard oblique à Weber, bien décidé à ne pas céder un pouce de terrain. « Vous avez remarqué ? C'est vrai. Elle pousse l'imitation assez loin dans le détail. C'est justement ça qui est flippant.

– Vous rappelez-vous quoi que ce soit de l'accident ? »

Mark détourna le visage, acculé. « On pourrait faire une pause, toubib ? Une minute, pour souffler ?

– Bien sûr. Comme vous voulez. » Weber se laissa aller dans son fauteuil, mains croisées derrière la tête.

Mark l'observait, bouche ouverte. Lentement, sa mâchoire se mit en place, et il partit d'un rire. « Sans déconner ? Vous ne me montez pas un char ? » Un chapelet de sons étouffés sortait de sa bouche, les gloussements d'un homme resté dans l'impasse de la puberté. Il étendit les jambes et croisa lui aussi les mains derrière la tête, comme un bambin imitant son père. « Voilà qui est mieux ! Prendre la vie du bon côté. » Il sourit, un pouce en l'air à l'adresse de Weber. « Vous saviez que dans l'Antarctique la banquise se débine ?

– J'en ai entendu parler, répondit Weber. Vous l'avez vu dans les journaux ?

– Non, non. À la télé. Les journaux, en ce moment, c'est théorie de la conspiration et compagnie. » Au bout d'un instant, il revint à ses préoccupations. « Dites voir. Puisque vous êtes psy. Il faut que je vous demande. Ce serait facile pour une très bonne actrice de... »

Karin revint, affligée de les trouver étendus comme deux vacanciers en croisière. Mark se redressa d'un bond. « Quand on parle du loup. Elle a tout écouté. J'aurais dû flairer le coup. » Il regarda Weber. « Un petit verre, ça vous tente ? Une mousse bien fraîche ou autre chose ?

– Ils vous laissent boire de la bière, ici ?

– Ha ! Je vous ai eu. Cela dit, il y a un distributeur de Coca, là-bas dans le coin.

– Vous ne voulez pas qu'on essaie quelques tests, d'abord ?

– Ce sera toujours mieux que de peigner la girafe. »

Mark semblait désireux de jouer. Les exercices étaient minutés. Weber lui fit raturer des petits bâtons disposés en tous sens sur une feuille de papier. Il demanda à Mark d'entourer sur un dessin autant d'objets dont le nom commençait par un O qu'il pouvait en trouver. « Je peux entourer le tout et appeler ça "odieux" ? » Weber lui demanda de suivre des itinéraires sur un plan en se conformant à des indications simples. Il lui demanda de citer tous les animaux à deux pattes qui lui venaient à l'esprit. Mark se gratta la tête, exaspéré. « C'est vicelard. Posée comme ça, votre question m'oblige à ne penser qu'à des animaux à quatre pattes. »

Weber lui fit biffer tous les chiffres inscrits sur une feuille remplie de lettres. Quand Weber arrêta le chronomètre, Mark envoya valser son crayon à travers la pièce et faillit atteindre Karin qui se recroquevilla contre le mur. « C'est des jeux, ça ? Ils sont encore plus tordus que les machins qu'on me fait faire ici.

– Qu'entendez-vous par là ?

– Comment ça, "Qu'entendez-vous par là" ? Vous ne manquez pas d'air, vous. "Qu'entendez-vous par là ?" Regardez un peu. Vous ne voyez pas comme tout est riquiqui ? Vous le faites exprès, pour me foutre dedans. Et ce trois-là. Pareil qu'un B majuscule. Un B comme Branleur ! Après ça, vous essayez de me déconcentrer en me disant qu'il ne me reste plus que deux minutes. » Ses lèvres se crispèrent et il ferma les paupières sur ses yeux embués.

Weber lui toucha l'épaule. « Vous voulez qu'on en essaie un autre ? En voici un avec des formes...

– Faites-le vous-même, toubib. Vous avez de l'instruction, vous. Je suis sûr que vous pouvez y arriver tout seul. » Il balança la tête, ouvrit la bouche et se mit à gémir.

Alertée par le bruit, une femme s'encadra dans la porte. Elle portait une jupe plissée couleur feuille-morte et un chemisier de soie crème. Weber eut le sentiment de l'avoir déjà croisée dans d'autres emplois : à l'aéroport, chez le loueur de voitures ou à la réception de l'hôtel. La quarantaine juvénile, de corpulence moyenne, un mètre quatre-vingts, des pommettes rondes, de la circonspection et de la curiosité dans le regard, une longue coiffe de jais lui tombait sur les épaules ; c'était un de ces visages dont les traits imitaient la physionomie de célébrités mineures. Un court instant, elle aussi sembla reconnaître Weber. Rien de surprenant : on voyait sa tête un peu partout. Des gens qui ne connaissaient rien à la recherche neurologique se rappelaient parfois l'avoir vu dans des talk-shows ou des magazines. Mais à peine l'eut-elle remarqué qu'elle se détourna de lui. Elle leva un sourcil à l'attention de Karin dont le visage rayonnait : « Oh, Barbara. Vous tombez à pic, comme toujours.

– On a des soucis ? » Sa voix était empreinte d'ironie et d'une pointe d'autodérision : *Les soucis, c'est notre affaire*. Quand il entendit l'aide-soignante, Mark, qui était entré dans une colère noire, se calma aussitôt. Il se redressa, un sourire radieux sur les lèvres. Barbara lui rendit son sourire. « Des problèmes, l'ami ?

– Aucun ! C'est ce type-là qui les collectionne tous. »

Barbara se retourna vers Weber. Elle l'observa – infirmière au masque de cire, la lippe un rien dédaigneuse. « Nouveau patient ?

– Ce gars-là, c'est un sac d'embrouilles, cria Mark. Si tu veux devenir zinzin, jette un œil à ses soi-disant devinettes. »

Elle fit un pas vers Weber et tendit la main. Bêtement, il lui remit sa batterie de tests, comme à la présidente d'un comité d'éthique. Elle étudia les documents. Les feuilleta. Puis le regarda droit dans les yeux. « Combien pour les réponses ? » Elle jeta une œillade à Mark, son public ivre de jubilation. Weber remerciait cette femme d'avoir désamorcé la situation. Karin fit les présentations. Barbara Gillespie, un rien gênée, rendit ses tests à Weber.

« Demandez-lui ce que vous voulez, doc. Elle est la seule sur qui on puisse compter dans la boutique. Ces temps-ci, je n'ai pas de meilleure alliée. »

Barbara s'approcha de Mark et, d'un gloussement, fit objection au compliment. Weber observait l'attachement de cette femme gracieuse pour celui dont elle avait la responsabilité. Ce duo lui rappelait quelque chose : un couple de bonobos en train de s'épouiller et de jacasser, tout à leur échange de réconfort, tranquille et instinctif. Weber en éprouva un peu de jalousie. La relation de Barbara avec Mark était si naturelle et spontanée, plus sincère que celles que Weber avait peut-être jamais entretenues avec aucun de ses patients. Elle incarnait ce partage fraternel que ses livres préconisaient.

Ils échangeaient des paroles à voix basse, lui inquiet, elle rassurante. « Tu crois que je peux lui demander ? » dit-il.

Barbara, d'un air soudain très professionnel, donna une petite tape sur le dossier de Mark. « Absolument. C'est un éminent monsieur. S'il y a quelqu'un à qui vous pouvez parler, c'est bien lui. Je reviendrai plus tard, pour vos exercices.

– Tu peux me mettre ça par écrit ? » lança Mark tandis qu'elle s'éloignait.

D'un geste de la main, Barbara Gillespie dit au revoir à Karin. Celle-ci lui effleura l'avant-bras. En partant, Barbara agita les doigts à l'adresse de Weber. *Éminent*. Elle l'avait donc bien reconnu. Il se tourna vers Karin qui hochait la tête en signe d'admiration. « Le gardien de mon frère.

– Si seulement, intervint Mark d'un ton brusque. Si seulement elle pouvait me garder loin de toi. J'ai à causer avec le docteur un moment, tu veux ? En privé. Seul à seul. »

Karin croisa les bras et quitta de nouveau la chambre. Weber resta là, une main sur son porte-documents, l'autre occupée à pétrir sa barbe mousseuse. Les rôles venaient de s'inverser. Mark se tourna vers lui.

« Bon, voilà. Vous ne travaillez pas pour elle, n'est-ce pas ? Vous n'avez aucune espèce de rapport avec cette femme ? Physiquement ? Alors, s'il vous plaît, vous pourriez entrer en relation avec ma sœur ? Je peux vous donner toutes les infos dont je dispose. Je commence vraiment à m'inquiéter. Si ça se trouve, elle ne se doute pas de ce qui m'est arrivé. Peut-être qu'ils lui font avaler des tas de mensonges. Si vous pouviez simplement la contacter, ça m'aiderait beaucoup.

– Dites-m'en un peu plus sur votre sœur. Son caractère. » Comment un patient atteint du syndrome de Capgras percevait-il le caractère ? La logique, privée des émotions, était-elle capable de distinguer le jeu d'une personnalité ? Qui, d'ailleurs, en était capable ?

D'un geste, Mark interrompit l'entretien et se prit la tête entre les mains. « Si on reparlait de ça une autre fois ? J'ai la cervelle en feu. Revenez demain, si ça vous dit. Mais laissez tomber le costume et le porte-documents, d'accord ? On est tous de braves gens par ici.

– Entendu, dit Weber.

– Un psy comme je les aime. » Mark lui tendit la main et Weber la serra.

Weber trouva Karin à l'accueil, sur l'assise dure d'un sofa de vinyle vert ; de ceux qui se nettoient d'un coup d'éponge en cas d'urgence. On aurait dit que ses yeux faisaient une allergie à l'air. Devant elle, appuyées sur des déambulateurs, passèrent deux femmes à la peau parcheminée, lancées dans une course de lenteur. L'une d'elles salua Weber comme s'il s'agissait de son propre fils. Avant qu'il ait eu le temps de s'asseoir, Karin entamait des explications : « Je suis désolée. Ça me tue de le voir dans cet état. Plus il répète qu'il ne me connaît pas, moins je sais comment me comporter face à lui.

– En quoi vous trouve-t-il différente ? »

Elle se reprit. « C'est étrange. Il ne jure plus que par moi. Enfin, par elle. Mais en fait, lui et moi – je veux dire moi, maintenant – nous nous disputons comme nous l'avons toujours fait. En grandissant, on a vécu des moments plutôt difficiles. Avec le temps, j'ai voulu l'empêcher de faire les mêmes bêtises que moi. C'est à moi de lui montrer la voie de la raison ; personne d'autre ne s'en est jamais occupé. Avant, ça le rendait fou quand je lui serrais la vis. Mais à présent, il se contente de m'en vouloir, et il s'imagine que l'autre était une sorte de sainte. »

Elle s'interrompit et sourit en guise d'excuse ; ses lèvres remuaient, comme la bouche d'une truite sortie de l'eau. Weber lui offrit son bras – geste maladroit, archaïque, qu'il ne faisait jamais. Il en rejeta la faute sur le Nebraska, sur l'étale de ce mois de juin, sec et bourdonnant. Après des dizaines d'années passées dans les turbulences brunes et bruyantes de New York, l'accent du cru, ces figures larges, impassibles, terriennes (si crayeuses et secrètes), le désorientaient. Les visages d'ici partageaient une connaissance furtive du paysage, du climat, des crises imminentes, qui en scellait l'accès aux intrus. Il avait suffi à Weber de séjourner là une demi-journée pour sentir toute la réserve que peut affecter une personne, environnée de tant de blés.

Karin prit le bras de Weber et se leva. Ils sortirent par la porte principale et empruntèrent le trottoir en direction du parking. Quelque chose troublait Weber, une sensation qui l'avait paralysé tout au long de son internat en neurologie. Il avait cessé d'exercer la médecine depuis des années pour se consacrer à la recherche et à l'écriture, en partie sans doute pour se protéger. Au cours des dix-huit derniers mois, son cas s'était aggravé. La seule vue d'un macaque que l'on équipait d'électrodes avait vite fait de le tétaniser.

Karin Schluter, accrochée à son bras, se dirigeait vers le parking. « Vous savez vous y prendre avec lui, concéda-t-elle. Je crois que vous lui avez bien plu. » Elle parlait, le regard au loin, droit devant. Elle attendait davantage de lui. Ils n'avaient pas encore fini d'examiner le dossier que Weber l'avait déjà laissée tomber.

« Votre frère déborde de vitalité. Je l'aime beaucoup. »

Elle s'immobilisa sur le trottoir. La mine décomposée. « Qu'entendez-vous par "vitalité" ? Il ne va pas rester comme ça tout le temps, si ? Vous pouvez l'aider, n'est-ce pas ? Vous allez tenter quelque chose, comme dans vos livres... »

Le véritable travail ne portait jamais sur les victimes. « Karin ? Repensez à cette nuit où Mark a eu son accident. Vous vous rappelez avoir imaginé ce qui pouvait lui arriver alors ? »

Elle enveloppa ses bras autour d'elle, les joues en feu. Weber restait à distance. Le vent de juin faisait claquer dans les cheveux de Karin une dizaine d'épais cordages. Elle plissa les yeux. « Il n'était pas comme ça avant. Mark était vif. Malin. Un peu grossier. Mais il prenait soin de tout le monde... »

Elle avait les mains croisées sur la poitrine, le visage rouge et défait, les yeux gonflés. Il la prit par les épaules et l'entraîna dans l'allée, vers la voiture. Un témoin de passage aurait cru assister à une querelle d'amoureux. Weber jeta un regard en arrière et aperçut Mark posté derrière sa fenêtre. *Vous n'avez aucune espèce de rapport avec elle ?* Weber se tourna vers la sœur. « Non, dit-il. Il n'était pas comme ça avant. Et il sera encore différent d'ici un an. » Il n'avait pas fini de parler qu'il regrettait déjà ce truisme innocent. Trop facile à convertir en promesse.

Le visage de Karin prit une teinte plus sombre. « Je suis certaine que tout ce que vous pourrez faire sera utile. »

Plus certaine qu'il ne l'était. Il pouvait encore repartir pour Lincoln et attraper le vol du soir. Weber s'enfonça l'ongle du pouce dans le gras de la main et parvint à se maîtriser. « Avant de faire quoi que ce soit pour lui, nous devons apprendre qui il est devenu. Et pour cela, il nous faut gagner sa confiance.

– Lui, me faire confiance ? Il ne peut pas me souffrir. Il croit que je lui ai enlevé sa vraie sœur. Que je suis un robot espion envoyé par le gouvernement. »

Ils parvinrent à la voiture. Immobile, clé en main, elle attendait qu'il fasse un miracle. « Dites-moi, demanda-t-il. Vous avez perdu du poids récemment ? »

La bouche de Karin dessina un O de stupéfaction. « Pardon... ? »

Il essaya de sourire. « Je suis navré. Mark a dit que sa vraie sœur était considérablement plus ronde.

– Pas considérablement. » Elle ajusta sa ceinture. « J'ai perdu quelques kilos. Depuis le décès de notre mère. J'ai fait... un travail sur moi-même. Remis les compteurs à zéro.

– Vous vous y connaissez en mécanique ? »

Elle le dévisagea, comme si les lésions cérébrales étaient un mal endémique. Puis une lumière coupable passa dans son regard. « Incroyable. Un été, il y a quelques années de ça, je lui ai demandé de m'apprendre. J'essayais d'épater... quelqu'un. Mark n'a rien voulu me laisser faire à part lui passer les clés à molette. Ça n'a duré que quelques jours. Mais depuis ce temps-là, il est convaincu que je nourris une passion secrète pour les arbres à cames et tous ces trucs. »

Elle appuya sur la clé et les portières se déverrouillèrent. Weber alla du côté passager et se glissa à l'intérieur du véhicule. « Et que diriez-vous de son attitude envers l'infirmière, cette... ? » Il connaissait son prénom mais laissa à Karin le soin de le dire.

« Barbara. Elle sait s'y prendre avec lui, pas vrai ?

– Lui aurait-il parlé différemment, avant ? »

Elle fixait l'étendue des champs derrière la vitre. « Difficile à dire. Il ne la connaissait pas avant. »

Il appela Sylvie ce soir-là, depuis le MotoRest. Une grande nervosité s'était emparée de lui quand il composa le numéro. « Oui. C'est moi.

– Monsieur mon mari ! J'espérais bien que ce serait toi.

– Plutôt qu'une centrale de démarchage téléphonique ?

– Ne crie pas, chéri. Je t'entends.

– Franchement, tu sais, je déteste parler dans cette chose ridicule. J'ai l'impression d'avoir un cracker sur l'oreille.

– Il faut que ce soit petit, mon amour. Sans quoi, ce ne serait pas un portable. Quelque chose me dit que ton bonhomme n'est pas si sensationnel que ça.

– Au contraire. C'est un cas renversant.

– Tant mieux. Renversant, c'est bien, non ? Je suis contente pour toi. Raconte. J'ai grand besoin d'une bonne histoire aujourd'hui.

– Dure journée ?

– Tu sais, le gosse de Poquott en liberté conditionnelle ? On venait nous apporter des propositions d'emploi pour lui. Il a pris l'employé d'UPS pour un membre d'une brigade d'intervention. »

Elle parlait d'une voix entrecoupée, même après tant de catastrophes de ce genre. Il cherchait quelque chose d'utile ou de gentil à dire. « Pas de blessés ?

– Tout le monde s'en tirera. Moi y compris. Alors, parle-moi de ton Capgras. Une perte d'identification ?

– Je dirais plutôt l'inverse. Une attention excessive aux moindres dissemblances. »

Abstraction faite du poudrier absurde qui se faisait passer pour un téléphone, ils auraient pu se retrouver au temps de la fac, quand ils échangeaient des opinions jusqu'au milieu de la nuit, bien après que le couvre-feu les eut condamnés à leurs quartiers respectifs. C'est au téléphone que Weber s'était senti tomber amoureux de Sylvie pour la première fois. Lorsqu'il partait en voyage, ce souvenir lui revenait toujours à l'esprit. Ils avaient trouvé leur rythme et conversèrent comme ils le faisaient tous les soirs depuis trente ans.

Il décrivit l'homme égaré, sa sœur terrifiée, les locaux aseptisés de la clinique, l'aide-soignante au visage étrangement familier, la petite ville désolée de vingt-cinq mille âmes, la sécheresse de juin, la terre vide et flottante, au point mort des solitudes. Il n'enfreignait pas le code déontologique ; en cette matière et à tous les égards, sa femme était aussi sa collègue, même s'ils ne partageaient pas les mêmes bureaux. Il lui expliqua le vertige qu'il éprouvait à observer comment le processus de reconnaissance se scindait en une infinité d'unités distinctes toujours plus intraitables. *Cette femme-là riait ; celle-ci est effrayée. Les expressions de son visage ne collent pas.* Sosies, extraterrestres : l'individualité morcelée en centaines de particules, réceptacles de distinctions trop subtiles pour être perçues par la normalité.

« Crois-moi, Syl. J'ai beau l'avoir vu souvent, ça me fiche toujours autant le frisson.

– Je croyais que tu n'en avais encore jamais vu ?

– Je ne parle pas du syndrome. Mais du cerveau à l'état brut. De son acharnement à faire en sorte que tout se tienne. Incapable d'admettre le désordre qui l'affecte.

– C'est logique. Il ne peut pas se permettre d'accepter ce qui est arrivé. Comme bon nombre de mes clients. Et comme moi aussi, parfois. »

Il ne s'était pas rendu compte à quel point il avait besoin de parler. Seule Sylvie pouvait comprendre dans quel état d'excitation l'avait mis l'entretien de l'après-midi. Elle voulut en savoir davantage sur Mark Schluter. Il lui lut quelques notes. Elle l'interrogea : « Il la regarde dans les yeux quand il lui parle ?

– Je n'ai pas bien fait attention.

– Pfff. Voilà pourtant le genre de détail qu'on s'efforce tout de suite de repérer, ici sur Vénus. »

Ils se retrouvèrent à discuter de l'actualité : les feux de forêt dans l'Ouest, la condamnation d'un gros cabinet d'experts-comptables. Pour finir, Sylvie décrivit le bruant indigo qu'elle avait vu ce matin-là, perché sur la trémie.

« N'oublie pas de faire renouveler ton passeport, dit-il. Septembre arrive dans un rien de temps.

– *Viva Italia. La dolce vita* ! Tiens, au fait : quand est-ce que tu reprends l'avion ? J'avais noté ça sur un post-it. Mais j'ai dû égarer le frigo.

– Ne quitte pas. Je vais chercher ma serviette. »

Quand il reprit l'appareil, elle riait à l'autre bout du fil. « Tu as posé ton portable pour traverser la chambre ?

– Et alors ?

– Mon sage. Mon sage dans toute sa splendeur.

– Je dois déjà me faire violence pour utiliser l'un de ces chausse-pieds. Je refuse catégoriquement de me balader avec ça greffé sur l'oreille. C'est de la schizophrénie. »

Elle ne pouvait s'empêcher de glousser. « Pas même en privé ?

– En privé ? Connais pas. »

Il lui communiqua l'horaire de son vol. Ils échangèrent encore deux ou trois mots, pour retarder le moment de l'au revoir. Pendant quelques instants, après avoir raccroché, il continua de lui parler. Il prit une douche et pendit sa serviette à la barre transversale de la cabine, pour « contribuer à sauver la planète ». Il récupéra son magnétophone dans le porte-documents, se glissa entre les draps raides et frais, puis se repassa l'enregistrement du jour. Il réécoutait ce jeune homme perdu, occupé à démasquer des imposteurs que le monde ne pouvait percer à jour.

Des années plus tôt, à Stony Brook, Weber avait travaillé sur un patient atteint de négligence hémispatiale : le célèbre Neil de *Plus vaste que le ciel*, son premier livre. À cinquante-cinq ans, âge auquel Weber était parvenu sans encombre, ce réparateur de matériel bureautique, victime d'un accident vasculaire cérébral qui lui avait endommagé l'hémisphère droit, s'était retrouvé du jour au lendemain coupé de la moitié du monde. Toute la partie gauche de son champ visuel s'était effondrée dans le néant. Lorsqu'il se rasait, Neil omettait le côté gauche de son visage. Quand il prenait son petit déjeuner, il laissait dans son assiette la moitié gauche de son omelette. Il ne remarquait jamais la présence de ceux qui l'abordaient par la gauche. Weber lui avait demandé de dessiner un terrain de base-ball. Sur le croquis, la troisième base apparaissait tout à côté du lanceur. La mémoire n'était pas épargnée : quand il racontait sa journée, Neil faisait crouler et disparaître la moitié gauche de l'univers. S'il fermait les yeux et visualisait sa maison, il voyait le garage, mais pas le solarium. Quand il aidait quelqu'un à trouver son chemin, il n'indiquait que des rues à main droite.

Cette déficience dépassait le simple trouble visuel. Car Neil ne voyait pas qu'il ne voyait pas. La moitié de la carte sur laquelle il consignait l'espace avait disparu. Weber avait tenté une expérience simple qu'il relatait dans une scène romancée de *Plus vaste que le ciel*. Il avait placé un miroir à hauteur de l'épaule droite de Neil, perpendiculairement à son visage. Il l'avait ensuite invité à regarder de biais dans ce miroir. L'espace situé à gauche de Neil apparaissait maintenant à sa droite. Weber avait alors tenu une amulette en argent au-dessus de l'épaule gauche de Neil et lui avait demandé de l'attraper. Autant lui ordonner de mettre le cap sur un point de l'horizon inconnu de la boussole. Après une hésitation, Neil s'était lancé. Sa main avait buté contre le miroir. Il en avait palpé un moment la surface et avait même glissé les doigts derrière la glace. Weber lui avait demandé ce qu'il faisait. Neil soutenait que l'amulette se trouvait « à l'intérieur du miroir ». Il savait ce qu'était un miroir ; de ce point de vue, son accident vasculaire ne l'avait pas diminué. Il savait qu'il était absurde de penser que le porte-bonheur pût se trouver dans l'épaisseur du verre. Mais dans le nouveau monde de Neil, l'espace ne se déployait que vers la droite. Entre deux endroits inaccessibles, « l'intérieur du miroir » paraissait le plus plausible.

Des cas de ce genre (il s'en déclarait plusieurs milliers chaque année) laissaient entrevoir deux vérités aussi bouleversantes l'une que l'autre sur le fonctionnement ordinaire du cerveau. En premier lieu, ce que nous tenions pour une perception totale et *a priori* de l'espace réel reposait en réalité sur une chaîne fragile de traitements perceptuels. « La gauche » se situait tout autant à l'intérieur du sujet qu'à l'extérieur. Par ailleurs, même le cerveau qui croyait s'orienter dans un espace repéré et familier, en prendre la mesure et l'habiter, avait peut-être déjà perdu, sans jamais s'en douter, toute la moitié d'un monde.

Aucun cerveau, bien sûr, ne pouvait entièrement souscrire à cette idée. Weber appréciait Neil. Cet homme avait encaissé un coup rude sans manifester d'amertume ni d'apitoiement. Il s'était adapté, et allait, sinon de l'avant, tout au moins droit vers le nord-est. Mais une fois achevés les derniers examens, Weber n'avait jamais revu Neil. Il ignorait ce qu'il était advenu de lui. Une autre forme de déficience l'avait balayé et réduit à n'être qu'une histoire. Celui que Weber avait rencontré et interrogé de longues heures durant était devenu l'homme décrit dans les pages de son livre. Weber avait laissé « Neil » derrière lui, dans le reflet de la prose, égaré quelque part, en un recoin invisible de l'espace, un endroit inaccessible, au fond du miroir narratif.

Weber se réveilla de bonne heure, après une nuit agitée. Sous la cataracte chaude qui chassait sa torpeur, il se souvint, dans un accès de mauvaise conscience, qu'il s'était douché à peine quelques heures plus tôt. Il se prépara à la machine, qui pour une raison obscure était installée près du lavabo, un café offert gracieusement par la maison. Puis il alla s'asseoir et feuilleta le guide rustique, illustré à la main, posé sur la petite table de travail.

« Nebraska » vient d'un mot oto qui signifie « eau peu profonde ». C'est le nom que les Français donnèrent eux aussi à notre rivière : « la Platte ».

C'est tout à fait ainsi que Weber se figurait l'endroit : un vide immense et monotone posé au centre de la carte, si plan qu'il eût fait rougir Euclide en personne. Il but une gorgée de son café désolant et étudia la carte illustrée de vignettes, fournie dans l'opuscule. Des villes parsemaient l'espace vacant d'autant de petits chariots disposés en cercles. Il trouva Kearney – vingt-cinq mille habitants, cinquième cantonnement de l'État par la taille – embusqué sur le coude le plus méridional de la Platte, inquiet à l'idée de trop se livrer.

Au nord et à l'ouest, le Gangplank, large bande de sédiments issus de l'érosion, traverse ce qui fut jadis, il y a cent millions d'années, le fond d'un vaste océan...

Le corps expéditionnaire de 1820, dirigé par le major Stephen Long, baptisa ce secteur « le Grand Désert américain ». Dans le rapport qu'il fit à Washington, le major déclara que le sol de la région était « totalement inadapté aux cultures et donc inhabitable pour une population agricole ». Le botaniste et le géologue de l'expédition confirmèrent ce jugement en soulignant « l'aridité complète et irréversible » d'un territoire qui devait « rester à jamais le refuge tranquille du chasseur autochtone, du bison et du chacal ».

Autrefois, les troupeaux de bisons ravinaient ce bassin. Des torrents bruns de viande rouge déferlaient sur la prairie, barrant la route aux convois de chariots plusieurs jours d'affilée...

Ces troupeaux avaient tous disparu, précisait le fascicule. Comme le chacal et le chasseur autochtone, balayés eux aussi. Comme les grandes colonies de chiens de prairie, dont les galeries souterraines couraient sur des kilomètres, désormais noyées sous des flots de poison. Comme les loutres, presque toutes exterminées. Comme le pronghorn et le loup gris, massacrés à coups de fusil. Page 23, sur une planche en couleurs, figuraient leurs deux cadavres empaillés, exposés au musée régional de Lincoln, et rongés aux mites. Aujourd'hui, seules deux espèces de grande taille étaient encore peu ou prou représentées dans la région :

Chaque année, pendant une période de six semaines, le nombre des grues rassemblées sur les rives de la Platte dépasse de plusieurs ordres de grandeur celui des humains. Au long de leur migration, elles parcourent le quart de la circonférence du globe et font ici une brève halte pour grappiller les quelques poignées de grain oubliées après la récolte.

Weber finit son café et rinça sa tasse. Il enfila sa veste et mit sa cravate, puis, se rappelant la promesse faite à Mark Schluter, les retira, l'une et l'autre. Il se sentait tout nu en bras de chemise. À la réception, il attrapa une pomme sur le comptoir – insipide bien que d'un aspect irréprochable – et en fit son petit déjeuner. Il suivit les indications dont il disposait pour rejoindre l'hôpital du Bon Samaritain et, une fois sur place, se dirigea vers le service de traumatologie. L'assistante du docteur Hayes le fit aussitôt entrer dans le bureau du médecin en s'efforçant de ne pas trop dévisager le grand homme.

Le neurologue semblait assez jeune pour être le fils de Weber. Un ectomorphe embarrassé de lui-même, à la peau irritée, qui promenait son corps comme un matériel obsolète. « Je tenais à vous dire combien je suis honoré. Je n'arrive pas à croire que je vous ai là, devant moi ! À la fac de médecine, je dévorais vos livres comme des bandes dessinées. » Weber se montra aussi affable que possible dans ses remerciements. Le docteur Hayes parlait d'une voix mesurée, comme s'il remettait une récompense tardive à un acteur de cinéma muet pour l'ensemble de sa carrière. « Un cas incroyable, non ? C'est comme de voir Bigfoot débouler des Rocheuses et faire un petit tour au supermarché du coin. En fait, je pensais à vos écrits pendant que nous lui faisions passer les examens. »

Des exemplaires neufs des deux derniers livres de Weber attendaient sur le bureau de Hayes. Le jeune neurologue s'en saisit.

« Avant que j'oublie, vous voulez bien... ? » Il les tendit à Weber ainsi qu'un gros stylo Waterman. « Si vous pouviez écrire : “À Chris Hayes, mon docteur Watson dans l'étrange affaire de l'Homme qui croyait que sa sœur avait un double”. »

Weber scruta le visage du neurologue, à la recherche d'une trace d'ironie mais n'y vit qu'un grand sérieux. « Je... Vous ne voulez pas plutôt... ?

– Oui, comme vous préférez », dit le docteur, déconfit.

Weber écrivit : « À Chris Hayes, avec mes remerciements. Nebraska, juin 2002. » L'homme n'était pas seulement « l'animal qui aimait à se souvenir » ; il était aussi celui qui tenait à se souvenir par avance. Weber rendit les livres à Hayes qui lut la dédicace avec un sourire pincé. « Donc, vous l'avez rencontré hier ? Déconcertant, non ? Je me souviens de nos entretiens ; ça me fiche encore la chair de poule, des mois après. Évidemment, notre équipe envisage une publication. »

Attaque frontale. Weber leva les mains. « Je ne voudrais rien entreprendre qui puisse...

– Non. Bien sûr que non. Vous, vous écrivez pour le grand public. » La flèche du Parthe. « Aucun risque d'interférences. » Hayes retraça tout l'historique du dossier, dévoilant même les éléments dont Karin Schluter n'avait pu prendre connaissance. Il montra à Weber les notes rédigées par les premiers secours ; trois lignes griffonnées au stylo-bille vert sur un formulaire daté du 20 février 2002 : « Dodge Ram 84, retourné sur le dévers sud de la North Line, au kilomètre soixante-sept. Conducteur tête en bas, incarcéré dans véhicule. » Pas de ceinture, pas de réaction, pas moyen de l'atteindre. La seule portière accessible était si enfoncée qu'elle ne s'ouvrait plus. Les secours n'avaient pas pu pénétrer dans le camion ni le déplacer, de peur d'écraser la victime. Ils n'avaient pu qu'attendre les renforts et regarder la police prendre des clichés. « Vous la tenez à l'envers », dit Hayes. Weber fit pivoter la photo : Mark Schluter, cheveux longs, effondré sur lui-même ; du sang goutte de son col ouvert et lui poisse le visage. Il a la tête baissée, plaquée contre le plafond de l'habitacle, dans une attitude de prière inversée.

Arrivés sur les lieux, les pompiers avaient dû pratiquer une ouverture au chalumeau en découpant les montants du toit. Weber imaginait la scène : le stroboscope des gyrophares de la police sur les champs gelés, la ronde des lumières aveuglantes autour du camion retourné dans le fossé. Le va-et-vient des uniformes, les haleines fumantes, les tâches méthodiques effectuées dans une atmosphère irréelle. Quand les pompiers viennent enfin à bout des montants, l'épave vacille puis s'immobilise. Le corps se tasse. Une fois parvenus sous la carcasse, les pompiers en extirpent le blessé. Celui-ci a repris connaissance dans l'ambulance, un court instant. Les secours ont alors foncé vers l'hôpital de Kearney, le seul sur les six comtés de la région où l'on fût en mesure de maintenir Mark Schluter en vie.

Hayes en vint au dossier médical. Individu blanc de sexe masculin, vingt-sept ans, un mètre soixante-dix-huit, soixante-treize kilos. Il avait perdu une quantité considérable de sang, en raison surtout d'une entaille au côté droit, entre la troisième et la quatrième côte, là où il s'était empalé sur la pointe du petit casque prussien fixé au pommeau du levier de vitesse. Son visage et la partie frontale du cuir chevelu étaient très excoriés. Il avait l'épaule gauche luxée et le fémur droit fracturé. Pour le reste, il souffrait de nombreuses écorchures et ecchymoses, mais était étonnamment intact.

« Par ici, dans les Grandes Plaines, on abuse beaucoup du mot “miracle”, docteur Weber. Mais vous ne l'entendrez pas souvent au service des urgences, en traumatologie. »

Weber étudia les radios que Hayes fixait sur le négatoscope. « Ce n'est pas exagéré, reconnut-il.

– Un trompe-la-mort, un vrai Lazare. Je n'ai jamais vu ça, même à Chicago du temps de mon internat. À cent trente kilomètres-heure, de nuit, sur une petite route verglacée. Ce type aurait dû mourir dix fois.

– Taux d'alcoolémie ?

– C'est amusant que vous me posiez la question. Aux urgences de Kearney, on en voit passer pas mal, des conduites en état d'ivresse. Mais lui, il est arrivé avec 0,07 gramme. En dessous de la limite autorisée, même dans un État comme celui-ci. Pas plus de deux ou trois bières dans les trois heures qui ont précédé l'accident. »

Weber hochait la tête. « Il avait pris d'autres substances ?

– Rien que nous ayons décelé. L'urgentiste de permanence l'a admis avec un Glasgow à dix. Trois, trois et quatre : ouverture des yeux à la demande ; réaction à la douleur ; réponse verbale, bien qu'inappropriée le plus souvent. »

Huit était le chiffre magique. Au bout de six heures, la moitié des patients avec un Glasgow inférieur ou égal à huit baissaient les bras et mouraient. Un score de dix correspondait à un traumatisme modéré. « Il lui est arrivé quelque chose après son admission ? »

Weber s'amusait seulement à jouer les détectives professionnels. Mais Hayes se tint aussitôt sur la défensive. « Ils l'ont stabilisé. Tous les protocoles ont été suivis à la lettre, et ce avant même qu'on ait pu déterminer si la victime bénéficiait ou non d'une assurance. Dans la région, nous avons le plus mauvais taux d'accès aux soins médicaux du pays. »

Weber avait vu pire. La moitié des gens de ce pays ne pouvait pas s'offrir une assurance. Mais il laissa entendre un murmure approbateur.

« Il a fallu une heure aux gratte-papier pour mettre la main sur sa famille. »

Weber examina les documents. Dans les poches de la victime on avait trouvé à peine treize dollars, un couteau suisse de contrefaçon, un reçu pour un plein d'essence effectué à Minden l'après-midi de l'accident, et un préservatif cyan sous emballage transparent. Sans doute le porte-bonheur de la victime.

« Il semblerait que son permis de conduire ait glissé sous le tableau de bord quand le camion s'est retourné. La police l'a découvert pendant qu'elle fouillait le véhicule à la recherche de stupéfiants. On a retrouvé sa sœur à Sioux City, et elle a donné son consentement par téléphone pour que nous puissions prendre toutes les mesures nécessaires. En trauma, on l'a mis sous mannitol, Dilantin... Mais tout ça figure dans le dossier. Une procédure plutôt standard. Pression intracrânienne stable à environ 16 mmHg. On a très vite obtenu une amélioration. Une plus grande réponse motrice. Un léger mieux, côté réponse verbale. D'où un Glasgow à douze. Cinq heures après son admission, je vous aurais affirmé que nous étions tirés d'affaire. »

Hayes reprit le dossier des mains de Weber et le feuilleta, comme s'il avait encore une chance de faire dévier le cours des événements survenus par la suite. Il secouait la tête. « Voici le rapport du lendemain matin : PIC à 20, et ça grimpe encore un peu plus tard. Il a fait une petite attaque. Et aussi une hémorragie tardive. On l'a mis dès que possible sous respirateur. Nous avons décidé d'inciser. Une trachéo était tout indiquée. Sa sœur nous avait rejoints. Elle a donné son aval. » Le docteur Hayes épluchait les documents, en quête d'une bribe d'information qui refusait de se manifester. « Si vous voulez mon avis, je dirais que nous nous sommes attaqués aux difficultés à mesure qu'elles se sont présentées.

– Je vois ça », répondit Weber. Il aurait cependant fallu s'attaquer à la pression intracrânienne avant qu'elle commence à augmenter. Hayes l'observait, les yeux plissés, contrarié peut-être par la présence de cette star nationale venue prêter main-forte aux péquenauds du coin. Weber se caressait la barbe. « Je ne vois pas d'autre façon de procéder. » Il promena son regard sur le bureau de Hayes. À jour, et bien en ordre sur des étagères, s'alignait la collection complète des bonnes revues médicales. Dans un cadre, un diplôme certifié, délivré par la faculté de médecine de Rush University. Sur le bureau, une photo de Hayes en compagnie d'un mannequin longiligne aux cheveux de miel. Ils se serraient l'un contre l'autre sur un télésiège. Un monde inconcevable pour Mark Schluter, avant comme après son accident.

« Diriez-vous que Mark a une tendance à la confabulation ? »

Hayes suivait le regard de Weber, posé sur la photo et cette très belle femme assise sur le remonte-pente. « Pas que j'aie remarqué.

– Hier, je l'ai soumis à une batterie de tests standard.

– Ah bon ? Mais je lui ai déjà fait passer tous les tests. Tenez. Vous trouverez là les résultats qu'il vous faut.

– Oui, certes. Loin de moi... Mais ils datent déjà un peu. »

Le docteur Hayes le jaugea. « Nous l'avons gardé en observation. » Il tendit de nouveau la chemise à Weber. « Toutes les données sont là, si vous voulez y jeter un œil.

– J'aimerais bien voir le scan », dit Weber.

Hayes sortit une série de clichés qu'il disposa sur sa table lumineuse : le cerveau de Mark Schluter vu en coupe. Le jeune neurologue ne repérait que des structures. Weber y distinguait encore le plus rare des papillons, les ailes frémissantes de l'esprit, piquées sur le Celluloïd, livrées à l'obscénité du détail. Hayes parcourait du doigt cet échantillon d'art surréaliste. Chaque nuance de gris témoignait d'un fonctionnement ou d'une faillite. Tel sous-système babillait encore, tel autre s'était abîmé dans le silence. « Voilà le topo. » Weber écouta le jeune homme se frayer un chemin au milieu du désastre. « Il y a quelque chose, là, qui pourrait ressembler à une petite lésion près du gyrus fusiforme antérieur de l'hémisphère droit, et aussi à côté des gyrus moyen antérieur et temporal inférieur. »

Weber s'approcha de la table lumineuse et s'éclaircit la gorge. Il n'était pas sûr de voir à quoi Hayes faisait référence.

« Si c'est bien ce que nous observons, poursuivit-il, cela confirmerait l'hypothèse communément admise : l'amygdale et le cortex inférotemporal sont tous deux intacts, mais il se peut que leur connexion soit interrompue. »

Weber acquiesça. La grande théorie du moment. Trois éléments étaient nécessaires au processus de reconnaissance, mais le plus ancien avait la haute main sur l'ensemble. « La reconnaissance du visage s'effectue correctement et cela déclenche les souvenirs adaptés. Mark sait que sa sœur ressemble trait pour trait à... sa sœur.

– Mais aucune ratification émotionnelle. Il reçoit toutes les informations associées à un visage donné, sans éprouver pour autant la sensation instinctive du familier. Mis au pied du mur, le cortex s'incline devant l'amygdale. »

Weber sourit, malgré lui. « Ce qui l'emporte, ce n'est donc pas ce que l'on pense éprouver, mais les pensées qu'on éprouve. » Il jouait avec ses montures d'acier et éprouvait à voix haute. « Jugez-moi archaïque si vous voulez, mais il me semble que certains problèmes demeurent. D'abord, Mark ne voit pas un double en chacun de ceux pour qui il avait un sentiment avant son accident. Sans doute est-il toujours capable de reconnaître une personne à sa voix ou à ses attitudes : il existe bien d'autres outils d'identification que la reconnaissance des visages. Une perte de la réaction émotionnelle peut-elle vraiment tenir en échec la reconnaissance cognitive ? J'ai examiné des patients atteints de lésions bilatérales de l'amygdale, des patients privés de toute réaction émotionnelle. Ils ne venaient pas me raconter qu'on avait remplacé leurs êtres chers par des imposteurs. » Weber manifestait trop d'enthousiasme, et lui-même s'en aperçut.

Hayes se tenait à l'affût. « J'imagine que vous connaissez cette théorie récente – celle de la "double déficience" ? Il se pourrait que les dommages infligés au cortex frontal droit entravent sa capacité à vérifier la cohérence d'une hypothèse... »

Weber se sentit devenir réactionnaire. La probabilité que des atteintes multiples se situent toutes aux endroits précis où elles devaient se trouver ne pouvait être qu'infime. Mais plus infime encore, celle d'une perte de la reconnaissance elle-même. « Vous savez, il croit que son chien est un sosie. À mon avis, il y a là-dessous plus qu'une simple rupture de communication entre l'amygdale et le cortex inférotemporal. Je ne mets pas en doute l'influence des lésions. La détérioration subie par l'hémisphère droit joue sans conteste un rôle dans le processus. Seulement, je pense que nous devrions chercher une explication à un niveau supérieur. »

Sur le visage de Hayes, les plus infimes de ses muscles trahissaient son incrédulité. « Vous voulez dire, supérieur aux neurones ?

– Non pas. Mais il existe aussi une composante plus élevée qui chapeaute l'ensemble. Quelles que soient les lésions subies, Mark n'en oppose pas moins des réactions psychodynamiques au traumatisme. Il se pourrait que le syndrome de Capgras résulte moins des lésions elles-mêmes que de profonds mécanismes psychologiques qui constituent une réponse à la désorientation. Sa sœur représente la combinaison de vecteurs psychologiques la plus complexe de son existence. Il ne la reconnaît plus parce que lui-même a en partie cessé de se reconnaître. Je crois toujours fructueux d'envisager un délire à la fois comme tentative de construire un sens, et – dans le même temps – comme la conséquence d'un événement profondément traumatisant. »

Hayes eut un instant d'hésitation puis acquiesça. « Je... je veux bien croire que tout cela mérite réflexion, si ces questions vous intéressent, docteur Weber. »

Quinze ans plus tôt, Weber aurait lancé une contre-attaque. Aujourd'hui, il trouvait la situation comique : deux médecins en train de marquer leur territoire, prêts à se cabrer et à charger comme deux mouflons. *Bêtes à cornes*. Une sensation de bien-être envahit Weber, le calme simple de l'introspection. Il avait envie d'ébouriffer la chevelure du docteur Hayes. « Quand j'avais votre âge, le courant dominant du *credo* psychanalytique assignait la cause du syndrome de Capgras aux tabous qui pèsent sur un être aimé. "Je ne peux pas éprouver de désir pour ma sœur, donc cette personne n'est pas ma sœur." Le modèle thermodynamique de la cognition. Fort répandu en son temps. »

Muré dans un silence gêné, Hayes se passa la main sur la nuque.

« À première vue, le cas de ce patient suffirait à lui seul à réfuter cette hypothèse. De toute évidence, le Capgras de Mark Schluter n'est pas, au premier chef, d'origine psychiatrique. Mais son cerveau est pris dans un jeu d'interactions complexes. Nous lui devons plus que le simple modèle fonctionnaliste de la causalité à sens unique. » Weber se surprenait lui-même. Non par ses convictions, mais par sa volonté de les clamer haut et fort devant un si jeune médecin.

Le neurologue tapota le Celluloïd posé sur le négatoscope. « Tout ce que je sais, moi, c'est ce qui est arrivé à son cerveau le matin du 20 février.

– Oui », acquiesça Weber en inclinant la tête. Tout ce que la médecine voulait savoir. « Le plus incroyable, c'est qu'il conserve encore le sentiment global d'un moi, vous ne trouvez pas ? »

Le docteur Hayes accepta cette trêve. « Encore une chance que ce circuit-là soit si difficile à couper. On recense à peine une poignée de cas. S'il s'agissait d'un phénomène aussi répandu que, disons, la maladie de Parkinson, nous serions tous des inconnus les uns pour les autres... Bon, écoutez. Je souhaite vous aider autant que possible. Si je peux effectuer d'autres examens ou d'autres clichés, ici à l'hôpital...

– Je garde en réserve quelques tests basse technologie que j'aimerais essayer auparavant. Ce que je voudrais obtenir en premier lieu, c'est une réaction galvanique cutanée. »

Les sourcils du neurologue se dressèrent. « C'est à tenter, j'imagine. »

Le docteur Hayes raccompagna Weber jusqu'au parking. Ils étaient restés confinés dans la salle de consultation assez longtemps pour que Weber se laisse surprendre par ce retour à l'austère mois de juin sur la prairie. L'air immobile se dilatait dans ses poumons et répandait un parfum de vacances d'été archaïques. Il rappelait à Weber une saveur goûtée pour la dernière fois dans l'Ohio, à l'âge de dix ans. Il se tourna vers le docteur Hayes qui, voûté à côté de lui, lui tendait la main.

« Ravi d'avoir fait votre connaissance, docteur Weber.

– Je vous en prie. Appelez-moi Gerald.

– Entendu. J'attends votre prochain livre avec impatience, Gerald. Ça détend bien après une journée de boulot. Et sachez-le, je suis le plus inconditionnel de vos fans. »

Hayes n'avait pas dit : « Je suis toujours », mais Weber avait bien entendu. Il restait là, un pied sur la chaussée. « J'espérais que nous pourrions reprendre contact avant mon départ pour la côte est. »

Hayes s'anima, prêt à reprendre la flatterie ou l'affrontement. « Oh ! Bien sûr, si vous en avez le temps et l'envie. »

Le temps et l'envie... Pendant des années, Weber avait rigoureusement rationné l'un et l'autre. Une chaire dans l'une des universités les mieux subventionnées du pays, une longue liste d'articles remarqués sur le traitement perceptuel et l'assemblage cognitif, deux ouvrages de vulgarisation sur la neuropsychologie, vendus à un large lectorat dans une dizaine de langues : il n'avait jamais eu trop de temps ni d'envies à perdre. Il avait d'ores et déjà vécu trois ans de plus que son père et produit bien davantage que lui. Et pourtant, Weber œuvrait au moment précis où l'espèce humaine faisait enfin ses premiers pas vers la solution de l'énigme fondamentale de l'existence consciente : comment le cerveau édifiait-il l'esprit, et comment l'esprit édifiait-il tout le reste ? Existait-il un libre arbitre ? En quoi le moi consistait-il, et où résidaient les corrélats neurologiques de la conscience ? Ces questions, grevées par d'embarrassantes spéculations depuis les origines de la pensée, trouveraient bientôt une réponse empirique. Possédé par l'intuition grandissante et stupéfaite qu'il verrait peut-être se dissiper les fantasmes délirants de la philosophie – et contribuerait même à les résoudre – Weber avait laissé s'enfuir la plupart des autres chimères auxquelles l'usage accordait le nom de « réalité ». Certains jours, il semblait que tous les problèmes de l'humanité fussent dans l'attente des vérités que les neurosciences pourraient découvrir. Politique, technologie, sociologie, art : tout cela venait du cerveau. Maîtrisons l'assemblage neuronal et – qui sait ? –, à force de patience, peut-être finirons-nous par nous maîtriser nous-mêmes.

Weber avait entamé de longue date une retraite prolongée hors du monde, celle qu'entreprennent les ambitieux pour doubler le cap de la quarantaine. Il n'aspirait qu'au travail. Mis au rancart, ses passe-temps d'autrefois – guitare, boîte de couleurs, raquette de tennis, carnets de poésie – occupaient les recoins de sa trop vaste maison, dans l'attente du jour improbable où il les ressusciterait. Désormais, seul son voilier continuait à lui procurer quelque plaisir, mais pour autant qu'il lui servît de tremplin dans la poursuite de ses réflexions cognitives. Il peinait à regarder un film jusqu'au bout. Il redoutait les invitations périodiques à dîner, même si, en vérité, il s'amusait le plus souvent, une fois la soirée en train ; ses hôtes pouvaient toujours compter sur lui pour lancer dans la conversation deux ou trois feux d'artifice étranges. Les contes de la crypte, comme disait Sylvie : des histoires qui prouvaient aux convives assemblés que rien de ce qu'ils pensaient, voyaient ou sentaient n'était nécessairement vrai.

Il n'avait pas perdu son aptitude aux plaisirs simples. Une promenade autour du bief le ravissait encore en toute saison, même si, plutôt que d'observer les arbres et les canards, il utilisait désormais ces sorties pour remettre en branle des idées tombées en panne. Il se livrait toujours à ce que Sylvie appelait ses farfouillages : un grignotage sans fin dû à un penchant pour les sucreries cultivé depuis l'enfance. Sa femme était tombée amoureuse de lui le jour où, à vingt et un ans, il lui avait déclaré qu'un métabolisme à haute teneur en glucose était essentiel à la poursuite d'un effort intellectuel soutenu. Quand, vingt et un ans plus tard, il avait vu son propre corps changer au point de ne plus le reconnaître, il avait brièvement tenté de combattre ce plaisir familier, avant de faire sienne l'étrange nouveauté de son anatomie.

Il ne se lassait pas de la compagnie de sa femme, aussi constante que le roc. Sylvie et lui n'arrêtaient pas de se toucher : leurs séances d'épouillage, comme ils disaient. Sans cesse, ils se caressaient la main tout en lisant, se massaient les épaules pendant la vaisselle. « Tu sais ce que tu es ? l'accusait-elle en le pinçant. Un sale frôleur pervers. » Il se contentait de répondre par de joyeux grognements.

De loin en loin, à intervalles croissants que ni lui ni elle ne prenaient la peine de mesurer, ils jouaient encore ensemble. Bien que capricieuse, cette persistance du désir les étonnait tous deux. Un an plus tôt, à l'occasion de leur trentième anniversaire de vie commune, il avait calculé combien de fois lui et la petite Sylvie Bolan avaient partagé l'orgasme depuis leur première excursion sur la couchette supérieure de la cité des étudiantes à Columbus. Un tous les trois jours, en moyenne, pendant un tiers de siècle. Quatre mille détonations les soudaient l'un à l'autre par le bassin. Quand ils retrouvaient leurs esprits, et l'embarras de la parole, ces nuits d'extase animale les amusaient toujours. Blottie contre son flanc, gloussant un peu, elle disait parfois : « Merci pour cette belle sexualité humaine, Monsieur mon homme », puis elle allait à pas feutrés se laver à la salle de bain. Abandonné tant de fois, on ne pouvait que hurler. Le temps ne faisait pas vieillir ; mais la mémoire.

Le ralentissement du corps, la lente dégénérescence des neurotransmetteurs du plaisir, avaient certes refroidi leurs ardeurs. Mais un autre acteur entrait en ligne de compte : on finit toujours par ressembler à ce que l'on aime. À présent, Weber ressemblait tant à sa femme au long cours que l'étrangeté du désir ne leur était plus permise. Il n'en restait rien, sinon cette impénétrable singularité à laquelle il se consacrait tout entier. Le pays de l'éternel inattendu. L'énigme fondamentale, sur le point d'être résolue.

Au son des basses obstinées, Gerald Weber attendait Karin Schluter. Quelques étages plus haut, une voix grognait, dans les affres de la techno, implorant l'euthanasie. Une gargote, une longue file de gamins en jeans rétro travaillés à l'acide, et Weber au beau milieu, qui avait troqué veste et cravate contre un pantalon clair et un gilet sans manches. Karin approcha en étouffant un rire : « Vous n'avez pas trop chaud là-dedans ?

– Mon thermostat est réglé un peu bas.

– J'avais remarqué, dit-elle pour le taquiner. La faute à toute cette science ? »

Elle avait choisi un restaurant sur le campus : la Pizza du Pionnier. Elle s'était ressaisie depuis la veille. Elle jouait moins avec ses cheveux. Quand la serveuse leur désigna une table, Karin sourit devant la horde d'étudiants qui les environnait.

« Je suis allée à la fac ici. Du temps où elle s'appelait encore l'université publique de Kearney.

– Quand ça ? »

Elle rougit. « Il y a dix ans. Douze.

– C'est dingue ! » Dans la bouche de Weber, ces mots rendaient un effet ridicule. Sylvie en aurait attrapé des convulsions. Karin se contenta d'exulter. « Mes années folles. Pas assez loin de la maison à mon goût, mais tout de même. Mes amis et moi étions les seuls entre Berkeley et le Mississippi à manifester contre la guerre du Golfe. Une meute de jeunes républicains a brutalisé mon petit ami de l'époque, juste parce qu'il portait un badge "Pas de sang pour l'or noir". Ils l'ont ligoté avec du ruban jaune ! » La jubilation de Karin était retombée aussi vite qu'elle était apparue. Elle jeta un regard coupable autour d'elle.

« Et votre frère ?

– Ses études ? Il s'en est fallu de peu que le lycée ne soit obligé de lui remettre son diplôme à titre honorifique. Comprenez-moi bien. Mark n'a rien d'un imbécile. » Elle pinça les lèvres lorsqu'elle s'entendit parler au présent. « Il était futé. Il savait toujours décoder les attentes d'un professeur, et évaluer le minimum vital pour obtenir la moyenne aux tests. Non qu'il ait fallu du génie pour battre à leur propre jeu les enseignants de Kearney. Mais Mark ne rêvait que de bricoler des camions et de perdre son temps avec des jeux vidéo. Il pouvait s'exciter sur une nouvelle cartouche pendant vingt-quatre heures sans même aller au petit coin. Je lui ai conseillé de devenir testeur de jeux professionnel.

– Comment a-t-il gagné sa vie, après ses études ?

– "Gagner sa vie..." Il a travaillé dans un fast-food jusqu'à ce que papa le fiche dehors. Alors il s'est dégoté un boulot à la coopérative de pièces détachées, et il a vécu comme un Indien pendant un bon bout de temps. Et puis son pote Tom Rupp lui a trouvé un job chez ACI, à Lexington.

– ACI ? »

Elle fronça le nez, surprise par l'ignorance de Weber. « Les Abrutis et Conserveries de l'Iowa.

– Les abrutis... ? »

Son visage s'empourpra. Elle posa trois doigts sur ses lèvres et souffla dessus. « Je voulais dire, les abattoirs. Encore que, abrutis, abattoirs : il faut plisser les yeux pour faire la différence.

– Il travaillait dans un abattoir ?

– Mark n'est pas un tueur de bétail ou Dieu sait quoi. Ça, c'est bon pour Rupp. Marko répare leurs machines. » Elle baissa de nouveau la tête. « Enfin, je devrais sans doute dire "réparait". » Elle releva le menton pour scruter le visage de Weber. Ses yeux étaient couleur de pennies oxydés. « Ce n'est pas demain la veille qu'il retournera là-bas, n'est-ce pas ? »

Weber secoua la tête. « Avec le temps, j'ai appris à m'abstenir de tout pronostic. Ce qu'il faut, comme dans la plupart des circonstances, c'est faire preuve de patience et d'optimisme prudent.

– Oui, répondit-elle. J'essaie.

– Racontez-moi ce que vous faites. » Les lèvres de Karin redessinèrent les mots de Weber, et elle le regarda d'un air interdit. « Votre travail.

– Oh ! » De la main droite, elle plaqua sa frange sur son front. « Je suis employée au service clientèle d'une... » Elle s'interrompit, surprise par sa réaction. « En fait, j'ai quitté un emploi et j'en cherche un autre.

– Vos patrons vous ont laissée partir ? À cause de ça ? »

Sous la table, le genou de Karin s'activait comme l'aiguille d'une machine à coudre. « Je n'avais pas le choix. Il fallait que je vienne. Mon frère passe avant tout. Nous n'avons que nous deux, vous savez. » Weber acquiesça. Karin se répandit en explications. « J'ai ma petite cagnotte. Ma mère avait contracté une assurance-vie pour nous laisser un pécule. Juste ce qu'il me faut. Ça me permettra de redémarrer une fois Mark... » Il y avait de l'optimisme dans sa voix, et de l'attente.

La serveuse vint prendre leur commande. Après avoir jeté sur la salle un regard coupable, Karin opta pour la Suprême. Weber choisit au hasard. Quand la serveuse s'éloigna, Karin observa Weber. « Incroyable. Vous faites ça, vous aussi ?

– Plaît-il ? Je fais quoi ? »

Elle hocha la tête. « Je pensais qu'une personne de votre envergure... »

Weber sourit, perplexe. « Je ne vois vraiment pas... »

De la main gauche, elle donna une petite chiquenaude dans le vide. « Aucune importance. Ne faites pas attention. C'est juste un tic que je remarque chez les hommes, parfois. »

Weber attendit une explication. Comme elle ne venait pas, il demanda : « Vous avez apporté les photos ? »

Elle fit signe que oui. Elle plongea la main dans son sac à bandoulière, un article tricoté aux motifs colorés, confectionné par quelque peuplade indigène, et en tira une enveloppe. « J'ai choisi celles qui pouvaient avoir le plus de signification pour lui. »

Weber prit les clichés et les parcourut.

« C'est notre père, là, dit Karin. Que vous dire ? Il lui manquait un œil, suite à une empoignade avec une tête de bétail. Toujours prêt à vous réciter *The Face on the Barroom Floor* sitôt descendu le troisième verre de la soirée – dans son jeune temps en tout cas ; sur le tard, la poésie ne l'attirait plus guère. Il a commencé comme fermier, mais a passé le plus clair de sa vie à vouloir pénétrer les milieux commerçants à l'aide d'un tas de combines censées le rendre riche à vitesse grand V. À Noël, il envoyait une carte aux huissiers de tous les tribunaux spécialisés dans les affaires de banqueroute. Il a perdu gros dans la vente de ses boîtiers de confidentialité. Ça se branchait sur votre téléviseur et, avec cet engin, la compagnie des télécoms ne pouvait pas savoir ce que vous regardiez. L'idée lui était venue à l'époque où il fourguait des assurances contre l'usurpation d'identité. Il ne vendait que ce qu'il ne pouvait s'offrir en assez grande quantité. C'est ce qui a provoqué sa chute. Il croyait que les neuf chiffres du code postal étaient un complot fomenté par le Parti démocrate pour surveiller les faits et gestes des citoyens lambda. Même les gars de la milice locale le trouvaient un peu frappé.

– Et il est mort... ?

– Il y a quatre ans. Il n'arrivait plus à dormir. Plus du tout, et ça l'a tué.

– Je suis navré, dit Weber, sans raison. Comment définiriez-vous leurs relations ? »

Elle se tordit la bouche. « Un combat à mort, au ralenti, et sans fin ? Si l'on excepte les petits bonheurs de deux ou trois parties de camping. En ce temps-là, ils aimaient aller à la pêche ensemble. Ou travailler sur des moteurs. Des trucs qui ne les obligeaient pas à se parler. Sur cette photo, c'est notre mère, Joan. Elle n'était plus tout à fait aussi pimpante vers la fin. C'est arrivé il y a un an, comme je crois l'avoir déjà expliqué.

– Vous dites que c'était une femme très pieuse ?

– Une grande, une éminente spécialiste de la glossolalie. Même son parler quotidien était assez haut en couleur. Elle faisait souvent exorciser la maison. Persuadée que des âmes d'enfants tourmentées s'y cachaient. Vous voyez le genre : “Allô, maman ? Ici, la Terre. Si tu me donnes une petite pièce, je te livrerai le nom de ces âmes damnées !” » Karin prit des mains de Weber la photo de la jolie fermière aux cheveux châtain et l'étudia en se creusant les joues. « Mais grâce à elle, nous avons survécu aux longues années durant lesquelles notre père bricolait ses projets d'indépendance financière. Elle travaillait comme dactylo, ici sur le campus.

– Comment Mark s'entendait-il avec elle ?

– Il était en adoration devant elle. En fait, il les adorait tous les deux. Mais parfois, ça se passait dans les cris, un objet contondant à la main.

– Il était violent ? »

Elle soupira. « Je ne sais pas. Qu'est-ce que "la violence" aujourd'hui ? C'était un ado. Puis un gosse de vingt ans.

– Partageait-il avec votre mère... Était-il pieux lui aussi ? »

Elle éclata de rire et leva les mains au ciel. « À moins de considérer le culte du démon comme une religion... Non. J'exagère. C'est moi qui ai eu ma période magie noire. Tenez. Regardez, là. Karin Schluter, classe de terminale. Look gothique et *tutti quanti*. Effrayant, non ? Deux ans avant, j'étais pom-pom girl. Je sais ce que vous pensez. Si mon frère n'avait pas eu d'accident pour expliquer son syndrome de Capgras, vous chercheriez du côté du gène de la schizophrénie. Voilà pour les Schluter. Voyons ce que j'ai d'autre. »

Elle lui commenta le reste de son album en pièces détachées. Photos de famille dont certaines dataient de son arrière-grand-père, Barlett Schluter, jeune homme posté devant l'ancestrale maison creusée dans un talus, les cheveux comme de la barbe de maïs. Clichés de la conserverie de Lexington : un parallélépipède de seize mille mètres carrés, aux façades aveugles, flanqué d'une centaine de conteneurs longs de treize mètres, alignés là dans l'attente d'être camionnés par des semi-remorques. Portraits des meilleurs amis de son frère : deux hommes hirsutes d'environ vingt-cinq ans, cigarettes aux lèvres, verres d'alcool et queues de billard en main, l'un en T-shirt camouflage, l'autre vêtu d'une chemise au dos de laquelle on lisait : « T'as des amphéts ? » Photo d'une femme dégingandée, très pâle, aux cheveux noirs, en décolleté olive tricoté main, dont émanait un sourire fragile. « Bonnie Travis. La poule de la bande.

– C'est à l'hôpital, ça ?

– Prise à la mi-mars. Là, ce sont les orteils de Mark, après une petite pédicure. Elle trouvait ça mignon, de lui vernir les ongles en fuchsia. » Les paroles de Karin s'empesèrent, brouillées par l'injustice de la tendresse. « Voilà. Vous vouliez des images susceptibles de provoquer chez lui une réaction. »

Un visage familier passa devant les yeux de Weber. Son propre épiderme aurait enregistré une altération de sa conductivité.

« Vous avez rencontré Barbara. Comme vous l'aurez noté, il en est complètement gaga. »

L'air triste, Barbara souriait à l'objectif, oubliant l'appareil et son opérateur. « Oui, dit Weber. Vous savez pourquoi ?

– J'y ai réfléchi. Il réagit chez elle à une manière d'être. À la confiance qu'elle lui témoigne. Au respect. » Une note résonnait dans sa voix : une convoitise capable de pencher dans un sens comme dans l'autre. *Je lui donnerais cela, moi aussi, s'il me laissait faire.* Karin caressait la photo. « Je ne saurais vous dire combien je lui suis redevable. Comment croire qu'elle puisse œuvrer tout en bas de la chaîne alimentaire ? Encore un peu, et elle serait bénévole. Voilà ce qui arrive dans un système de santé à but lucratif. Réunissez trois êtres cupides, et ils n'ont bientôt plus que du capital à la place de la cervelle. »

Weber sourit sans prendre parti.

« Et voici la fierté de Mark. » Elle montrait du doigt la photo d'un pavillon étroit et modulaire au bardage de vinyle, une construction que la génération de Weber aurait qualifiée de préfabriquée. « La Homestar. En réalité, c'est le nom du catalogue distribué par le fabricant. Mais c'est comme ça que Mark appelle sa maison, comme s'il n'en existait pas d'autre exemplaire de par le monde. Mon frère : un dur, un rebelle, qui n'a jamais tant biché que le jour où il a enfin réussi à aligner les six mille dollars de l'acompte ; il posait la pointe du pied sur le premier barreau de l'échelle sociale. » Elle se mordit l'ongle du pouce. « Sa revanche sur une éducation bancale, comme on dit.

– C'est là que vous habitez en ce moment ? »

Il aurait tout aussi bien pu brandir un mandat de perquisition. « Où aller, sinon ? J'ai perdu mon travail. J'ignore combien de temps cette histoire va durer.

– Parfaitement logique, déclara-t-il.

– Et puis, ce n'est pas comme si je venais fouiller dans ses affaires. » Elle ferma les yeux et pâlit. Weber s'empara d'une photo sur laquelle figuraient cinq garçons ébouriffés derrière des guitares et une batterie. Elle regarda. « Ceux-là, c'est les Bêtes à Cordes, un groupe de house ringard qui se produit au Silver Bullet, une boîte à la sortie de la ville. Mark les adore. Ils jouaient le soir de l'accident. Mark s'y trouvait, juste avant. Et voilà une photo de son camion : j'en ai découvert une pleine boîte à chaussures dans un des placards de la Homestar. Celle-là risque de le perturber.

– Oui. Mieux vaut peut-être la laisser de côté pour l'instant. »

On apporta les pizzas. Weber resta interdit devant celle qu'il avait choisie : ananas et jambon. Il n'aurait jamais imaginé commander une chose pareille. Karin attaqua sa Suprême avec délectation. « Je devrais éviter les pizzas. Me nourrir plus sainement, je sais. Cela dit, je mange peu de viande ; je me réserve pour les repas en ville. Ça m'étonne qu'ils arrivent encore à vendre la moindre pièce de bœuf dans la région. Si on vous racontait ce qui se passe à l'usine. Demandez à Mark. Il vous dégoûtera pour de bon. Vous savez, ils sont obligés de couper les cornes des bêtes affolées, sans quoi elles s'embrocheraient les unes les autres. »

L'appétit de Karin ne s'en trouvait guère affecté. Weber picorait ici et là dans sa pizza hawaïenne, comme s'il menait une étude ethnographique. Ils finirent par venir à bout de leurs assiettes et de la conversation.

« Prêt ? » demanda Karin sans conviction, en faisant mine de l'être.

À Dedham Glen, Weber souhaita passer une heure en tête à tête avec Mark. La présence de la jeune femme risquait de compromettre la précision du test de réaction épidermique.

« C'est vous, le chef. » Elle se lissa les sourcils et s'effaça dans un hochement de tête.

Mark était seul dans sa chambre, plongé dans un magazine de bodybuilding. Il leva les yeux et son visage s'éclaira. « Doc ! Vous revoilà. Allez-y, envoyez le test, celui où il faut barrer des chiffres et des lettres. Je me sens d'attaque aujourd'hui. Pas comme hier. »

Ils se serrèrent la main. Mark portait une nouvelle chemise ; celle-ci donnait la liste d'une dizaine de lois toujours en vigueur dans le Nebraska. « Une mère n'est pas autorisée à permanenter les cheveux de sa fille sans une licence d'État. Les parents dont l'enfant éructe dans une église sont passibles d'une peine de prison. » Même dans cette pièce suffocante, chauffée par l'été, il avait conservé son bonnet de laine. « Vous vous pointez tout seul aujourd'hui, ou alors... ? »

Weber répondit d'un simple haussement de sourcils.

« Tenez. Asseyez-vous. Mettez-vous à l'aise. Vous êtes censé être un vieux bonhomme, vous vous rappelez ? » Il croassait comme un corbeau.

Weber reprit le fauteuil qu'il occupait la veille, face à Mark, répondant aux mêmes rires par les mêmes grognements. « Ça ne vous ennuie pas que j'enregistre notre conversation ?

– C'est un magnéto, ce truc ? Sans blague ? Faites voir. On dirait plutôt un briquet. Vous êtes sûr que vous n'êtes pas dans les opérations spéciales... ? » Mark plaqua l'appareil sur sa joue. « "Allô ? Allô ? Si vous m'entendez, je suis retenu ici en otage contre mon gré." Allez ! Ne tirez pas cette tronche. Je vous charrie, c'est tout. » Il lui rendit la minuscule machine. « Dites, comment ça se fait que vous ayez besoin d'un magnéto ?

Vous avez des problèmes d'audition ou quoi ? » Il faisait tournicoter ses doigts autour de ses oreilles.

« Quelque chose dans ce goût-là », concéda Weber.

La veille, il s'était servi de son magnétophone. Mais il n'avait pas pu en demander la permission, une fois l'interrogatoire commencé. Il fallait pourtant qu'il puisse retranscrire mot à mot leur premier échange. Il comptait sur une autorisation rétroactive. Et il l'avait obtenue à présent, ou peu s'en faut.

« Ouh ! C'est cool. En direct sur la bande. Je vous chante un petit quelque chose ?

– C'est à vous. En piste. »

D'une voix très monocorde et sans justesse, Mark entonna un air. *Gonna open you up, gonna peel you out*... Il s'arrêta. « Bon, allez ! Filez-moi une de vos énigmes à la con. Ce sera toujours plus fandard que de rester là à trépasser.

– J'en ai apporté de nouvelles. Des images mystères. » Il sortit de sa serviette le test de reconnaissance des visages de Benton.

« Des mystères ? La vie tout entière est un sacré putain de mystère. »

Mark sut reconnaître un même visage photographié sous différents angles, dans différentes attitudes, sous différents éclairages. Mais sans pouvoir toujours dire si un regard lui était adressé. Il réussit honorablement le test d'identification des personnalités connues, bien qu'il traitât Lyndon Johnson de « connard haut placé », et crut voir en Malcolm X « le docteur Chandler dans cette série télé qui se passe à l'hosto ». Mark s'amusait bien. « Celui-là ? Il paraît que c'est un comique, enfin si vous trouvez marrant un type qui beugle comme s'il s'était tartiné le scrotum avec du baume antidouleur. Alors là ! Voilà une nana qui se prétend chanteuse, mais c'est juste depuis qu'on lui a retiré sa barre de stripteaseuse. » Sur des dessins et des photographies, il parvint aussi à faire la différence entre de vrais visages et des formes qui s'y apparentaient. Dans l'ensemble, ses résultats se situaient dans la moyenne supérieure. Mais il butait sur les représentations conventionnelles des émotions. Il penchait le plus souvent pour la peur et la colère. Néanmoins, le score de Mark ne présentait rien que Weber pût qualifier de pathologique, au vu des circonstances.

« Peut-on tenter une dernière chose ? demanda Weber comme s'il s'agissait de la requête la plus naturelle du monde.

– Allez-y. Mettez la gomme. »

Il plongea dans sa serviette et en tira un petit amplificateur de réaction galvanique cutanée relié à un cadran à aiguille. « Ça ne vous ennuie pas si je vous branche là-dessus ? » Il lui montra le doigtier à électrodes. « En gros, cet appareil mesure la conductivité de votre peau. Si vous perdez votre sang-froid, ou si vous vous sentez tendu...

– Comme un détecteur de mensonges, quoi ?

– Un peu, oui. »

Mark se mit à glousser. « Sans déconner ! Là, c'est du sérieux. Envoyez la sauce ! J'ai toujours eu envie de planter un de ces engins. » Il tendit les deux mains. « Vite ! Les électrodes, *Herr Doktor* Frankenstein. »

Weber l'équipa, explications à l'appui. « Chez la plupart des individus, la conductivité de la peau augmente lorsqu'ils voient l'image d'un proche. Des amis, des membres de leur famille...

– Ça fait suer tout le monde de voir sa môman ?

– Exactement ! Dommage que je ne l'aie pas formulé comme ça dans mon dernier livre. »

Bien sûr, la méthode laissait fort à désirer. Il aurait fallu deux personnes différentes pour manipuler l'appareil et lire les données. Les tests de calibrage étaient au mieux rudimentaires. Pas de randomisation, pas d'expérimentation en double aveugle. Pas de contrôles. Rien dans les photos prêtées par Karin ne permettait d'établir une ligne de référence. Mais Weber ne destinait pas ses résultats à une revue scientifique à comité de lecture. Il voulait juste se faire une petite idée de cet homme démantibulé et des efforts qu'il déployait pour renouer les fils de son histoire.

Mark leva sa main libre : « Je jure de dire la vérité, *et cætera, et cætera*. Croix de bois, croix de fer. »

Ils regardèrent ensemble quelques clichés. Weber faisait défiler les photos de Karin, observait les oscillations de l'aiguille et notait des séries de chiffres.

« Hé ! La Homestar ! C'est ma maison. Un petit bijou. Ils m'ont construit cette baraque sur mesure, selon mes indications. »

L'aiguille se remit à danser. « Voilà Duane-o. Visez-moi cet enfoiré de gros cul. Il en connaît un rayon, même si ce n'est pas le plus futé de l'espèce. Et là, c'est Tommy la Rupture. Appréciez la technique : un maître queue. Le genre de gars qu'on voudrait avoir avec soi – comment vous dire ? – en toutes circonstances. Si vous voulez vous payer du bon temps, c'est à ces deux lascars qu'il faut vous adresser. »

La photo de sa sœur (en vampire gothique) suscita peu de conductance. Il ferma les yeux et repoussa le cliché. Weber lui tendit une perche. « Une connaissance ? »

Mark regarda l'image de dix centimètres sur quinze couchée sur papier glacé. « C'est... Vous voyez bien. La fille de la famille Adams. »

L'aiguille tressauta devant la photo du grand-père. « Le patriarche. Vous savez, ce type, il était gamin, dans sa bicoque en briques de bouse, quand une vache est tombée dedans en crevant le toit. C'était le bon temps en ce temps-là. »

La vue des installations d'ACI déclencha une saccade inquiète. « C'est là que je bosse. Putain, ça fait des semaines. J'espère qu'ils m'ont gardé ma place. Vous pensez que oui ? »

La conscience professionnelle perdurait au-delà de son utilité. Weber l'avait constaté des centaines de fois. Vingt ans plus tôt, Jessica, sa fille de huit ans, qui avait failli succomber à une crise d'appendicite, s'était réveillée folle d'inquiétude à l'idée qu'elle présenterait en retard son exposé sur la danse des abeilles.

« Il ne faut pas que je perde ce travail, doc. C'est ce qui m'est arrivé de mieux depuis la mort de mon vieux. Ils ont besoin de moi là-bas pour faire tourner leurs machines. Il faut que je joigne le patron, et fissa.

– Je vais me renseigner », répondit Weber.

L'aiguille fit un nouveau bond devant le portrait de l'aide-soignante qui s'occupait de Mark. « La poupée Barbie ! Bon d'accord. Je sais que cette nana-là a pratiquement votre âge. Mais elle a encore de beaux restes. Et parfois, je me dis que c'est la dernière vraie personne à avoir survécu à l'invasion des androïdes. »

Il réagit aussi devant la photo de Bonnie Travis. Weber, qui observait le cadran pendant que Mark examinait le cliché, détecta même quelque chose que Karin ne lui avait pas signalé.

Mark hochait la tête devant la photo des Bêtes à Cordes. L'aiguille ne laissait pas supposer que le jeune homme associait ce groupe local à l'angoisse de sa dernière soirée de valide. « Ces mecs sont cools. Pas encore prêts pour jouer à Omaha ou ailleurs. Mais il y a du groove en eux, avec un petit côté High Lonesome mélancolique ; deux trucs qui ne s'accordent pas comme ça, je vous le garantis. Je vous emmènerai les écouter, si ça vous dit.

– Ça risque d'être intéressant. »

Calme plat, de nouveau, devant la photo de ses parents. Mark glissa sa main libre sous son bonnet de laine et le déforma de l'intérieur. « Je sais ce que vous voulez me faire dire. Ce type ressemble à Harrison Ford qui se prendrait pour mon père. Et là, c'est l'idée que quelqu'un pourrait se faire de ma mère dans un de ses bons jours. Mais franchement, on est loin des championnats de première division. Dites donc, attendez un peu. » Il rassembla la pile de photos et les serra dans ses doigts. « Où vous avez trouvé tout ça ? »

Bêtement, Weber ne s'était pas préparé à cette question. Il passa en revue les différents mensonges envisageables. Posa le menton sur son poing, regarda Mark droit dans les yeux, et ne dit rien.

Paniqué, Mark alignait les théories. « C'est elle qui vous les a données ? Vous ne voyez donc pas ce qui se passe ? Je croyais que vous étiez un ponte de la côte est, un monstre d'intelligence. Elle vole de vraies photos à mes amis. Après, elle engage des acteurs qui ressemblent un peu à mes parents. Elle prend quelques clichés. Et tac ! D'un coup, d'un seul, elle m'invente une nouvelle histoire. Et vu que personne ne se rend compte de rien, je me retrouve coincé. » Du revers de la main, il donna une tape sur la photo de ses parents. Il jeta le tout sur la table et se débarrassa des électrodes fixées à son doigt.

Weber prit la photo de Cappy Schluter. « Pouvez-vous me dire exactement ce qui, selon vous... »

Mark lui arracha le cliché des mains. Il le déchira par le milieu, coupant net la tête de son père. Il tendit les deux morceaux à Weber. « Pour Miss Extraterrestre. Cadeau ! » Un cri étouffé résonna dans le couloir. Mark se leva d'un bond. « Hé ! Tu veux espionner ? Alors, ramène-toi... » Il s'élança vers la porte, prêt à une course-poursuite. Karin se précipita dans la pièce.

Elle passa en trombe devant Mark et ramassa les morceaux de la photo. « Tu es cinglé, non ? Qu'est-ce qui te prend de déchirer une photo de ton père ? » Elle brandit les fragments, menaçante. « D'après toi, combien on en a, des comme ça ? »

Mark resta cloué sur place. Dérouté par cette franche colère. Docile, il restait à côté de Karin tandis qu'elle accolait les morceaux et estimait les dommages.

« Ça pourra se réparer avec du Scotch », déclara-t-elle enfin. Elle lança à son frère un regard furieux et secoua la tête. « Pourquoi tu fais ça ? » Elle s'assit sur le lit, tremblante. Mark alla se rasseoir lui aussi, maté par cette réaction trop vive pour être feinte. Weber observait. C'était son métier : regarder, retranscrire. Pendant vingt ans, il avait bâti sa réputation en exposant l'insuffisance de toute théorie neurale face à la grande et humble observation.

« Que ressentez-vous en cet instant ? demanda-t-il.

– De la colère ! » s'écria Karin avant de s'apercevoir que la question ne lui était pas adressée.

La voix de Mark, quand elle se fit entendre, était encore plus sinistre et mécanique qu'à l'accoutumée. « Qu'est-ce que ça peut vous foutre ? » Il leva le visage vers le ciel. « Vous ne pouvez pas comprendre. Vous venez de New York ; là-bas, tout le monde est Dieu le Père ou je ne sais qui. Par chez nous, les gens… Ma sœur ? Elle est branque, d'accord, mais c'est ma seule alliée sur cette terre. C'est un peu elle et moi contre le monde entier. Cette femme-là ? » Il tendit l'index et poussa un grognement. « Vous l'avez vue essayer de m'attaquer. » Assis à la table de test, il se mit à pleurer. « Où elle est ? Elle me manque. Je voudrais la revoir – rien que cinq secondes. J'ai peur qu'il lui soit arrivé quelque chose. »

Les sanglots de Karin Schluter firent écho à ceux de Mark. Elle leva les mains et se dirigea vers la porte, mais elle fit demi-tour au bout de deux mètres et revint s'asseoir. Le magnétophone continuait d'enregistrer. Une partie de Weber composait déjà le récit de cette minute étrange. Mark tripotait le cadran du détecteur. Ses yeux lançaient des regards terrifiés. Il tenait à la main l'un des fils électriques. Puis, comme secoué par une décharge, le poing serré, il se redressa sur sa chaise. « Attendez. Je viens d'avoir une idée. On peut faire un essai ? Vous voulez bien… ? »

Mark tendit les câbles à Weber. Celui-ci songea d'abord à refuser, aussi aimablement que possible. Mais en vingt ans de recherche, personne ne s'était jamais soustrait à ses examens. Il sourit et fixa les contacts au bout de ses doigts. « Quand vous voudrez. »

Mark Schluter glissa le bassin vers l'avant. Ses bras battirent l'air comme les ailes d'une éolienne. Il finit par extraire de la poche de son jean un bout de papier froissé. En le voyant, sa sœur se remit à gémir. Mark fixait le cadran. Il déplia le billet et le présenta à Weber. D'une écriture affolée, dégoulinante, presque illisible, quelqu'un avait griffonné ces mots :

Je ne suis Personne
mais ce Soir sur la North Line
DIEU me conduit jusqu'à toi
pour que Tu puisses Vivre
et ramener quelqu'un d'autre.

« Regardez ! s'écria Mark. Elle a bougé. L'aiguille a sauté. Elle est allée jusque-là. Qu'est-ce que ça veut dire ? Expliquez-moi.

– Il faudrait calibrer la machine, répondit Weber.

– Vous avez déjà vu ce mot ? »

Weber secoua la tête. « Non. » Simple curiosité non identifiée.

« Elle a encore bougé ! Putain, mec. Arrête tes salades, tu veux ? C'est de ma vie qu'on parle, là.

– Je suis navré. J'aimerais pouvoir vous renseigner. Mais j'ignore tout de ce billet. » Weber lui-même se trouvait faux.

Pris de dégoût, Mark lui fit signe de retirer les doigtiers. Il désigna le lit. « Branchez-la. »

Karin avait bondi et ses deux mains cisaillaient l'air. « Mark, je t'ai déjà dit cent fois tout ce que je savais. »

Il ne voulut rien entendre tant qu'elle ne fût pas assise et reliée au détecteur. Vint alors le feu roulant des questions. « Qui a écrit ça ? Qui l'a trouvé ? Qu'est-ce que ça veut dire ? Qu'est-ce que je dois en faire ? » De plus en plus impatiente, Karin répondait à chaque accusation.

« Rien ne se passe, cria Mark. Qu'est-ce que ça veut dire ? Qu'elle ne ment pas ? »

Cela voulait dire que l'épiderme de Karin ne changeait pas de conductance. « Ça ne veut rien dire du tout. Il faudrait calibrer la machine », répéta Weber.

Cet après-midi-là, avant de prendre congé, Weber lui expliqua : « Il existe un trouble appelé syndrome de Capgras. Très rarement, lorsque le cerveau est atteint, certaines personnes perdent leur aptitude à reconnaître... »

Un hurlement primitif lui coupa la parole. « Faites chier. Ne recommencez pas avec ça, bordel. C'est avec ce truc-là qu'il me bassine, l'autre toubib, le bon docteur Aïe. Mais il trempe dans la combine. Cette sale pute lui suce la bite, ou pire. » Mark, mis à nu, fixait Weber, implorant. « Je croyais pouvoir vous faire confiance, *Herr Doktor*. »

Weber se caressait la barbe. « Vous pouvez », dit-il avant d'observer le silence.

« En plus, ajouta la voix fluette et suppliante, ce n'est pas plus scientifique de s'en tenir à l'explication la plus vraisemblable ? »

Ce soir-là, au MotoRest, les paroles de Sylvie coulèrent comme le miel du rocher. « Tiens ! Je reconnais cette voix. C'est celle d'un homme qui traînait dans les parages, autrefois. »

Il ne se rappelait plus tout ce qu'il voulait lui dire. Aucune importance. Sylvie était pénétrée de ses propres histoires.

« Ta très brillante fille Jessica vient de décrocher la bourse de la National Science Foundation réservée aux jeunes chercheurs. Il semblerait que la chasse aux planètes fasse encore recette, cette année. » Elle fit état d'une somme rondelette. « L'université de Californie va devoir la titulariser, ne serait-ce que pour la manne qu'elle leur procure. »

Jess. Sa petite Jess. *Ma fille, mes ducats.*

Sylvie entreprit de lui raconter sa longue journée d'aventures, ses tentatives pour prendre au piège une famille de ratons laveurs qui tenait régulièrement salon dans le grenier de la maison. Elle comptait les attraper vivants et, pour les désorienter, les trimbaler dans sa voiture, en plein jour, pendant des heures, avant de les abandonner à Centereach, derrière une zone commerciale.

Elle finit enfin par l'interroger : « Alors, ton délire d'identité, qu'est-ce qu'il t'a appris aujourd'hui ? »

Il s'allongea sur le lit, ferma les yeux et plaqua le téléphone chausse-pied contre son oreille. « Entre lui et la dissolution, il ne reste plus qu'une feuille de papier à cigarette. Rien qu'à le regarder, je vois s'envoler tout ce que je croyais savoir de la conscience. »

La conversation dérivait ; il distinguait mal le tour qu'elle voulait prendre. Il demanda quel temps il faisait sur Chickadee Way, et à quoi ressemblait le paysage.

« Conscience Bay était magnifique. On aurait dit un miroir. Comme si le temps s'était arrêté.

– J'imagine », dit-il. L'aiguille du détecteur aurait fait des cabrioles.

Il reprit ses notes et travailla tard. En ce mois de juin, la chambre était saturée d'une fraîcheur humide qui tournait en ridicule les préjugés de Weber sur les Grandes Plaines. Il n'était pas parvenu à arrêter l'air conditionné, ni à ouvrir une fenêtre. Étendu sur le lit, dans la phosphorescence ambrée de son réveille-matin, il se livrait à une autoanalyse. Minuit arriva puis s'en alla, et ses yeux refusaient obstinément de se fermer. Oui, il avait vu ce billet auparavant. Karin Schluter l'avait photocopié et en avait glissé un exemplaire dans l'épais dossier qu'elle lui avait montré le premier jour. À présent, couché là, à des milles du sommeil, il essayait de décider s'il avait menti, ou s'il s'agissait d'un simple oubli.

Il avait observé de vraies prosopagnosies, et ce qu'il avait vu là n'en était pas. Tous ses ouvrages décrivaient divers dérèglements du processus de reconnaissance des stimuli perceptifs : incapacité à identifier les objets, les lieux, l'âge des personnes, l'expression ou le regard. Il avait présenté le cas de patients incapables de reconnaître des aliments, des voitures, des pièces de monnaie, alors même que certaines zones de leur cerveau savaient encore interagir avec ces choses déconcertantes. Il avait raconté l'histoire de Martha T., ornithologue chevronnée qui, du jour au lendemain, avait perdu toute aptitude à différencier un roitelet d'un pic à ventre rouge. Pourtant, elle savait toujours expliquer en détail ce qui distinguait ces deux espèces. À plusieurs reprises dans ses livres, Weber avait dépeint les troubles qui affectent la reconnaissance des visages.

Confronté à des maux proprement vertigineux, le cerveau s'adaptait à l'infini.

Au pays de l'inattendu exposait le cas de Joseph S. À vingt ans, il avait été blessé à la tête par un agresseur armé d'un petit calibre : son gyrus fusiforme droit, une zone étroite située dans la région inférotemporale, avait été endommagé. Joseph ne parvenait plus à identifier ses connaissances, ses amis, les membres de sa famille, ses proches, ni même des personnalités célèbres. Il pouvait croiser quelqu'un cent fois, ou venir à l'instant de le rencontrer, sans pour autant le reconnaître. Il éprouvait même des difficultés à saisir son propre reflet dans un miroir.

« Je sais que les visages existent, confiait-il à Weber. Je vois ce qui différencie tel ou tel caractère physique. Mais pour moi, rien ne les singularise. Ils ne m'évoquent rien. Imaginez les feuilles d'un érable immense. Prenez-en deux et placez-les côte à côte ; vous remarquez à quel point elles sont dissemblables. Mais laissez-les dans l'arbre et essayez de les retrouver. »

La mémoire n'entrait pas en ligne de compte : Joseph pouvait énumérer de façon assez précise les traits censés définir la physionomie de ses amis. Mais dès que ces traits s'associaient pour créer un visage, il n'arrivait plus à les reconnaître.

Malgré cette infirmité, Joseph S. avait obtenu un doctorat en mathématiques et menait une brillante carrière universitaire. Il obtenait des scores exceptionnels aux tests de QI standard, en particulier quand il s'agissait de raisonnement dans les trois dimensions, de déplacement dans l'espace, de rotation mentale et de mémorisation. Il avait expliqué à Weber ses systèmes de compensation élaborés : indices fournis par la voix, les vêtements, la corpulence, le rapport délicat entre l'écartement des yeux, la taille du nez, l'épaisseur des lèvres. « Je suis assez rapide aujourd'hui pour tromper pas mal de monde. »

Les visages et rien d'autre. Le reste ne lui posait aucune difficulté. À dire vrai, Joseph S. montrait plus d'aptitude que la moyenne à repérer d'infimes différences entre des objets quasi identiques : gravillons, chaussettes, moutons. Mais pour survivre en société, on devait en permanence effectuer sur les visages des calculs de reconnaissance ahurissants, comme s'il s'agissait d'un jeu d'enfant. Joseph S. vivait en espion posté derrière les lignes ennemies, accomplissant au moyen d'algorithmes et de mathématiques laborieuses ce que le commun des mortels faisait sans même y penser. Chaque minute passée en public réclamait toute sa vigilance. Il avait confié à Weber que ce handicap avait contribué à l'échec de son premier mariage. Sa femme ne supportait plus qu'il fût obligé de la dévisager pour la repérer dans une foule. « Cela a bien failli me coûter aussi mon second mariage. » Il expliquait comment, en apercevant sa femme sur le campus un après-midi, il l'avait prise dans ses bras. Sauf que ce n'était pas sa femme. Ni personne de sa connaissance.

> Ce que nous prenons pour un processus simple et unique, écrivait Weber, constitue en réalité une longue chaîne d'assemblage. La vision réclame la coordination scrupuleuse de plus de trente-deux modules différents à l'intérieur du cerveau. Reconnaître un visage en mobilise au moins une dizaine [...]. Nous sommes programmés pour détecter les visages. Devant une carotte et deux biscuits Oreo, un enfant peut hurler de peur ou s'étouffer de rire. Mais voilà ! Il arrive que les connexions nombreuses et fragiles entre les modules se rompent en différents endroits [...].

Suite à telle ou telle atteinte cérébrale, on pouvait ne plus être capable de distinguer le sexe, l'âge, ou les émotions d'un visage, ni l'objet sur lequel se fixait l'attention d'un tiers. Weber avait relaté le cas d'un patient totalement incapable de déterminer si un visage lui semblait attirant ou non. Avec son équipe, il avait réuni des données qui tendaient à prouver que, chez certains sujets souffrant de prosopagnosie, l'association d'un visage avec une personne s'effectuait en fait à l'insu de la conscience.

Il ne se passait guère de semaine sans que Weber reçût le courrier de lecteurs angoissés qui affirmaient lutter contre une forme atténuée de cette incapacité à reconnaître de vieilles connaissances. La bombe lancée par Weber en consolait néanmoins quelques-uns : simple caprice des neurones, ce trouble révélait que l'humanité entière était atteinte d'une forme de prosopagnosie. Même le processus normal de reconnaissance échouait quand le visage observé se présentait à l'envers.

Mark Schluter ne souffrait pas de cette cécité aux visages. Bien au contraire : il voyait des différences là où il n'y en avait pas. Il ressemblait plutôt à ces malades pour qui chaque changement d'expression pouvait scinder en deux personnes, indépendantes et nouvelles, un seul et même individu. Un cauchemar passa derrière les paupières closes de Weber, juste avant qu'il ne s'endorme. Il se vit, le regard perdu dans les millions de feuilles qu'un arbre gigantesque déployait au-dessus de lui. Chacune représentait une existence croisée, un instant de vie, et le chatoiement particulier des émotions associées à cet instant isolé. Chaque perception était un objet singulier à identifier, unique en soi, mais multiplié des milliards de fois – impossible à désigner sous la forme simplifiée d'un nom...

Au matin du troisième jour, il partit seul pour Dedham Glen. Il lui fallait récolter davantage de données psychométriques pour couvrir un plus large spectre de tendances délirantes. Il retrouva l'endroit sans peine. Malgré les méandres de la vallée, la ville était une vraie feuille de papier millimétré. Après quarante-huit heures de ce parfait carroyage, le premier venu (dès lors qu'il ne souffrait d'aucune atteinte de l'hémisphère droit) pouvait y retrouver n'importe quoi.

Assis par terre, trois enfants géants campaient autour du téléviseur de Mark. Coiffé de son bonnet de laine, le jeune homme était flanqué d'un ragondin en combinaison de détenu, et d'un solide gaillard vêtu d'un sweat-shirt et d'une casquette à rabats. Weber les reconnut d'après les photos de Karin.

Sur l'écran, une route tanguait jusqu'à l'horizon entre les reliefs onduleux d'un paysage brun. Les feux arrière de bolides surbaissés dévoraient l'asphalte tortueux. Agités de soubresauts, comme parfois Jessica en plein choc insulinique, les trois hommes épousaient à l'unisson les cahots du parcours. La séquence évoquait ces films de sports mécaniques, vidéos-vérité tournées caméra au poing avec les moyens du bord, et noyées sous une bande-son martelée au techno-pilon. Puis Weber aperçut les fils. Un cordon ombilical reliait à la console chacun des membres du trio. La course (mélange de film et d'animation) provenait pour moitié de ces trois cerveaux réunis.

Les fils ramenèrent Weber au temps de ses études et au crépuscule du béhaviorisme : antiques expériences de laboratoire menées sur des pigeons et des singes dressés à ne rien vouloir, sinon pousser sur des boutons ou tirer sur des leviers à longueur de journée, jusqu'à ce que, ne faisant plus qu'un avec la machine, l'animal s'effondre d'épuisement. Les trois hommes étaient devenus cette musique sinueuse, cette route serpentine, ces moteurs rugissants. Mais aucun ne semblait au bord de l'effondrement. Les modifications opérées sur l'écran engendraient des altérations physiologiques qui affectaient en retour le monde projeté sur le téléviseur.

Le ruban de la piste vira brutalement sur la droite et s'envola pour replonger aussitôt. Les voitures décollèrent, éperonnant les airs. L'acier grinça lorsque les châssis vinrent racler le sol, et les trois corps absorbèrent la secousse. Les moteurs hurlaient, à la peine sur le bitume. Le fracas déferlait comme une vague quand les pilotes jouaient de l'embrayage. Apparues au fond du décor en chute libre, de petites taches grossissaient pour se changer en véhicules lancés à pleine vitesse, que les autres voitures au premier plan s'évertuaient à doubler. Impossible de dire où se déroulait la course. Dans quelque grand vide. Un de ces États à angles droits, à mi-chemin de la prairie et du désert, où l'on comptait davantage de vaches que d'habitants. Quelques lotissements, quelques stations essence, quelques zones commerciales : la mosaïque standard posée au cœur de l'Amérique. Il plut, pendant une poignée de secondes. Puis la pluie se changea en grésil, et le grésil en neige. Le jour pâlit et la nuit tomba. Un instant plus tard, l'aube se levait tandis que la course se poursuivait sur dix kilomètres de route imaginaire.

Quelles que fussent les lésions de Mark Schluter, elles n'avaient pas affecté les pouces et leurs connexions. Des études récentes menées par un confrère de Weber indiquaient que chez les enfants adeptes des jeux vidéo, des aires énormes du cortex moteur étaient dédiées aux pouces, et que chez l'*Homo ludens*, espèce en voie d'apparition, nombre d'individus utilisaient ce doigt de préférence à l'index. La manette de jeu avait enfin parachevé l'un des trois grands bonds accomplis par les primates au cours de leur évolution.

Assis par terre, le trio se poussait du coude ; leurs corps servaient d'extensions aux voitures qu'ils pilotaient. Ils débouchèrent sur une étendue dégagée où la route cessait de danser et filait tout droit au milieu des dunes, vers la ligne d'arrivée qui se profilait au loin.

Les concurrents accélérèrent, luttant pour la première place. Ils s'élancèrent dans un dernier virage très serré sur la droite. L'une des voitures quitta la route et fit un tête-à-queue. D'un geste trop brusque, le conducteur voulut se remettre en piste et emboutit les deux autres voitures. Les trois bolides, accrochés ensemble, partirent dans une vrille spectaculaire. Revenus s'écraser au sol, ils entrèrent en collision avec une file de concurrents moins rapides qui passaient la ligne d'arrivée. L'un des véhicules rebondit et alla heurter la tribune bondée. Une tache aveuglante envahit l'écran. Des gens couraient dans tous les sens, telle une nuée de termites fuyant la colonie incendiée. La voiture se changea en torche fuligineuse. Une clameur s'éleva, puis explosa avant de retomber en éclats de rire. Calcinée de la tête aux pieds, une silhouette en combinaison de pilote s'extirpa des flammes en exécutant une danse frénétique.

« Bon Dieu de merde ! s'écria le ragondin délinquant. C'est ce que j'appelle soigner sa sortie, Gus.

– Un coup bien fumant, confirma le solide gaillard. La plus grosse boule de feu de tous les temps. »

Mais le troisième conducteur, celui que Weber était venu voir, se contenta de murmurer : « Attendez. Remettez-moi ce joujou en place. Encore un coup. »

Après avoir coupé les moteurs, le ragondin leva les yeux et aperçut Weber dans l'encadrement de la porte. « De la visite, Gus. »

Mark se retourna, tiraillé entre la joie et l'effroi. À la vue de Weber, il poussa un grognement. « C'est pas de la visite. C'est l'incroyable docteur Krankheit. Salut ! Ce type est célèbre. Mille fois plus qu'on ne l'imagine.

– Faites-vous une petite place, proposa la casquette à rabats. De toute façon, on pliait les gaules. »

Weber enfonça la main dans sa poche et enclencha son magnétophone. « Continuez, dit-il. Faites une autre partie. Je vais m'asseoir dans un coin et rassembler mes idées.

– Hé ! Mais je manque à tous mes devoirs, moi. Et la politesse, alors ? » Mark se leva d'un bond en bousculant ses compagnons qui se mirent à rouspéter. « Doc, je vous présente Duane-o Cain. Et celui-là... » Il désigna le ragondin. « Hé, mec ! Rappelle-moi qui tu es, déjà ? » Le ragondin tendit le majeur. Mark partit d'un rire ; le chuintement d'une bombonne de gaz. « Comme tu voudras. Celui-là, c'est Tommy Rupp. L'un des meilleurs pilotes au monde. »

Duane Cain se mit à glousser. « Un pilote ? Une savate, à la rigueur. »

Weber regarda le trio manœuvrer pour se placer sur la ligne de départ. C'est à trente-quatre ans qu'il avait vu la première de ces consoles. Il était allé chercher Jessica, alors âgée de sept ans, chez l'une de ses amies. Il les avait trouvées toutes deux plantées devant la télévision et les avait sermonnées. « Qui m'a fichu des enfants pareils ? A-t-on idée de regarder la télé quand il fait si beau ? »

À cette question, les fillettes n'avaient su répondre que par des hurlements moqueurs. Ce n'était pas la *télévision*, avaient-elles ricané. Il s'agissait en fait d'un jeu de ping-pong lobotomisé, posé sur la tranche. Weber regardait, fasciné. Non pas l'écran, mais les joueuses. Le dispositif était grossier et plat, le jeu répétitif. Mais les deux fillettes s'étaient envolées quelque part, dans la profondeur d'un espace symbolique.

« Pourquoi est-ce mieux qu'un vrai ping-pong ? » avait-il demandé à la toute petite Jess. Il voulait vraiment entendre sa réponse. Cette même question hantait les travaux de Weber. Qu'est-ce donc qui menait l'espèce humaine à sauvegarder le symbole et à rejeter la chose qu'il représentait ?

La fillette de sept ans avait poussé un soupir. « Papa, avait-elle dit, avec dans la voix une première pointe de mépris pour le monde adulte et le foin qu'il faisait de l'évidence. C'est plus propre. »

Depuis lors, Jessica n'avait jamais vraiment fait marche arrière. Huit ans plus tard, elle fabriquait son propre ordinateur avec des pièces détachées. À dix-huit ans, elle s'en servait pour analyser les traces de lumière récoltées par le télescope du jardin. Aujourd'hui, à presque trente ans, installée dans le sud de la Californie, le plus abstrait de tous les États, elle obtenait de la NSF les fonds nécessaires à la découverte de nouvelles planètes, dont l'une au moins se révélerait à coup sûr plus propre que la Terre.

Le trio se consultait sans échanger la moindre parole. Sur le circuit, les voitures se lançaient dans des ballets compliqués qu'aucun chorégraphe n'aurait pu exécuter. Weber observait Mark, à l'affût d'une déficience. Impossible de dire comment il coordonnait ses mouvements par le passé. Mais aujourd'hui encore, Mark pouvait en remontrer à Weber au volant de n'importe quel véhicule, réel ou fantomatique. Il roulait à tombeau ouvert. Le jeune homme bravait d'un rire poisseux les explosions spectaculaires qu'il déclenchait de temps à autre.

Weber notait les mouvements oculaires de Mark quand un cri traversa la pièce. On aurait cru l'un des bruitages fracassants du jeu vidéo. Le neurologue se retourna et vit Karin dans l'encadrement de la porte, le visage cramoisi. Elle se tenait la tête à deux mains, les coudes en avant. « Espèces de brutes ! Qu'est-ce qui vous prend ? »

Les trois hommes se redressèrent. Tom Rupp se ressaisit le premier. « On s'est dit qu'on allait tenir compagnie à notre copain. Il avait bien besoin d'une petite récréation. »

Elle se passa la main gauche derrière la nuque, et de la main droite faucha le vide. « Vous êtes tarés ou quoi ? »

Duane Cain se tortillait sous la brûlure de l'injustice. « Tu as oublié ton Prozac, sœurette ? On est venus lui apporter de la compagnie, point barre. »

Toutes griffes dehors, Karin désigna le jeu vidéo – la route qui continuait de serpenter bêtement sur l'écran. « De la compagnie ? Lui faire revivre ça ? » Elle décocha à Weber le regard d'une femme trahie.

« Notre homme n'a fait aucune objection, dit Rupp. Pas vrai, l'ami ? »

Mark restait là, manette en mains, la moitié du visage contractée. « On a toujours fait comme ça. » Il leva la commande. « Pourquoi tu te frappes ?

– Exact ! » Cain regarda Weber, puis de nouveau Karin. « Tu saisis ? Ce truc, ce n'est pas comme si c'était pour de vrai, pas du tout. On ne fait rien revivre à personne.

– Vous n'avez pas du boulot, tous les deux ? Ou est-ce que plus personne ne veut vous embaucher ? »

Rupp s'approcha de Karin qui recula vers la porte. « J'ai ramené trois mille cent dollars ce mois-ci. Et toi ? » Karin croisa les bras et baissa la tête. Weber devina entre eux un vieux contentieux jamais vraiment réglé.

« Travailler ? s'écria Duane. On est dimanche, merde ! »

Un ricanement tomba des lèvres de Mark. « Même le Très-Haut ne s'est pas cassé le cul toute la semaine, sergent.

– Foutez-moi le camp, dit-elle. Allez plutôt zigouiller quelques vaches. »

Rupp lui adressa un petit sourire acidulé et, du bout des ongles, se donna une chiquenaude sur la joue. « Arrête ton numéro, Miss Gandhi. De la vache, tu en boulottes un morceau chaque fois que tu mords dans un hamburger. Tu sais ce que je crois ? Il a raison, notre copain. Des terroristes arabes ont enlevé Karin Schluter et l'ont remplacée par un agent étranger. »

Duane Cain lança un regard nerveux en direction de Weber. Mais Mark se contenta de rire : un son sourd, comme celui d'une sonnaille. Karin bouscula les deux hommes pour rejoindre son frère. Elle lui retira la commande des mains et la posa sur la console. Elle éjecta le CD de la machine et l'écran devint bleu. Puis elle alla tendre à Weber le disque incriminé. Elle lui effleura le coude. « Demandez à ces deux-là ce qu'ils savent au sujet de l'accident de Mark. »

Son frère se récria. « Houlà ! Ça ne va pas ? Tu as pris du crack, ou quoi ?

– Avant, ils s'amusaient déjà à faire la course, mais sur de vraies routes. »

Mark se pencha vers Weber. Il lui murmura à l'oreille : « C'est de ça que je voulais parler. »

Tom Rupp fit une moue dédaigneuse. « C'est de la diffamation. Tu as la moindre preuve de... ?

– Des preuves ! Ne me parle pas comme si j'étais un de ces cons de flics. Pour qui tu me prends ? Je suis sa sœur. Tu piges ? Sa chair et son sang. Tu veux des preuves ? Je suis allée là-bas. Trois séries d'empreintes, ça te dit quelque chose ? »

Mark se laissa tomber dans le fauteuil à côté de Weber. « Où ça, là-bas ? Quelles empreintes ? » Recroquevillé sur lui-même, il se tenait les épaules.

Duane Cain forma un T avec ses mains. « On respire bien à fond. Une petite seconde de pause ; personne ne va en mourir, hein ?

– Vous avez peut-être réussi à berner la police. Mais moi, je vous tiens pour personnellement responsables. Si les choses devaient ne jamais s'arranger...

– Hé là ! fit Mark. Ça ne peut pas s'arranger davantage. »

Tom Rupp hochait la tête. « Karin, il y a vraiment un truc qui déconne chez toi. Tu ferais peut-être bien de consulter un professionnel, tant que tu en as un sous la main.

– Vous le collez devant ce jeu, vous le replongez dans toute cette histoire, comme si de rien n'était ? Vous êtes barrés ? »

Mark bondit de son fauteuil. « Mais pour qui tu te prends ? Tu n'as aucun pouvoir ici ! » Il s'avança vers elle pour l'empoigner. D'instinct, Karin se tourna vers Rupp qui ouvrit les bras pour la protéger. Mark s'arrêta net, les mains croisées derrière la nuque, et se mit à geindre. *Ce n'est pas ce que je voulais. Pas ce que tu crois.*

Weber assistait à cette mêlée qu'il s'imaginait déjà raconter à Sylvie. Elle ne lui témoignerait aucune compassion. *C'est toi qui as voulu sortir de ton labo. Toi qui as voulu aller voir ça de près – avant de mourir.*

Karin se défit de l'étreinte de Rupp. « Je suis désolée, mais il faut que vous partiez, tous les deux.

– C'est comme si c'était fait. » Rupp lui adressa un salut militaire (le geste vif d'un soldat de la garde nationale) que Mark imita, par réflexe.

Duane Cain leva le pouce et l'auriculaire, et les agita à l'attention de Mark. « Ne change pas, mec. On repassera. »

Quand ils furent partis, et le calme revenu, Weber se tourna vers Karin. « Mark et moi devrions peut-être travailler seuls un petit moment. » Mark joignit l'index et le majeur, et visa la jeune femme en gloussant. Le visage de Karin se décomposa. Elle n'aurait pas cru Weber capable d'une pareille trahison. Elle tourna les talons et quitta la chambre. Weber la suivit dans le couloir en l'appelant pour qu'elle s'arrête. « Je suis navré. Il fallait que je voie Mark avec ses amis. »

Elle poussa un long soupir et se frotta les joues. « Ses amis ? Voilà une partie de lui qui n'a pas changé. »

Une idée traversa l'esprit de Weber qui avait potassé sa littérature la veille au soir : « Comment votre frère se comporte-t-il avec vous au téléphone ?

– Je... je ne l'appelle pas. Je viens ici tous les jours. J'ai horreur du téléphone.

– Ah ! Nous pourrions faire alliance sur ce terrain-là.

– Je ne l'ai pas appelé depuis l'accident. À quoi bon ? Il me raccrocherait au nez. Ça au moins, il ne peut pas le faire en me regardant dans les yeux.

– Vous voulez bien tenter une expérience ? »

Elle était prête à tout tenter.

Assis dans son fauteuil, Mark Schluter jouait avec une des manettes qu'il tournait et retournait dans le creux de sa main, comme un bivalve fermé à bloc qu'il ne pouvait ouvrir. Il manquait une dimension à ce jeu. Il leva les yeux vers Weber, implorant. « Vous complotez avec elle, c'est ça ?

– Pas exactement.
– Vous croyez qu'elle a raison ?
– À quel sujet ?
– Au sujet de ces types, aboya Mark.
– Je ne saurais vous dire. Qu'en pensez-vous ? »

Mark tressaillit. Il avala une bouffée d'air et la garda quinze secondes en caressant la cicatrice de sa trachéotomie. « C'est vous, le docteur Remue-Méninges. C'est à vous de m'expliquer tout ce bordel. »

Weber se retrancha derrière son professionnalisme. « Peut-être quelques tests pourraient-ils nous aider à comprendre ce qui s'est passé. » Il ne s'agissait pas, en soi, d'un véritable mensonge. Weber avait déjà vu plus étrange. Mais l'espoir était assez mince.

Mark toucha son visage couturé et soupira. « Soit. Envoyez la sauce. Mettez le paquet. »

Ils travaillèrent un long moment. Penché sur les tests, Mark empoignait son stylo avec autant de détermination que sa manette. Son attention se dispersait encore, mais il vint à bout de la plupart des exercices. Ceux-ci firent apparaître quelques traces de déficience cognitive. Les tests situaient la maturité émotionnelle de Mark en dessous de la moyenne, mais, selon Weber, elle ne devait guère être inférieure à celle des parties qui s'étaient affrontées dans la matinée. Ces temps-ci, l'Amérique entière devait plafonner sous la moyenne. Mark montrait quelques signes de dépression. Weber eût été stupéfait du contraire. En cet été 2002, friser la dépression relevait d'une réaction adaptée aux événements.

D'autres tests révélèrent des tendances paranoïaques. Jusqu'au milieu des années 1970, de nombreux cliniciens tenaient le syndrome de Capgras pour la conséquence indirecte d'un état paranoïaque. Un quart de siècle plus tard, cause et effet s'étaient inversés. À la fin des années 1990, Ellis et Young indiquèrent que des patients privés de réaction affective envers leurs proches avaient toutes les chances de développer un jour une paranoïa. Ainsi en allait-il des idées : remontez un peu le fil des événements, et vous finirez par découvrir que la course des nuages fait souffler le vent. Weber dût-il vivre assez vieux pour y assister, de plus grands bouleversements se préparaient encore. Le jour viendrait où le dernier rapport tranché de cause à effet irait se perdre dans des massifs de réseaux enchevêtrés.

Mais il existait une corrélation indiscutable entre Capgras et la paranoïa. Rien de surprenant, donc, à ce que les résultats de Mark démontrent de légères tendances paranoïaques. Quelle horreur ces délires de persécution et ces accès de pitrerie tenaient-ils à distance ? Les tests de Weber ne permettaient pas de le dire.

Mark s'émerveillait devant le jargon de Weber. « Mon vieux ! Si je savais causer comme vous, je me taperais une nana par jour. » Il se lança dans une imitation de psycho-verbiage assez convaincante, qui aurait presque pu lui valoir un salaire confortable sur un coin de la côte ouest.

Weber dit : « Je vais vous lire une histoire, et je veux que vous me la répétiez. » Il prit dans sa mallette le texte standard et le lut à vitesse normale. « "Il était une fois un fermier qui tomba malade. Il se rendit en ville, chez le médecin, mais celui-ci ne put le guérir. Le médecin lui dit : 'Seul le spectacle de la joie pourra vous rendre la joie.' Alors le fermier parcourut toute la ville à la recherche de quelqu'un de joyeux, mais il ne trouva personne. Il rentra chez lui. Or, juste avant d'atteindre sa ferme, il aperçut un cerf à l'air joyeux qui gambadait à travers les collines, et aussitôt il commença à se sentir mieux." Maintenant, redites-moi cette histoire.

– Si ça vous amuse. Bon alors, il y a ce type, grogna Mark. Il est tout déglingué et il fait de la dépression. Il va à l'hosto, mais voilà : là-bas, personne ne l'aide. On lui dit d'aller chercher quelqu'un de plus joyeux que lui. Alors le type va en ville : pas un rat. Il rentre chez lui. Et en chemin, il voit un animal. Il se dit : "Cette bestiole-là est plus joyeuse que moi." Fin de l'histoire, rideau. » Il haussa les épaules, dans l'attente d'un résultat qu'il contestait déjà.

Cet après-midi-là, lors d'une pause entre deux tests, Mark demanda : « Ils vous ont fabriqué, vous aussi ? »

Le magnétophone enregistrait toujours. Weber se fit nonchalant. La créature qu'il traquait se reposait là, devant lui, dans une flaque de soleil. « Que voulez-vous dire ?

– Ils vous ont fabriqué à partir de pièces détachées, comme l'autre ? » Ton de voix ordinaire, attitude décontractée : il aurait aussi bien pu saluer un voisin de l'autre côté de la clôture. Poli et affable, mais en équilibre au-dessus du gouffre sans fond.

« Vous ne me croyez pas humain ?

– Je ne saurais vous dire, fit Mark, imitant Weber. Qu'en pensez-vous ? » Son regard vagabond accrocha un mouvement derrière le neurologue. « Hé ! La poupée Barbie ! »

Surpris, Weber se retourna. Barbara Gillespie se tenait juste à côté de lui, en tailleur ajusté, couleur ocre, parfait pour un entretien d'embauche. Elle lui fit un signe discret dans la fraction de seconde qui précéda son échange avec Mark. « Monsieur S. ! On vous attend pour une vidange complète. »

Mark coula un regard plein de jubilation crapuleuse vers Weber. « Je vous rassure. C'est loin d'être aussi intéressant que vous pourriez l'imaginer. »

Barbara interrogea Weber. « Voulez-vous que je revienne plus tard ? Vous avez encore besoin d'un peu de temps, tous les deux ? »

Cette alliance tacite le désarçonna. « En fait, nous avions terminé. »

Elle lui adressa un coup d'œil furtif, presque une question. Elle se tourna vers Mark et désigna la salle de bain. « Vous avez entendu le docteur ! »

Mark s'extirpa de son fauteuil. Il passa la porte de la salle d'eau en exécutant une courbette, puis en ressortit aussitôt. « Oh ! Je crois que je vais avoir besoin d'aide. »

Barbara hocha la tête. « Bien tenté, mon chou. Gardez votre serviette autour des reins cette fois, d'accord ?

– Elle m'a appelé mon chou ! Vous l'avez entendue, hein ? doc. Vous témoignerez au tribunal ? »

Tandis que la porte se refermait, Barbara se tourna vers Weber. Elle soutint son regard : de nouveau ce lien troublant. « Pourriez-vous noter que les pulsions sexuelles du patient semblent intactes ? »

Weber se toucha le lobe de l'oreille. « Pardonnez-moi de vous poser une question bien maladroite. Nous sommes-nous déjà rencontrés ?

– Vous voulez dire, avant ces deux derniers jours ? »

Weber ne sourit pas. Il avait atteint un âge où toutes les personnes qu'il croisait correspondaient à l'un ou l'autre des trente-six modèles physionomiques répertoriés. Le nombre de gens qu'il rencontrait une fois sans jamais plus les revoir avait atteint des proportions désastreuses. Weber avait franchi un seuil, autour de la cinquantaine, où chaque personne qui l'accostait lui rappelait quelqu'un d'autre. Ce problème s'aggravait lorsque de parfaits inconnus lui adressaient des saluts familiers. Il pouvait croiser quelqu'un dans les couloirs du centre médical, puis le revoir six mois plus tard au supermarché, assailli par le sentiment d'entretenir avec lui une relation collégiale. Après le terrain miné de Long Island et de Manhattan, les prairies vierges du Nebraska étaient un rêve. Pourtant, Weber avait eu deux jours pour identifier cette femme, et il rentrait bredouille.

Barbara s'efforça de ne pas sourire. « Je m'en souviendrais. »

Elle savait donc qui il était, et avait peut-être même lu ses livres. Qu'est-ce qu'une aide-soignante, la petite quarantaine venue, pouvait trouver à ce genre d'ouvrages ? Cette pensée était d'un sectarisme impardonnable, surtout pour un homme qui avait naguère consacré tout un chapitre aux erreurs de catégorisation et aux préjugés qui hantent le circuit humain. Il l'observait, taraudé par tant d'improbable. « Depuis combien de temps travaillez-vous à Dedham Glen ? »

Elle leva les yeux au ciel et entreprit un calcul comique. « Ça commence à faire un bail.

– Et avant ? » Absurde : il essayait d'atteindre la lune avec une poignée de cailloux lancés au hasard dans le noir.

« Oklahoma City. »

De plus en plus froid. « Même genre d'emploi ?

– Similaire. Là-bas, je travaillais dans une grande administration.

– Qu'est-ce qui vous a amenée dans le Nebraska ? »

Elle sourit et inclina la tête comme pour retenir une pomme sous son menton. « Je crois que je ne supportais plus le tohu-bohu de la grande ville. » Quelque chose, au loin, retenait son attention. Prise sur le fait, elle devint timide. Le regard de cette femme déconcertait Weber, alors même qu'il l'avait suscité. Il détourna les yeux. Il ne dut son salut qu'à l'apparition de Mark Schluter à la porte de la salle de bain. Il tenait une serviette devant son corps nu. Le bonnet de laine avait disparu, laissant voir les cheveux qui repoussaient par endroits. L'air enfantin, il gratifia son aide-soignante d'un large sourire. « Prêt pour ma punition, madame. »

D'un haussement de sourcils, Barbara prit congé, étrangement complice, comme s'ils avaient grandi tous deux à trois maisons l'un de l'autre, fréquenté ensemble l'école primaire, échangé des centaines de lettres, frayé un soir dans des eaux plus troubles, et fait ensuite marche arrière – cousins honoraires pour la vie.

Weber rassembla ses documents et se retira dans le hall. Il avait obtenu ce qu'il était venu chercher, récolté les données nécessaires, observé de près l'une des aberrations les plus singulières dont le moi pouvait être affligé. Il disposait à présent d'un matériau suffisant pour, sinon ajouter une contribution à la littérature médicale, du moins composer le récit fascinant d'un cas pathologique. Il n'avait plus grand-chose à faire sur place. Il était temps de rentrer, d'enchaîner à nouveau colloques, salles de classe, laboratoire et table de travail, cette routine qui avait gratifié son âge mûr d'une somme de réflexions fructueuses totalement imméritée.

Mais avant de partir, il lui restait à interroger Barbara Gillespie sur l'évolution de Mark au cours des dernières semaines. Bien sûr, il disposait des observations du docteur Hayes, et de celles de Karin. Pourtant, seule cette femme voyait Mark tous les jours sans le parasitage d'une quelconque implication personnelle. Assis dans le hall, à l'extrémité d'un canapé de vinyle sombre, Weber faisait face à une paralytique un peu plus jeune que lui, engagée dans un combat épique contre la fermeture Éclair de sa veste superflue. Il aurait bien voulu l'aider, mais eut assez de présence d'esprit pour s'en abstenir. Il ressentait une étrange nervosité à attendre Barbara, comme un gosse de dix-huit ans au bal de fin d'année. Il consultait sa montre à chaque instant. La quatrième fois, il se leva d'un bond. Effrayée, la femme à la veste sursauta et tira d'un coup sur sa fermeture Éclair qui retourna à son point de départ. Weber avait failli oublier qu'il avait demandé à Karin d'appeler son frère à trois heures précises, à peine deux minutes plus tard.

Il alla se poster devant la porte close, laissant traîner sans vergogne une oreille indiscrète. Il entendit Barbara, et Mark qui grognait de rire. Le téléphone sonna. Le jeune homme lança un juron et s'écria : « Voilà, voilà, ça vient. Ne coupez pas l'érection. »

Par-dessus le bruit des meubles que l'on heurtait, la voix apaisante de Barbara disait : « Prenez votre temps. Ils vont attendre. »

Weber frappa à la porte et ouvrit. Effrayée, Barbara Gillespie leva la tête depuis le coin de la pièce où elle feuilletait des magazines en compagnie de son patient. Weber se glissa dans la chambre et referma la porte derrière lui. Mark lui tournait le dos et se débattait avec le téléphone : « Allô ? Qui est à l'appareil ? » Survint un silence sidéré. « Oh mon Dieu ! Où tu es ? Où t'étais passée ? »

Weber lança un regard à Barbara. L'aide-soignante le fixait, devinant non seulement l'identité du correspondant, mais aussi le rôle de Weber dans cette opération. Elle l'interrogeait. À son tour, il détourna les yeux, coupable.

La voix brisée par des sanglots, Mark accueillait un être cher revenu d'entre les morts. « Tu es ici ? À Kearney ? Merde ! Dieu soit loué. Ramène-toi *illico*. Non ! Plus un mot. Je ne veux pas parler au téléphone, pas après tout ça. Tu n'imagines pas dans quelle merde je suis. Je n'arrive pas à croire que tu n'aies pas été là. Je ne te... C'est juste que... Allez, ramène-toi. Il faut que je te regarde. Il faut que je te voie. Tu sais où je suis ? Ah ! Bon. Évidemment. Alors, ramène tes miches. D'accord. Non. Stop. Je ne veux pas parler. Je raccroche maintenant. Tu entends ? » Il se pencha, joignant le geste à la parole : « Je raccroche. » Il reposa le combiné sur son support. Puis le reprit et le porta à son oreille. Laissant le téléphone, il se tourna vers Barbara et Weber, rayonnant. Pas un commentaire sur la réapparition du neurologue. Mark était aux anges. « Vous n'allez pas me croire si je vous dis qui vient d'appeler ! Karin S. ! »

Barbara regarda Weber, puis se leva. « J'ai à faire », annonça-t-elle. Elle caressa la tête nue de Mark et passa devant Weber.

Celui-ci laissa le jeune homme à sa joie et rattrapa l'aide-soignante dans le couloir. « Mademoiselle Gillespie, appela-t-il, stupéfait par sa propre audace. Vous avez une minute ? »

Elle s'arrêta et hocha la tête, attendant qu'il fût assez près pour que Mark n'entende pas : « C'est cruel. »

Il acquiesça, trop cliniquement. Dérouté par tant de désarroi. Nul doute qu'elle voyait bien pire chaque jour. « C'est un coup rude, en effet. Mais le cerveau s'adapte d'une manière remarquable. Il n'a pas fini de nous surprendre. »

Elle leva les sourcils. « Je parlais de l'appel téléphonique. »

Cette accusation irrita Weber. Elle ne connaissait rien en la matière, rien au diagnostic différentiel, rien aux capacités émotionnelles et cognitives de cet homme. Une employée payée à l'heure ! Il réussit à se contenir. Quand il ouvrit la bouche, ses paroles étaient aussi étales que l'horizon de la prairie. « Il nous fallait éclaircir ce point. »

Le mot se dessina sur le visage de Barbara : *Nous* ? « Désolée. Je ne suis qu'une auxiliaire de santé. Les infirmières et les thérapeutes pourront vous en apprendre bien davantage. Excusez-moi. Je suis très en retard. » Elle frappa à la chambre d'un malade, deux portes plus loin, et disparut.

Préoccupé, Weber retourna auprès de Mark qui tournoyait, en appui sur un talon, les mains au ciel. « Ma sacrée bon sang de sœur ! Vous vous rendez compte ? Elle sera là dans une minute. Mon vieux, il va falloir qu'elle s'explique. »

Weber n'avait pas réellement prévu la réussite de cette tentative. Parti pris expérimental, aurait dit le docteur Hayes. Formule redondante : proposer une expérience trahissait déjà une attente. Oui, il soupçonnait ce syndrome d'être plus qu'un banal court-circuit. Une déconnexion de l'amygdale et du cortex inférotemporal avait barre sur l'ensemble des fonctions cognitives supérieures ; c'était assez pour saper tout crédit accordé à la conscience. Quelles que fussent les autres raisons cachées sous la raison de Weber, une part de lui-même comptait sur les vertus curatives du coup de théâtre téléphonique. En cela peut-être résidait la plus grande des cruautés : que des vœux pieux suffisent à autoriser la conduite de tests non homologués sur des sujets vivants.

Mark cessa de tourner en rond quand Karin Schluter, triomphante, s'encadra dans la porte. Quelque chose avait changé en elle : nouvelle coupe et cheveux ondulés. Eye-liner bleu pastel et rouge à lèvres abricot. Jean délavé et T-shirt trop moulant, qui portait sur la poitrine l'empreinte d'une patte et l'inscription : « Lycée de Kearney, le Repaire des Binturongs ». Karin la pom-pom girl, celle d'avant le vampire gothique. Weber lui avait donné une épouvantable lueur d'espoir, et elle était arrivée en courant. Elle se précipita dans la chambre, le visage rayonnant et soulagé, les bras ouverts, prête à les étreindre tous deux. Mais lorsqu'elle approcha, Mark eut un mouvement de recul.

« Ne me touche pas ! C'était toi au téléphone ? Tu ne m'as pas encore assez torturé ? Il fallait aussi que tu me fasses croire qu'elle était là ? Où elle est ? Qu'est-ce que tu en as fait ? »

Frère et sœur poussèrent un cri. Weber tourna le dos tandis que, dans le couloir, leur plainte rattrapait Barbara Gillespie et la confortait dans son opinion. L'expérience avait échappé à Weber. Mais le résultat lui appartenait tout entier.

Ce soir-là, il fit à Sylvie le récit des événements de la journée. Il raconta comment Mark et ses amis avaient joué aux courses de voitures, sans y voir malice. Comment Karin s'était emportée en les voyant. La manière étrange dont Mark s'était prêté aux tests, et les explications qu'il avançait pour justifier chacun de ses échecs. Le bond qu'il avait fait en entendant sa sœur, puis le cri qu'il avait poussé en la voyant. Weber ne fit pas état des accusations voilées que l'aide-soignante faisait peser sur sa déontologie.

À chacune de ses histoires, Sylvie répondait par une autre. Mais le lendemain matin, il eut l'impression d'avoir inventé toutes celles qu'elle lui avait rapportées.

Weber avait travaillé sur plusieurs cas d'asomatognosie : des patients qui ne reconnaissaient plus certaines parties de leur corps. Ce trouble se manifestait avec une fréquence surprenante, le plus souvent chez des hémiplégiques paralysés du côté gauche suite à une atteinte de l'hémisphère droit. Dans l'un de ses ouvrages, Weber avait rassemblé ces personnes sous un seul et même nom : Mary H. La première des Mary, une sexagénaire, affirmait que son bras impotent l'« enquiquinait ».

« Comment ça ?

– Eh bien, je ne sais pas à qui il appartient. Et je trouve ça perturbant, docteur.

– Ne pourrait-il pas s'agir du vôtre ?

– Impossible, docteur. Vous ne croyez pas que je reconnaîtrais ma propre main ? »

Il lui avait demandé de suivre avec l'index de la main droite le profil du membre gauche, depuis l'épaule jusqu'au poignet. Tout se raccordait d'un bout à l'autre. « Alors, à qui cette main appartient-elle ?

– Ce ne serait pas la vôtre, par hasard, docteur ?

– Mais elle est reliée à votre bras.

– Vous êtes médecin. Vous savez bien qu'on ne peut pas toujours se fier à ce que l'on voit. »

D'autres Mary donnaient un nom à leurs membres. Une vieille femme avait baptisé son bras « la Dame de fer ». Un conducteur d'ambulance d'une cinquantaine d'années appelait le sien « monsieur le chimpanzé Ramolli ». Ils affublaient leurs membres d'une personnalité, leur inventaient toute une histoire. Ils leur parlaient, se disputaient avec eux, et tentaient même de les nourrir. « Allons, monsieur le chimpanzé Ramolli. Vous savez bien que vous avez faim. »

Ils leur reconnaissaient toutes sortes de propriétés hormis celle de leur appartenir. Une femme déclarait ainsi que son père lui avait confié son bras avant de mourir. « J'aurais préféré qu'il s'en dispense. Ça n'arrête pas de me tomber dessus. Il me dégringole sur la poitrine quand je dors. Pourquoi mon père a-t-il tenu à ce que je garde ça ? C'est un sacré fardeau, une chose terrible. »

Un mécanicien de quarante-huit ans avait expliqué à Weber que le bras paralysé, couché à côté de lui dans son lit, était celui de sa femme. « Elle est à l'hôpital en ce moment. Elle a eu une attaque. Elle a perdu le contrôle de son bras. Du coup... le voilà. J'en prends soin pour elle, j'imagine.

– S'il s'agit de son bras, avait demandé Weber, où est le vôtre ?

– Eh bien, juste ici, évidemment !

– Pouvez-vous lever votre bras ?

– Mais c'est ce que je fais, docteur.

– Pouvez-vous battre des mains ? »

Seule la main droite, valide, battait l'air.

« Vous battez des mains ?

– Oui.

– Je n'entends rien. Et vous ?

– Bon d'accord, ça ne fait pas beaucoup de bruit. Mais c'est parce qu'il n'y a pas franchement de raison d'applaudir. »

Le neurologue Todd E. Feinberg nommait ce phénomène « confabulation personnelle ». L'invention d'une fiction destinée à rétablir le contact entre un moi instable et une réalité absurde. Cela n'altérait en rien la raison : à une exception près, la logique restait maîtresse du jeu. Seule la carte du corps établie par les sensations était fracturée. Et pour redonner vérité à notre sentiment têtu d'intégrité, la logique elle-même ne pouvait échapper au remembrement de ses labours incontestés. À deux heures du matin, couché dans sa chambre d'hôtel à compter les parties de son corps, Weber pouvait presque sentir cette vérité inscrite en elles : une fiction cohérente l'emporterait toujours, à elle seule, sur la réalité de notre éparpillement.

Il s'éveilla en sursaut, secoué par un rêve qui lui révélait l'impasse terrible dans laquelle son travail s'était fourvoyé. Weber se trouvait encore dans un état hypnopompique. Le pouls rapide et la peau moite. Un processus froid palpitait juste en dessous de son sternum. Il s'était produit quelque chose à New York, qu'il lui fallait réparer. Son rêve était sur le point de nommer le désastre. Une erreur avait entraîné la ruine de tout ce qu'il avait entrepris ces vingt dernières années. Le climat avait changé, le vent tourné, dévoilant l'évidence que lui seul n'avait pas remarquée. Et l'espace d'un moment, avant de reprendre pleinement conscience, il se rappela avoir éprouvé cette même terreur sourde les nuits précédentes.

Le rougeoiement spectral du réveil indiquait quatre heures dix. Des repas pris à intervalles irréguliers, dans un environnement étranger, un taux de glucose en chute libre, un cortex préfrontal shooté au sommeil, des cycles psychologiques ancestraux liés à la rotation de la Terre : un même cocktail chimique œuvrait derrière toutes les ténèbres de l'âme. Weber referma les yeux et essaya de ralentir son rythme cardiaque, de chasser de son esprit les fantasmagories de la nuit. Il s'efforça de se repérer dans l'espace et de s'installer dans le flux de sa respiration, mais il ressassait une liste d'accusations vagues. Il lui fallut attendre quatre heures et demie pour mettre un nom sur ce qu'il éprouvait : de la honte.

Il avait toujours trouvé le sommeil sans effort, à la demande. Sylvie n'en revenait pas. « Tu dois avoir la conscience d'un enfant de chœur. » Elle que cinq minutes de retard chez le dentiste condamnaient à une nuit blanche. Weber n'avait connu qu'une seule longue période d'insomnie, pendant ses premiers mois à la fac de médecine, après avoir quitté Columbus pour Cambridge. Des années plus tard, il avait eu quelques nuits difficiles, quand il avait cessé d'exercer. Et puis encore une semaine agitée, après que Jessica leur eut révélé son secret si longtemps gardé ; cette confession avait peiné Weber, non qu'il eût la moindre objection à formuler, mais parce que Jess avait dû se cacher si longtemps. C'était sa faute à lui : chaque fois qu'il taquinait sa fille au sujet des garçons, pour louer son approche paresseuse du gibier, il la détruisait un peu.

Weber avait connu des périodes – pendant sa première année dans le nouveau laboratoire de Stony Brook, au début de sa soudaine vocation d'écrivain – durant lesquelles il n'avait pas ressenti le besoin de dormir. Il travaillait au-delà de minuit et, après un somme d'une heure ou deux, se réveillait avec de nouvelles idées en tête. Et Sylvie, qui s'étonnait tant de le voir s'endormir quelques secondes après avoir touché l'oreiller, restait sidérée devant sa capacité à tenir debout, nuit après nuit, presque sans sommeil. « Un chameau. Voilà ce que tu es. Un chameau de la conscience. »

Elle ne le reconnaîtrait plus à présent. Allongé, immobile, il essayait de faire le vide. « Le repos est aussi réparateur que le sommeil », affirmait toujours sa mère, un demi-siècle plus tôt. La recherche avait-elle jamais démenti cette sagesse populaire ? Mais même le repos restait hors d'atteinte. Quand le réveil indiqua cinq heures et demie, au terme des quatre-vingts minutes les plus longues que Weber eût vécues depuis des années, il capitula. Il s'habilla dans le noir et descendit à la réception. Il n'y avait personne dans le hall, hormis une jeune fille d'origine hispanique assise derrière le comptoir, qui lui dit bonjour à voix basse et l'informa que le café ne serait pas prêt avant une demi-heure. Penaud, Weber lui adressa un signe de la main. Elle lisait un manuel de chimie organique.

L'aube commençait à entrer en fusion. Dans la lumière indigo, Weber distinguait des formes, mais pas encore de couleurs. La rue était belle, fraîche et endormie. Il traversa l'asphalte bordé d'espaces verts, en direction d'une zone commerciale rachitique. Solitaire, de l'autre côté de la route, un petit camion furetait près de la station Mobil. L'oreille de Weber s'ouvrait aux bruits ambiants, en captait la parfaite cacophonie. Symphonie de l'aube : hululements et huées, sifflets moqueurs, pépiements, coulés, arpèges et gammes. À cette heure, il y avait peu de risque qu'on l'arrêtât pour vagabondage. Il partit se poster à l'extrémité du parking du MotoRest et ferma ses yeux voilés, à l'écoute.

Les chants lui parvinrent, mathématiques et mélodieux, aux motifs élaborés, soumis à de lentes mutations. Certaines phrases pouvaient être chantées, comme n'importe quel air. Weber tenait les comptes, de plus en plus réceptif aux appels qui se concurrençaient comme autant de solistes confrontés à un chœur immense. Passé la dizaine, il cessa de compter, incapable de décider quels sons regrouper et lesquels dissocier. Bien que chacun de ces riffs compliqués fût identifiable, Weber ne parvenait à en isoler aucun. Plus ténu, au second plan, il entendait le souffle des voitures sur la nationale, qui sifflaient comme des ballons crevés.

Il rouvrit les yeux : toujours à Kearney. Une zone commerciale frileuse signalée par une forêt de séquoias métalliques surmontés de pancartes gaies et criardes. L'éventail des enseignes habituelles – motel, station essence, magasin d'alimentation et fast-food – rassurait le pèlerin occasionnel, attestant du fait qu'il se trouvait bien dans un endroit identique à n'importe quel autre. Au moins le progrès finirait-il par rendre familier tout point du globe, jusqu'à ce que mort s'ensuive. Weber alla flâner sur le carrefour et prit au jugé la direction du centre-ville.

Au bout de quelques rues, le spectacle aride des magasins fit place à des maisons victoriennes ouvragées aux perrons panoramiques. Aussitôt, apparut le cœur du vieux centre. Le fantôme d'un avant-poste bâti sur la prairie aux alentours de 1890 pavoisait encore du haut des grandes façades aux devantures quadrillées de briques. La lumière commençait à poindre. Weber pouvait lire les affiches collées derrière les vitrines : fête du Rassemblement pour la liberté ; Corvette Expo 2002 ; Journée portes ouvertes des jardins en fleurs. Il passa devant un établissement appelé The Runza Hut, un endroit sombre aux accès condamnés, qui cachait sa vocation aux intrus venus d'ailleurs.

La ville s'arrachait au sommeil. Deux ou trois personnes arpentaient le trottoir de l'autre côté de la rue. Weber passa devant un monument aux morts, à la gloire des enfants du pays tombés lors des deux guerres. Tout ce tableau le mettait mal à l'aise. Les rues étaient trop larges, les maisons et les boutiques trop spacieuses, et l'on avait gaspillé trop d'espace. Ceux qui avaient conçu Kearney avaient vu trop grand, au temps où l'on distribuait la terre pour une bouchée de pain, et où la véritable destinée de la ville ne s'était pas encore manifestée. Les voies de circulation formaient un damier numéroté de rues et d'avenues, comme si Kearney risquait un jour de prendre, contre le vide épique qui le cernait, les dimensions d'un vrai Manhattan.

Assis sur un banc, face au monument, Weber cherchait dans les deux journées précédentes ce qui avait pu le troubler autant. Il songeait à Mark Schluter, à la confiance absolue et sans faille qu'il plaçait en son moi fracassé. Mais faire halte pour penser à Mark était une erreur. Là, dans cette rue démesurée, une vague de vertige emporta Weber. Quelque chose de crucial lui échappait. Il avait prêté le flanc à une accusation. Le trottoir s'évasait et ondulait sous ses pieds. Sans explication rationnelle.

Il se leva et traversa deux pâtés de maisons, à la recherche du premier endroit ouvert en cette heure matinale. Un boui-boui apparut de l'autre côté de la rue. Il en poussa la porte : le symbole du poisson accroché au carreau rendit un bruit de ferraille. Weber fit un pas en arrière quand la cloche à vache fixée derrière la poignée annonça son arrivée. Attablés au centre de la pièce, quatre hommes à la mine ravinée, vêtus de jean et coiffés de casquettes dont les logos vantaient des semences hybrides, se retournèrent pour le regarder. Weber entra d'un pas timide et erra du côté de la caisse jusqu'à ce qu'une femme lui lance depuis la cuisine : « Asseyez-vous donc, mon joli ! »

Il alla, trébuchant, s'installer dans un box, à l'écart des fermiers. Tandis qu'il se laissait tomber sur les coussins rouges et spongieux, le supplice de la nuit recommença. Exactement le genre d'agitation bénigne contre laquelle faisaient merveille les anxiolytiques que ses confrères prescrivaient désormais à tour de bras. Sachant à quelle vitesse le corps cessait de fabriquer les substances qu'on lui fournissait, Weber veillait à ne rien absorber de plus puissant qu'un cocktail multivitaminé. Mais cela aussi, il avait oublié de l'emporter dans ses bagages, et il n'avait donc rien pris depuis trois jours. Un si léger changement ne pouvait cependant expliquer pareille crise.

Ses doigts tapotaient le Formica gris du box. Placé soixante centimètres plus haut, l'œil de Weber les regardait pianoter. Un rire se mit à bouillonner dans son estomac noué et vint exploser sur ses lèvres. Il joignit les mains et fit craquer ses doigts nerveux. Le diagnostic lui crevait les yeux. Loin de ses mails, lui, le dernier scientifique à s'être connecté au réseau, se trouvait en état de manque.

La serveuse se présenta au bout du box, habillée comme dans un film : moitié infirmière en chef, moitié contractuelle. Du même âge que Weber, si du moins elle en avait un : trente ans de trop pour jouer les filles de salle. Il lui adressa un sourire, celui d'un criminel jugé irresponsable, qui aurait vu commuer sa peine. La serveuse secoua la tête. « Il faut une autorisation, non ? Pour être aussi joyeux avant même d'avoir pris son café. » Elle tenait deux brocs en Pyrex. Weber désigna celui dont le contenu n'était pas orangé.

Il avait tout oublié des gens du Midwest. Il ne savait plus lire en eux, ses semblables, les habitants du Grand Échangeur central. Ou plutôt, les théories qu'il avait échafaudées sur leur compte, et affinées pendant les vingt premières années de son existence, avaient fait long feu, faute de données longitudinales. Au gré des estimations, les gens du cru se révélaient plus gentils, plus froids, plus ennuyeux, plus malins, plus francs, plus dissimulateurs, plus taciturnes, plus circonspects et plus grégaires que la moyenne nationale. À moins qu'ils ne fussent justement cette moyenne : partie charnue de la courbe au centre du graphique, qui rétrécissait comme peau de chagrin, à l'est et à l'ouest, aux abords des côtes. Bien qu'il fût l'un des leurs par les usages et la naissance, ils étaient devenus à ses yeux une espèce étrangère.

Il caressa sa calvitie et hocha la tête. Un peu plus incisive, la serveuse demanda : « Qu'est-ce que ce sera, mon joli ? » Perplexe, il promena un regard sur la table du box. Un demi-soupir tomba des lèvres de la serveuse, le premier d'une longue journée. « Vous voulez un menu ? On a de tout. »

Il leva les sourcils. « Des crêpes aux épinards ? »

C'est à peine si elle pinça la bouche. « On vient de servir la dernière. Autre chose ? »

Quand elle s'éloigna avec sa commande (le doublé saucisses œufs au plat), Weber extirpa de sa poche son absurde téléphone portable. Il avait l'impression de se promener avec un petit pistolet désintégrateur. Il l'avait glissé dans son pantalon en quittant sa chambre, déjà disposé à répondre au double appel du vice. Il regarda sa montre et rajouta une heure pour New York. Encore trop tôt. Il tendit l'oreille aux conversations des hommes à la mine ravinée, mais le peu qu'ils disaient tenait en des raccourcis d'une telle brutalité qu'ils auraient tout aussi bien pu parler un dialecte pawnee. L'un des membres du cercle – un visage bulbeux surmonté d'une casquette ACI rouge sang, le nez et les oreilles garnis d'une pilosité luxuriante – sculptait un cure-dent à coups d'incisives habiles pour lui donner la forme d'un petit totem. « On ne peut pas se permettre de jouer la provocation, disait-il. Ces Arabes n'hésiteront pas à traverser le désert pour se venger d'un mirage.

– Exact. La Bible dit déjà un truc dans ce goût-là », opinait son voisin.

Inutile d'alarmer Sylvie, vraiment. Elle ne pourrait rien lui apprendre de plus. Si quelque chose n'allait pas, elle le lui aurait signalé la veille au soir. En outre, si elle le prenait à utiliser son portable dans un lieu public pour calmer ses angoisses, il n'aurait pas fini d'en entendre parler.

La serveuse lui apporta ses œufs saucisses. « On avait bien dit des toasts au froment, n'est-ce pas, mon garçon ? » Weber acquiesça. Il n'avait pas été question de toasts, pour autant qu'il s'en souvienne. Elle lui versa une nouvelle tasse de café et se dirigea vers la table des fermiers. Puis elle s'arrêta et se retourna. « C'est vous, le gars de New York, le spécialiste du cerveau ? Celui qui est venu voir Mark Schluter. »

Il rougit. « Oui. Comment avez-vous... ?

– J'aimerais vous répondre que je possède des pouvoirs paranormaux. » Elle fit tournicoter les deux cafetières autour de ses oreilles. « Ma nièce est une amie de la bande. Elle m'a montré un de vos livres. Elle m'a dit que vous étiez dans le coin. Ici, tout le monde est d'accord : c'est une tragédie, ce qui est arrivé à Mark. Mais on raconte que si ça ne s'était pas passé comme ça, il aurait eu un autre accident du même genre. D'après Bonnie, il aurait pas mal changé. Cela dit, il n'était pas tellement différent avant.

– Il est amoché, c'est vrai. Mais le cerveau est une chose surprenante. Vous seriez sidérée de voir ce dont il peut se relever.

– C'est ce que j'essaie de faire comprendre à mon mari depuis le début. »

Weber eut un déclic. Il fut saisi d'un frisson en voyant lui revenir un détail trop insignifiant pour avoir pu retenir son attention. « Votre nièce ? Mince, le teint clair ? Des cheveux lisses et noirs qui lui arrivent aux épaules ? Elle tricote ses propres vêtements ? »

La serveuse s'appuya sur une jambe et inclina la tête sur le côté. « Et pourtant, je sais de source sûre qu'elle ne vous a pas encore rencontré. »

Il fit tournicoter ses doigts autour de ses oreilles. « Pouvoirs paranormaux.

– Très bien, dit-elle. Vous avez gagné. Je vais l'acheter, votre bouquin. »

Elle rejoignit le cercle des hommes et remplit leurs tasses à ras bord. Ils flirtaient avec elle sans vergogne, plaisantaient sur sa paire de cafetières brûlantes et sans fond. Les mêmes plaisanteries faisaient le tour des gargotes de Long Island, des plaisanteries que Weber avait cessé d'entendre depuis longtemps dans son pays natal. Elle se pencha au-dessus du groupe, et ils se mirent à parler à voix basse. De lui, certainement. Le spécimen étranger.

Elle revint, agitant ses cafetières, triomphante. « Vous l'avez vue en photo à la Pizza du Pionnier. Ce gars là-bas – de son décaféiné, elle désigna l'un des clients – je ne dirai pas ce "monsieur". C'est sa fille qui vous a servi à table. »

Weber se toucha le front. « Il faut croire que je suis dépassé par le nombre.

– Cette ville est trop petite pour vous, hein ? Tout le monde ici est parent avec tout le monde. Je vous débarrasse, mon joli ? Ou vous n'avez pas fini de lécher votre assiette ?

– Si, si. Assez d'opiniâtre labeur. »

Dès que la serveuse se fut éloignée, une nouvelle vague d'appréhension submergea Weber. Après une pareille nuit, la caféine était une erreur. Il n'y touchait plus depuis près de deux ans. Sylvie lui imposait l'abstinence. Les saucisses, elles aussi, étaient un très mauvais calcul. Quatre jours dans le Nebraska ; quatre jours loin du labo, du bureau, de la table de travail. Il consulta sa montre : encore trop tôt pour la côte est. Mais il appelait si rarement le portable de Bob Cavanaugh qu'il avait gagné le droit d'en abuser aujourd'hui.

Le « Gerald ! » que lui lança de but en blanc son éditeur fit tomber Weber à la renverse. La présentation du numéro : une technologie vraiment néfaste s'il en fut. Le destinataire n'était pas censé connaître le demandeur avant que celui-ci n'ait reconnu le destinataire. Même le portable de Weber possédait ce système, intégré à l'écran d'affichage. Il évitait toujours de le regarder. Cavanaugh semblait ravi. « Je sais pourquoi tu appelles ! »

Ces mots s'élancèrent le long de l'épine dorsale de Weber. « Ah bon ?

– Tu ne les as pas encore regardés ? Je te les ai envoyés en documents attachés, hier.

– Quoi donc ? Je suis en déplacement. Dans le Nebraska. Je n'ai pas de...

– Et après ? Ils en sont encore aux signaux de fumée là-bas ? Nom d'un chien !

– Non, je suis sûr qu'ils... Mais il se trouve que je n'ai...

– Gerald. Pourquoi tu chuchotes comme ça ?

– Je suis dans un lieu public. » Il jeta un coup d'œil autour de lui. Personne dans le restaurant ne le regardait. Nul n'en éprouvait le besoin.

« Gerald Weber. » Affectueux mais impitoyable. « Tu ne m'appelles pas à une heure pareille pour savoir comment je vais ?

– Non. Pas seulement. En fait, je voulais...

– Tu es sur la mauvaise pente, Gerald. Encore trois livres, et tu viendras me demander le chiffre des ventes. Moi, en tout cas, je suis heureux d'assister à ta descente parmi les humains. Alors, sois rassuré. La bête est partie du bon pied.

– Du bon pied ? La bête en question est un bipède ?

– Ah ! Humour de biologiste. Ils sont un peu tièdes chez *Kirkus*, mais la critique du *Booklist Magazine* ! C'est à se damner. Attends. Je suis dans le train. J'ai envoyé tout le dossier en copie sur mon portable. Je vais te lire les grandes lignes. »

Weber écoutait. Impossible. Il ne pouvait pas s'être inquiété pour un livre. Il n'avait jamais rien écrit de si profond qu'*Au pays de l'inattendu*. Une douzaine de cas pathologiques reconstitués, qui présentaient les symptômes de ce que Weber refusait avec soin d'appeler des lésions cérébrales. La maladie avait si profondément transformé les douze sujets que chacune de leurs histoires remettait en question la solidité du moi. Nous n'étions pas faits d'un bloc, continu et indivisible, mais de centaines de sous-systèmes indépendants dont la moindre altération suffisait à disperser cette confédération provisoire, y substituant de nouvelles contrées méconnaissables. Qui pourrait ne pas tomber d'accord sur ce point ?

À l'écoute du compte rendu, Weber était tout archipel. Cavanaugh s'arrêta de lire. Weber devait réagir. « Tu es content ? » demanda-t-il à son éditeur.

« Moi ? Je trouve ça formidable. On va s'en servir pour la pub. »

Weber acquiesça à l'attention de quelqu'un qu'un demi-continent séparait de lui. « Qu'est-ce que *Kirkus* n'a pas aimé ? »

Nouveau silence à l'autre bout du fil. Cavanaugh noya le poisson. « Quelque chose à propos du caractère trop anecdotique des cas abordés. Trop de philosophie, pas assez de courses-poursuites. Je crois qu'ils ont employé le mot "pontifiant".

– Pontifiant dans quel sens ?

– Tu sais, Gerald, à ta place, je ne me ferais pas de mouron. Personne ne pourra plus te découvrir désormais. Tu es devenu une cible de choix ; te descendre en flammes, ça rapporte plus gros que de t'encenser. Rien de tout ça n'est gênant.

– Tu as l'article sous la main ? »

Cavanaugh poussa un soupir et récupéra le fichier. Il le lut à Weber. « Voilà. Espèce de maso. Et maintenant, oublie. Les bouseux, on les emmerde. Au fait, qu'est-ce que tu fabriques dans le Nebraska ? Ça concerne ton nouveau projet, j'espère ? »

Weber tressaillit. « Oh, tu me connais, Bob. Tout concerne mon nouveau projet.

– Tu étudies un patient ?

– Un jeune accidenté de la route qui croit que sa sœur est une usurpatrice.

– Curieux. C'est aussi ce que ma sœur pense de moi. »

Weber rit, par devoir. « Nous jouons tous un rôle.

– C'est pour le nouveau livre ? Je croyais t'en avoir acheté un sur la mémoire.

– C'est justement ça qui est intéressant. La sœur correspond point par point au souvenir qu'en a gardé son frère, mais celui-ci est prêt à rejeter ce souvenir au profit d'une réaction instinctive. Face à une intuition primitive, aucune preuve fournie par la mémoire ne fera jamais le poids.

– Délirant ! Et ton pronostic ?

– Il faudra acheter le livre, Robert. Vingt-cinq dollars, dans ton supermarché habituel.

– À ce prix-là, j'attendrai d'abord d'avoir lu les critiques. »

Ils raccrochèrent. Weber replongea aussitôt dans l'ambiance du restaurant et ses effluves de bacon grillé. L'accueil réservé à son travail n'avait pour ainsi dire aucune importance. Seule comptait l'honnêteté de l'analyse. Et de ce point de vue, il n'avait rien à craindre. Son angoisse matinale était une aberration. Il ne comprenait pas ce qui avait pu la déclencher. Peut-être l'accusation que cette Barbara Gillespie avait proférée à demi-mot. Il vida sa tasse de café, à la recherche du fond. Plus loin, les fermiers attablés échangeaient des plaisanteries sur les ingénieurs agronomes. Weber écoutait, sans suivre la conversation.

« Alors, le premier gars dit : “C'est bizarre, cette vache-là, elle ne régurgite pas comme les autres.” “Normal, fait le deuxième. Celle-là, c'est un bac à compost.” »

La serveuse reparut. « Autre chose, mon garçon ?

– Juste l'addition. Merci. Oh. Je peux vous poser une question ? » Il se sentait de nouveau un peu vaseux. Rien de grave. « Vous dites que tout le monde ici est parent avec tout le monde. Et les Schluter alors ? »

Elle jeta un regard par la fenêtre, sur une rue qui s'emplissait peu à peu de corps en mouvement. « Le père était plutôt du genre solitaire. Joan Swanson avait de la famille à Hastings. Mais, vous savez, elle faisait partie de ces gens qui croient que le royaume des cieux, c'est pour demain après-midi, à seize heures quinze. Ceux qui la connaissaient ne se sentaient pas de taille à relever un défi pareil. Ça fait fuir le monde, famille comprise. » Elle hochait la tête en empilant des assiettes sales. « Non. Ces pauvres gosses, ils ont grandi tous les deux sans véritable filet de sécurité. »

Il retourna au Bon Samaritain pour dresser un bilan avec le docteur Hayes. Ils passèrent en revue le matériau que Weber avait récolté en trois jours. Hayes étudia les résultats du test cutané, ceux obtenus en reconnaissance de visages, et les profils psychologiques. Il posa une dizaine de questions auxquelles Weber ne sut répondre qu'une fois sur trois. Hayes était impressionné. « On ne peut pas aller plus loin dans l'étrange sans se sentir soi-même menacé. » Il donna une petite tape dans la liasse de notes. « Eh bien, docteur, grâce à vous, j'ai une meilleure vue d'ensemble. Pour un scientifique de votre trempe, voilà sûrement du bon boulot. Mais maintenant, dites-moi quelles sont les indications thérapeutiques. Comment soigne-t-on la maladie, et pas seulement ses symptômes ? »

Weber fit la grimace. « Dans le cas présent, je ne suis pas certain de faire la différence. On ne trouve pas dans la littérature d'études systématiques sur le sujet. Nous ne disposons pas d'un échantillon assez large pour travailler la question. Les Capgras d'origine psychiatrique sont plutôt rares. Et ceux causés par un traumatisme font presque figure de fiction. Si vous voulez mon avis... »

Le neurologue ouvrit les mains : pas d'instrument tranchant. « La médecine, c'est le partage. Vous savez bien. »

Si Weber avait appris quelque chose en une vie de recherche, c'était précisément le contraire. « Je préconiserais une thérapie cognitive comportementale, intensive et de longue durée. C'est une méthode conventionnelle, mais qui mérite d'être tentée. Je vous ferai parvenir un article récent. »

Hayes leva les sourcils. « Sans doute, dit-il. Mais une amélioration spontanée pourrait aussi se produire. »

Weber contra l'offensive. « C'est déjà arrivé. Reste que la TCC a fait ses preuves en matière de délires. Faute de mieux, elle peut aider à traiter la colère et la paranoïa. »

Tout en Hayes exprimait un scepticisme de bon aloi. Mais en médecine, la règle première était d'entreprendre quelque chose. Que ce fût utile ou inefficace, incongru ou improbable, il fallait agir. Hayes se leva et tendit la main à Weber. « Je me ferai une joie d'envoyer Mark Schluter en psychiatrie. J'attends vos écrits avec impatience, où qu'ils paraissent. Et rappelez-vous, si vous citez mon nom : Hayes avec un *e*. »

Il ne restait plus à Weber qu'à faire ses adieux. Il arriva à Dedham Glen dans l'après-midi, après la kinésithérapie de Mark. Karin se trouvait là ; l'occasion idéale de faire d'une pierre deux coups. Il les aperçut de loin, dans le parc devant la clinique : Karin, allongée sur la pelouse, cinquante mètres en retrait, comme une baby-sitter en quarantaine, tandis que Mark trônait sur un banc métallique à l'ombre d'un peuplier, en compagnie d'une femme que Weber reconnut aussitôt sans l'avoir jamais rencontrée. Bonnie Travis portait un chemisier bleu clair sans manches et une jupe en jean. Sur la tête de Mark, dont elle avait retiré le bonnet, elle posait une couronne tressée de pissenlits. Puis elle lui glissa un rameau dans la main : sceptre de Zeus végétal. Mark se délectait. Ils levèrent les yeux quand Weber s'avança sur la pelouse, et le visage de Bonnie s'éclaira d'un sourire que seul un État de moins de quinze habitants au kilomètre carré pouvait voir s'épanouir. « Hé ! Je vous reconnais. Vous ressemblez drôlement à votre photo.

– Vous aussi », répondit Weber.

Mark se tordit de rire. Il lui fallut s'agripper à Bonnie pour ne pas tomber du banc.

« Quoi ? implorait Bonnie qui riait avec lui. Qu'est-ce que j'ai dit ?
– Vous êtes fêlés, tous les deux. » Mark les mitraillait de son sceptre.
« Explique-toi, Markie.
– Eh bien, d'abord, une photo, c'est tout plat, non ? Et ce n'est pas plus grand que ça. »

Bonnie Travis se mit à ricaner comme une diablesse. Weber comprit soudain que le trio s'était accordé un instant de détente avant son arrivée, bien que rien ne le laissât deviner. Karin se leva et s'approcha de Weber d'un air soupçonneux. « Ça y est, c'est fini ? »

Mark chancela. « Qu'est-ce qui se passe ? Vous l'avez démasquée ? Vous venez la coffrer ? »

Weber se tourna vers Karin. « J'ai parlé au docteur Hayes. Il va vous adresser à un centre de thérapie comportementale intensive, comme nous en étions convenus.

– Elle va aller en taule ? » Mark saisit Bonnie par le poignet. « Tu vois. Qu'est-ce que je disais ? Et tu ne me croyais pas. Cette femme a un problème.

– Vous ferez partie du programme », lui expliqua Weber. Promesse des plus incertaines, s'il en fut.

Les yeux de Karin l'interrogeaient. « Vous ne reviendrez pas ? »

Il lui adressa ce regard plein de respect amical, qui avait déjà gagné la confiance de centaines d'angoissés au cerveau modifié ; tout le réconfort qu'il n'avait pas su retrouver la nuit précédente.

« Vous partez ? » demanda Bonnie, la mine boudeuse. En réalité, elle ne ressemblait pas du tout à sa photo. « Mais vous venez à peine d'arriver. »

Mark se dressa d'un bond. « Attendez. Non. Doc, je vous interdis ! » Il brandit son trident impérial sous le nez de Weber. « Vous avez dit que vous alliez me tirer de là. Comment je me fais la belle, moi, sans vous ? »

Weber haussa les sourcils, mais ne dit rien.

« Il faut que je rentre chez moi, mec. Que je retourne bosser. Ce boulot, c'est la seule bonne chose que j'aie. Ils vont me virer comme un malpropre si je traîne ici plus longtemps. »

Karin se massa les tempes. « Mark, on en a déjà discuté. Tu es en congé d'invalidité. Si les médecins estiment qu'il te faut d'autres traitements, l'assurance d'ACI pourra...

– Je n'ai pas besoin de traitements ; j'ai besoin de travailler. Si seulement ces toubibs voulaient bien me lâcher la grappe. Je ne parle pas pour vous, doc. Au moins, vous, vous avez la tête sur les épaules. »

Mark avait adopté Weber aussi spontanément qu'il rejetait sa sœur. Weber n'avait rien fait pour mériter cette confiance. « Continuez de travailler sur vous-même, Mark. » Le son de sa propre voix le fit grincer des dents. « Vous serez rentré chez vous avant peu. »

Mark détourna les yeux, anéanti. Bonnie se pencha sur lui et passa un bras autour de ses épaules. Il poussa une plainte, comme un chien qu'on corrige. « Me laisser entre les griffes de cette... Je vous ai pourtant prouvé...

– Excusez-moi, dit Weber. Je dois vérifier quelque chose auprès du personnel avant de partir. » Il prit la direction du bâtiment et disparut à l'intérieur. Le hall des admissions ressemblait à la grille de départ insolite d'une course en fauteuil roulant. Weber s'approcha de l'accueil et demanda Barbara Gillespie. Son cœur s'emballait, vaguement coupable. La standardiste bipa Barbara. Elle apparut et perdit contenance lorsqu'elle l'aperçut. Sommation verte de ses yeux : partez maintenant. Elle tenta la légèreté : « Oh oh ! Un grand ponte. »

Aucune repartie ne vint à l'esprit de Weber. Il s'abstint donc. « J'ai discuté avec les neurologues du Bon Samaritain.

– Oui ? » Registre professionnel instantané. Quelque chose en elle savait ce qu'il était venu chercher.

« Ils sont partants pour une TCC. J'aimerais que vous nous apportiez votre aide. Vous avez... un si bon contact avec lui. Ça crève les yeux : il vous adore. »

– Une TCC ? dit-elle, plus circonspecte.

– Pardon. Une thérapie cognitive comportementale. » Curieuse ignorance. « Ça vous tente ? »

Elle sourit, malgré elle. « Il y a des jours, oui. Sans l'ombre d'un doute. »

Il laissa échapper un rire sec et monosyllabique. « D'accord avec vous sur ce point. Souvent, je... »

Elle acquiesça. Nul besoin d'explication. Inutile de s'appesantir. Weber s'étonna encore une fois : ce sous-emploi absurde. Mais elle excellait dans son métier. Qui irait l'arracher à sa vocation en lui offrant une promotion ? Ils partagèrent un instant de fébrilité, cherchant tous deux un ultime détail laissé de côté. Mais ils n'en trouvèrent pas, et Weber n'allait pas en inventer.

« Eh bien merci, lui dit-elle. Prenez soin de vous. » Une intonation du Midwest, à désespérer. Et pourtant cette voix – si côte est.

Il demanda tout à trac : « Je peux vous poser une question ? Auriez-vous, par hasard, lu un de mes livres ? »

Elle jeta un regard alentour, en quête d'un soutien. « Diable ! C'est un test ?

– Non, bien sûr. » Il battit en retraite.

« Parce que, dans ce cas, il va d'abord falloir que je révise. »

Il lui adressa un signe d'excuse, bafouilla des remerciements et s'élança vers la sortie. Il imaginait le regard de cette femme fixé sur sa nuque tandis qu'il descendait l'allée. Il éprouvait une sensation inaccoutumée, comme s'il venait de louper un entretien. La nausée du matin l'accompagna jusqu'au bout du chemin.

Flanqué de ses vestales, Mark siégeait sur son banc, tandis qu'une poignée de patients, de soignants et de visiteurs arpentaient le parc de cet Olympe des basses terres. Une guirlande de pissenlits, une branche de peuplier en guise de sceptre : voilà l'image de Mark que Weber emporterait avec lui. En sa courte absence, le jeune homme s'était déjà transformé. L'amertume de la trahison s'était dissipée. Il levait son rameau et l'agitait à l'attention du neurologue, en signe de bénédiction. « Bon vent, voyageur. Nous te renvoyons à ton insatiable quête de nouvelles planètes. »

Weber s'arrêta net. « Mais comment savez-vous... ? Quelle drôle de coïncidence.

– Les coïncidences, ça n'existe pas », lança Bonnie. Un halo auréolait ses paroles.

« Tout est coïncidence », riposta Karin.

Mark se mit à glousser. « Comment ça ? Non, attendez : je voulais dire... » Il prit une voix plus grave, pour singer Weber et son timbre de baryton autoritaire. « Je voulais dire : "Qu'entendez-vous par là ?"

– Ma fille est astronome. C'est son métier. Elle cherche de nouvelles planètes.

– Vous me l'avez déjà dit, l'ami », répliqua Mark d'une voix traînante.

Weber en fut ébranlé, bien plus que par l'hypothétique coïncidence. La nuit blanche, l'air chaud et poisseux avaient diminué son pouvoir de concentration et dispersé sa mémoire. Il lui fallait quitter cet endroit. Il devait donner deux grandes conférences, ces trois prochaines semaines, puis partir en Italie avec sa femme, avant l'automne et la rentrée universitaire.

Karin l'accompagna jusqu'au parking. Sa déception s'était approfondie d'un désespoir stoïque. « J'imagine que j'en attendais trop. Quand vous m'avez dit que le cerveau était une chose si étonnante... » Elle agita la main devant son visage. « Je sais bien. N'allez pas croire que... Il reste juste une question que je voulais vous poser. Répondez-moi sans prendre de gants. »

Weber se tenait prêt.

« Il me déteste pour de bon, non ? Il faut une rancune bien tenace pour en arriver là. Pour qu'il m'ait choisie. Chaque soir dans mon lit, j'essaie de comprendre ce que je lui ai fait, pour qu'il ressente ainsi le besoin de m'effacer. Je ne me rappelle pas avoir fait quoi que ce soit pour mériter ça. Aurais-je refoulé quelque chose... ? »

Il la reprit par le bras, bêtement, comme trois jours plus tôt, lorsqu'ils avaient emprunté l'allée pour la première fois. « Vous n'y êtes pour rien. C'est sans doute la faute d'une lésion... » L'exact contraire de ce qu'il avait soutenu devant le docteur Hayes. Masque posé sur la dynamique qui l'intéressait le plus. « Nous en avons déjà parlé. C'est l'une des propriétés du syndrome de Capgras. Les personnes que le patient prend pour des doubles sont toujours celles qui lui sont les plus proches. »

Elle partit d'un rire étranglé et amer. « Quand on aime, on ne compte pas ?

– En quelque sorte.

– C'est donc bien psychologique. »

Intuition exaspérante, dans une autre bouche que la sienne. « Écoutez-moi. Il ne vous a pas choisie.

– Bien sûr que si. Il accepte Rupp maintenant.

– Qui vous parle de Rupp ? Regardez son chien. »

Elle dégagea son bras, prête à encaisser le coup. Puis elle se radoucit ; Weber ne l'avait jamais vue ainsi. « Oui. Vous avez raison. Et pourtant, il aime Blackie plus que n'importe qui au monde. »

Sur le trottoir, il lui tendit la main. Coupable *in extremis*, elle l'étreignit. Il la laissa faire, impassible. « Prévenez-moi au moindre changement, dit-il.

– Même s'il n'y en a pas », promit-elle, et elle tourna les talons.

Il se réveilla de bonne heure, de nouveau en proie à la panique. Le plafond d'une chambre inconnue apparut à quelques centimètres de son visage. Il inspira, mais ses poumons refusaient de s'ouvrir. Il n'était pas même deux heures trente du matin. À trois heures et quart, il se demandait encore comment il avait pu oublier qu'il avait parlé de Jess avec Mark. Il dut lutter contre l'envie de se lever pour écouter les enregistrements. À quatre heures, il passa en revue ses fonctions vitales et crut déceler quelque chose de grave. Quand il ne parvint plus à tenir en place, il se leva, prit une douche, s'habilla, fit ses bagages, régla sa note et, avec plusieurs heures d'avance, partit pour l'aéroport de Lincoln au volant de sa voiture de location, sur la nationale sans âme, droite comme une lame.

Il reprit vigueur lorsque son avion survola l'Ohio. Il aperçut en contrebas la ville de Columbus, coiffée de nuages, imaginant des repères invisibles sous la couverture trouée. Des lieux vieux de trente ans : le campus tentaculaire, dépourvu de centre. La banlieue étudiante délabrée où Sylvie et lui avaient partagé un pavillon. Le cœur de Columbus, le Scioto, la faille spatio-temporelle du German Village, Short North et la grande boutique de livres d'occasion où il avait emmené Sylvie à leur premier rendez-vous. Weber conservait en lui la carte complète des lieux, plus nette encore lorsqu'il fermait les yeux.

Quand il franchit les collines plissées de Pennsylvanie, son interlude dans le Nebraska ne lui parut bientôt plus qu'une déficience passagère. Lorsqu'il atterrit à LaGuardia, il était redevenu lui-même. Sa Passat l'attendait au parking longue durée. Sur Long Island, jamais la folie délicate et collaboratrice de la voie rapide ne lui avait paru si familière, ni plus belle. Et tout au bout de celle-ci : l'anonymat familier d'un chez-soi.

Troisième partie

Dieu me conduit jusqu'à toi

J'ai vu un jour, dans un pot de fleurs de mon salon, les efforts que faisait un campagnol pour construire un champ dont il se souvenait. J'ai vu cet épisode se répéter sous des milliers de formes, et puisque j'ai passé une grande partie de ma vie à l'ombre d'un arbre qui n'existe pas, je me crois autorisé à parler pour le campagnol.

Loren Eiseley, *The Night Country*, « The Brown Wasps »

Au temps où les animaux et les hommes parlaient encore la même langue, racontent les Cree, le Lièvre voulut se rendre dans la lune. Il demanda au plus fort des oiseaux de l'y conduire, mais l'Aigle était affairé, et le Faucon ne pouvait voler si haut. La Grue proposa son aide. Elle dit au Lièvre de s'agripper à ses pattes. Puis elle s'envola vers la lune. Le voyage était long, et le Lièvre était lourd. Sous le poids de son passager, les pattes de la Grue s'allongèrent et celles du Lièvre furent écorchées jusqu'au sang. Mais la Grue finit par atteindre la lune, le Lièvre suspendu sous son ventre. Pour la remercier, celui-ci donna à la Grue une petite tape sur la tête, de sa patte qui saignait encore. Ainsi la tête et les pattes de la Grue devinrent-elles rouge sang.

Il advint aussi, en ces temps-là, qu'une femme cherokee fut courtisée par la Grue et l'Oiseau-Mouche. Séduite par la grande beauté de ce dernier, elle accepta de l'épouser. La Grue proposa alors une course autour du monde. Connaissant la vitesse de l'Oiseau-Mouche, la femme accepta. Mais elle avait oublié que la Grue pouvait voler de nuit. Et que, à l'inverse de l'Oiseau-Mouche, elle ne fatiguait jamais. De plus, la Grue volait en ligne droite, tandis que l'Oiseau-Mouche virevoltait dans toutes les directions. La Grue remporta la course sans effort, mais la femme repoussa malgré tout ses avances.

Tous les hommes ont vénéré la grue, cette grande oratrice. Là où des grues s'assemblaient, on entendait leurs palabres des lieues à la ronde. Les Aztèques se baptisaient eux-mêmes le Peuple Grue. Un clan anishinabek portait le nom de ces oiseaux – *Ajijak* ou *Businassee* : les faiseurs d'écho. Les grues étaient des guides, des voix qui appelaient tous les peuples à l'unité. Crow et Cheyenne taillaient des flûtes dans les os creux de leurs pattes, pour faire écho aux faiseurs d'écho.

En latin aussi, le mot *grus* évoque la plainte des oiseaux. Chez les Africains, la grue couronnée règne sur le monde et la pensée. Le Grec Palamêdês inventa les lettres de l'alphabet en observant une volée de grues criardes. *Kurti* en persan, *ghurnuq* en arabe : l'oiseau qui s'éveille avant toutes créatures pour dire ses prières du matin. En Chine, les oiseaux célestes – *xian he* – portent des messages sur leur dos, d'un monde aérien à un autre. Sur les pétroglyphes du sud-ouest des États-Unis, les grues dansent. C'est le Vieil Homme Grue qui enseigna cet art aux Indiens tewa. Les Aborigènes d'Australie racontent qu'une femme, belle et hautaine, danseuse accomplie, fut changée en grue par un sorcier.

Lorsqu'il visite le monde, Apollon va et vient sous la forme d'une grue. Au sixième siècle avant notre ère, le poète Ibycus, assommé et laissé pour mort, appela une volée de grues qui passait dans le ciel. Celle-ci suivit l'assaillant jusqu'à un théâtre ouvert, et tourna au-dessus de lui pour lui faire avouer son forfait devant une foule stupéfaite.

Dans *Les Métamorphoses* d'Ovide, Héra et Artémis transforment Gérania en grue pour punir de sa vanité la reine des Pygmées. Finn, le héros irlandais, tomba d'une falaise et fut rattrapé par sa grand-mère après que celle-ci se fut changée en grue. En Amérique, si des grues décrivaient des cercles au-dessus d'un esclave, cela signifiait que quelqu'un allait mourir. À sa mort, le Premier Guerrier à combattre pour la création du Japon ancien prit l'apparence d'une grue puis s'envola.

Tecumseh tenta d'unir les nations éparses sous la bannière de la grue, mais c'est le signe hopi du pied de grue qui devint symbole de la paix à travers le monde. Le pied de grue (*pié de grue*) est la marque dont le généalogiste désigne les ascendants d'une personne, son « pedigree ».

Pour qu'un vœu se réalise, les Japonais doivent plier mille grues en papier. Sadako Sasaki, cette fillette de douze ans atteinte de la « maladie de la bombe », en confectionna six cent quarante-quatre. Chaque année, les enfants du monde entier lui en envoient des milliers.

Les grues guident les âmes sur le chemin du paradis. Leurs images bordent les fenêtres des maisons endeuillées, et des bijoux en forme de grue ornent les défunts. Les grues sont des âmes qui furent autrefois humaines et pourraient le redevenir, d'ici plusieurs vies. Ou peut-être les humains sont-ils des âmes qui furent autrefois des grues, et le redeviendront, quand elles auront rejoint la volée.

Les grues portent en elles une chose restée captive, à mi-chemin entre maintenant et alors. Un poète vietnamien du quatorzième siècle a figé pour l'éternité le vol de ces oiseaux :

Les nuages glissent, le jour passe ;
Les cyprès sont verts auprès de l'autel,
Le cœur – un étang d'eau fraîche sous la lune.
La nuit fait pleuvoir des larmes de fleurs.
Sous la pagode, l'herbe trace un chemin.
Parmi les pins, les grues se rappellent

La musique et les chants des ans passés.
Dans l'immensité du ciel et de la mer,
Comment revivre le rêve, à la lampe de cette nuit ?

Du temps où les animaux et les gens parlaient la même langue, l'appel des grues exprimait exactement ce qu'il voulait dire. À présent, nous vivons parmi des échos incertains. La tourterelle, l'hirondelle et la grue observent le temps de leur migration, dit Jérémie. Seuls les hommes manquent à la loi du Seigneur.

Il y avait eu un problème dès l'instant où Karin l'avait appelé dans sa chambre d'hôtel, depuis la réception. La voix ne correspondait pas à la photo sur la couverture des livres. Affable, son timbre émettait des ondes de compassion, mais les mots de Weber restaient sans mélange ceux d'un professionnel de la santé. En chair et en os, il ressemblait à ces experts graves et dégarnis qui, assis sur des balancelles, posent en automne aux perrons de Nouvelle-Angleterre, et d'une voix assurée, exaspérante de douceur, répondent aux questions des chaînes éducatives. L'homme venu dans le Nebraska n'était pas l'auteur de ces ouvrages profonds aux larges vues. Quand Karin avait essayé de lui présenter l'histoire de Mark, Gerald Weber n'avait pas respecté le principe qu'il plaçait avec autorité au cœur de toute bonne médecine. Il n'avait pas écouté. Elle aurait aussi bien pu s'adresser à son ancien patron, à Robert Karsh, voire à son propre père.

Quatre jours plus tard, le grand expert avait disparu. Il n'avait rien fait, sinon soumettre Mark à quelques tests, enregistrer quelques conversations, afin de rassembler pour son compte personnel les données nécessaires à son travail d'écrivain. Impuissant à traiter le problème en lui-même, il n'avait rien préconisé, hormis un vague programme de thérapie cognitive comportementale. Il avait débarqué un beau jour dans leur vie, joué avec les espoirs de chacun, avait même utilisé l'amitié de Mark. Puis il avait décampé après leur avoir conseillé d'apprendre à vivre avec le syndrome, tout simplement. Elle lui avait offert sa confiance, il ne lui avait servi que de la philosophie.

Pourtant, fidèle à ses principes, Karin n'avait jamais pris Weber de front. À la seconde même où il leur tournait le dos, elle vantait encore ses références, persuadée qu'à force de politesse elle parviendrait à convaincre ce spécialiste barbu, aux mots choisis et aux cheveux blancs, de terrasser le syndrome et de les sauver, son frère et elle. Daniel avait demandé plusieurs fois à rencontrer le médecin. Elle l'en avait toujours dissuadé.

Il ne le lui avait jamais reproché, mais cela eût été inutile. Une semaine après le départ de Weber, Karin devait se rendre à l'évidence : elle avait paradé devant ce vieillard. Prête à tout pour obtenir son aide.

Trois semaines après que le neuroscientifique les eut abandonnés, Karin et Mark disputaient une partie de ping-pong dans la salle commune. Il aimait assez ce jeu pour accepter d'y jouer avec elle, dès lors qu'elle ne gagnait jamais. Barbara accourut, surexcitée. « Le docteur Weber passe demain sur *Bouquins TV*. Il va lire des extraits de son dernier livre.

– Le doc à la télé ? La vraie télé ? Sur une chaîne nationale ? Je t'avais bien dit que ce type était célèbre, mais là, c'est du sérieux. On va parler de lui dans toutes les chaumières.

– *Bouquins TV* ? fit Karin. Comment vous avez appris ça ? »

L'aide-soignante haussa les épaules. « Un pur hasard.

– Vous étiez à l'affût ? demanda Karin. Ou c'est lui qui vous en a parlé... ? »

Barbara rougit. « Je jette toujours un œil aux programmes du câble. Une sale manie. Je m'en tiens à deux ou trois émissions que je peux regarder en toute quiétude. Celles qui ne me forcent pas à voir des explosions et ne me disent pas quand je dois rire. »

Mark lança sa raquette en l'air et réussit presque à la rattraper. « L'incroyable docteur Krankheit va causer dans la boîte à cons ! On ne veut pas rater ça, hein ? »

Le lendemain, le trio se pressait devant le poste installé dans la chambre de Mark. Avant même qu'on ait présenté le grand homme, Karin s'arrachait les cuticules. Humiliant : devoir regarder quelqu'un en sachant qu'il jouait un rôle devant les caméras. Barbara ne tenait pas en place, elle non plus. Au terme des six minutes que dura la présentation de Gerald Weber, elle avait parlé davantage qu'en six semaines de soins prodigués à Mark. À la fin, Karin fut obligée de la faire taire.

Seul Mark prenait plaisir au déroulement des opérations. « Le batteur favori de l'équipe se met en place pour cette manche décisive. Les tribunes sont sous tension. On penche pour un lancer par-dessus. » Mais quand le docteur Weber s'avança enfin vers le podium, face aux visages circonspects de l'assistance, Mark s'écria : « Qu'est-ce que c'est que ça ? Une blague ? »

Les deux femmes tentèrent de le calmer. Mark se leva, raide comme la justice. « C'est quoi, cette arnaque ? C'est pas le doc, ça. Rien à voir. »

Sous les projecteurs du plateau, les traits déformés par l'image et le stress d'une apparition en public, Weber n'était en effet plus le même.

Karin lança un regard à Barbara qui le lui rendit en fronçant ses épais sourcils. Il avait rabattu une grande mèche sur son front dégarni. Sa barbe était soignée, fournie, presque française. Et il avait troqué son costume sombre contre une chemise lie-de-vin sans col, qui semblait en soie. Il paraissait plus grand, d'une carrure plus imposante, plus combative. Quand il commença à lire, la prose qui coulait de ses lèvres évoquait les cadences de l'Ancien Testament. Les mots eux-mêmes étaient si sages, si justement accordés aux nuances subtiles de la nature humaine, qu'ils semblaient l'œuvre d'un auteur déjà défunt. Le vrai Gerald Weber se trouvait là, qui, pour une raison obscure, lors de son bref séjour tous frais payés dans le Nebraska, était resté caché sous le boisseau.

Mark tournait en rond, décrivant de petits cercles outrés. « Alors, c'est qui, ce type ? Billy Graham ou quoi ? » Karin branlait du chef comme une figurine Bobblehead. Barbara n'arrivait pas à détacher son regard de l'image parlante. « Quelqu'un a décidé de mener ces gens en bateau. Personne dans le public n'a vu le doc de près, pour de vrai. Et tu penses bien qu'on ne va pas venir nous demander notre avis ! »

Karin fit barrage à son frère et écouta. Weber lisait :

> La conscience élabore un récit qui forme un tout continu et stable. Lorsque le fil de ce récit se brise, la conscience le réinvente. Chaque réécriture se prétend l'original. Et ainsi, quand une maladie ou un accident nous fracture, nous en sommes souvent les derniers informés.

Les mots de cet homme ruisselaient sur Karin et la séduisaient de nouveau. « Tu as raison, dit-elle à Mark. Tout à fait raison. » Personne n'avait vu le véritable Weber. Ni le public dans le studio à New York ; ni eux trois.

Mark cessa de faire les cent pas pour la jauger. « Qu'est-ce que tu en sais, toi ? Tu trempais dans la combine, je parie. C'est toi qui l'as amené ici. Va savoir si ce type-là n'est pas le vrai doc, et le gars que tu as fait passer pour lui, un imposteur. »

Barbara lui frictionna l'épaule. Il s'immobilisa, comme un chaton que l'on caresse entre les yeux. Placide, Mark se rassit et regarda l'écran. « Nous ressemblons à des récifs de corail, lisait Weber. Des écosystèmes complexes mais fragiles... » Le trio n'avait d'yeux que pour le numéro de cet inconnu en chemise de soie. Weber raconta l'histoire d'une femme de quarante ans, appelée Maria, qui souffrait d'un mal appelé syndrome d'Anton-Babinski.

Nous bavardions tous deux, assis dans sa maison de Hartford au mobilier choisi. C'était une femme gaie, séduisante, qui avait mené pendant de nombreuses années une brillante carrière d'avocate. Elle semblait heureuse et en parfaite santé, à un détail près : elle croyait avoir conservé l'usage de ses yeux. Quand je lui laissai entendre qu'elle était peut-être aveugle, elle rit de cette absurdité et s'efforça de me prouver le contraire. C'est ce qu'elle entreprit de faire, avec une adresse et une vigueur remarquables, à travers de longues descriptions très vivantes de ce qui se passait alors sous sa fenêtre. Des scènes fort cohérentes et d'une grande précision : elle ne se rendait tout simplement pas compte que ces images ne lui étaient pas transmises par ses yeux...

La lecture ne dura pas plus de quinze minutes. Mais quand Weber s'arrêta, salué par des applaudissements polis, les trois téléspectateurs se tortillaient déjà sur leurs sièges depuis une éternité. Vint alors le moment des questions. Plein de déférence, un étudiant l'interrogea sur la distinction entre publication scientifique et ouvrage de vulgarisation. Une retraitée voulut aborder le scandale national du système de santé. Puis quelqu'un demanda à Weber s'il n'éprouvait pas de scrupules à violer la vie privée de ses sujets d'étude.

Les caméras saisirent la surprise de l'écrivain. Hésitant, il répondit : « J'espère que ce n'est pas le cas. Il existe des protocoles. Je change toujours le nom des personnes, et souvent aussi certains détails biographiques lorsqu'ils ont leur importance. Parfois, un cas combine en réalité deux histoires ou même davantage, pour accentuer les traits les plus saillants d'un trouble neurologique.

– Vous voulez dire qu'il s'agit de fictions ? » demanda une autre personne. Weber réfléchit un instant et la caméra se posa. Karin recommença à se manger les cuticules tandis que Barbara, admirable statuette, se tenait bien droite sur son siège.

Mark parla le premier, en leur nom à tous. « C'est merdique. Si on jetait un œil au Jerry Springer Show ? »

Le soir où, rentré des plaines vides, Weber retrouva la côte est, il n'avait que Sylvie en tête. Juin s'achevait, mais à Setauket s'attardait un reste de fraîcheur et de piquant, plus proche des automnes dorés de North Shore que d'un début d'été. Il retrouva sa voiture sur le parking longue durée de LaGuardia, et écouta les quatuors pour piano de Brahms sur le chemin du retour, dans les embouteillages absurdes de la voie rapide. Tout le long du trajet, il imaginait sa femme : trente ans de changement sur son visage. Il se rappelait le jour où, après une dizaine d'années de mariage, il s'était étonné : « Tes cheveux raidissent à mesure que nous prenons de l'âge ?

– Qu'est-ce que tu racontes ? Mes cheveux ? Avant, je faisais des permanentes. Tu ne savais pas ? Ah ! Ces scientifiques.

– En somme, si quelque chose n'apparaît pas au scanner, c'est qu'on ne peut pas vraiment s'y fier. »

Elle avait répliqué en le rouant de coups dans le gras du ventre.

Mais le soir de son retour, il la vit enfin. *Madame ma femme*. Peut-être à cause de cette tenue très habillée. Ils devaient sortir le soir même, se rendre à Huntington. Un gala de charité pour un centre de réadaptation construit en partenariat avec Remédiation. Quand il se gara, Sylvie était déjà sur son trente-et-un. « Ger ! Te voilà enfin. Je commençais à m'inquiéter. Tu aurais dû m'appeler, me dire que tu arrivais.

– Appeler ? Mais j'étais en voiture. »

Elle rit, de ce rire sans armes, qui savait seulement pardonner. « Tu vois ce petit téléphone rangé dans ta poche ? Il fonctionne aussi lorsque tu te déplaces. C'est même ce qui fait son succès commercial. Mais oublions ça. Je suis contente que le Grand Tour-opérateur t'ait ramené sain et sauf à la maison. »

Elle portait un chemisier de soie italienne, une nouveauté, aux teintes timides de pâle lilas, couleur des premiers bourgeons. À son cou soyeux pendait un entrelacs de perles d'eau douce, et deux minuscules coquillages à ses oreilles. Qui était cette femme ?

« Monsieur mon homme. Ne reste pas planté là. Des philanthropes de tous poils ont payé pour te voir en costume de pingouin. »

Il la déshabilla ce soir-là pour la première fois depuis des années. Puis il la regarda, aux aguets.

« Mmm, fit-elle, prête à batifoler elle aussi, mais un peu gênée par la situation. Dis-moi ? D'où te vient cet élan soudain ? Ils coupent l'eau avec quelque chose, là-bas, dans le Nebraska ? »

Ils s'amusèrent, sans avoir plus rien à apprendre. Ensuite, elle se coucha sur le dos à côté de lui, le souffle haletant, une main dans la sienne, comme s'ils se faisaient encore la cour. « Ainsi parlait le Comportementaliste : “Manifestement, pour vous, c'était grandiose. Mais était-ce bon pour moi ?” »

Il ne put qu'étouffer un rire. Il fit un quart de tour et s'allongea sur son dos à problèmes, puis jeta un regard par-dessus la butte grandissante de son ventre. « Ça faisait un petit bout de temps, je crois. Navré, Madame ma femme. Mais je ne suis plus le gaillard d'avant. »

Elle se mit sur le côté et lui massa l'épaule, celle qu'il s'était cassée dix ans plus tôt, dans la force de l'âge, et qui ne s'était jamais complètement remise. « J'aime cette partie de l'existence, dit-elle. Plus lente, plus épanouie. J'aime que nous ne soyons pas obligés de faire l'amour à tout bout de champ. » Sylvie à son apogée. Elle voulait dire : *Ne le faire presque plus.* « Comme ça, à chaque fois, c'est plus... Plus nouveau, en somme. Quand on laisse passer assez de temps pour redécouvrir...

– Inventif. Totalement inspiré. “Redécouvrir”. La plupart des gens voient le verre vide aux neuf dixièmes. Ma femme le voit rempli au dixième restant.

– C'est pour ça que tu m'as épousée.

– Ah ! Mais lorsque je t'ai épousée... »

Elle grommela. « Le verre débordait aux neuf dixièmes. »

Couché sur son épaule douloureuse, il la regarda, inquiet. « Franchement, on faisait trop l'amour dans le temps ? »

Elle fut secouée d'un rire convulsif, course de buggies sur terrain bosselé. Elle enfouit son visage dans l'oreiller, rouge et ravie. « Je crois que ce doit être la première fois dans l'histoire de l'humanité qu'on pose cette question avec appréhension. »

Il la vit passer sur son visage, cette pensée qui traversait l'esprit de Sylvie avant qu'il puisse la formuler tout haut. « L'inexorabilité du mariage. » Il se mit à glousser. Vieil euphémisme emprunté à un classique, une saga familiale qu'ils se lisaient à voix haute, à l'époque de la fac. Plus tard, après la naissance de Jess, ils s'amusaient à appeler ça des « rapports ». Sur un ton clinico-comique. D'abord les préliminaires : « Serais-tu favorablement disposée à un rapport ? » Et ensuite : « Ça, c'était un rapport premier choix. » De la neuropsychologie – à la sauce domestique.

Cette nuit-là, le regard de Sylvie le trouva parmi les plis du drap. Très amusée de voir cet homme qu'elle possédait sur le bout des doigts, assurée de le connaître, d'une connaissance sans cesse renouvelée. « Quelqu'un m'aime, chantonnait-elle de son solide piccolo à demi étouffé par l'oreiller. Je me demande qui ? »

Elle s'endormit en quelques minutes. Il resta allongé dans le noir, à l'écouter ronfler, jusqu'à ce que, bien loin de ressembler à la plainte d'un objet inanimé, comme le grincement d'un lit, ce ronflement devînt pour la première fois à ses oreilles l'appel assourdi d'un animal, d'une créature prise au piège, mais retranchée dans son propre corps, à l'état de vestige, libérée dans le sommeil par l'attraction de la lune.

Tiré à cent mille exemplaires et précédé, dans l'ensemble, d'une bonne critique, *Au pays de l'inattendu* partait à la conquête d'un lectorat avide de connaître l'étranger de l'intérieur. Weber avait le sentiment que ce travail venait couronner une deuxième carrière au long cours, qu'il n'aurait jamais pu imaginer. Il n'en avait rien dit à personne, en dehors de Cavanaugh et de Sylvie, mais ce livre serait sa dernière excursion du genre. Son prochain ouvrage, s'il lui restait assez de temps pour l'écrire, serait destiné à un autre public.

Il détestait la promotion – devoir faire son petit numéro devant le monde. Il avait limité les dégâts jusqu'alors, grâce à des collègues compétents et des thésards motivés qui couvraient ses arrières au labo. Mais il ne pouvait se permettre de rester plus longtemps en marge de la recherche neurologique quand celle-ci voyait s'ouvrir tout grand ses perspectives. L'imagerie médicale et les produits pharmaceutiques forçaient les portes verrouillées des mystères de l'esprit. La décennie écoulée depuis la parution du premier livre de Weber avait produit plus de savoir sur l'ultime frontière que les cinquante mille ans qui l'avaient précédée. Des ambitions encore inimaginables quand il avait commencé à écrire *Au pays de l'inattendu* agitaient aujourd'hui les congrès les plus respectables. Des chercheurs renommés osaient rêver de construire un modèle mécanique de la mémoire, ou parlaient de découvrir les structures cachées derrière les qualia, voire de parvenir à une description fonctionnelle exhaustive de la conscience. Aucune des anthologies de vulgarisation que Weber pourrait compiler ne saurait rivaliser avec de tels trésors.

Méditer sur des cas pathologiques relevait d'un art auquel on pouvait s'adonner à ses heures perdues. D'une certaine façon, cet exercice lui avait forcé la main et s'était substitué à son emploi principal. Prématurément. Ramon y Cabal, le Cronos du panthéon de Weber, affirmait que les problèmes scientifiques ne tarissaient jamais ; que seuls les scientifiques s'épuisaient. Weber n'était pas encore épuisé. Le meilleur restait à venir.

Pourtant, il avait interrompu ses travaux et parcouru des milliers de kilomètres, jusqu'aux plaines centrales, pour s'entretenir avec le syndrome de Capgras. Certes, son laboratoire réfléchissait en ce moment à la manière dont l'hémisphère gauche coordonnait les systèmes responsables de la croyance et transformait les souvenirs pour qu'ils se conforment à ces systèmes. Néanmoins, tout ce qu'il avait appris en discutant avec le patient du Nebraska tenait, au mieux, de l'anecdote. Rentré à Stony Brook depuis quelques jours à peine, Weber commençait déjà à considérer que ce voyage venait clore une longue série d'études désormais condamnées à s'effacer devant une recherche plus sérieuse et systématique.

Quelque chose en lui, cependant, réprouvait l'orientation que prenait le savoir. Le ralliement hâtif des neurosciences à certaines hypothèses fonctionnalistes incitait Weber à prendre ses distances. Son champ d'études cédait à l'une des pulsions immémoriales qu'il était censé expliquer : l'instinct grégaire. À une époque où les neurosciences savouraient l'accroissement de leur pouvoir instrumental, les pensées de Weber, au fil d'une dérive perverse, prenaient le large. Loin des cartes cognitives et des mécanismes déterministes de communication neuronale, elles allaient explorer les terres émergentes des processus psychologiques de haut degré que, dans ses mauvais jours, Weber confondait presque avec l'élan vital. Mais dans cet éternel clivage entre esprit et cerveau, psychologie et neurologie, besoins et neurotransmetteurs, symboles et plasticité synaptique, la seule illusion véritable consistait à penser que ces deux domaines resteraient séparés encore longtemps.

Au lycée Chaminade de Dayton, Weber avait débuté sa vie intellectuelle en freudien confirmé : le cerveau constituait le réseau hydraulique nécessaire aux jeux d'eau spectaculaires de l'esprit ; de quoi confondre les bons prêtres qui lui servaient de professeurs. Entré en troisième cycle universitaire, Weber avait entrepris de persécuter les freudiens tout en s'efforçant d'éviter les pires excès des béhavioristes. Au jour de la contre-révolution cognitiviste, une petite partie de lui-même, façonnée par le conditionnement opérant, était entrée en résistance, affirmant toujours : « Là n'est pas encore le fin mot de l'histoire. » Devenu clinicien, il avait dû se rallier à l'offensive pharmacologique. Pourtant, il avait ressenti une profonde tristesse – la tristesse de la chose consommée – lorsque, une fois traité avec le bon dosage de Doxepin, un patient qui avait lutté pendant des années contre l'anxiété, une culpabilité suicidaire et des élans mystiques, lui avait confié : « Docteur, je ne suis plus très sûr de savoir ce qui a pu me contrarier comme ça, tout ce temps. »

Weber connaissait la musique. Au fil des époques, on avait toujours comparé le cerveau à la technologie la plus avancée du moment : la machine à vapeur, le standard téléphonique, l'ordinateur. Aujourd'hui, à l'heure où Weber approchait de son zénith professionnel, le cerveau devenait semblable à Internet, un réseau distribué sur plus de deux cents modules qui babillaient entre eux et se modifiaient les uns les autres. Dans le cerveau de Weber, certains sous-systèmes enchevêtrés croyaient en ce modèle ; d'autres n'y trouvaient pas leur compte. Depuis que la théorie modulaire avait la mainmise sur l'essentiel des réflexions neurologiques, Weber revenait à ses racines. Au seuil de ce qui serait sans doute l'ultime étape de son développement intellectuel, il espérait découvrir, à la pointe des neurosciences les plus abouties, des processus analogues à ceux que décrivait l'antique psychologie des profondeurs : refoulement, sublimation, déni, transfert. Les retrouver à un niveau supérieur, au-dessus du module.

En somme, Weber commençait à comprendre qu'il avait peut-être entrepris ce voyage dans le Nebraska, et observé Mark Schluter, pour apporter la preuve, fût-ce à lui seul, que si le syndrome de Capgras se laissait entièrement décrire en termes modulaires, comme la conséquence de lésions, une rupture de connexion entre certaines parties d'un réseau distribué, il se manifestait néanmoins à travers des processus psychodynamiques (réactions individuelles, histoire personnelle, refoulement, sublimation, accomplissement du désir) irréductibles à de simples phénomènes de bas niveau. La théorie saurait peut-être bientôt décrire le cerveau mais, seule, elle ne pouvait encore venir à bout de ce cerveau-là, traqué par le réel, avide de survie, celui de Mark Schluter, dérouté par une sœur falsifiée. Voilà le livre qui attendait Weber, après cette tournée promotionnelle.

Ils ramenèrent Mark chez lui : où le ramener sinon ? Après le départ du célèbre neuroscientifique, le docteur Hayes ne pouvait plus garder Mark en observation à Dedham Glen. Karin avait lutté bec et ongles contre cette décision. Mark, de son côté, se sentait plus que prêt à l'envol.

Avant qu'il puisse réintégrer la Homestar, Karin devait d'abord faire place nette. Elle avait passé plusieurs mois dans la maison modulaire, où elle avait pris soin de Blackie et entretenu les lieux au jour le jour. Elle avait jeté les produits de contrebande de son frère, guerroyé contre les bestioles et les plantes invasives. À présent, il fallait effacer toute trace d'occupation du camp.

« Où vas-tu aller ? » avait demandé Daniel. Ils étaient allongés côte à côte, sur le futon posé à même le parquet de chêne. À six heures du matin, un mercredi, au creux de juin. Ces dernières semaines, Karin venait dormir plus souvent dans la cellule du moine. Elle avait pris le pouvoir dans la cuisine, et fumait en douce dans la salle de bain, robinet ouvert, en expulsant la fumée par la fenêtre, dans l'air complice. Mais elle ne laissait même pas une paire de chaussettes dans le tiroir vide que Daniel avait libéré pour elle.

Elle se mit sur le côté, pour qu'il puisse se placer derrière elle en chien de fusil. Cette position facilitait la parole. La voix de Karin était désincarnée. « Je ne sais pas. Je ne peux pas faire face à deux loyers. Je ne peux même pas en payer un. Je... J'ai mis en vente mon appartement de Sioux City. Je ne voulais pas te le dire. Je ne voulais pas que tu... Qu'est-ce que je fabrique ici ? Combien de temps encore vais-je pouvoir... ? Ce retour à la case départ, après tant de chemin... Mais je n'ai pas le droit d'abandonner Mark. Tu sais comment il est devenu. Et ce qui arriverait si je le laissais seul.

– Il ne serait pas seul. »

Elle se retourna et le dévisagea dans la lumière qui commençait à poindre. *De quel bord es-tu ?* « Si je l'abandonne à ses amis, il sera mort avant la fin de l'année. Ils le flingueront dans un accident de chasse. Ils l'embringueront de nouveau dans des courses de voitures.

– Il y a d'autres personnes dans les parages, qui peuvent aider à veiller sur lui. Je suis là, moi. »

Elle se serra tout contre lui. « Oh, Daniel. Je ne te comprends pas. Pourquoi es-tu si gentil ? Qu'est-ce que tu y gagnes ? »

Il posa la main sur elle et lui caressa le flanc, comme il aurait caressé un faon nouveau-né. « Je suis contre le profit. »

Elle passa un doigt dans le cou de Daniel. Il ressemblait aux oiseaux. Quand on lui avait appris une route, il s'y tenait, y revenait ; tant qu'il restait une place pour lui, il rentrait au bercail. « Vous me crevez le cœur, tous les deux. »

Ils se regardèrent, sans vouloir prendre d'initiative. Daniel se contenta d'acquiescer légèrement – un signe d'une parfaite ambiguïté. « Un pas après l'autre », dit-il.

Elle baissa la tête – sa cascade de cuivre. « Je ne comprends pas.

– C'est simple. Tu peux rester. Rester ici, avec moi. »

Formulation parfaite. Ni ordre, ni concession. Une simple déclaration, la meilleure possibilité pour elle comme pour lui. « Un pas après l'autre », répéta-t-elle. Juste un peu. Le temps pour Mark... « Tu ne m'en voudras pas si... ? »

Une réaction de douleur passa sur le visage de Daniel. Quand lui avait-elle laissé l'occasion d'exprimer sa rancœur ? Il secoua la tête, l'élégance plus forte que le souvenir. « Du moment que tu ne m'en tiens pas rigueur, à moi.

– Ça ne sera pas long, promit-elle. Il n'y a plus grand-chose que je puisse faire. Soit il se remet très vite, soit... » Elle s'interrompit devant la mine de Daniel. Elle voulait le rassurer, lui dire qu'elle n'allait pas envahir son territoire. Ce n'est qu'en prononçant ces mots qu'elle avait entendu la gifle en eux.

Elle se serra de nouveau contre lui, leurs bras enlacés, fragile ; pour la première fois depuis des années, ils s'attardaient en plein jour l'un auprès de l'autre. Elle le respira, couchée sur le mince matelas de son torse, le goûta sur le ravissement pincé de ses lèvres. Pour redresser des torts, il pardonnerait tout à Karin. Tout, sauf la dissimulation et son besoin de sécurité.

Elle évacua la Homestar après avoir effacé ses traces. Daniel, l'expert pisteur, capable de rester immobile et de se volatiliser, lui prêta main-forte. Elle remit le chaos de Mark dans l'état où elle se rappelait l'avoir trouvé. Elle éparpilla ses CD. Elle acheta un nouveau poster de charme pour remplacer celui qu'elle avait détruit : une blonde en robe vichy un peu déchirée, penchée sur le capot d'un pick-up rouge sang, qui tenait une énorme clé anglaise entre ses doigts couverts de cambouis. Karin ne savait que faire de Blackie. Elle envisageait de la rapatrier chez Daniel, elle aussi, le temps au moins de voir comment Mark réagirait, une fois de retour. Dans son état actuel, il n'était pas exclu qu'il s'en prît à l'animal, qu'il l'enferme dans la maison et le nourrisse de fibres laxatives. Daniel n'aurait vu aucun inconvénient à partager son sanctuaire avec une créature de plus. Mais Karin ne pouvait infliger pareille punition à cette pauvre bête.

Le docteur Hayes signa la décharge de Mark, et Dedham Glen le confia aux soins de la seule parente qui le reconnût, même s'il ne lui rendait pas la pareille. Barbara demanda si elle pouvait se rendre utile.

« Vous êtes un ange, la remercia Karin. Je crois que le déménagement est réglé. C'est la semaine à venir qui m'inquiète. Et celle d'après. Barbara, qu'est-ce que je dois faire ? L'assurance ne va pas couvrir des soins prolongés, et il va bien falloir que je retrouve du travail.

– Je serai là. Mark aura régulièrement rendez-vous avec le psychothérapeute. Et moi je pourrai passer de temps en temps, histoire de vérifier que tout va bien, si cela peut rendre service.

– Comment donc ? Vous nous avez déjà tant donné. Jamais je ne pourrai... »

L'aide-soignante rayonnait d'un calme insolite. Sa main, posée sur l'épaule de Karin, exprimait une certitude absolue. « Laissez faire.

Chacun retrouve son dû, d'une manière ou d'une autre. Attendons de voir comment les choses vont évoluer. »

Karin demanda à Bonnie de l'aider à ramener Mark chez lui. Mark avait fait le tour de la clinique pour dire au revoir à ses compagnons de captivité. « Vous voyez ? leur expliquait-il. On n'est pas condamné à mort. Ils nous laissent sortir, en fin de compte. S'ils refusent, appelez-moi et je viendrai vous tirer de là. »

Mais quand Karin s'arrêta à sa hauteur, il ne voulut pas monter en voiture. Il restait planté sur le trottoir, au milieu de ses bagages. Il ne portait plus de bonnet, et ses cheveux formaient un mince duvet. Un souvenir lui revint à l'esprit et il se rembrunit. « Tu vas expédier cette petite japonaise foireuse dans un fossé, avec moi dedans ? C'est ça, le plan ? Finir le boulot qu'ils n'ont pas terminé la première fois ?

– Monte, Mark. Si je voulais te faire du mal, je n'irais pas risquer ma vie pour ça.

– Vous avez entendu, vous autres ? Vous avez entendu ce que cette femme vient de dire ?

– Mark, je t'en prie. Tout ira bien. Monte.

– Laisse-moi conduire alors. Je monte si tu me laisses le volant. Vous voyez ? Elle ne veut pas me filer ses clés. C'est toujours moi qui conduis ma sœur partout. Elle ne prend jamais le volant quand nous sommes ensemble.

– Alors monte avec moi », suggère Bonnie.

Il pesa cette invitation. « Ça pourrait coller, réfléchit-il. Mais il faut que cette femme attende ici dix minutes après notre départ. Pas question qu'elle tente un coup tordu. »

L'air puait l'engrais et les pesticides. Les champs (pousses de soja à la barbe emmêlée, plants de maïs hauts comme le bras, pâturages semés de vaches résignées à leur sort) s'étiraient jusqu'aux quatre coins de l'horizon. Quand Karin arriva à la Homestar, Mark pleurait sur le perron, la tête sur les genoux de Bonnie. Elle caressait son crâne nu et s'appliquait à le consoler. Voyant Karin approcher, Mark se redressa et hurla. « Dis-moi ce qui se passe. D'abord mon camion, ensuite ma sœur. Et maintenant, ma maison. »

Recroquevillé sur lui-même, il leva les coudes au-dessus de la tête. Il tendait le cou dans toutes les directions : la prochaine attaque pouvait surgir de n'importe où. Karin se détourna et, comme Mark, vit le quartier amical et familier se transformer en décor étranger. Elle rejoignit son frère assis devant l'entrée, agrippé aux marches de ciment. Il la dévisageait, cherchait quelqu'un du regard – celle qu'elle avait été autrefois, et n'était plus désormais. La seule personne capable de le secourir. Le voir ainsi en manque d'elle la déchirait, plus encore que sa propre impuissance.

Les deux femmes le réconfortèrent un long moment. Elles lui montraient les rues, les pavillons, l'érable à sucre solitaire qu'il avait planté dans le désert de sa pelouse, et l'éraflure qu'il avait infligée à l'angle gauche du garage huit mois plus tôt. Karin priait pour qu'un voisin sorte de chez lui et vienne les saluer. Mais tous les vivants se terraient devant cette épidémie.

Karin envisagea un instant de remettre Mark dans la voiture de Bonnie et de rentrer à Dedham Glen. Mais peu à peu, les plaintes du jeune homme laissèrent place à des gloussements stupéfaits. « Ils ont fait un sacré boulot. C'est presque parfait. Putain ! Ça a dû coûter bonbon. On dirait un film sur ma vie, une production à un milliard de dollars. Le *Harry Truman Show.* »

Il se décida enfin à entrer. Il se tenait dans le salon à côté de Bonnie et faisait claquer sa langue, abasourdi, la tête montée sur pivot. « Mon père me racontait toujours qu'on avait filmé l'alunissage d'Appolo dans un studio de cinéma en Californie du Sud. Moi qui le croyais timbré ! »

Karin grommela. « Bien sûr qu'il était timbré. Tu ne te rappelles pas ? Il estimait la Marine capable de rendre ses navires invisibles en modifiant leur structure moléculaire à coups de quanta. »

Mark la scruta du regard. « Et pourquoi ce serait impossible, selon toi ? » Il se tourna vers Bonnie, qui haussa les épaules. De nouveau, il regarda la copie grandeur nature de sa maison en hochant la tête, incrédule. Karin s'assit sur le faux canapé tandis que mouraient des pans entiers de sa personne. Jamais ce brouillard ne se lèverait. Son frère finirait par avoir raison : leur vie tout entière ne serait bientôt plus qu'une réplique d'elle-même. Pendant que Bonnie déchargeait les affaires de Mark, Karin tenta de se ressaisir. Elle l'emmena faire le tour de la maison. Elle lui montra la glace fissurée dans l'un des angles de l'armoire à pharmacie. Elle passa en revue son placard, les piles de jeans coupés qui attendaient l'été, et ses T-shirts frappés d'inscriptions. Elle ouvrit un tiroir rempli de photos en vrac, dont des dizaines les montraient ensemble, elle et lui. Elle lui indiqua le porte-journaux et les trois derniers numéros de *Truckin' Magazine.*

Au milieu de tout ce déballage, les yeux de Mark se posèrent sur le poster de remplacement. Son visage s'assombrit. « Ce n'est pas la photo que j'avais accrochée au mur. »

Karin gémit. « D'accord. Laisse-moi t'expliquer.

– Ce truc-là n'est pas à moi. Aucun risque que je craque sur ce type de modèle. Elle est vraiment trop mal carrossée. »

Karin cligna des yeux avant de comprendre qu'il parlait de la voiture. « Mark, c'est ma faute. J'ai déchiré ton poster. Par accident. J'ai mis celui-là à la place. »

Il s'arrêta et lui lança un regard oblique. « Ce genre de coup foireux, c'est bien dans le style de ma sœur. »

L'espace d'un moment, Karin parvint à respirer. Elle tendit les bras, timide mais suppliante. « Oh, Mark ! Mark... ? Je suis désolée si j'ai fait ou dit quoi que ce soit...

– Seulement, ma sœur aurait eu le bon sens de ne pas remplacer une Cameo Carrier Chevrolet 1957 par une Mazda 1990 à la con. »

Elle s'effondra. Ses larmes silencieuses et figées embarrassèrent Mark, au point qu'il posa sa main sur l'avant-bras de Karin. Elle n'avait plus ressenti pareille décharge depuis le jour où son frère avait retrouvé l'usage de la parole. Elle se calma, chassa d'un rire ses reniflements et congédia cet instant d'un geste de la main. « Écoute, Mark. Il faut que je t'avoue quelque chose. Je n'ai jamais été aussi douée en camions et autres mécaniques que je te l'ai peut-être laissé croire.

– C'est bien ce que je dis. Mais merci de le reconnaître. Ça rend la vie un peu plus facile. »

Il prit le relais de la visite guidée, faisant remarquer un à un des dessous de verre déplacés depuis le soir de son accident. À chaque pas, il sifflait entre ses dents et secouait la tête en répétant : « Non, non, non. Cette baraque n'est pas la Homestar. »

Bonnie avait apporté les sacs marins de Mark. Elle se mit à le suivre de pièce en pièce. « On rectifiera ça, Marko. Tout comme tu voudras. »

Assise sur le lit, la tête dans les mains, Karin écoutait Mark répudier la maison qu'il aimait tant. Mais il conservait un souvenir si précis des moindres détails que Karin y puisait un espoir défendu. Elle qui ne reconnaissait plus son appartement quand elle retournait en coup de vent à Sioux City pour en préparer la vente.

« Attends, dit-il. Je sais comment découvrir une bonne fois pour toutes si cette maison est la vraie ou pas. Ne bougez pas d'ici. Fermez les yeux ! Que je n'en prenne pas une à m'espionner. »

Il se dirigea vers la cuisine. D'un regard, Bonnie interrogea Karin. Celle-ci s'écroula, sachant ce que Mark cherchait. Elle l'entendit se mettre à genoux et fouiller sous l'évier. Une honte ancestrale, héréditaire, l'empêchait d'appeler, un vieux secret de famille qui leur interdisait de s'ouvrir l'un à l'autre.

Il revint, triomphant. « Je vous avais bien dit que cette maison était bidon. Il manque un truc qui m'appartient. Un truc qu'ils ne pouvaient pas reproduire. » Il adressa à Bonnie un regard lourd de sous-entendus. Bonnie, accoudée à un tabouret de bar, posa les yeux sur Karin qui n'avait qu'un mot à dire : « Mark, ce que tu planquais là-dessous, je l'ai balancé dans les toilettes. » Mais impossible. Elle n'allait pas admettre avoir eu connaissance des bêtises de son frère, celles auxquelles il s'était peut-être livré la nuit même de l'accident. Ça n'aurait rien changé de toute façon. Il aurait inventé une autre théorie sans se laisser ébranler par quelque chose d'aussi ténu que des preuves.

Mark revint s'asseoir près d'elle. On aurait dit qu'il allait lui passer le bras autour des épaules. « Je sais que tu dois faire semblant de ne rien savoir. C'est ton boulot. Je l'accepte. Mais dis-moi simplement si je suis en danger. On se connaît assez maintenant, après ces quelques mois passés ensemble, pour que tu m'accordes cette faveur. S'ils voulaient s'en prendre à moi de nouveau, tu me le dirais, quand même ? »

Karin agita les mains, comme un chimpanzé aux prises avec le langage des signes. Bonnie répondit à sa place. « Personne ne va s'en prendre à toi, Mark. Pas tant que nous serons là.

– Enfin, merde ! Ils ne claqueraient pas tant de pognon s'ils avaient juste l'intention de finir le boulot qu'ils ont foiré le 20/02/02. J'ai pas raison ? Venez. On va jeter un œil dehors. »

Il sortit de la maison et remonta Carson Street, les deux femmes sur ses talons. Les douze maisons du lotissement présentaient des variations sur le thème de la Homestar. Ce quartier fraîchement parachuté contenait en germe les nouvelles structures qui, pour la première fois depuis la crise agricole, viendraient agrandir le trou perdu de Farview. Dans toute la rue, les rideaux frémissaient aux fenêtres, mais personne ne sortit bavarder avec le mécanicien des abattoirs au cerveau détraqué.

Mark déambulait, stupéfait. « Ça a dû coûter une fortune. On doit me surveiller jour et nuit. Je voudrais bien savoir pourquoi je suis devenu si important. »

Bonnie lui prit le bras. Karin s'attendait à ce qu'elle lui fasse un sermon : regarde l'Éternel, il veille jour et nuit, même sur les moineaux. Mais en se taisant, Bonnie la surprit par son intelligence.

Mark tourna sur lui-même. « J'aimerais savoir où nous sommes au juste. »

Karin se massait les tempes. « Tu as bien vu la route que nous avons prise depuis la ville.

– À dire vrai, je gardais un œil sur le rétroviseur. » Il sourit, un rien penaud.

« On a pris au sud, par la 44, et ensuite droit vers l'ouest sur douze kilomètres après Greyser. Comme d'habitude. Tu auras reconnu les fermes de chaque propriétaire sur le trajet. »

Il l'empoigna, de plus en plus crispé. « Attends un peu. Tu veux dire que la ville entière... ? »

Karin vacilla. Elle se sentit perdre pied. Elle croulait sous le stress d'une vie passée au jour le jour dans les terres neuves de son frère. Kearney, Nebraska : un faux colossal, une réplique grandeur nature, entièrement vide. C'est aussi ce qu'elle n'avait cessé de se répéter en grandissant dans ce patelin. Et encore, chaque fois qu'elle y était revenue, pendant l'agonie de leur mère. *Prairie Land.* Elle fut prise d'un rire nerveux de plus en plus irrépressible. Elle se tourna vers Bonnie et la regarda, un sourire pétrifié et honteux collé au visage. La jeune femme la regardait aussi, effrayée, mais non par Mark. « Aide-moi », finit par bredouiller Karin avant une nouvelle crise de fou rire.

Quelque chose en Bonnie releva le défi. Elle ramena Mark à la Homestar, en s'appuyant sur lui et en traçant de la main de larges ovales dans son dos, comme si elle effectuait des exercices d'écriture. « Ce n'est pas ce qu'elle dit, Marko. Elle t'explique que Kearney, c'est ici. Nous y sommes. C'est là que tu habites, pour de vrai. Et moi, je te promets de veiller en personne à ce qu'on arrange ton petit nid exactement à ton idée.

– Sérieux ? Et ça pourrait comprendre ton emménagement ? Oh oui. Une touche féminine. Rien de tel dans la vie d'un homme. Mais j'oubliais : tu veux peut-être attendre encore un peu pour la paperasse ? La régularisation complète et tout l'attirail. Fini de jouer au papa et à la maman. »

Bonnie rougit et l'entraîna vers la maison. Tout le long du parcours, Mark lui faisait remarquer de menues anomalies : un arbre manquant, une voiture inconnue garée dans une entrée. Ces exploits dérisoires de la mémoire le confortaient chaque fois un peu plus. Il exulta devant la cabane à outils d'un voisin placée cinq mètres trop à l'ouest. Sa mémoire visuelle laissait Karin pantoise. D'une certaine façon, le traumatisme l'avait ouvert au monde en effaçant les catégories mentales qui l'empêchaient de le voir vraiment. Les hypothèses ne venaient plus lisser les résultats de l'observation. Chaque coup d'œil engendrait un paysage unique.

Parvenus devant la maison, ils découvrirent que Blackie avait rompu l'attache qui la retenait dans le jardin ; elle arpentait les marches du perron, haletante et survoltée. Elle se retenait de bondir et glapissait, se rappelant les mauvais traitements qu'elle avait reçus des mains de son maître lors de leur dernière rencontre. À l'approche des humains, elle franchit la pelouse d'un bond, dans la joie et la douleur, et sauta vers eux, mais en feintant sur le côté, prête à fuir au premier signe de confusion. Comme Mark ne bronchait pas, l'animal s'enhardit et finit par se jeter sur lui, les pattes sur son torse, à le faire tomber à la renverse. Plus modeste le cerveau, plus lente l'érosion. L'amour, chez le ver de terre, ne s'éteignait peut-être jamais.

Mark saisit les pattes de l'animal et l'entraîna dans une danse, une valse peu convaincue. « Regardez-moi cette pauvre bestiole ! Elle ne sait même pas qui elle n'est pas. Quelqu'un l'a dressée à être ma chienne, et maintenant il ne lui viendrait pas à l'idée d'être autre chose. Je crois que je vais devoir m'occuper de toi, pas vrai, ma petite mère ? Qui s'en chargera sinon ? »

Ils étaient à peine rentrés tous les quatre que Mark lançait déjà une série d'ordres autoritaires à l'animal fou de joie.

« Alors, comment je vais bien pouvoir t'appeler, hein ? Quel nom je vais te donner ? Blackie Deux, ça te va ? »

Comblée, la bête se mit à aboyer.

Ils en ont après Mark Schluter : ça, au moins, c'est du sûr. Il faudrait être un légume pour passer à côté d'un truc aussi flagrant. Ils l'ont entraîné dans un genre d'expérience, une combine bien moisie : même un gosse qui se laisse encore feinter par le Père Noël, ça le ferait marrer. D'un autre côté, l'affaire est si complexe qu'il n'entrevoit pas l'ombre d'une explication.

D'accord : il s'est passé quelque chose à l'hosto, la nuit où ils l'ont opéré. Une erreur qu'ils ont été obligés de maquiller. Ou alors, non. L'anomalie a dû se produire des heures avant. Au moment de l'accident. Qui, à l'évidence, ne peut pas en être un. Un conducteur hors pair s'envoie dans le décor au volant d'un véhicule hypermaniable sur une route toute droite au milieu de nulle part. Bien sûr ; on peut gober ça, à condition de s'être fait retirer le ciboulot.

Pourtant c'est de là que tout est parti, les échanges et les impostures, le manège des toubibs pour persuader Mark Schluter qu'il n'est plus celui qu'il croit. Il lui faudrait un témoin, mais il n'y avait personne sur les lieux. Rupp et Cain : ils jurent qu'ils n'étaient pas dans le coin. Et pendant qu'il dormait sur le billard, les chirurgiens l'ont amputé du souvenir de cette nuit-là. Le secret se cache là-bas, dans les champs vides. Mais les champs, ça repousse : les récoltes de l'été recouvrent déjà les indices. Il lui faut un témoin mais, à part les oiseaux, personne n'a vu ce qui s'est passé. Il ne lui reste plus qu'à choper une grue, une de celles qui se trouvaient au bord de la rivière. Dégoter un banc de sable, et lui faire prêter serment. Lui scanner la cervelle.

Parce que tout est parti de l'accident. Depuis, c'est toujours la même rengaine : « Mark par-ci, Mark par-là. Ce n'est plus le même. Il a perdu ses boulons. » Comme si le problème venait de là. Comme si c'était lui qui avait changé. Alors que la véritable embrouille, c'est derrière les sosies qu'elle se cache. Il ne possède qu'une seule pièce à conviction. Qu'une seule preuve solide et indubitable : le billet. Ces mots écrits par la personne qui l'a trouvé, l'unique spectateur des événements de la nuit, avant que l'anomalie ne s'installe. Le billet qu'ils ont voulu lui cacher.

C'est son seul indice, alors il a intérêt à faire gaffe. Ne pas trop s'emballer. Laisser venir. Rupp et Cain promettent de l'emmener faire du lèche-vitrines chez les concessionnaires. Au boulot, on lui envoie des chèques sans rien lui demander. Mais ça ne durera pas toute la vie ; il faudra bien qu'il retourne bosser, un jour ou l'autre. Pour l'heure, il se tient peinard et peaufine son plan. Il demande à Bonnie de l'emmener à l'église. Elle appartient à l'une de ces factions dissidentes du protestantisme, les Servants de la Salle haute. C'est un genre de religion qui bénéficie en réalité du statut d'association à but non lucratif – chose la plus nase qu'il ait jamais entendue. Les fidèles se réunissent le dimanche aux aurores pour des services marathons de deux heures, dans les locaux d'une agence immobilière reconvertie, au-dessus de la boutique des Mondes Virtuels. Depuis des années, Bonnie le supplie de venir assister à une célébration, histoire de compenser, après les divers commandements qu'ils ont violés ensemble la veille au soir.

Lui, la religion, il l'a abjurée le jour de ses seize ans, à la seconde où son père l'a déclaré apte à la damnation de son choix. Pas facile de trouver sa place parmi les déchus quand on a eu une mère à tu et à toi avec le grand croque-mitaine en personne. Bonnie, ça la rend marteau quand il envoie Jésus bouler dans les cordes. Alors, avec le temps, ils ont attrapé le coup et arrivent assez bien à éviter le sujet. Il peut se mettre à pleuvoir des grenouilles ou du sang, ça ne les ferait pas tiquer : « Tu ne prends pas ton parapluie ? » qu'ils diraient. Alors, forcément, quand Mark lui demande de l'emmener à la Salle haute, Bonnie fait comme si tous les cavaliers de l'Apocalypse venaient de débarquer dans son saloon.

Bien sûr, Mark ! Tu n'as qu'un mot à dire.

Un mot ? Quel mot tu veux que je dise ? Mathusalem ? Infarctus ?

Au moins, ça la fait rigoler. Oui. Quand tu veux. Dimanche prochain ? Et pendant tout ce temps, son visage dit : *C'est une blague ? Je prie pour ça depuis des années.*

Elle passe le prendre en voiture le dimanche matin. Elle est assez chic, court-vêtue, en robe bleu ciel à col blanc, pimpante comme une chanteuse des années cinquante dans une de ces drôleries à la sauce MTV, qui vous racontent la première communion d'une pucelle au pays des ploucs. Franchement : il pourrait se faire sauter le bouchon rien qu'à la regarder, mais ce serait sans doute inconvenant, attendu les circonstances. Au regard qu'elle lui lance, il semble qu'il ait commis un impair. Ça ne peut pas être sa tenue : pantalon beige raffiné (son froc de marié, comme dit Rupp), une chemise en jean plutôt propre, et sa plus jolie cravate de cow-boy. Il doit y avoir autre chose, qui lui échappe. Bonnie les conduit à la Salle haute, sans en décoincer une. Et ça continue comme ça pendant les deux heures que dure tout le tralala. Elle lance des petits coups d'œil à droite et à gauche, et elle le regarde comme s'il avait une araignée au bout du pif. Ensuite, de retour dans la voiture, elle est en rogne, elle tire sur le bas de sa robe. On dirait, d'un coup, qu'elle voudrait qu'elle ne soit plus si courte.

Tu n'as pour ainsi dire rien écouté de ce que le révérend Billy avait à nous dire.

Si. Son couplet sur le repeuplement de la Palestine, et puis l'accomplissement de la prophétie, et tout le baratin.

Tu n'as pas voulu rompre le pain avec nous.

Ça, va savoir où ce truc a traîné.

Pourquoi tu t'es donné le mal de venir ? Tu as passé ton temps à dévisager l'assemblée en agitant ton petit billet, comme s'il s'agissait d'une citation à comparaître.

Comment lui expliquer ? S'il existe vraiment un ange gardien planqué dans les parages, qui refuse de se faire connaître et prétend que « Dieu m'a conduit jusqu'à toi », il doit forcément fréquenter des endroits du style de la Salle haute.

Dans l'après-midi, tandis qu'il cherche dans les pages jaunes la liste des églises de Kearney, Bonnie revient, accompagnée de la femme qui voudrait être Karin. Rien que de voir cette liste, ça lui flanque la migraine, et il se pourrait même qu'il râle un peu.

Nom de Dieu de bordel de merde ! Mais regardez-moi cette engeance. Ça prolifère comme les cafards. Qu'est-ce qu'une si petite ville peut bien foutre d'autant d'églises ? Il y en a plus que d'habitants.

Bonnie se faufile derrière lui et lui frotte le dos. Ça pourrait finir par le soulager. Mais la fausse Karin s'assoit à côté de lui et vient lui courir sur le haricot.

Qu'est-ce qu'il y a, Mark ? Qu'est-ce que tu veux ? On pourrait t'aider.

Il reste de marbre. Il leur explique : je peux m'en faire deux chaque dimanche.

J'irai avec toi, si tu veux, dit Bonnie en lui massant les épaules.

Mais... comment ? Tu n'appartiens pas à ces Églises.

Elle se redresse d'un bond et se met à rire, comme s'il venait de sortir une ânerie. Toi non plus, Mark !

D'un geste, il lui montre la liste. Tu sais bien ce que je veux dire. Celles-là, elles sont toutes... Tu vois le genre ? Baptiste. Méthodiste. Des trucs comme ça. Toi, tu es une Habitante de l'Étage.

Et après ? Ils ne vont pas me refouler à l'entrée.

Va savoir. Parfois, l'*Homo sapiens* est très territorial.

S'ils me claquent la porte au nez, pourquoi pas à toi ?

Parce que moi, je ne suis rien du tout. Va empêcher un rien du tout de s'introduire quelque part. Quand tu n'es personne, on peut encore te récupérer, te convertir.

Pseudo-Karin tend la main vers lui, mais elle s'arrête en chemin. Mark chéri. Tu veux découvrir qui a écrit ce billet ?

Elle a décroché un diplôme de télépathie ou quoi ?

On pourrait faire paraître une petite annonce, dans le journal ou ailleurs.

Pas de petite annonce ! Il crie peut-être un peu trop fort. Même à lui, il se fout les jetons, un brin. Mais quel que soit l'auteur de ce billet, il se pourrait qu'il sache aussi ce qui est arrivé à Karin. Et s'il tombe entre les pattes de ceux qui l'ont enlevée...

La doublure est contrariée. Pour une raison quelconque, elle ne joue pas simplement la comédie. Elle relève ses cheveux, comme Karin fait tout le temps. De la voir, ça lui fiche un coup.

Qu'est-ce que je peux faire, Mark ? Bon, admettons. Celui ou celle qui t'a laissé ce billet croit en Dieu. Et aux anges gardiens. Mais tout le monde dans le Nebraska croit aux anges gardiens ! Moi-même j'y croirais si...

Elle s'interrompt, comme pour ne pas vendre la mèche. Si quoi ? dit-il. Si quoi ?

Elle refuse de répondre, alors il prend un bout de papier et se met à recopier des adresses : « Alliance de la Bible d'Antioche. Assemblée de Jésus-Christ »...

Mark, je t'assure. C'est de la folie. Il te faudrait un énorme coup de pot.

Pas tant qu'à mon sauveur. Me trouver là-bas, dans le noir, au fond du fossé. En plein hiver. Au milieu de nulle part. Quelles étaient ses chances ?

Bonnie, elle au moins, s'en tient à ce qu'elle dit. Elle croit pouvoir faire le salut de Mark. Pourquoi pas ? Ils s'habillent tous les dimanches et vont à l'église, comme un gentil couple de fiancés dans l'un de ces livres de classe du temps des pionniers. Un peu de sexe par-dessus, et il serait au paradis. Mais tout ce qu'il peut espérer après la célébration, c'est un bon gueuleton. Ils vont déjeuner au Phil's ou au Feu de Camp, des établissements où défile le plus souvent une clientèle d'un certain âge. Vu l'écriture en pattes de mouche, l'auteur du billet doit être vieux. À l'église comme au restaurant, Mark laisse le mot en évidence. Il ne se déplace jamais sans, et va l'agiter sous le nez d'inconnus. Mais ça ne mordille même pas un peu. Et les gens ne font pas semblant. Il reconnaîtrait le mensonge les yeux fermés.

À leur retour, il surprend une conversation entre Bonnie et l'agent spécial Sœurette. Elle veut un rapport détaillé. Pourquoi B-Baby fait-elle ça ? Moucharder. Il est très possible qu'elle soit son fil à la patte, celle qui les aide à monter toute cette comédie. Mais il ne peut pas la prendre de front. Pas encore.

La Femme qui voulait être Karin passe à tout bout de champ, presque chaque jour. Elle apporte des provisions et ne veut pas d'argent en retour. C'est très louche, mais, le plus souvent, la nourriture arrive sous emballage hermétique, et en général elle est plutôt appétissante. Parfois, c'est elle qui fait la cuisine. Allez comprendre. En tout cas, pour l'instant, ça ressemble à une bonne opération, en attendant de savoir combien ça va lui coûter.

Elle le coince un après-midi où il se trouve seul chez lui à creuser un nouveau trou pour y planter sa boîte à lettres. Depuis sa sortie de Dead Man's Land, il ne reçoit que de la pub. Ils ont placé la boîte au mauvais endroit. Le facteur ne s'y retrouve plus. Pendant tout ce temps, sa sœur a pu lui écrire, et aucun moyen de le savoir.

Elle n'était pas là, avant, lui explique-t-il.

Elle fait semblant d'être horrifiée. Elle était où ?

Difficile à dire avec exactitude. En l'absence de repères. D'où partir pour prendre les mesures ? Tout est décalé d'un ou deux mètres.

Il regarde vers des arbres clairsemés, à la lisière du Pas des Eaux. Derrière le lotissement, un grand champ de maïs vert ondule jusqu'à l'horizon. L'espace d'une minute, le sol se liquéfie, comme au temps de l'enfance, quand lui et sa vraie sœur s'amusaient à tourner comme des toupies, puis s'immobilisaient d'un seul coup. Il regarde la remplaçante de Karin ; elle a l'air de tanguer, elle aussi.

Mark, il faut qu'on parle. Au sujet de ce billet.

Son corps tout entier se redresse au-dessus du trou. Tu sais quelque chose ?

Je... J'aimerais bien. Écoute, Mark. Mark ! Arrête. Écoute-moi. Si celui ou celle qui a écrit ce mot n'a pas pris contact à l'heure qu'il est, c'est... par désintéressement. Pour rester anonyme. Ne pas devenir un héros, ou ne pas s'attribuer le mérite de ton sauvetage. Cette personne ne veut pas que tu saches qui elle est. Mais que tu vives ta vie, simplement.

Il relève la vrille de sa tarière puis l'enfonce dans la terre sèche. Alors, pourquoi avoir déposé ce putain de billet ? À quoi bon s'emmerder ?

Pour que tu te sentes protégé. Relié.

Relié ? Relié à quoi ? Il jette sa bêche par terre et donne un coup de pied dedans ; ses bras se tordent comme des couleuvres. Monsieur l'Ange invisible et anonyme ? C'est censé me rassurer, ça ? Relié ?

Pourquoi as-tu tant besoin de... ?

Il se retient de lui envoyer son poing dans la figure. Celui qui a écrit ça m'a sauvé la vie. Si j'arrive à le retrouver, je pourrais peut-être découvrir ce qui...

L'émotion l'étreint : crétin ! crétin ! Mais il s'en tape qu'elle le voie chialer un coup. Elle y va de sa petite larme, elle aussi. Toujours pareil. Ce que le singe voit, il l'imite.

Je sais. Je sais ce que tu ressens, qu'elle dit. Et on la croirait presque. Elle demande : Il faut vraiment que tu mettes un visage sur ce billet ? Ce serait grave si tu découvrais que... ? Mark. Arrête. Non ! Dis-moi simplement ce que tu as dans la tête. Tu veux remercier ? Tu veux... je ne sais pas. Faire connaissance ? Nouer une amitié ?

C'est comme si elle venait de surgir de nulle part. Tout d'un coup, elle essaie d'être celle qu'elle se contentait de copier.

Je me fous de savoir qui est ce type. Si ça se trouve, c'est un vieux satyre lituanien de quatre-vingt-dix balais.

Alors pourquoi tu t'acharnes ?

Mark Schluter se prend la tête à deux mains et la secoue. Des démons gardiens volent dans tous les coins. Ses bottes en caoutchouc crottées frappent la terre, pour démolir le trou fraîchement creusé.

Lis ce billet. Lis donc ce satané billet. Il glisse deux doigts dans la poche de sa combinaison et en tire le bout de papier plié. Il le garde toujours sur lui désormais, tout contre son corps. Elle ne le prend pas. Elle ne veut pas y toucher.

Pour que tu puisses vivre, récite-t-il en lui mettant le document devant les yeux. *Et ramener quelqu'un d'autre.*

Elle s'assoit sur la terre, près de lui, à deux centimètres. Un calme insolite s'empare d'eux.

Ramener quelqu'un ? demande-t-elle. Comme si elle aussi pouvait en avoir envie.

Il s'élance par-dessus le trou. Elle recule, les bras en l'air, pour parer l'attaque. Mais tout ce qu'il veut, c'est lui prendre le visage.

Il faut que tu m'aides. Je t'en supplie. Je ferai tout ce que tu voudras. Je dois retrouver cette personne.

Mais pourquoi, Mark ? Qu'est-ce qu'elle peut t'offrir de plus que moi... ?

Elle sait. Elle sait pourquoi je suis encore en vie. Et moi, j'aimerais comprendre.

Karin écrivit à Gerald Weber. Il lui avait demandé de l'avertir si l'état de Mark évoluait. Elle ne glissa aucune allusion à l'émission de télé. Ne lui parla pas de son nouveau livre qu'elle avait acheté, ni du fait qu'elle l'avait trouvé froid et sans vigueur, aussi truffé de formules recyclées sur le cerveau humain qu'il manquait d'âme. Elle écrivit : « Mark va manifestement de plus en plus mal. »

Elle exposa les nouveaux symptômes : les théories obsessionnelles de son frère au sujet du billet. Les lieux qui se dédoublaient à présent, en plus des gens. Son rejet de la maison et du quartier, peut-être même de la ville entière. Sa dérive vers des contrées si étranges que Karin en avait le frisson. Elle demanda si l'accident pouvait avoir engendré chez lui de faux souvenirs. Avait-il pu se produire en Mark une altération de la représentation générale du monde ? Le moindre changement le poussait à voir en chaque fraction de seconde un univers singulier.

Elle mentionna un cas décrit dans le premier livre de Weber, celui d'une vieille dame, une certaine Adèle, qui affirmait ne pas se trouver dans un lit d'hôpital à Stony Brook, mais dans une confortable demeure, chez elle, à Old Field. Quand Weber lui avait montré l'équipement médical très coûteux qui emplissait sa chambre, Adèle avait ri. « Oh. De simples accessoires, pour que je me sente mieux. Je ne pourrais jamais me les payer en vrai. »

Paramnésie réduplicative. Elle recopia ces mots dans son mail. Mark pouvait-il en être victime ? Remarquer des détails auxquels il n'avait jamais prêté attention auparavant ? Avait-on déjà vu une lésion stimuler la mémoire ? Elle se reporta au second ouvrage du docteur Weber, page 287 ; l'homme qu'il désignait sous le nom de Nathan. Une atteinte des lobes frontaux avait en quelque sorte réduit à néant son censeur interne et libéré des souvenirs refoulés de longue date. À cinquante-six ans, Nathan s'était soudain souvenu qu'à dix-neuf ans il avait tué un homme. Était-il possible que Mark se rappelle des choses anciennes le concernant – ou la concernant ; des choses qu'il ne pouvait accepter ?

À mesure qu'elle les formulait, Karin sentait bien que ses théories tenaient du délire. Mais pas plus que le syndrome de Capgras. Les livres de Weber affirmaient eux-mêmes que le cerveau humain dépassait les folies de la pensée, bien au-delà de ce que la pensée pouvait croire. Elle cita *Au pays de l'inattendu* : « Même la normalité standard relève de l'hallucination. » Rien dans l'examen que le docteur Weber avait pratiqué sur son frère ne laissait prévoir l'apparition de ces nouveaux symptômes. Ou bien il fallait à Mark un nouveau diagnostic, ou c'était elle qui souffrait d'hallucinations.

Elle reçut une réponse cordiale de la secrétaire de Weber. Son nouveau livre l'obligeait à voyager dans dix-sept villes à travers quatre pays au cours des trois prochains mois. Il serait très difficile de le joindre par mail jusqu'à la rentrée, à moins d'une urgence. La secrétaire promettait d'attirer l'attention du docteur sur le message de Karin dès que possible. Pour finir, elle l'invitait à reprendre contact si l'état de son frère s'aggravait encore.

Cette réponse mit Karin en rage. « Il m'évite, dit-elle à Daniel. Il a eu ce qu'il voulait, et maintenant il nous lâche. »

Daniel essayait de masquer son embarras. « Je doute qu'il ait seulement le temps de t'éviter. Il doit mener une vie de dingue en ce moment. La télévision, la radio et la presse, chaque jour.

– J'en étais sûre. Tout le temps qu'il a passé ici. Il a vu en moi une patiente à problèmes. Une parente à problèmes. Il a lu mon mail, et il a demandé à ses collaborateurs de le couvrir. Va savoir s'il s'agit vraiment de sa secrétaire. C'est peut-être lui, qui fait semblant...

– Karin ? K. ? fit Daniel, soudain plus âgé que le neuroscientifique. Nous n'en savons rien...

– Épargne-moi ta condescendance ! Je me fous de ce que nous savons ou pas.

– Calme-toi. Ça va aller. Tu es en colère. Comme de juste. Tu en veux à la profession tout entière. À ce business. Et peut-être même à Mark.

– Tu fais ma psychanalyse ?

– Pas du tout. Je vois simplement que tu...

– Mais putain ! Pour qui tu te prends... ? »

Ces mots, même étouffés, les réduisirent tous deux au silence. Les mains de Karin se mirent à trembler et elle s'assit, hébétée.

« Mon Dieu, Daniel. Qu'est-ce qui m'arrive ? Tu m'entends ? Je suis comme lui. Pire que lui. »

Il s'approcha et, d'une main caressante, rendit la vie à l'avant-bras de Karin. « La colère est naturelle, dit-il. Toute créature connaît ça. »

Excepté le saint dont elle partageait la vie.

Elle prit rendez-vous avec le docteur Hayes. Quand elle se fut garée sur le parking du Bon Samaritain, la nuit de l'accident vint à sa rencontre. Elle était restée assise dix minutes dans la voiture, avant que ses jambes puissent la porter.

Elle salua Hayes avec professionnalisme. Le compteur de la consultation tournait déjà. Elle énuméra les symptômes de Mark, et le neurologue les consigna dans le dossier médical.

« Amenez-le-moi. Il serait préférable que je le réexamine.

– Il refusera, dit Karin. Il ne m'écoute plus depuis qu'il vit de nouveau seul.

– Vous avez pensé à faire une demande de mise sous tutelle ?

– C'est-à-dire... ? En quoi ça consiste ? Je devrais le déclarer mentalement irresponsable ? »

Hayes lui indiqua une adresse. Karin la nota, soudain remplie d'un espoir atroce. Faire usage de la loi contre son frère. Pour le protéger contre lui-même.

« Jusqu'à quel point votre frère est-il convaincu que sa maison est une copie ? demanda Hayes, fasciné.

– Sur une échelle de dix ? Je dirais qu'il est à sept.

– Comment explique-t-il l'échange ?

– Il se croit sous surveillance depuis l'accident.

– Il n'a pas tort, non ? Dommage que notre écrivain ne soit plus là pour voir ça. C'est bien le genre de cas qu'on trouve dans ses bouquins.

– Mais nous ne sommes pas dans ses bouquins, répondit-elle, cassante.

– Non. Désolé. Bien sûr. » Il posa son stylo et promena le doigt sur la reliure d'un épais volume vert, une revue médicale rangée sur l'étagère derrière lui. Mais il la laissa en place. « Les études recensent un grand nombre de recoupements entre les différents délires d'identification. Il se pourrait qu'il ne s'agisse pas de troubles distincts. Plus d'un quart des patients atteints du syndrome de Capgras développent en parallèle d'autres symptômes délirants. Si on se penche sur les différentes causes...

– Vous voulez dire que l'état de Mark pourrait encore empirer ? Qu'il pourrait lui venir d'autres idées farfelues ? Pourquoi ne pas l'avoir dit avant ? »

Hayes lança à Karin un regard d'un calme exaspérant. « Parce que, avant, ça ne s'était jamais produit. »

Le médecin voulait replacer Mark en observation. Celui-ci devait se rendre la semaine suivante à sa première séance de TCC en consultation externe. Son thérapeute, le docteur Jill Tower, avait déjà étudié le dossier. De son côté, Hayes assurerait un suivi. Pendant tout ce temps, on ne remettrait en question ni le diagnostic, ni le traitement prescrit.

La consultation durait depuis dix-sept minutes, et Karin se trouvait déjà dans le rouge. « Je voulais aussi votre avis, reprit-elle. Je sais que le docteur Weber est un spécialiste reconnu. Mais j'ai lu des articles sur ce type de thérapie. Je trouve que ça ressemble beaucoup... comment dire ? À un vulgaire conditionnement. On se contente d'un apprentissage et de... rectifications pour tenter d'atténuer les crises de délire. Vous pensez que ce traitement est adapté au cas de Mark ? Le scanner a révélé des lésions. Quelle efficacité un travail mental, qui vise à modifier un comportement, peut-il avoir sur des atteintes physiques ? »

Elle mettait le doigt sur un point sensible à en juger par la façon dont le neurologue entreprit de noyer le poisson. « Il faut explorer diverses approches. En lui apprenant à s'adapter à son nouveau moi, la TCC ne risque pas de causer du tort à votre frère. Désorientation, colère, anxiété... »

Elle fit la grimace. « Y a-t-il une chance que cela contribue à soigner le syndrome ? »

Hayes se tourna de nouveau vers son étagère mais, une fois encore, il la laissa en ordre. « Un petit nombre de publications fait état d'améliorations dans le cas de délires d'identification liés à des troubles psychiatriques. De là à affirmer qu'une TCC peut agir sur un Capgras causé par un traumatisme crânien, il est trop tôt pour le dire.

– Nous servons de cobayes ?

– La médecine implique souvent une part d'expérimentation.

– Chaque fois que je lui prouve qu'il perd la tête, Mark invente une nouvelle théorie toujours plus compliquée pour se justifier. Comment un thérapeute arrivera-t-il à le raisonner ?

– La TCC n'a rien à voir avec le raisonnement. Il s'agit d'un ajustement émotionnel. On apprend au patient à explorer ses systèmes de croyances. On l'aide à travailler sur la perception de son moi. On lui propose des exercices pour modifier...

– On va aider Mark à explorer les raisons pour lesquelles il pense que je ne suis pas moi ? » Quel que fût ce moi.

« Nous devons déterminer la force de son délire. Peut-être qu'il n'opposera pas plus de résistance à une restructuration que n'importe quelle croyance. On voit des gens changer de couleur politique. D'autres qui tombent amoureux, puis n'aiment plus. Il y a ceux qui persécutent les adeptes d'une religion et finissent par se convertir. On ignore ce qui se passe dans le cas d'un délire d'identité. Nous ne sommes capables ni de le déclencher, ni de le supprimer. Mais on peut arriver à faire en sorte qu'il soit plus facile de vivre avec.

– Plus facile pour... ? » Elle se reprit. « En somme, "plus facile", c'est ce qu'on peut espérer de mieux ?

– Ce serait déjà beaucoup.

– Le docteur Weber préconise une thérapie comportementale pour tous ses patients incurables ? »

Les yeux de Hayes vacillèrent : une petite fulgurance prête à transgresser le code déontologique. Une fulgurance qui disait : *Bah ! Vous savez, les médecins prescrivent souvent des antibiotiques pour soigner un simple rhume.* « Nous n'aurions pas recommandé ce traitement s'il n'avait aucune chance d'être profitable. »

Le corps médical serrait les rangs. Mais elle pouvait encore le prendre en défaut. « Sans la venue du docteur Weber, vous auriez orienté Mark vers cette thérapie ? »

Le sourire de Hayes se voila. « Approuver ses recommandations ne me pose aucun problème.

– Mais une thérapie comportementale dans le cas d'une lésion ? C'est comme vouloir convaincre un aveugle de cesser de l'être.

– Une personne qui viendrait de perdre la vue pourrait avoir besoin qu'on l'aide à s'adapter à la cécité.

– Il ne s'agit donc que d'une aide à l'adaptation. Il n'existe pas de remède ? Rien de pharmaceutique ? Même s'il est évident que l'état de Mark se détériore ? »

Le docteur Hayes posa deux doigts sur ses lèvres. « Rien que nous puissions préconiser. Rappelez-vous : on ne fait pas ça pour nous. Mais pour votre frère. »

Elle se leva et serra la main du neurologue en songeant : le frère de qui ? Sur le chemin de la sortie, elle confirma le rendez-vous de Mark auprès de l'infirmière qui tenait le planning du docteur Tower.

Elle signa une trêve avec Rupp et Cain. Quels que fussent les péchés dont ils s'étaient rendus coupables envers son frère, elle ne pouvait pas se permettre de déterrer la hache de guerre. Il fallait bien qu'on l'aide à veiller sur Mark, surtout la nuit, quand les choses devenaient plus rudes. Elle avait perdu le droit d'aller et venir à sa guise. Un soir difficile, elle avait proposé à Mark de rester dormir dans la chambre d'amis. Il l'avait dévisagée avec tant de férocité que la peur l'avait renvoyée chez Daniel.

Le lendemain, Karin appelait Tommy Rupp, le « cerveau » des Mousses queutards, si l'on peut dire. Discuter avec Rupp au téléphone restait supportable. Du moment qu'elle n'était pas obligée de le regarder...

Il se montra d'une correction surprenante, organisant au débotté un tour de garde qui permettait d'avoir en permanence un œil sur Mark. Rupp aimait cette perspective.

« Comme au bon vieux temps, lui dit-il. Mark n'hésitera pas une seconde à nous accueillir chez lui pour la nuit.

– C'est bien ce que je crains. S'il vous plaît, ne l'obligez pas à prendre de la drogue. Pas dans son état. »

Tommy gloussa. « L'obliger ? Pour qui tu nous prends ? Des monstres ?

– À en croire les dernières théories des neurologues, nous sommes tous des monstres. »

Intact, un souvenir humiliant s'interposait entre eux. Des années plus tôt, Karin et Rupp s'étaient envoyés en l'air, pour s'amuser, une nuit de septembre, sur le perron de la maison familiale, tandis que Mark, Joan et Cappy Schluter dormaient à l'étage. Elle était alors en licence et Rupp sortait tout juste du lycée. L'affaire frôlait le détournement de mineur. De fait, elle avait bel et bien détourné Rupp ce soir-là, lui arrachant des cris de surprise étouffés, au risque de réveiller la maisonnée et de les faire tuer tous les deux. Elle n'avait jamais su pourquoi elle avait pris l'initiative de ce jeu sans lendemain. Par curiosité. Par simple goût du frisson : la pire des transgressions. Peut-être y trouvait-elle un certain ascendant ; entraîner l'ami de son frère derrière la balancelle du perron, une nuit de septembre, sèche et vivifiante, dans l'obscurité totale, pour faire la bête à deux dos. Rupp exerçait sur Mark une influence contre nature. Même à dix-huit ans : il affichait trop de détachement pour laisser paraître le moindre désir. D'accord pour une petite équipée, mais rien de plus. Alors, elle ne l'avait pas déçu. Karin ne devait saisir que plus tard tout le pouvoir qu'elle avait donné à ce garçon.

Mais il n'avait jamais rien dit à Mark. Elle l'aurait su : Mark l'aurait répudiée, neuf ans plus tôt. Rupp n'avait plus jamais fait allusion à cette histoire. Il eût accepté avec plaisir de remettre le couvert à la première occasion, mais il n'allait pas s'abaisser à en faire la demande. À la façon dont il rôdait autour d'elle, Karin sentait la question de Rupp, cette question lancinante qui lui trottait dans la tête, à elle aussi, chaque fois que leurs routes se croisaient : *Est-ce que cette fille est toujours là ?*

Elle avait le goût du risque, à l'époque. Et question risque, Tommy Rupp était champion toutes catégories du lycée de Kearney. À treize ans, il avait parcouru deux cents kilomètres en stop, jusqu'à Lincoln, pour se faire embaucher en douce comme simple ouvrier agricole, et ramener à ses amis médusés les empreintes de John Mellencamp sur une bouteille de rhum Myers. À quinze ans, pour décorer sa chambre, il volait les quatre drapeaux accrochés à la façade du bâtiment municipal de la Vingt-deuxième Rue (celui de la ville, celui de l'État, celui de la nation et celui du souvenir). La police mise à part, tout Kearney savait qui les avait fauchés. En deuxième année d'université, il était devenu catcheur et s'était classé cinquième du championnat du Nebraska, dans la catégorie des plus de soixante-six kilos, avant d'abandonner le sport institutionnel, le taxant de « camp d'entraînement pour homos en herbe ». Mark, qui bataillait depuis des années pour acquérir une réputation d'arrière combatif mais maladroit, au lancer médiocre hors des six mètres vingt-cinq, en avait profité pour renoncer lui aussi.

Rupp avait éduqué Mark à coups de citations alarmantes empruntées aux classiques dont il se nourrissait, dans la stricte observance d'un régime d'autodidacte. « Garde-toi des bons et des justes ! Ils aiment à crucifier ceux qui s'inventent leur propre vertu. Ils haïssent le solitaire. » Mark n'arrivait pas toujours à suivre le gaillard, mais son langage le bluffait à tous les coups.

En terminale, ils avaient choisi Duane Cain comme homme à tout faire. Celui-ci comptait déjà à son actif une condamnation de dix-huit mois pour s'être cru l'inventeur de l'escroquerie à l'assurance. Le trio était devenu inséparable. Ils passaient des semaines à trafiquer tous les moteurs à explosion qui acceptaient de se laisser désosser. Ils déclaraient des guerres perpétuelles à toutes les autres cliques du lycée. Duane entraînait la bande dans des raids nocturnes au cours desquels ils empruntaient aux Indiens leur vieux signe de mépris : ils déposaient, bien en vue dans le jardin de l'ennemi, une carte de visite en forme de colombin fumant.

Ils s'étaient inscrits tous trois à l'université du Nebraska. Rupp avait bouclé ses études en quatre ans. Total auquel, à eux deux, Mark et Duane étaient aussi parvenus. Profitant de « débouchés dans les télécommunications » à Omaha, Rupp avait abandonné ses camarades à leurs sorts de manutentionnaire et d'employé de la compagnie du gaz. Huit mois plus tard, il revenait sans une explication, mais avec un plan à long terme censé promouvoir leurs destins professionnels respectifs. Rupp avait convaincu l'usine de Lexington de l'embaucher, puis migré du post-conditionnement aux abattoirs, où l'heure se monnayait trois dollars de plus. Sitôt acquise une certaine ancienneté, il avait trouvé un emploi à ses deux amis. Duane avait rejoint Rupp l'Éclair à l'abattage, mais Mark n'avait ni l'estomac, ni le nez pour accomplir ce genre de tâche. Il se contentait bien volontiers d'entretenir les machines, et avait amassé en trois ans assez d'économies pour régler l'acompte de la Homestar.

Dans ce trio, seul Tommy Rupp nourrissait quelques ambitions. La garde nationale du Nebraska lui avait proposé un salaire supplémentaire, et même promis de lui payer les trois quarts de ses frais d'inscription, s'il reprenait des études. Le tout, pour un seul de ses week-ends par mois. Et pas le moindre effort intellectuel. Rupp avait tenté de convaincre ses deux comparses. De l'argent facile, un service patriote et mixte : la meilleure combine légale qui pourrait jamais s'offrir à des lascars de leur acabit. Mais Duane et Mark avaient préféré attendre.

Rupp s'était enrôlé en juillet 2001 comme mécanicien spécialisé sur véhicules légers, pour faire ce à quoi, de toute façon, il adorait consacrer ses week-ends. 167e régiment de cavalerie. Durant les classes, on avait tenté de l'empoisonner, et Rupp en conservait la preuve sous forme d'une vidéo commémorative : il sortait en trébuchant d'une chambre à gaz, rampait hors du caisson hermétique rempli de chlorobenzalmalononitrile, dans lequel, comme vingt-cinq autres recrues à l'exercice, il avait reçu l'ordre d'ôter son masque. Cain n'était resté qu'un instant devant cette cassette – Rupp, l'Homme de fer, suffoquant, à genoux dans la poussière, crachant tripes et boyaux – assez pour se convaincre que le service national n'entrait pas dans ses perspectives d'avenir. Mark était épouvanté lui aussi. Inhaler du poison, ça ne lui disait trop rien.

Puis vint septembre, et les attentats. Comme le reste du monde, le trio était scotché à la folie cinématique diffusée en boucle et au ralenti. Depuis les plaines centrales, New York ressemblait à un panache de fumée noire au bout de l'horizon. Des soldats assuraient la sécurité du Golden Gate Bridge. L'anthrax faisait son apparition dans les sucriers de l'Amérique. Puis les bombes se mirent à pleuvoir sur l'Afghanistan. À Omaha, un présentateur déclarait : « L'heure de la revanche a sonné », et tout le long de la rivière un assentiment glacial et unanime s'était élevé.

Rupp plaidait l'autodéfense pure et simple. Dès le début des hostilités, et sans relâche, il expliquait que l'Amérique ne pouvait se permettre d'attendre, bras croisés, que d'autres agents fanatiques, lancés à la poursuite des soixante-douze vierges de leurs rêves, ne répandent la variole dans le pays endormi. Les terroristes ne s'arrêteraient que lorsque le monde entier aurait fini par leur ressembler. Tommy et ses visions d'avenir angoissaient Duane. Mais Rupp restait philosophe. La liberté avait un prix. Et puis, il n'existait aucun objectif sur lequel dépêcher la garde nationale.

L'hiver venu, l'Amérique lançait ses frappes sur d'innombrables cibles. Rupp passait plus de temps en service, et quelques-uns de ses camarades furent expédiés à Fort Riley, dans le Kansas. Le 3 février, juste après que le président eut prononcé son discours va-t-en-guerre sur l'état de l'Union, et que Washington eut perdu la trace de Ben Laden, Mark allait trouver Rupp pour lui annoncer qu'il avait changé d'avis. Il voulait s'engager, chlorobenzalmalononitrile ou pas. Rupp accueillit la nouvelle comme le distributeur d'une marque de cosmétiques autorisé à pratiquer des rabais. Ensemble, ils s'étaient rendus au bureau du recrutement, puis Mark avait fait quelques emplettes. Il serait réparateur de systèmes électriques et de circuits d'alimentation. À condition de réussir les tests d'aptitude. Ce qui ne devait pas être plus difficile que ce qu'on lui demandait déjà chez ACI. Sa déclaration d'intention signée, il partait fêter l'événement avec Rupp : deux heures en rase campagne à dégommer à la 22 long rifle des cannettes posées sur des clôtures. Tard dans la soirée, il appelait Karin, la bouche pâteuse, la parole chancelante. Il lui avait raconté toute l'histoire. Il n'était plus le même : la voix plus fière, plus sereine que depuis bien longtemps. Comme un vrai soldat, déjà. La fierté de la nation.

Elle lui avait demandé de suspendre la procédure. Il lui avait ri au nez. « Qui ira protéger ton mode de vie, si je ne m'en charge pas ? Je n'ai qu'un regret : ne pas avoir sauté le pas plus tôt. C'est un jeu d'enfant. Je peux y arriver. Tu te rappelles papa et maman ? » Oui, avait-elle répondu. « Ils sont partis tous les deux en pensant que j'étais un tire-au-flanc. Mais toi, tu ne crois pas ça, hein ? »

Il s'était enrôlé pour elle. Karin lui avait demandé de renoncer à son projet, de faire jouer la clause de rétractation sous quarante-huit heures. Mais en s'entendant anéantir la seule tentative que son frère eût jamais effectuée pour renflouer son amour-propre, elle s'était ravisée. Et peut-être avait-il raison. Peut-être fallait-il qu'elle paie, elle aussi, le prix de ses privilèges. Deux semaines plus tard, il gisait tête en bas dans un fossé gelé. Finie l'excursion au pays du devoir patriotique.

Karin était allée négocier avec les officiers recruteurs de la garde nationale pendant que Mark se trouvait encore au Bon Samaritain. Elle avait essayé de dégager son frère des obligations contractées. Mais elle n'avait rien obtenu de mieux qu'une dispense médicale, sujette à révision. Nouvelle incertitude dont il leur faudrait apprendre à apprivoiser la menace. Après quelque temps, l'idée même de sécurité avait fini par ressembler à une vaste escroquerie. La garde viendrait réquisitionner Mark si elle le jugeait apte au service. En attendant, Rupp peinait au champ de manœuvre, en leur nom à tous. Duane soutenait le moral des troupes en arborant un T-shirt frappé d'une inscription : « Marines Cherchent JF Pas Farouches », le tout illustré de manière adéquate.

Mais surtout, il aidait Rupp et Bonnie à garder la Homestar. Karin veillait au grain, d'aussi près que possible. Mark goûtait la compagnie de ses amis, sans jamais se demander pourquoi les réjouissances organisées en son honneur se prolongeaient sur plusieurs semaines. Du moment qu'il était entouré de ses invités, et que le frigo ne désemplissait pas, Mark semblait disposé à vivre.

Karin rôdait en coulisses. Elle faisait appel à Rupp et à son sens aigu du devoir. « Tu feras attention quand il prendra une cigarette ? Il n'a pas fumé depuis des mois. Je suis terrifiée à l'idée qu'il l'oublie dans un coin et mette le feu à la maison.

– Hé ! Relax. Mis à part deux ou trois théories bizarres, notre homme est à peu près normal maintenant. »

À quoi bon discuter ? Elle ne savait plus ce que normal voulait dire. « Au moins, allez-y mollo sur la bière.

– Cette pisse de rat ? Elle ne risque pas de causer grand tort à qui que ce soit. C'est du *light*. »

Le soir, quand elle passait en voiture devant la Homestar, elle voyait toujours de la lumière, signe qu'un festival torride de films d'arts martiaux battait son plein, suivi, jusqu'au bout de la nuit, d'une orgie de jeux vidéo. Elle les tolérait désormais. Même ces parties insensées de stock-car valaient bien une thérapie cognitive, pour ramener Mark à la vie. Lancé dans des courses sans scrupule, débarrassé du soupçon qui pesait sur la cohérence des choses, il trouvait en l'écran de son téléviseur l'unique espace capable de lui procurer du plaisir. Mais jouer le rendait fou, aussi. Avant sa sortie de route, ses pouces étaient plus agiles que ses pupilles. Aujourd'hui, il se rappelait ses exploits passés, mais ne savait plus comment les reproduire. Il s'emportait. Dans ces moments-là, Karin remerciait Rupp et Cain de leur présence. Eux seuls pouvaient la soustraire aux fureurs de Mark. Maintenant que son corps était guéri, il risquait de l'estropier sans même s'en rendre compte. Elle était un agent du gouvernement, un robot. Il pouvait lui arracher la tête en moins de deux pour mettre à nu ses circuits. Une crise de confusion, et c'en était fini d'elle.

Cain et Rupp contenaient sa colère. Ils apprirent comment se comporter devant lui : ils le laissaient exploser, puis lui remettaient la manette dans les mains. Cette routine finit par s'intégrer aux réjouissances quotidiennes.

Le jour de la fête de l'Indépendance, tous se réunirent pour assister au feu d'artifice. Les garçons avaient pris de l'avance, rempli un grand fût en tôle de cannettes de bière glacée, et mis à griller au-dessus d'une fosse un quartier de veau emprunté à l'usine. Quand Karin arriva, ils écoutaient le chœur mormon du Tabernacle dans des chants patriotiques greffés sur des marches de John Philip Sousa. L'onde sonore l'ébranla dès l'entrée du lotissement. Duane s'acharnait à dompter une sorbetière dont il tentait de raisonner le mécanisme retors. Mark riait de le voir, d'un rire plus naturel que depuis son accident. « Ta machine a la courante.

– Je vais lui donner son compte, à cette saloperie. Et après, je m'attaquerai à la platine du magnéto. Montre-moi une machine dont je ne saurais pas venir à bout. J'ai dans l'idée qu'il s'agit d'un problème de polarité. Tu t'y connais, toi ? »

Tout ce numéro amusait tant Mark qu'il n'éleva aucune contestation à l'arrivée de Karin. « Regardez qui voilà ! Allez, viens, tu es une citoyenne, toi aussi. Mais quand même, tu fais fort sur ce coup-là. Le 4 Juillet, ça a toujours été la fête préférée de ma sœur. Nous allons lui dédier celui-ci, où qu'elle soit. À elle, et à tous les Américains portés disparus. »

Cette célébration n'avait jamais rien inspiré de bon à Karin depuis ses dix ans. Mais peut-être Mark faisait-il référence à la fillette de naguère. À ces deux mômes aux yeux remplis d'étincelles dorées, ivres de peur et de frisson devant le tir de barrage que déclenchait leur père depuis son lopin, avec des fusées interdites de catégorie B.

« Elle est sûrement à l'étranger, dit Mark qu'un nuage venait d'assombrir. À l'étranger ou en taule. J'aurais eu de ses nouvelles sinon. Surtout un jour comme aujourd'hui. Je te le dis : si ça se trouve, il y a des choses dans sa vie que j'ignore. »

Bonnie arriva sitôt quitté son travail à la Grande Arche, encore vêtue de sa longue robe de coton et de sa capote de pionnière. Elle allait se faufiler dans la salle de bain pour passer des vêtements civils quand Mark l'interpella. « Dis donc ? Pourquoi tu ne resterais pas en tenue ? » Il fit un signe en direction de son corsage en calicot imprimé. « Plus personne ne porte ce genre de truc foireux. Ça me manque. »

Bonnie restait interdite, sorte de diorama muséographique au sourire embarrassé. « Comment ça, ça te manque ?

– Tu sais bien : les temps anciens. L'héritage américain. C'est plutôt sexy. Et ça me détend. »

Malgré les affronts salaces de Rupp et Cain, Bonnie garda son costume tandis qu'elle s'activait à la cuisine pour improviser un festin en compagnie de Karin qui avait le nombril à l'air dans son jean coupé. Toile denim, tissu camouflage, T-shirt à inscriptions et capote en faux calicot : l'Amérique sur un peu plus de deux siècles.

« Où est ton ami ? demanda Bonnie à Karin.

– Quel ami ? » lança Mark depuis le patio.

Karin envisagea un instant de tordre ce cou serti de fanfreluches et de calicot. « Il est chez lui. Il... » Elle désigna d'un geste vague la chaîne stéréo, les marches de Sousa chantées par l'ensemble des chœurs. « Il déteste les cérémonies militaires. Il ne supporte pas les explosions.

– Invite-le quand même, suggéra Bonnie. Il pourra toujours s'en aller quand les réjouissances commenceront.

– Quel ami ? » Dehors, derrière la fenêtre de la cuisine, Mark collait son nez à la moustiquaire. « De qui vous parlez ?

– Tu baises avec quelqu'un en ce moment ? » demanda Rupp, pour marquer poliment son intérêt.

Duane savourait le rare privilège de détenir des informations. « Ça ne date pas d'hier. Elle est à la colle avec Riegel. D'où vous débarquez, les gars ?

– Danny Riegel ? Le zig aux zoziaux ? Encore lui ? » Rupp leva à la santé de Karin la cannette de bière qu'il tenait au frais dans un cylindre de polystyrène. « Impayable ! Comment j'ai pu ne rien voir venir ? Enfin, ne rien voir revenir ? C'est le coup de la migration annuelle ! »

Duane se mit à ricaner. « Un de ces quatre, ce mec-là va sauver la planète.

– Certainement plus vite que vous », les réprimanda Bonnie.

Depuis la cuisine, derrière la moustiquaire, Karin observait Mark. Il était allé se rasseoir sur sa chaise dans le patio et s'appliquait un glaçon sur le front. Il luttait au corps à corps avec ce nom, essayait d'accorder un passé lointain aux cinq secondes fugaces qu'il occupait en cet instant. Le sosie de sa sœur sortait avec un garçon dont il avait fait, dans une autre vie, son inséparable compagnon. Et qui vivait autrefois avec sa vraie sœur. Assemblage impossible. Combien d'existences fallait-il donc débrouiller en une seule vie ?

Autour du barbecue, les garçons cherchaient à déterminer l'emplacement des prochaines frappes américaines. Duane et Mark citaient divers pays dont Tommy évaluait ensuite le degré de résistance. Bonnie, daguerréotype colorisé, une assiette en carton posée sur les genoux, mangeait un steak d'une demi-livre en écoutant ces discours comme si elle devait les mémoriser pour son travail à la Grande Arche. « Vous n'avez pas envie de les plaindre parfois ? Ces étrangers ?

– Voyons, répliqua Rupp d'un air sceptique. Il ne faudrait pas les prendre pour des naïfs.

– Le révérend Billy dit que ce qui se passe en Irak était prédit dans la Bible, reprit Bonnie pour alimenter la conversation. Il fallait que ça arrive, avant la fin des temps. »

Karin indiqua que chaque bombe lancée sur l'Irak risquait d'engendrer de nouveaux terroristes.

« Ma parole ! » Mark secouait la tête. « Tu es encore plus traître que ma sœur. Je commence à croire que tu n'es pas du tout affiliée au gouvernement ! »

Épuisé, le chœur mormon du Tabernacle s'effondra, remplacé par du rock country chrétien très affirmatif. Des groupes de voisins, en bivouac autour de leurs barbecues dispersés, s'adressaient des vœux de circonstance. Le soleil se coucha, les insectes firent leur apparition, et les aigrettes timides des feux d'artifice commencèrent à éprouver l'obscurité. Première fête de l'Indépendance depuis les attentats ; les fusées colorées aux explosions indolentes paraissaient à la fois dérisoires et rebelles. Tommy Rupp fit partir une dizaine de « Terroristes volants » qu'il avait dénichés dans un stand en bord de route, près de Plattsmouth : des pétards aux teintes vives, à l'effigie de Saddam Hussein et de Ben Laden, qui sifflaient dans les airs et retombaient en serpentins.

Karin observait son frère dans la lumière fulgurante. Il levait les yeux vers le ciel, tressaillait au moment de la détonation, puis gloussait pour se reprendre. Tantôt vert, tantôt bleu, tantôt rouge, son visage exprimait le même étonnement que celui de Farview rassemblé devant ce tir de barrage lumineux, interdit à tous désormais, mais dont nul ne pouvait se dispenser. Elle le vit regarder autour de lui, essayer d'attirer l'attention de ses amis, en quête d'une confirmation que personne ne pouvait lui apporter. Sous la cascade des chrysanthèmes géants, il se retourna et surprit Karin en train de le dévisager. Alors, l'espace d'un éclair, son regard dans le sien, il échangea avec elle le signe infinitésimal d'une parenté : *Tu es perdue, toi aussi, n'est-ce pas ?*

La vie de Weber commença à basculer fin juillet. Quand un gazouillis plaintif s'éleva de ses vêtements entassés, il crut avoir affaire à un animal. Sylvie s'était battue pour expulser du grenier une famille de ratons laveurs, et voici que des sauterelles avaient envahi l'espace d'habitation. Seule la régularité du pépiement rappela à Weber l'existence de son téléphone. Il exhuma l'appareil fouisseur et le porta à son oreille. « Weber, j'écoute.

– Mon célèbre papa. J'appelle pour te souhaiter une journée remplie de soleil.

– Oh, c'est toi, Jess ! »

Depuis son nid d'aigle astronomique en Californie du Sud, sa fille venait lui fêter son cinquante-sixième anniversaire. Bien qu'elle se sentît mal à l'aise avec lui, Jessica ne manquait jamais à ses devoirs. Chaque Noël, elle revenait passer trois ou quatre jours sur la côte est. Envoyait des babioles à l'occasion de la fête des Mères et de la fête des Pères : films et musique, vaines démarches pour tenter d'initier ses parents à la culture populaire. Elle n'oubliait même pas leur anniversaire de mariage, à l'inverse de tout enfant qui se respecte. Et elle les appelait sans faillir le jour de leurs anniversaires, aussi difficile que fût la conversation.

« Tu as l'air surpris. Tu sais, l'écran de ton téléphone affiche le numéro de ton correspondant.

– Passe derrière moi, Satan ! D'ailleurs, comment sais-tu avec quel téléphone je te parle ?

– Papa ? Tu débloques.

– Ah ! Bon. Laissons ça. Mais pourquoi tu m'appelles sur cet engin cellulaire ? » Il était parti du mauvais pied, comme d'habitude.

« Je pensais que ça te ferait plaisir d'entendre ta fille te souhaiter un bon anniversaire.

– Je crois que je ne me suis pas encore habitué à cette sonnerie.

– Tu ne te sers pas de ton portable ? Ça t'ennuie que je t'aie offert ça ?

– Mais je m'en sers. Pour appeler ta mère, quand je suis en voyage.

– S'il ne te plaît pas, cher père, tu peux le rapporter.

– Qui a dit qu'il ne me plaisait pas ?

– Demande à maman d'aller le rendre. Elle navigue sans peine dans les eaux de la vente au détail.

– J'aime ce téléphone. Il est pratique.

– Très bien. Écoute-moi. Je te le dis maintenant pour que tu n'ailles pas faire toute une histoire le moment venu. J'ai l'intention de t'offrir un DVD pour Noël.

– Pourquoi ? Il y a un problème avec les cassettes ? »

Sa fille se mit à pouffer. « Alors, cet anniversaire ? C'est le numéro combien ?

– Navré, mais on ne compte plus. » Le son de leur voix suffisait à les renvoyer, elle à ses treize ans, lui à la trentaine.

Les mots n'avaient jamais été le fort de Jess. Elle leur préférait les chiffres. Mais elle appréciait le téléphone, cette technologie d'une propreté incontestable. Passage obligé de l'adolescence, elle avait contracté la téléphonite : de longues communications, presque muettes, entre elle et son amie Gayle. Jess jouait à Tetris tandis que sa camarade regardait une chaîne du câble (média auquel les Weber avaient réussi à échapper). Des heures durant, les deux jeunes filles échangeaient le son de leur respiration, ponctué seulement par les commentaires occasionnels de Jess sur l'un de ses scores, ou les interrogations de Gayle sur le résumé d'une intrigue : « Il l'embrasse ? Où ça ? Pourquoi ? » Sylvie passait toutes les demi-heures, insistante : « Dites donc, les filles. Soit vous liez conversation, soit vous raccrochez. »

L'attitude de Jess au téléphone restait peu ou prou inchangée, n'était que les parties de Tetris avaient fait place aux clichés de *Hubble*. Weber entendait le bruit d'un ordinateur à l'autre bout du fil, le cliquetis furtif d'un clavier. Demande de financements ou recherche sur une gigantesque base de données astronomiques. Pendant quelques secondes, Jess observa le silence. Weber finit alors par lui demander : « Et la pêche aux planètes ? Ça mord ?

– Plutôt, réagit-elle. J'ai obtenu un créneau en août pour l'observatoire de Keck. Nous cherchons à compléter la méthode de la vélocité radiale par... Mais ça ne t'intéresse pas vraiment ?

– Bien sûr que si. Est-ce que tu as déjà trouvé une petite boule chaude, avec de l'eau à sa surface ?

– Non. Mais je t'en promets une demi-douzaine d'ici ma titularisation.

– Tu as rempli tous les formulaires nécessaires ? »

Elle soupira. « Oui, Autorité parentale. » Jess comptait parmi les étoiles montantes de la relève cosmologiste, et il s'inquiétait de la paperasse.

« Ta nouvelle pompe à insuline fonctionne bien ?

– Du tonnerre ! Je n'ai jamais aussi bien employé deux mois de salaire. Ça m'a changé la vie. Je me sens une autre.

– C'est vrai ? Fantastique. Du coup, plus de malaises ?

– Pas complètement. Zuul m'habite encore de temps en temps. C'est un petit démon capricieux. Il est passé me prendre au milieu de la nuit, la semaine dernière. Pour la première fois depuis un bail. Il nous a fichu une trouille bleue à toutes les deux. »

Weber l'adjurait : *Dis son nom*. Mais elle n'en fit rien. « Et comment va Cléo ?

– Papa ! » Elle semblait presque amusée. Weber rendit grâce aux écrans de données qui offraient à Jess une distraction. « Tu ne trouves pas étrange de demander des nouvelles de mon chien avant d'en prendre de ma compagne ?

– Eh bien, comment va... ta compagne ? »

Profond silence côté californien. « Tu as oublié son nom, je me trompe ?

– Pas oublié, juste égaré, pour le moment. Pose-moi n'importe quelle question sur elle. Brookline, Massachusetts. Les Jésuites, Stanford, sa thèse sur la France et l'aventure coloniale subsaharienne...

– On appelle ça un blocage, monsieur mon père. Ça arrive quand on est angoissé ou gêné aux entournures. Tu ne t'y es jamais fait, avoue.

– À quoi ? » Stupide contre-la-montre.

Jessica avait cessé de tapoter sur son clavier. Cette situation l'amusait. « Tu sais bien. Tu n'as jamais accepté que ta fille couche avec une diplômée en sciences humaines.

– J'ai d'excellents amis qui le sont.

– Des noms !

– Ta mère, par exemple.

– Ma mère est la dernière des saintes païennes. Au fil des années, à ton contact, elle s'est fortifié l'âme.

– Tu sais, Jess. Je commence vraiment à m'inquiéter. Il n'y a pas que les noms courants. Maintenant, même dans mon agenda, certaines notes rédigées de ma propre main me laissent perplexe.

– Papa, tu te rappelles ce que tu as dit dans un de tes livres ? "Si vous ne vous rappelez plus où vous avez posé vos clés de voiture, pas de panique. Si vous ne vous rappelez plus ce que sont des clés, consultez un médecin."

– J'ai dit ça ? »

Jess rit, de ce rire béat, éperdu, toutes dents dehors, qu'elle avait déjà à huit ans. Cet aiguillon transperça Weber. « Et puis, si ça s'aggrave pour de bon, tu pourras toujours te procurer le meilleur des médicaments dernier cri. Vous autres, vous avez des tas de trucs à votre disposition dont vous ne parlez pas encore au public, je me trompe ? Mémoire, concentration, rapidité, intelligence : il y a une pilule pour tout. Je suis prête à parier. Et dire que tu ne veux pas partager un peu de cette manne avec la chair de ta chair. Ça me fout en rogne.

– Sois gentille avec ton père, dit-il. On ne sait jamais.

– À propos de livres, Shawna m'a montré la critique dans *Harper's*. » Shawna. Comment voulait-elle qu'il se souvienne d'un nom pareil ! « Moi je dis que ce type n'a qu'à aller se faire voir chez les Grecs. De la jalousie à l'état pur. Ça crève les yeux. À ta place, je n'y accorderais aucune attention. »

Éclair et court-circuit. *Harper's* ? Ils n'avaient pas attendu la sortie du livre. Ses éditeurs devaient être au courant depuis plusieurs jours déjà. Personne ne lui avait rien dit. « Soit, répondit Weber.

– Et tu vas t'offrir un gentil petit anniversaire. Tu veux bien faire ça pour moi ?

– D'accord.

– Ce que tu entends par là, j'imagine, c'est pondre quatre mille mots dans la journée et découvrir deux ou trois altérations de la conscience encore inconnues à ce jour ? Dans d'autres cerveaux que le tien, bien sûr. »

Il lui dit au revoir, replia le criquet, le glissa dans sa poche, enfourcha sa bicyclette et pédala jusqu'à la Clark Library sur l'esplanade de Setauket. Dans la bibliothèque, il essuya le feu des magazines d'information et de leurs gros titres : un bombardement américain pulvérise un mariage afghan. La Maison Blanche précipite la création d'un département de la Sécurité. Où se trouvait-il donc quand tout cela était arrivé ? Lorsqu'il eut en main le nouveau *Harper's*, à l'abri sous sa jaquette de plastique rouge, il se sentit vaguement coupable. Obscène : aller lire une critique sur son propre travail. C'était comme entrer son nom sur Google. En consultant le sommaire, il éprouva une sensation de ridicule. Il écrivait depuis des années et récoltait plus de succès qu'il n'avait jamais osé l'imaginer. En quête de l'expression éclairante, il cherchait à circonscrire, dans une étrange chaîne de mots, une vérité saisissante. L'accueil réservé à ses récits en disait autant sur l'histoire des lecteurs que sur ces histoires en soi. En réalité, ses livres exploraient cette vérité : il n'existait pas d'histoire en soi. Aucun jugement définitif. Tout ce que le critique pourrait dire appartiendrait toujours au réseau distribué, à la cascade des signaux qui baignait l'écosystème fragile. Éloge ou libelle, quelle importance pour Weber ? Seul comptait ce que sa fille pensait. Et la compagne de sa fille. *Shawna. Shawna*. Elles avaient lu cet article, mais pas encore vu son livre. Si Jess trouvait le temps de feuilleter *Au pays de l'inattendu* (et il se disait qu'elle le ferait, un jour), elle lirait, inéluctablement, le livre que cette critique avait créé dans son esprit. Autant savoir quels autres volumes, tirés de celui qu'il avait écrit, flottaient à présent dans l'air ambiant.

Le titre de l'article lui sauta au visage, dans un frisson révoltant : « Un neurologue dans une cuve ». Le nom de l'auteur ne disait rien à Weber. L'article s'ouvrait sur une note plutôt respectueuse. Mais au bout d'un paragraphe, le ton devenait plus acerbe. Weber parcourut le texte et s'attarda sur les jugements négatifs. La thèse, soutenue en fin du second paragraphe, l'accablait davantage que Jess ne l'avait laissé entendre :

> Dopée par l'imagerie médicale et les nouvelles technologies expérimentées au niveau moléculaire, la recherche neurologique actuelle fait des pas de géant ; l'approche toujours plus insuffisante et anecdotique de Gerald Weber, quant à elle, ne varie pas d'un iota. L'auteur renoue ici avec ses contes habituels, un rien caricaturaux, que masque un plaidoyer – ô combien prévisible mais non moins irréfutable – en faveur de

l'indulgence dont il nous faut faire preuve envers des troubles mentaux divers et variés, alors même que les récits du docteur Weber frisent la violation de la vie privée et l'exploitation du phénomène de foire... Qu'une figure aussi respectée s'abaisse à tirer profit d'une recherche douteuse et de souffrances qu'il ne connaît pas, offre un spectacle presque gênant.

Weber poursuivit sa lecture, au gré d'un florilège de citations coupées de leur contexte, de généralisations abusives, d'erreurs factuelles et d'attaques *ad hominem*. Comment Jess avait-elle pu afficher tant d'indifférence face à pareille diatribe ? Selon cet article, son livre était erroné sur le plan scientifique et irresponsable sur le plan journalistique, l'équivalent pseudo-empirique de la téléréalité, qui faisait ses choux gras du malheur et des modes. Pourvoyeur de généralités au détriment de la précision, il exposait des faits sans les comprendre, et des cas sans éprouver le moindre sentiment pour quiconque.

Il ne lut pas jusqu'au bout. Il tenait le magazine ouvert devant lui, comme un chanteur, une partition à déchiffrer. Dans la bibliothèque lumineuse et douillette, se trouvaient quatre ou cinq retraités et autant d'écoliers. Personne ne l'observait. Cela viendrait le lendemain, quand il se présenterait sur le campus : regards nonchalants de ses collègues qui feraient semblant de rien, masqués pour ne pas trahir leur excitation.

Il songea un instant à entreprendre une recherche sur l'auteur de l'article, pour esquisser le profil de l'assassin. Sans intérêt. Comme disait Jess : qu'il aille se faire voir chez les Grecs. Toutes les histoires que Weber pourrait échafauder afin d'expliquer cette charge ne seraient que des inventions de plus ajoutées à celle-ci. Jalousie, rivalités idéologiques, intérêt personnel : il existait une infinité d'explications. Dans le domaine de la critique journalistique, on ne gagnait rien à apprécier une figure qui l'était déjà. Face à une cible aussi énorme que Gerald Weber, il fallait tirer pour tuer si l'on voulait marquer des points.

À mesure qu'il les ressassait, ces rationalisations l'écœuraient. Rien dans cet article n'outrepassait les limites autorisées. Le livre de Weber représentait une proie idéale. D'autres écrivains publics avaient vu en lui un exploiteur : fort bien. Lui-même s'était assez souvent inquiété de cette possibilité. Par la baie vitrée, Weber fixait au-delà de l'esplanade les deux églises coloniales, leur beauté sévère habitée par la foi. Avoir lu le pire le soulageait presque. « La mauvaise presse, ça n'existe pas », entendait-il Bob Cavanaugh lui murmurer à l'oreille.

Le livre était ce qu'il était ; ajouter à cela un quelconque jugement n'en modifierait pas le contenu. Une douzaine de personnes, dans des mondes fracassés, rapiéçaient leurs identités : qu'y avait-il dans ce projet qui puisse mériter cette attaque publique ? S'il n'en était pas l'auteur, *Harper's* n'aurait pas écrit une ligne sur ce livre. L'article trahissait ses intentions cachées : il ne visait pas l'ouvrage. Il le visait lui. Ceux qui liraient la critique s'en rendraient compte. Et pourtant, si Weber avait appris quelque chose sur l'espèce humaine, au terme d'une vie consacrée à son étude, c'est que les gens aimaient faire bloc. Déjà, le noyau dur de l'intelligentsia, un doigt humide planté dans la brise, estimait le changement de direction des vents dominants. Désormais, la science de la conscience réclamait qu'on la protège de Weber l'exploiteur et de son approche insuffisante et anecdotique. De manière étrange, quand Weber remit la revue en place, il se sentit justifié. Depuis le jour où on l'avait encensé, quelque chose en lui attendait plus ou moins ce moment.

Il passa devant le bureau du prêt, franchit la porte principale, prit à gauche et emprunta sur une centaine de mètres le sentier pavé qu'il connaissait bien, avant de s'immobiliser dans la pente. Au bout de l'allée, à l'intersection de Bates, Main et Dyke. Il allait appeler Cavanaugh avec le portable qu'il avait dans la poche, il allait le déranger jusque chez lui, un dimanche, pour lui demander comment il avait pu imaginer un instant lui dissimuler cette agression. Il dégaina l'appareil aux reflets argentés. On aurait dit la télécommande d'un détonateur dans un film à suspense.

Sa réaction était excessive. Au premier signe d'objection raisonnée, il voulait sonner le branle-bas de combat. Weber jouissait du respect de tous depuis si longtemps – douze ans – que cette considération lui semblait aller de soi ; il ne savait plus attendre aucun autre accueil. Quelle que fût l'accusation, le livre pouvait assurer seul sa propre défense. Weber avait malgré tout effectué un calcul : sur vingt personnes qui liraient l'article, une seule, avec un peu de chance, ouvrirait peut-être le livre ; les autres le déprécieraient devant leurs amis, sans se donner la peine d'y jeter un œil.

Il remit le téléphone dans sa poche et rebroussa chemin, en direction du râtelier à bicyclettes. Il en parlerait à Sylvie, une fois rentré. Elle se montrerait imperturbable, un brin amusée. Dans un sourire, elle lui demanderait : « Que ferait Gerald le Grand en pareilles circonstances ? »

Le trajet jusqu'à Strong's Neck allait tout en descente. La marée était basse et, dans les poumons de Weber, juillet avait un goût de sel. Il voulait renouer avec la science, fuir le microcosme de la vulgarisation vendue aux masses à coups de marketing. Cette affaire lui fournissait une raison supplémentaire. D'un virage sec sur la gauche, la route de la Digue l'envoya longer l'estuaire envahi par les roseaux. La gravité le propulsa sur la berge du ruisselet où, à Setauket, les espions de George Washington suspendaient leurs lanternes, la nuit venue, pour expédier des signaux par-dessus la baie, vers le Connecticut, du temps où les terroristes se battaient dans le camp des héros. Le vélo filait sur la jetée à une allure périlleuse. Dans quel monde le livre de Weber pouvait-il être plus maléfique que l'ouvrage dont il venait de lire le résumé ?

Il jeta un regard par-dessus son épaule. Le port scintillait, lumineux sous le soleil de midi. Sur l'anse bleu jade, glissaient les ailes déployées de petits voiliers. Un jour comme celui-ci, tout pouvait arriver. Le ferry qui ralliait Bridgeport à Port Jefferson mugissait au loin, grand migrateur annonçant son retour à quai. Weber aimait la vie qu'il menait ici. Un gentil petit anniversaire. Il pouvait encore s'offrir ce plaisir.

Le Grand Tour-opérateur les emmena en Italie. Sur le Ponte Vecchio, Weber inspectait les boutiques qui bordaient l'ouvrage depuis des siècles. Brève histoire du capitalisme : les étals des bouchers avaient cédé la place aux échoppes des forgerons et des tanneurs, qui s'étaient effacées devant les ateliers des orfèvres, eux-mêmes chassés par des marchands de colliers et de bijoux en corail qui pouvaient coûter aux touristes plusieurs semaines de salaire. Au milieu d'un bouquet de gens qui jacassaient en une vingtaine de langues, Weber observait Sylvie – ivre d'euros tout neufs et de soleil florentin – qui s'amusait à inspecter une vitrine remplie de montres Nardin. Heureuse d'être au loin, elle faisait semblant d'explorer des lieux totalement imaginaires.

La veille, ils avaient arpenté le Duomo de long en large. Déjà, Weber ne parvenait plus à reconstituer dans son esprit une image précise de l'intérieur de l'église. Ce matin, Sylvie avait choisi le divertissement du soir : une représentation de *Il ritorno d'Ulisse in patria* de Monteverdi.

« Tu es sérieuse ? lui avait-il demandé.

– Tu plaisantes ? J'adore l'opéra Renaissance. Tu le sais bien. »

Il ne lui demanda pas de quand datait cette passion. Il ne pouvait pas s'offrir le luxe d'une réponse. Il l'étudiait à présent, dans le flot de la foule. De loin, quand la lumière s'y prêtait, on pouvait la prendre pour une touriste japonaise. Ces vacances, dans le pays qu'elle affectionnait le plus au monde, lui avaient enlevé plusieurs dizaines d'années. Elle ressemblait à cette jeune fille, avant leur mariage, pour qui, un million de siècles plus tôt, un jour de Saint Valentin, il avait interprété au téléphone avec quelques amis un choral cabotin de Schubert sur des bouts rimés de Willy the Shake, comme s'il s'agissait d'un contrepoint pour potaches de 1928 :

> *Qui est Sylvia ? Quelle est cette amante,*
> *Dont mainz soupirants chantent en tous lieulx ?*
> *Sainte, doulce et sçavante,*
> *Ces grâces elle a reçues de la main des cieulx,*
> *Pour que tous l'élèvent au cercle radieux.*

Quand elle eut fini de rire, la jeune Sylvie les avait grondés pour avoir chanté sans elle. « Allez ! On reprend. Donnez-moi un pupitre. »

La même, toujours et encore, son inlassable compagne de voyage, au mépris des ans. Mais comment étaient-ils passés de ce temps lointain au temps présent ? Weber n'aurait su le dire. Faute de se rappeler dates et lieux visités, il pouvait encore citer la plupart de leurs villégiatures. Aujourd'hui : Florence, au mitan de l'été. Une folie, il le savait, depuis le jour où ils avaient projeté ce voyage. Mais juillet était le seul mois pendant lequel ils pouvaient s'échapper l'un et l'autre. Qui plus est, Sylvie appréciait encore davantage la bousculade des foules dans l'air chaud et sec. Elle se retourna et lui sourit, un peu honteuse de faire du lèche-vitrines. Il s'efforça de sourire lui aussi, incapable d'avancer dans le flot des touristes qui déferlait sur le vieux pont. *L'amour cherche dans ses yeux le remède à son aveuglement.*

L'article du *Times* était paru juste avant leur départ. Weber l'avait lu à la table du petit déjeuner, tandis que Sylvie s'employait à le pousser hors de la maison, vers l'aéroport. « Emporte-le, disait-elle. Ça ne pèse rien. »

Il n'avait pas besoin de l'emporter. Ils allaient en Italie. Critiques s'abstenir. Le temps de se rendre à LaGuardia, Weber avait déjà récrit l'article dans sa tête. Il ne savait déjà plus démêler ce qui appartenait à la recension de ce que lui-même reconstruisait. Ce qu'il savait, en revanche, c'est que des phrases entières dans le papier du *Times* étaient empruntées à celui du *Harper's*. Quiconque lirait les deux verrait à coup sûr la duplication.

Il appela Cavanaugh depuis l'aéroport. « Je ne voulais pas que tu te biles pour ça, Ger, lui dit son éditeur. L'Amérique traverse une drôle d'époque. On cherche des exutoires. Le livre se vend bien. Et tu sais que, quoi qu'il advienne, nous sommes derrière toi, avec le nouveau contrat. »

Arrivé à Rome, Weber était prêt à s'expatrier. Le ressentiment avait fait place au doute : peut-être l'article du *Times* n'était-il pas un plagiat mais une simple corroboration indépendante. Cette idée lui gâcha la visite de la ville. Lors de leur deuxième soirée, à Sienne, Sylvie et lui eurent une dispute. Pas une dispute : une altercation. Sylvie s'empressait bien trop de le soutenir. Elle refusait d'ajouter foi à aucun des scrupules de Weber. « Ils n'ont peut-être pas tort, avait-il suggéré. Pris par le mauvais bout, on pourrait en effet considérer que ces livres exploitent le handicap d'autrui pour en tirer profit.

– Balivernes. Tu racontes l'histoire de gens dont personne ne raconte l'histoire. Tu apprends aux gens normaux que l'horizon est bien plus vaste qu'ils ne le croient. »

C'était, mot pour mot, ce que depuis toutes ces années il prétendait faire.

« Tu es fatigué. Assommé par le décalage horaire. Ballotté dans un pays étranger. Bien sûr, toute cette histoire te déstabilise un peu. Mais bon ! Estime-toi heureux. Un tueur à la solde des Médicis pourrait vouloir te planter un couteau dans le dos à cause de ton art. Oublie tout ça. *Abbastanza*. Qu'est-ce que tu veux faire demain ? »

La question qu'il redoutait. Que faire le lendemain, et le jour d'après ? Plus question d'écrire un nouvel ouvrage grand public. Même son travail au laboratoire lui semblait menacé. Son équipe de recherche avait déjà changé d'attitude envers lui : une impatience nouvelle à l'égard de ses méthodes basse technologie, de son style rustique nourri d'anecdotes ; un appétit pour une recherche plus pénétrante et les charmes excitants de la Puissante Imagerie qui exposait au grand jour les mystères du cerveau. Lui n'était qu'un vulgarisateur. Et un exploiteur, par-dessus le marché.

Après une semaine d'anhédonie, il se découvrit un faible insoupçonné pour les liqueurs italiennes aux étiquettes exotiques du dix-neuvième siècle, comme ces poivrots nostalgiques, immigrants de seconde génération, revenus au bercail. Il n'arrivait pas à se concentrer sur les vieux édifices, ni même sur les architectures romanes qu'il affectionnait tant. Au fil des rues, dans ces villes antiques, Sylvie sentit que Gerald simulait l'affairement, mais elle ne lui fit aucune réprimande. Sienne, Florence, San Gimignano : il réalisa plus de cinq cents photos – de Sylvie pour la plupart, devant des monuments célèbres dans le monde entier – clichés pris par dizaines sous des angles identiques, comme si femme et bâtiments risquaient de subir le même sort et de disparaître. Il lui perturbait ses vacances, et s'efforçait de se détendre. Mais au bout du compte, à Prato, sa gaîté militante obligea Sylvie à le faire s'attabler dans une trattoria poussiéreuse, face au Palazzo Pretorio, pour le sermonner.

« Je sais que tu te prépares à affronter une épreuve à notre retour. Mais il n'y a pas d'épreuve. Personne à combattre. Rien n'a changé. Ce livre vaut tous ceux que tu as déjà écrits. » La pire de ses craintes, justement. « Les gens vont le lire et en faire ce qu'ils pourront, et toi, tu en écriras un autre. Bon Dieu ! La plupart des auteurs tueraient pour recueillir l'attention que l'on te porte.

– Je ne suis pas un auteur », répondit-il. Mais peut-être avait-il sans s'en apercevoir abandonné aussi son travail de jour.

De retour à Rome, lors de leur dernière soirée, il finit par craquer. Ils étaient assis dans un café sur la Via Cavour. Sylvie lui rappelait qu'ils devaient boire un verre ce soir-là en compagnie d'un couple de Flamands qu'elle avait rencontré.

« Quand m'en as-tu parlé ?

– Combien de fois ? » Elle soupira. « La surdité masculine. » Ce qu'une autre femme aurait appelé de l'égocentrisme. « Allons, Monsieur mon homme. Où as-tu la tête ? »

Bien qu'il sût commettre une erreur, il le lui dit. Il n'avait pas fait allusion aux articles depuis plusieurs jours : « Je me demande s'ils n'ont pas raison dans le fond. »

Elle leva les bras au ciel comme une pom-pom girl ninja. « Oh ! Ça suffit ! Ils n'ont pas raison. Ce ne sont que des arrivistes. » Son sang-froid l'exaspérait. Il s'entendit proférer des absurdités en fragments de plus en plus incompréhensibles. Pour finir, il se leva et partit. Idiot, imbécile. Il erra au hasard du réseau romain, tandis que sombrait le soleil et que les rues tortueuses le désorientaient. Il rentra à l'hôtel à onze heures passées. Le couple flamand s'en était allé depuis longtemps. À cet instant encore, elle ne lui adressa pas les reproches qu'il méritait. Il avait épousé une femme qui n'entendait tout simplement rien au drame. Cette nuit-là, et dans l'avion le jour suivant, elle montra à son égard ce flegme professionnel qu'elle servait aux clients les plus imprévisibles de Remédiation.

Ils rentrèrent sans encombre. Sylvie avait vu juste : aucune épreuve ne les attendait. Cavanaugh appela, muni de quelques critiques rassurantes, de chiffres et de propositions de traduction. Mais Weber devait encore assurer la promotion de son livre jusqu'à la fin de l'été. Lectures, interviews avec les journalistes, émissions de radio : plus de preuves qu'il n'en fallait – si tant est que son équipe de recherche en eût besoin – qu'un homme pouvait servir deux maîtres à la fois.

À l'occasion d'une lecture chez Cody's, à Berkeley, un membre de l'assemblée, par ailleurs respectueuse, lui demanda comment il réagissait à l'idée, suggérée dans la presse, que ses études de cas violaient l'éthique professionnelle. L'auditoire siffla la question, mais avec un frisson déguisé. Weber s'emberlificota dans une réponse naguère automatique :

le cerveau n'était pas une machine, ni un moteur de voiture, ni un ordinateur. Ces descriptions purement fonctionnelles cachaient autant de choses qu'elles en révélaient. On ne pouvait comprendre le cerveau d'un individu sans s'intéresser à l'histoire personnelle de ce dernier, à son tempérament, aux circonstances – à l'homme tout entier, par-delà la somme des modules mécaniques et des déficiences localisées.

Quelqu'un d'autre dans l'assistance voulut savoir si Weber obtenait toujours l'accord unanime de tous ses patients. « Bien sûr », dit-il. Oui mais, diminués par leurs déficiences, les patients étaient-ils tous à même de comprendre la nature de cet accord ? La recherche neurologique, répondit Weber, indiquait qu'il était vain de chercher à prédire ce qu'un individu comprenait ou non. À l'instant où elles sortaient de sa bouche, ces paroles l'accusaient. Lui-même entendit leur contradiction manifeste.

Il sonda d'un regard la salle bondée, sans places assises. Une femme d'âge mûr, séduisante, en robe de madras, tenait une caméra vidéo miniature. D'autres spectateurs s'étaient munis de magnétophones. « Cette séance commence à tourner au lynchage médiatique », lança-t-il en riant. Mais à contretemps. L'auditoire resta muet, déconcerté. Il finit par trouver son rythme et parvint à limiter les dégâts. Mais moins de personnes qu'à son précédent passage restèrent faire la queue pour obtenir une dédicace.

La couleur ordinaire de ses journées prit une nouvelle nuance : trop semblable à celle d'un cas qu'il avait naguère détaillé. Il ne connaissait Edward qu'à travers la littérature, mais dans *Plus vaste que le ciel* il se l'était approprié, et peut-être l'avait-il décrit comme s'il l'avait lui-même découvert. Edward était à moitié daltonien de naissance, comme dix pour cent des hommes qui, dans leur majorité, ne s'en apercevaient jamais. Une carence de photorécepteurs dans l'œil empêchait Edward de distinguer les rouges et les verts. En soi, le daltonisme était chose troublante, intuition déconcertante du fait que deux individus pouvaient ne pas tomber d'accord sur la couleur réelle de tel ou tel objet.

Mais chez Edward, la perception des teintes était encore plus étrange. Comme certaines personnes, beaucoup moins nombreuses (une sur des dizaines de milliers), Edward souffrait aussi de synesthésie. De type héréditaire, la sienne conserva tout au long de sa vie des caractères stables et cohérents. Elle se présentait sous une forme classique : l'association chiffres couleurs. Pour Edward, nombres et teintes ne faisaient qu'un, comme on amalgame d'ordinaire douceur et bien-être, tranchant et douleur. Enfant, il se plaignait de ce que les couleurs de ses chiffres magnétiques étaient totalement fausses. Sa mère comprenait : elle aussi était victime de ce court-circuit.

Souvent, les synesthètes percevaient le goût des formes, ou sentaient sur leur peau la texture des mots. Il ne s'agissait pas de simples associations, de pures inventions poétiques. Weber avait fini par voir en la synesthésie une chose aussi durable que le goût des fraises ou le froid de la glace : une fonction de l'hémisphère gauche, noyée en quelque sorte sous le cortex, un métissage des signaux qui se produisait dans chaque cerveau, mais que seuls quelques élus portaient à leur conscience, un vestige pas tout à fait abandonné au cours de l'évolution, ou peut-être les précurseurs du prochain tour de manivelle de la mutation.

L'histoire d'Edward, daltonien et synesthète, méritait un livre à elle seule. Voir, entendre ou penser le chiffre un faisait apparaître du blanc. Le deux baignait dans des champs de bleu. Chaque chiffre possédait une couleur, comme le miel était sucré, ou une seconde mineure, dissonante. Un problème se posait pour le cinq et le neuf. Edward les appelait « les couleurs martiennes », des teintes qu'il n'avait jamais vues.

Les médecins restèrent d'abord perplexes. Après quelques examens, la vérité apparut : le cinq était rouge et le neuf vert. Non pas de ce rouge et vert que voyaient les yeux d'Edward et que son esprit avait appris à traduire. Mais rouge et vert comme ces couleurs s'enregistraient dans le cerveau des non-daltoniens – de pures teintes mentales pour lesquelles Edward ne possédait aucun équivalent visuel. Suscitées par des chiffres, les couleurs que ses yeux ne pouvaient distinguer continuaient à s'enregistrer dans son cortex visuel intact. Il pouvait percevoir ces nuances par synesthésie ; mais ne pouvait pas les voir.

Weber avait raconté cette histoire des années plus tôt et refermé son récit sur quelques considérations au sujet de la chambre close de l'expérience personnelle. Les sens ne constituaient au mieux qu'une métaphore. Les neurosciences avaient remis Démocrite au goût du jour : nous parlons d'amertume et de douceur, de chaud et de froid, mais ces réalités nous échappent autant qu'une esquisse grossière. Nous ne pouvons échanger que des indicateurs (violet, tranchant, âcre) de nos sensations subjectives.

Mais des années plus tôt, ces idées ne représentaient pour Weber qu'un exercice d'écriture, sans arôme ni tonalité. À présent, surgissant de toute part, ces mots lui revenaient, haletants et fracassants : des couleurs martiennes, des teintes que ses yeux ne pouvaient voir, noyaient son cerveau...

En août, invité à prendre la parole dans un congrès international sur « Les origines de la conscience humaine », il s'envola pour Sydney. Il avait déjà eu maille à partir avec les tenants de la psychologie évolutive. Cette discipline aimait trop expliquer le monde en termes de modules pléistocènes. Elle identifiait des traits grossiers et faussement universels du comportement humain, puis démontrait ensuite, à coups de tautologies rétroactives, en quoi ceux-ci constituaient des adaptations inévitables. Pourquoi les hommes étaient-ils polygames et les femmes monogames ? Tout cela provenait de l'économie relative du spermatozoïde contre l'ovule. Pas vraiment de la science ; mais, au fond, pas moins que ses écrits.

Selon Weber, la plupart des comportements conscients tenaient moins de l'adaptation que de l'exaltation. La pléiotropie (la capacité d'un gène à déterminer différents effets insubordonnés les uns aux autres) compliquait les tentatives d'explication des caractères humains par une sélection indépendante. L'idée de pénétrer dans une salle remplie d'adeptes de la psychologie évolutive laissait Weber fort perplexe. Mais cette rencontre lui fournissait l'occasion de tenter un discours qu'il n'osait proposer ailleurs : une théorie expliquant pourquoi les personnes atteintes d'agnosie digitale (l'incapacité d'un sujet à nommer le doigt de la main qu'on lui touche ou qu'on lui désigne) souffraient aussi, bien souvent, de dyscalculie (un handicap dans l'apprentissage des mathématiques). On n'attendait pas de Weber que son discours fût novateur. Il devait seulement jouer son rôle, raconter quelques bonnes histoires et distribuer beaucoup de poignées de main.

Le vol New York-Los Angeles commença bien mal : les chaussures de Weber déclenchèrent les détecteurs du portique de sécurité et le personnel découvrit une trousse de manucure qu'il avait eu la bêtise de ranger dans son bagage à main. Il lui fallut un long moment pour prouver aux agents qu'il était bien celui qu'il prétendait être. À Los Angeles, il monta dans l'avion pour Sydney, qui resta collé à la porte d'embarquement pendant une heure, avant que le vol soit finalement annulé. Le pilote incrimina une mince fissure dans la verrière du cockpit. Quarante personnes à bord – aucun doute : la fissure eût paru plus petite avec quatre cents passagers.

Weber descendit de l'avion et passa huit heures dans l'aéroport à attendre un autre vol. Quand enfin il prit place dans l'appareil, il avait perdu toute notion du temps. Quelque part, à mi-parcours au-dessus du Pacifique, il développa une légère acouphénie déclenchée par le regard. S'il regardait à gauche, il entendait un bourdonnement dans ses oreilles.

S'il regardait droit devant, le bourdonnement disparaissait. Il projeta d'annuler son discours pour rentrer à New York. Le problème empira tout au long du dîner, et pendant la séance de cinéma. Mais après le film oubliable, les symptômes s'évanouirent.

Arrivé à Sydney, il franchit le contrôle des passeports avec tant de retard qu'il dut se rendre à ses interviews avant même de se présenter à l'hôtel. Le premier entretien tourna au banal questionnaire psychologique. Le deuxième fit partie de ces désastres où l'interviewer non informé voulait que Weber eût une opinion sur tout, hormis son travail personnel. Était-il vrai que la musique classique pouvait rendre un bébé plus intelligent ? À quand une molécule capable d'accroître nos connaissances ? Sonné par le décalage horaire, Weber frôlait l'hallucination. Il entendait ses phrases s'allonger et devenir de moins en moins grammaticales. Quand le journaliste australien en vint à lui demander si l'Amérique pouvait réellement espérer remporter la guerre contre le terrorisme, Weber tenait déjà des propos inconséquents.

Cette nuit-là, la fatigue l'empêcha de dormir. Le colloque eut lieu le lendemain. Weber arpenta l'antre caverneux du palais des congrès en se heurtant aux fauteuils et aux tables. Tous le reconnurent, mais bien des participants se dérobèrent quand il croisa leur regard. De son côté, il dut résister à l'envie d'attribuer un code DSM à cinq chiffres à tous ceux qui venaient lui serrer la main. La foule glissait de salle en salle, dans les murmures et les rires ; elle s'affichait, pavanait, portait aux nues et dépréciait, faisait front, formait des factions, cherchait le conflit et complotait des renversements. Weber observa un homme et une femme, la quarantaine, qui poussèrent un cri en s'apercevant, tombèrent dans les bras l'un de l'autre, puis jacassèrent en tandem. Il attendait de les voir s'épouiller le crâne et manger les parasites récoltés. Les tenants de la psychologie évolutive avaient au moins raison sur un point : des créatures anciennes nous habitaient, qui ne videraient jamais les lieux.

Une matinée de tables rondes confirma l'une des impressions de Weber : ce champ d'études tenait en trop haute estime une poignée de camelots habiles dont certains n'étaient pas plus vieux que sa fille. Cela, aussi, appartenait aux sciences : des modes naissaient et périssaient ; des théories venaient au jour, puis disparaissaient pour toutes sortes de raisons, pas toujours scientifiques. Il n'avait plus assez d'appétit pour se tenir informé des coqueluches du moment, pas plus qu'il ne se sentait le courage d'assister à tout un match de base-ball. Et puis, rares étaient les nouvelles théories que l'on pouvait mettre au banc d'essai. Pourtant, ce domaine, assoiffé d'action, attirait les financements et n'attendait rien de Weber, hormis une conférence plénière distrayante. À la portée d'un conteur humoriste.

Au milieu de l'après-midi, il se mit à voir double. Il assista à une discussion filandreuse sur la phénoménologie de la synesthésie. Écouta une explication sensorimotrice des origines de la lecture. Prêta l'oreille à un débat houleux entre cognitivistes et néobéhavioristes sur les atteintes orbito-frontales et les processus émotionnels. Le seul exposé auquel il trouva un intérêt personnel explorait la neurochimie du seul caractère qui distingue les hommes des autres créatures : l'ennui.

Suivit un dîner de masse insoutenable, pendant lequel les voisins de table de Weber (trois chercheurs américains qu'il connaissait de réputation) l'asticotèrent à propos des critiques incertaines. Y voyait-il un hasard statistique ou une évolution plus significative des attentes du public ? Même le mot « public » paraissait lourd de sous-entendus. Acculé, Weber répondit : « Sans doute ai-je bénéficié du genre d'attention qui entraîne un inévitable retour de bâton. » Il perçut l'égocentrisme de ces paroles à l'instant même où il les prononçait, des paroles que ces chercheurs allaient maintenant ébruiter. Avant que Weber n'entame son discours, elles auraient fait le tour de la conférence.

L'un des organisateurs du colloque, « psychothérapeute holistique » de Washington, fit de lui une présentation si lumineuse qu'elle semblait ironique. Ce n'est qu'une fois derrière son pupitre – à vingt heures, aux dires têtus de Sydney – que Weber flaira le piège derrière l'invitation. Il jeta un regard sur une prairie semée de visages attentifs et souriants, ceux d'une espèce qui chassait en meute.

Il détestait lire ses interventions. D'ordinaire, il s'exprimait à partir d'un canevas et improvisait un programme libre. Mais ce soir-là, lorsqu'il s'écartait de son script, un vertige s'emparait de lui. Il se tenait au sommet d'une haute falaise battue par les flots. Et comment définir l'acrophobie, sinon comme le désir à demi assumé de sauter dans le vide ? Il colla aux mots imprimés sur la page, mais à cause des projecteurs braqués sur lui, et de ses yeux qui lui jouaient des tours, il perdait sa ligne à tout bout de champ. Tandis qu'il lisait, il se rendit compte qu'il avait placé trop bas la barre de son propos. Il s'adressait à des scientifiques, à des chercheurs. Il leur livrait en pâture des descriptions d'amateur, des spéculations de salle d'attente. Il s'efforça d'adjoindre à son exposé des détails techniques qui lui échappaient à mesure qu'il les ajoutait.

Son intervention ne fut pas un désastre complet. Il en avait entendu de pires. Mais elle était indigne d'une conférence plénière, et des honoraires perçus. Il répondit à quelques questions, des balles de fond de court, lentes et lobées. Voyant que la mise à mort avait déjà eu lieu, le parterre prenait pitié. Quelqu'un lui demanda s'il pensait que l'impulsion narrative pouvait bel et bien avoir précédé le langage. La question n'entretenait aucun rapport avec l'exposé que Weber venait de présenter. Peut-être avait-elle un lien quelconque avec l'accusation du *Harper's* selon laquelle il avait manqué sa véritable vocation : Gerald Weber était, au plus profond de son être, un fabuliste.

Il traversa l'épreuve du cocktail sans subir d'autres humiliations. Le supplice enduré lui avait donné une faim de loup, à peine quelques heures après le dîner, mais on ne lui servit rien d'autre que du shiraz et des canapés de hareng huileux sur biscuits secs. La salle entière avait contracté le syndrome de Klüver-Bucy : tendance à porter des objets à la bouche comme les nourrissons, comportements un rien trop exaltés, vagissements syllabiques dépourvus de sens, avances sexuelles tous azimuts.

Weber ne rentra à l'hôtel qu'après minuit. Il ne savait pas s'il pouvait appeler Sylvie. Il ne parvenait même plus à calculer le décalage horaire. Il s'allongea sans dormir, l'esprit occupé à formuler les réponses qu'il aurait dû faire, à observer les lézardes qui fissuraient le plafond de ses synapses pétrifiées. Passé trois heures du matin, il s'aperçut que son propre cas pouvait donner matière à un dossier médical très fourni, un profil psychologique si minutieusement réalisé qu'il entretenait l'illusion de son autonomie...

La nuit, le cerveau devient étranger à lui-même. Weber connaissait la biochimie cachée derrière le « syndrome du coucher du soleil » : une exagération extrême des symptômes cliniques aux heures d'obscurité. Mais connaître cette biochimie n'en inversait pas pour autant les effets. Il avait dû finir par s'endormir, car un rêve le tira du sommeil : il voyait des gens plonger comme des missiles dans une grande masse d'eau, puis en ressortir sous l'apparence de protoformes en fusion. Le rêve ; ce compromis inventé pour ménager une petite place au tronc cérébral vestigial. La sonnerie du téléphone le réveilla, un réveil qu'il avait omis de demander à la réception. Il faisait encore nuit. En trente minutes, il devait prendre sa douche, petit-déjeuner, traverser la ville et rejoindre un studio de télévision pour une apparition en direct dans une émission d'information. Cinq minutes dans une matinale, un exercice qu'il avait déjà pratiqué une demi-douzaine de fois. On l'amena au maquillage, on le poudra. Il enleva ses lunettes. Nulle vanité pourtant : dans la lumière des plateaux, les verres se changeaient en miroirs. Il rencontra le réalisateur qui lui fit un topo à partir de notes photocopiées trouvées sur Internet. L'article du *Harper's* dépassait de la pile. Le réalisateur semblait parler d'un livre écrit par un autre.

Weber s'assit dans un réduit et, sur un minuscule moniteur, regarda l'invité qui, convoqué avant lui, s'efforçait de prendre un air naturel. Puis son tour arriva. On l'accompagna jusqu'au plateau cerné de technologie et encombré des meubles rutilants d'un salon. Autour du canapé, une batterie de caméras légères faisait mouvement. Sans ses lunettes, Weber pensait voir du Monet. On le fit asseoir à côté du présentateur dont le regard plongeait sur ce qui ressemblait à une table basse, mais dissimulait en réalité un prompteur. Auprès de cet homme, une femme : épouse symbolique. Elle présenta Weber en déformant quelques faits. La première question tomba de nulle part.

« Gerald Weber. Vous avez écrit sur tant de personnes qui souffrent de tant de troubles extraordinaires. Des personnes qui confondent le chaud et le froid, le blanc et le noir. Des personnes qui croient voir ce qu'elles ne voient pas. Des personnes pour qui le temps s'est arrêté. Des personnes convaincues que certaines parties de leur corps appartiennent à d'autres. Pouvez-vous nous raconter le cas le plus étrange que vous ayez jamais vu ? »

Un défilé de monstres de foire, servi à des millions de petits déjeuners. Précisément ce dont l'accusaient les critiques. Il voulait demander à cette femme de tout reprendre à zéro. Les secondes s'égrenaient, aussi vastes, blanches et glacées que le Groenland. Il ouvrit la bouche pour répondre, mais s'aperçut que sa langue était soudée à l'arrière de ses incisives. Il ne parvenait plus à saliver, ni à humecter le fond de sa gorge lyophilisée. Tous les Australiens du monde devaient se dire qu'il suçait un caillou.

Les mots déboulèrent enfin, par blocs, comme s'il venait de subir une attaque. Il bredouilla quelque chose au sujet de ses livres qui réfutaient la notion de « souffrance ». Chaque état psychique constituait simplement une nouvelle manière d'être, qui ne différait de la nôtre que par degré.

« Une personne atteinte d'amnésie ou d'hallucination ne souffre pas ? » demanda l'homme de sa voix de journaliste prêt à s'informer. Pourtant, il résonnait dans son timbre un fin soupçon de sarcasme sur le point de s'épanouir.

« Prenez les hallucinations par exemple », dit Weber. Son « prenez » ressemblait à un « prônez ». Il décrivit le syndrome de Charles Bonnet : des patients atteints de cécité partielle à la suite d'une ophtalmopathie. Dans bien des cas, les sujets se trouvent confrontés à des hallucinations d'une grande clarté. « Je connais une femme qui se voit souvent entourée de personnages vivants sortis d'un dessin animé. Il s'agit pourtant d'un syndrome répandu. Des millions d'individus en font l'expérience. Certes, cela entraîne une souffrance. Mais pas plus que la conscience ordinaire au jour le jour. Il faudrait apprendre à percevoir ces manières d'être sous l'angle du continu, et non du discontinu. Différentes de la nôtre sur un plan quantitatif plus que qualitatif. Elles sont ce que nous sommes. Les aspects d'un même appareil. »

La présentatrice pencha la tête dans la direction de Weber et sourit : dose massive de superbe scepticisme. « Selon vous, nous serions tous un peu fêlés ? » Son partenaire partit d'un éclat de rire aux vertus antiseptiques. La télévision !

Weber répondit que selon lui la pensée délirante ressemblait à la pensée ordinaire. Le cerveau dans tous ses états proposait des explications sensées à des perceptions inusuelles.

« C'est ce qui vous permet de pénétrer des états psychiques si différents du vôtre ? »

Comme les pièges les plus redoutables, celui-ci semblait innocent. Ils voulaient en venir aux accusations portées contre son travail, celles qu'ils avaient découvertes sur Internet. Vous préoccupez-vous vraiment de vos patients ou les utilisez-vous à des fins purement scientifiques ? Une bonne controverse pour de la bonne télé. Weber sentit l'embuscade se mettre en place. Mais il n'y voyait rien, il avait la bouche sèche et n'avait pas dormi depuis des jours. Il se mit à parler, à assembler des phrases dont la tournure lui semblait étrange avant même de les prononcer. Il voulait dire, simplement, que nous avons tous nos moments de délire, comme lorsque nous regardons le soleil se coucher et que, l'espace d'une seconde, nous nous demandons où il s'en va. Ces instants offraient à chacun la possibilité de comprendre les défaillances mentales d'autrui. Les mots de Weber paraissaient faire l'aveu d'une folie intermittente. Les deux présentateurs sourirent et le remercièrent de sa participation au programme matinal. Sans transition, ils enchaînèrent sur une accroche où l'on voyait un habitant de Brisbane dont le toit avait été transpercé par un caillou à l'aspect de corail, gros comme une balle de cricket, venu atterrir dans sa chambre à coucher. Puis il y eut un écran publicitaire et des assistants poussèrent Weber hors du plateau, sa débâcle désormais enregistrée et bientôt consultable sur le Web, par tous, à tout moment, en tout point du globe.

Il appela Bob Cavanaugh depuis l'hôtel. « Je tenais à te mettre au courant avant que tu ne l'apprennes par la bande. J'ai été mauvais. Prévoir des retombées. »

Au bout d'un insoutenable temps mort dû à la liaison satellite, Cavanaugh ne laissa entendre que son incrédulité. « Tu es en Australie, Gerald. Comment veux-tu que ça se sache ? »

À quel point Mark avait-il changé ? Au milieu de l'été brûlant, quatre mois après les faits, cette question la poursuivait. Elle jaugeait Mark en permanence, le comparait à l'image qu'elle avait gardée de lui avant l'accident, une image qui changeait au fil des jours passés en compagnie du nouveau Mark. Simple moyenne glissante, la perception de Karin inclinait en faveur de la dernière personne qui se présentait devant elle. Elle ne faisait plus confiance à sa mémoire.

À n'en pas douter, Mark était plus lent qu'autrefois. Avant l'accident, il ne lui avait fallu que vingt minutes pour décider comment régler la succession de leur mère. À présent, juger s'il devait ou non fermer ses volets revenait pour lui à démêler la crise du Moyen-Orient. Une journée entière lui suffisait à peine pour se poser dans un fauteuil et déterminer les impératifs du lendemain, décision suivie d'un nécessaire temps d'arrêt.

Sa mémoire flanchait. Il lui arrivait de se servir un bol de céréales tout à côté de celui qu'il venait de laisser, encore à moitié plein. Karin lui répétait plusieurs fois la semaine qu'il était en congé d'invalidité, mais jamais il ne la croyait. Pour un peu, elle aurait trouvé ses lapsus facétieux. « Il faut que je retourne bosser, affirmait-il. Je dois faire bouillir la marmaille. » S'il apercevait le président aux informations, il grommelait : « Encore lui ! Monsieur l'Axe des mâles. » Il pestait contre l'affichage de son radio-réveil : « Pas moyen de savoir si ça indique 10 h 00 du mat' ou 10.00 FM. » Peut-être s'agissait-il, une fois encore, de ce phénomène que tous les livres appelaient « aphasie ». À moins que Mark ne se plût à jouer les imbéciles. Elle ne se rappelait plus s'il avait jamais été drôle, par le passé.

À présent, il faisait souvent l'enfant ; plus moyen de le nier. Avant l'accident, pendant des années, elle l'avait houspillé pour l'obliger à grandir. Le pays tout entier était adolescent, l'époque immature. Lorsque Karin examinait Mark aux côtés de Rupp et Cain, il ne souffrait pas toujours de la comparaison.

Le moindre déclic déclenchait son humeur. Mais la colère, elle aussi, comptait parmi ses vieilles habitudes. Un jour, au cours préparatoire, alors que son institutrice l'avait traité affectueusement d'« original » parce qu'il transportait son déjeuner dans un sac en papier et non dans une boîte de métal, il l'avait injuriée, des larmes de colère dans les yeux. Des années plus tard, autour de la table du réveillon, alors que son père se moquait de lui au cours d'une discussion, il avait bondi de sa chaise et s'était précipité à l'étage en hurlant « Joyeuses fêtes de merde ! », puis d'un coup de poing avait défoncé le panneau d'érable de la porte de sa chambre et fini aux urgences, la main fracturée en trois endroits. Puis vint le temps où Joan Schluter, hystérique, voulut attaquer les boucles de son fils à la cisaille, après que Mark et Cappy se furent empoignés au sujet de sa frange. À dix-sept ans, il avait explosé, lançant des coups de pied dans le fourneau et menaçant père et mère de les poursuivre pour mauvais traitements.

En fait, il existait des antécédents même au syndrome de Capgras. Des années durant, avant la puberté, Mark avait peaufiné le personnage de monsieur Thurman, son ami imaginaire. Sous le sceau du secret, celui-ci avait révélé à Mark son adoption. Monsieur Thurman connaissait sa vraie famille et promettait de la lui présenter lorsque Mark serait plus âgé. Parfois, monsieur Thurman faisait montre d'indulgence envers Karin : il les déclarait tous deux enfants trouvés, mais du même sang. À d'autres moments, il les disait orphelins, issus de fratries différentes. Alors Mark la consolait, lui certifiait qu'ils seraient meilleurs amis une fois débarrassés de cette famille d'imposteurs. Karin avait haï monsieur Thurman avec passion et souvent menacé de le supprimer au gaz pendant que Mark dormait.

Le syndrome la transformait, elle aussi. Elle luttait contre l'habituation. Pour peu de temps encore, elle remarquait les choses : un rire d'une sinistre mécanicité. Des moments de tristesse, réduits au seul constat des faits. Même les colères de son frère n'étaient plus qu'un rituel haut en couleur. Sans crier gare, il s'était lancé devant Barbara dans une déclaration d'amour digne d'un enfant de sept ans. Il partait pêcher avec ses amis, singeait tous leurs rituels, s'asseyait dans la barque, lançait le bouchon, lançait des jurons et, comme le présentateur robot d'une émission sur la pêche, exécutait des gestes lisses, effrayants d'intensité, si avides de prouver que l'homme demeurait intact, sous l'emballage. Pour peu de temps encore, elle savait que l'accident les avait emportés l'un et l'autre, et que toute son abnégation ne pourrait jamais les ramener. Pas de retour possible. Au fil des jours, la mémoire réalisait ses amalgames et démontrait à Karin que *mon frère a toujours été ainsi*.

De passage à la Homestar, un après-midi au début du mois de juin, Karin trouva Mark devant un reportage qui relatait les pérégrinations chancelantes d'un prêtre doux et anémique à travers la Toscane. On aurait dit que Mark, béat devant son poste, avait eu la bonne fortune de tomber sur la plus extraordinaire des émissions de téléréalité. Il accueillit Karin avec enthousiasme. « Hé dis donc ! Regarde cet endroit. Incroyable ! Un pays habité depuis des millions d'années. Et là-bas, les cailloux sont encore plus anciens. »

Karin l'observait. Il la tolérait à présent, adaptation aussi éprouvante que l'hostilité d'autrefois. Le carnet de voyage se referma, et Mark passa en revue les autres chaînes. Il jeta un œil à ses programmes préférés, ceux de toujours : sports mécaniques et de contact, clips musicaux, comédies survoltées. Mais le bruit et la vitesse le faisaient tressaillir. Il ne pouvait plus ouvrir le conduit qui le reliait au monde extérieur sans risquer l'inondation. Au bout de cinq minutes passées devant une rediffusion de sa farce syndiquée favorite, il demanda : « Tu crois que cet accident aurait pu me rendre extralucide ? »

Karin feignit le calme : « Qu'est-ce que tu veux dire ?

– C'est comme si je pouvais deviner toutes leurs blagues avant même qu'ils ne les sortent. »

Il fixa son choix sur une émission consacrée aux trois espèces primitives de mammifères ovipares. Jamais, avant son accident, Mark ne se serait passionné pour un tel spectacle. « La vache ! Qu'est-ce que c'est que ces bestiaux ? Mon vieux, il y en a Un, il a bien merdé sur les caractéristiques techniques. Des piafs à fourrure ! »

C'était le Mark enfant dont elle gardait le souvenir. Curieux et tendre, d'humeur égale. Assez perdu pour avoir besoin d'elle à ses côtés, sur le canapé étroit. Elle l'avait pour elle seule, selon son désir. Elle pourrait peut-être lui préparer du thé, voire, à l'occasion, étendre le bras de l'autre côté du canapé, et lui toucher l'épaule sans se faire rabrouer. Cette idée la traumatisait. Elle se leva et arpenta la pièce. Inconcevable : la Toscane, l'échidné et son frère. Elle le dévisageait, assis sur le canapé, qui regardait ces mammifères antédiluviens et fronçait les sourcils pour contrefaire l'excitation. « Vise-moi ce truc ! Abandonné par l'évolution. Laissé de côté. C'est d'un triste ! » Il leva les yeux et la vit aller et venir. « Dis ? Tu ne veux pas te poser une minute ? Tu me rends nerveux. »

Elle revint s'asseoir auprès de lui sur le canapé. Il se pencha vers elle et se mit à lui faire du charme à sa manière. Il lui posa une main sur la cuisse et entonna son refrain quotidien. « Tu ne voudrais pas me conduire chez Thompson Motors ? Je peux avoir un Ford F-150 pour une bouchée de pain. Ensuite je le bricole. Cela dit, il faudra que tu m'aides, parce qu'on m'a piqué mon chéquier. Ils m'ont laissé mon carnet d'adresses, mais les noms et les numéros de téléphone sont tout en désordre.

– Je ne sais pas, Mark. Ce n'est sans doute pas une très bonne idée pour le moment.

– Non ? » Il se renfrogna et leva au ciel ses mains impuissantes. « C'est toi qui vois. » Il prit sur la table basse le numéro du *Kearney Junction* de la semaine précédente, posé là en guise de set, et feuilleta les annonces (déjà cochées) des véhicules d'occasion. Karin se pencha et, d'une pression sur la télécommande, éteignit le téléviseur. Il se tourna vers elle d'un mouvement brusque. « Excuse-moi, mais je regarde. Tu t'en fous, toi, des mammifères qui pondent des œufs, hein ? À part ta petite personne, aucune espèce ne t'intéresse vraiment.

– Mark, les mammifères ovipares, c'est fini.

– Ça, c'est sûr ! Des fossiles sur pattes. Les plus grands rescapés de l'histoire des vertébrés. Fini ? Rien du tout ! Regarde. Qu'est-ce que... C'est... un genre de licorne de mer, on dirait.

– C'est une autre émission, Mark.

– Qu'est-ce que tu en sais ? Tout ça, c'est la même émission. » Pour le prouver, il passa de nouveau les chaînes en revue. « Tiens. Regarde celle-là. Inspirée d'une histoire vraie. Plus personne ne tourne de films inspirés d'histoires fausses ou quoi ? » Il zappa encore et tomba sur Tribunal TV. « Alors ? Ça te suffit ou tu veux que je continue ? Ma parole ! Tu n'es pas du coin, toi. »

Tandis que Mark lisait son journal, elle regarda deux voisins se traîner en justice à propos d'un bout de jardin qu'ils avaient acheté en commun. Après un instant, elle demanda : « Ça te tente, une balade ? »

Il sursauta, inquiet. « Une balade ? Où ça ?

– Je ne sais pas. Dans la prairie de Scudder ? On pourrait pousser jusqu'à la rivière. En tout cas, sortir du lotissement. »

Il la regarda d'un air apitoyé ; comment pouvait-elle croire que cela fût envisageable ? « On verra. Demain, peut-être. »

Ils restèrent assis un long moment à lire des magazines sur fond de litiges télévisés. Elle lui prépara un pâté de thon pour le dîner. Il la raccompagna sur le pas de la porte quand elle s'en alla. « Merde ! T'as vu ? Il refait nuit. Je me demande comment je trouvais le temps de travailler du matin au soir, quand j'allais bosser. Au fait, j'y pense : les As du Couteau infernal. Je devrais les appeler, non ? Il va bien falloir que je retourne à mon train-train, tu comprends ? Je ne peux pas vivre d'allocations jusqu'à la fin de mes jours. »

Il commença la thérapie cognitive comportementale avec le docteur Tower. Karin conduisait Mark à Kearney, à bord de « la petite jap' », comme il l'appelait. Il avait abandonné l'idée que cette femme pût vouloir le tuer dans un accident de voiture. À moins qu'il ne se fût simplement réconcilié avec le destin.

Le traitement consistait en six séances d'évaluation, à raison d'une visite par semaine, puis douze « séances d'ajustement » et autant de contrôles que nécessaire tout au long de l'année suivante. Karin l'emmenait à ses consultations au Bon Samaritain, puis allait marcher en ville pendant une heure. Le personnel de l'hôpital lui demanda de ne pas parler avec Mark de sa thérapie avant qu'on ne l'ait convoquée aux dernières séances. Elle jura de ne rien dire. Au bout du deuxième rendez-vous, la question lui échappa avant même qu'elle ne s'entende la poser. « Alors, comment ça se passe, tes entretiens avec le docteur Tower ? »

Il prit un ton de clinicien. « Pas trop mal, je crois. Elle n'est pas vilaine à regarder. Quoiqu'un peu lente à la détente. Je te jure ! Il faut tout lui répéter cent fois. Selon elle, il se pourrait que tu sois réelle. C'est dément. »

Barbara passait trois fois par semaine. Elle arrivait à l'improviste et faisait toujours sensation. Sans sa tenue de travail, en short gris et T-shirt bordeaux, elle incarnait l'été en personne. Karin admirait les bras et les jambes nus de cette femme, en se demandant toujours quel âge elle pouvait avoir. Barbara avait transformé Mark en culbuto : il ne cessait d'opiner à tout ce qu'elle lui demandait. Et tout ce qu'elle lui demandait ressemblait à un jeu. Elle l'emmenait à l'épicerie pour qu'il y fasse ses courses. Karin n'avait jamais songé à cela, elle qui remplissait le garde-manger chaque semaine et nourrissait Mark tout en le privant de son indépendance. Barbara, cependant, se montrait impitoyable. Elle refusait de prendre la moindre décision à la place de son patient, malgré ses appels au secours. « Dis donc, Barbie. Lequel de ces deux trucs je préfère ? Tu te souviens, toi, après toutes ces années passées dans notre petit hôtel de cure ? Je suis plutôt saucisse ou bacon ?

– Je vais te dire comment tu pourras le savoir. Observe-toi, et regarde lequel de ces articles tu vas choisir. » Elle lui lâchait la bride, le condamnait à la liberté, à cette terreur de l'abondance américaine. Elle n'intervenait qu'en cas de fromage aérosol et de céréales chocolatées au marshmallow.

Barbara jouait aux jeux vidéo avec Mark, y compris aux courses automobiles. Il adorait cela : anguille montée sur roulettes, il aurait remporté chaque manche, même avec un pouce attaché derrière le dos. Elle le battait aux cartes. Mark raffolait de ces combats épiques dont il sortait souvent en criant grâce. « C'est comme ça que tu prends ton pied ? Une femme adulte qui flanque une déculottée à un débutant ? »

Karin entendit par hasard leur conversation. « Un débutant ? Tu ne te rappelles pas avoir joué à ce truc ? Des parties sans fin, avec ta mère, enfant ? »

Il s'esclaffa devant ces inepties. « Des parties sans fin ? Ma mère enfant ?

– Tu sais bien ce que je veux dire. Vous jouiez des bons d'achat périmés. »

Mark leva les yeux de ses cartes pour ricaner. « Ma mère ne jouait jamais. Les cartes étaient les instrumentistes du diable.

– Ça, c'est venu plus tard. Quand nous étions petits, elle adorait les cartes. Tu te souviens ? Hé ! Ne fais pas celui qui n'entend pas.

– Jouer aux cartes. Avec ma mère. Ma mère enfant. »

Trois mois – non, trente ans – de frustration empesaient l'air ambiant. « Oh ! Pour l'amour du ciel ! Arrête. Ne fais pas l'idiot du village ! » Horrifiée, elle écouta l'écho de ses paroles. Des yeux, elle chercha Barbara en plaidant la démence passagère. Barbara regarda Mark. Mais il se contenta de renverser la tête et d'étrangler un rire.

« L'idiot du village. Où tu as pris ça ? Ma sœur m'appelait comme ça, elle aussi. »

Rien ne l'atteignait, du moment que Barbara se trouvait là. Petit à petit, elle le remit à la lecture. Par ruse, elle lui fit prendre un livre qu'il avait refusé d'ouvrir au temps du lycée. *Mon Antonia*. « Une histoire très sexy, lui avait-elle assuré. Celle d'un jeune homme du Nebraska qui en pince drôlement pour une femme plus âgée. »

Il en lut cinquante pages, bien que quinze jours lui fussent nécessaires pour y parvenir. Trahi, il mit Barbara devant l'évidence. « Ce n'est pas du tout comme tu avais dit. C'est une histoire d'immigrants, de ferme, de sécheresse et de merde.

– Il en est aussi question », reconnut-elle.

Il continua l'histoire, pour préserver son investissement, puisque le mal était fait. La fin du livre le laissa perplexe. « Tu veux dire qu'il revient – alors qu'ils se sont mariés chacun de leur côté, et qu'elle a eu tous ces foutus marmots – juste pour glander dans le coin ? Juste pour être son ami, ou Dieu sait quoi. Juste en souvenir de ce qui s'est passé quand ils étaient mômes ? »

Les yeux embués, Barbara acquiesça. Mark tendit la main pour la réconforter.

« C'est le meilleur livre d'antan que j'aie jamais lu. Même si, en fait, je n'ai pas tout pigé. »

Elle l'emmenait faire de longues promenades sous le soleil de l'été. Ils allaient au hasard, desséchés mais poisseux ; juillet menaçait de grésiller à l'infini, sans qu'ils puissent rien faire, sinon endurer et marcher encore. Ils passèrent des heures à arpenter les champs de blé enflammés, comme des agrotechniciens de la région chargés de surveiller les récoltes du coin. Ils emmenaient Blackie Deux avec eux. « Ce clébard est presque aussi brave que le mien, déclarait Mark. Un poil moins obéissant. » De temps en temps, il laissait Karin les accompagner, à condition qu'elle se taise.

Barbara pouvait écouter Mark disserter sur le *tuning* longtemps après que Karin fut saoulée par ses discours. « Je ne conçois pas de laisser une voiture en l'état », disait-il. Et il se lançait dans une anatomie détaillée du véhicule qu'il fabriquait dans sa tête : des Rams, des Bigfoots, des Broncos aboutés pour engendrer un hybride monstrueux. Cinquante pas en arrière, oubliée et invisible, Karin observait la technique de cette femme plus mûre. Elle encaissait, elle esquivait et l'attirait hors de sa coquille. Captivée, elle écoutait les listes de pièces détachées qu'il lui récitait, puis elle levait un doigt, comme en passant. « Tu as entendu ? C'était quoi, ce bruit ? » L'air de rien, elle lui faisait écouter le chant des cigales qu'il n'entendait plus depuis ses quinze ans. Barbara Gillespie possédait le plus grand tact jamais vu, une maîtrise de soi que Karin pouvait disséquer, voire imiter sur de courtes périodes, mais qu'elle ne pourrait jamais espérer incarner. Reconnaître en Barbara la femme qu'elle aurait voulu devenir l'attristait. Mais elle n'avait pas plus d'espoir d'atteindre cet objectif qu'une luciole de se changer en phare, même en s'appliquant. Plus qu'elle-même, Barbara avait désormais sa place aux côtés de Mark.

Il était prêt à tout pour sa poupée Barbie. Une fin d'après-midi, Karin les trouva assis à la table de la cuisine, penchés sur un livre d'art : le portrait craché de Joan Schluter et de son tout dernier pasteur, absorbés dans les Saintes Écritures. Le livre s'intitulait *Guide du « dé-voir » : cent artistes qui ont changé notre regard*. Un de ces ouvrages surprises empruntés à la réserve secrète de Barbara. Karin approcha par-derrière, de peur que Mark ne s'emporte et ne la chasse. Mais il ne la remarqua même pas. Hypnotisé par un Cézanne : *Maison et Arbres*. Comme une réplique des troncs, les doigts de Barbara glissaient sur le papier. Mark, le nez sur la planche, suivait à la trace les éraflures du couteau. Aux prises avec cette image, il sentait en lui une chose se frayer un passage vers la surface. Karin comprit aussitôt ce contre quoi il bataillait : leur ancienne ferme, l'appentis adossé aux années précaires de l'enfance, la maison dont leur père avait tenté de racheter l'hypothèque en allant sulfater des récoltes aux commandes d'un antique Grumman AgCat. Elle ne put se contenir. « Tu sais où ça se trouve, n'est-ce pas ? »

Mark se retourna brusquement, comme un ours surpris en train de fouiner. « Nulle part. » D'un geste furieux, il désigna son crâne. « Au pays des rêves à la con, voilà où ça se trouve. » Karin eut un mouvement de recul. Si les doigts de Barbara ne lui avaient effleuré le bras, il aurait pu se lever et la frapper. Ce contact enclencha un coupe-circuit et, sa colère envolée, Mark retourna à la page imprimée. Il saisit les feuillets et les fit défiler à la manière d'un folioscope : cinq cents ans de chefs-d'œuvre picturaux parcourus en cinq secondes. « Qui a fait tous ces trucs ? Enfin quoi, regarde un peu ! Depuis combien de temps ça dure ? À quoi j'ai passé toute ma vie ? »

Il fallut à Karin plusieurs minutes pour cesser de trembler. Une fois, huit ans plus tôt, il lui avait fendu la lèvre d'un revers de main après qu'elle l'eut traité de connard foireux. À présent, il pouvait la blesser pour de bon sans même s'en rendre compte. Il ne changerait plus d'un iota désormais, encore plus irrécupérable que leur père, incapable de garder un travail, planté devant des documentaires animaliers, feuilletant des livres d'art et opposant au moindre obstacle une giboulée de fureur. Puis il tournerait le dos, interdit, comme incrédule devant ce qu'il venait de faire.

Cette idée la détruisait : Mark avait toujours dépendu d'elle. Et malgré cela, elle allait manquer à son devoir envers lui, comme autrefois envers leurs parents qu'elle n'avait pas su protéger contre leurs pires instincts. Les soins qu'elle lui prodiguait aggravaient encore l'état de son frère. Elle voulait qu'il redevienne celui qu'il ne serait jamais plus, celui qu'elle n'était plus certaine qu'il eût jamais été. Elle ne se sentait pas la force d'affronter l'innocence de Mark, nouvelle et accablante. Elle se laissa tomber dans un fauteuil pliant. L'arc de son existence ne menait nulle part. Les années à venir s'effondraient et l'ensevelissaient sous leur poids mort. Un frôlement sur son poignet l'arracha à ses pensées.

Levant les yeux, elle plongea dans le visage de Barbara, un visage dont le regard paraissait capable d'affronter toutes les situations. Barbara retira sa main et, de nouveau, guida Mark à travers les planches du livre apaisant. Elle semblait connaître le nom de tous ces peintres, sans avoir besoin de consulter les légendes. Portait-elle la même attention à tous les patients dont elle n'avait plus la charge ? Pourquoi les Schluter ? Karin n'osait poser la question. Ces visites ne pourraient plus durer bien longtemps. Mais Barbara était là, dans la cuisine, assise à la table de Mark, pour l'accompagner dans son dé-voir.

Les deux femmes partirent ensemble ce soir-là. Karin suivit Barbara jusqu'à sa voiture. « Écoutez. Je ne sais pas comment vous dire ça. Jamais je ne pourrai vous remercier pour tout ce que vous faites. Jamais. »

Barbara plissa le nez. « Pff. Pensez donc. C'est moi qui vous remercie de m'avoir laissée venir.

– Je vous assure. Sans vous, il serait perdu. Encore... plus mal en point. »

C'en était trop : Barbara recula, prête à fuir. « Je vous en prie. C'est à moi que tout cela profite.

– S'il y a quoi que ce soit – n'importe quoi – s'il vous plaît, n'hésitez pas... »

Barbara soutint son regard : *Un jour, peut-être.* À la surprise de Karin, elle répondit d'un trait : « Qui peut dire quand le besoin d'un allié se fera sentir ? »

Même les Mousses queutards ne parvenaient pas à perturber Barbara. Quand leurs visites se chevauchaient, Rupp et Cain l'enrôlaient dans des parties de stud-poker ou de football. Quel que soit le jeu pratiqué, Barbara se joignait aux garçons. Mark sortait de son labyrinthe aussi longtemps qu'elle se trouvait à proximité. Cain ne pouvait s'empêcher de l'embringuer dans d'incessantes discussions : la lutte contre le terrorisme, la nécessaire restriction des libertés civiques, la culture américaine invulnérable et pourtant, d'une certaine façon, si menacée. Il était de ces disputeurs courtauds à l'air contrit qui lancent des statistiques à la volée, riches de détails et en perpétuelle mutation. Barbara l'envoyait au tapis. Déloyale, elle permettait même à Duane de partager le ring avec elle. Une fois, il cita un article – revu et corrigé – de la Charte des droits, et elle le contra en lui récitant le document intégral, appris par cœur. Il s'enfuit de la pièce à grand renfort de décibels : « Dans ta Constitution à toi, peut-être ! »

Rupp la draguait avec conscience, par devoir, à coups de suppliques de plus en plus désespérées : demande d'assistance pour son furet domestique. Excursion couronnée par un tir de fusée miniature. Séance de décachetage dans le cadre d'une vaste collecte de fonds. La tâche de Barbara consistait à le rembarrer dans la bonne humeur. Mets-y une muselière. Tente le décollage en manuel. Tu peux te brosser. Tous attendaient la prochaine escalade. Tous sauf Mark qui, le regard embué, les suppliait d'arrêter.

Karin lui donnait ce qu'il voulait bien accepter d'elle. Elle aimait faire le taxi et l'emmener à ses séances de thérapie cognitive, traitement auquel il résistait de plus en plus. Sur le chemin du retour, après le troisième rendez-vous, elle le sonda de nouveau avec tant de naturel qu'elle ne désobéissait pas vraiment aux consignes de l'hôpital. « Alors, comment ça se passe avec le docteur Tower ?

– Ça roule, répondit Mark, l'œil rivé à la route comme à son habitude. J'ai dans l'idée que toute cette thérapie commence à lui faire un peu de bien. »

Avant sa quatrième séance, Mark demanda à faire un tour dans le service de réanimation. Il attrapa une infirmière au hasard, lui raconta son histoire, et lui montra le billet. Déconcertée, elle promit de lui transmettre toute information dont elle pourrait avoir connaissance.

« Tu as vu ? demanda-t-il à Karin qui le guidait vers le service du docteur Tower. Elle a voulu me baratiner. Elle a prétendu qu'ils n'ont laissé entrer personne le premier soir, à part ma plus proche parente. Mais tu m'as bien dit qu'ils t'avaient laissée entrer, toi. Ça ne colle pas, non ? »

Elle secoua la tête, vaincue par les lois du monde de Mark. « Tu as raison. Ça ne colle pas du tout. »

Elle passa l'heure de la visite à la cafétéria de l'hôpital où elle évalua son propre degré d'aveuglement. La thérapie ne donnait rien. Elle s'était raccrochée à la médecine, comme autrefois sa mère à l'Apocalypse. Elle avait trouvé si rationnelles les promesses scientifiques de Weber. Mais à ce compte-là, Mark lui aussi se trouvait rationnel. Et de plus en plus clairvoyant.

Quand il sortit de sa séance, Karin lui proposa d'aller dîner. « Grand Island, ça te tente ? La Fille de la Crémière ?

– Putain de Dieu ! » Sur son visage, le plaisir le disputait à la peur. « C'est mon resto préféré dans cette vallée de larmes. Comment tu le sais ? Tu as parlé avec la bande ? »

L'humanité tout entière lui faisait honte. « Je te connais. Je sais ce que tu aimes. »

Il haussa les épaules. « Dis ? Si ça se trouve, tu as des pouvoirs paranormaux et tu n'en sais rien. On devrait procéder à quelques tests. »

Mark et ses amis se plaisaient à faire soixante-dix kilomètres pour s'attabler devant une pièce de bœuf bien rouge qu'ils auraient pu trouver n'importe où dans une demi-douzaine d'endroits à Kearney. Karin n'avait jamais compris l'attrait qu'exerçait sur eux la Fille de la Crémière, mais en cet instant elle goûtait au plaisir du voyage. À ses côtés, pris en otage, Mark demeura pensif pendant près d'une heure. Depuis le siège passager (« la place du mort », comme il disait), il scrutait les champs de blé, de haricots et de maïs, passait le paysage au crible, à la recherche du moindre détail incongru. Il lisait les panneaux à voix haute : « Adoptez-une-nationale. Adoptez une nationale ! Qui aurait cru que tant de routes étaient orphelines par chez nous ? »

Elle attendit le trajet somnolent entre Shelton et Wood River pour le questionner. La médecine l'avait trahie ; elle pouvait bien trahir la médecine. « Alors, qu'est-ce qu'il y a de pire chez le docteur Tower ? »

La tête presque plaquée contre le tableau de bord, Mark observait un rapace décrire des cercles au-dessus d'eux. « Elle me fout les nerfs en pelote. Elle veut tout savoir sur des conneries qui datent de Mathusalem. Qu'est-ce qui a changé, qu'est-ce qui est pareil ? Alors, moi, je lui dis : "Vous aimez l'histoire ancienne ? Achetez-vous un bouquin d'histoire ancienne." » Le faucon disparut derrière eux. Mark se redressa puis se pencha vers elle. « "Que faisiez-vous lorsque vous étiez petit et que votre sœur vous mettait en colère ?" À quoi ça rime ? Enfin merde, c'est tordu, tu ne trouves pas ? Chercher à en savoir autant sur mon compte. Changer ma façon de voir. »

Ce ton de conspirateur fit grimper le pouls de Karin. Elle se rappelait leur résistance clandestine au temps de l'adolescence, pour survivre aux pires certitudes de leurs parents. Et voici qu'il lui proposait une nouvelle alliance. Elle pouvait se joindre à lui, aussi folle que soit leur conjuration. Ils obtiendraient tous deux ce dont ils avaient besoin. Elle avala une bouffée d'air, grisée par le désir d'encourager la fronde de son frère. « Sache une chose avant tout, Mark. Personne ne t'oblige à quoi que ce soit.

– Ouf ! Quel soulagement.

– Le docteur Tower veut simplement comprendre ce que tu as dans la tête en ce moment.

– Pourquoi est-ce qu'ils ne me fourrent pas à nouveau dans un de leurs scanners. Bon sang ! C'est à eux de démerder ce genre de problème. On ne t'a jamais mise dans un de ces tubes ? Une belle arnaque. C'est comme si ton crâne passait par l'atelier de carrosserie. Et pas moyen de bouger. Tu as le menton tout sanglé. Ça te bousille pour de bon, si ce n'est pas déjà fait. De la télépathie par ordinateur. »

Elle laissa retomber la conversation jusqu'à Grand Island. L'été sur les rives de la Platte : son mirage vacillant, cette muraille vert sombre de chaleur écrasante qui, aux yeux du monde, faisaient des Grandes Plaines le modèle des mornes solitudes, rendaient à Karin sa liberté. Chicago et son carroyage de Lego dressés l'avaient étouffée. Les Rocheuses l'avaient crispée. Les fastes panoramiques de Los Angeles ressemblaient à une atteinte de cécité hystérique. Au moins, ici, elle connaissait les lieux. Seul cet endroit était assez vaste et vide pour qu'on puisse y disparaître.

La Fille de la Crémière occupait l'avant-boutique d'une ancienne officine des années 1880, garnie de lambris en merisier et de pièces rouillées d'outils agricoles accrochées aux murs. Le Nebraska tel qu'en lui-même. La patronne aux allures de grand-mère les accueillit comme des amis longtemps perdus de vue, et Karin lui répondit par de semblables effusions. « Ils ont fait des travaux, affirma Mark une fois installé dans le box. Je ne sais pas. Ils ont restauré. Ça paraissait plus neuf, avant. » Et lorsqu'ils passèrent commande : « La carte n'a pas bougé, mais la qualité a baissé. » Il mangea avec résolution, mais sans grand plaisir.

« Le docteur Tower veut simplement se faire une idée de ce que tu penses, répéta Karin. Comme ça, tu vois, elle pourra recoller les morceaux.

– Je vois. Je vois. Tu crois que je pars en miettes ?

– Je ne sais pas. » Elle savait que, pour sa part, c'était le cas. « Comment tu te sens ?

– C'est ce que ce putain de toubib n'arrête pas de me demander. Je ne me suis jamais senti aussi bien. J'ai connu des moments bien pires, tu peux me croire.

– Aucun doute là-dessus. Tu vas mille fois mieux qu'il y a cinq mois au même moment. »

Il se moqua d'elle. « Comment c'est possible, le "même moment" à cinq mois d'ici ? »

Désarçonnée, elle agita les mains. Tous les mots que lui désignait son esprit se perdaient en figures de rhétorique dépourvues de sens. « Mark, quand on t'a sorti du camion, pendant des jours, tu ne voyais plus, tu ne bougeais plus, tu ne parlais plus. Tu étais à peine humain. Tu as accompli un miracle depuis ce temps-là. C'est le mot qu'ont employé les médecins : un miracle.

– Ouaip ! Jésus et ma pomme.

– Et donc, maintenant, grâce à tout ce terrain gagné, le docteur Tower peut t'aider à progresser encore. Elle pourrait découvrir des choses qui te permettront d'aller mieux.

– Ne pas avoir eu cet accident, voilà ce qui me permettrait d'aller mieux. Tu vas finir tes patates ou pas ?

– Mark, c'est sérieux. Tu veux te sentir de plus en plus comme avant, n'est-ce pas ?

– Qu'est-ce que tu racontes ? » Il se remit à glousser, un rire approximatif. « Je me sens exactement comme avant. Je ne veux pas ressembler à quelqu'un d'autre. »

Elle ne pouvait en dire autant. Elle baissa les bras. Quand la note, modique, arriva sur la table, elle voulut s'en saisir. Il lui attrapa la main. « Qu'est-ce que tu fais ? Tu ne peux pas payer. C'est toi, la femme.

– C'était mon idée.

– Pas faux. » Mark tripotait le poivrier, à la recherche d'une solution. « Tu veux me payer mon dîner ? Je ne pige pas. » Sa voix cherchait à prendre un ton taquin. « Ce serait comme un genre de rendez-vous amoureux ? Oh, non. Attends. J'oubliais. Un inceste. »

La serveuse approcha et prit la carte de crédit de Karin. Avant peu, elle aurait dépassé le plafond autorisé et il lui faudrait en demander une autre. D'ici cinq mois, l'assurance-vie de sa mère, la réserve dans laquelle Karin n'avait pas voulu puiser, la cagnotte qu'elle était censée utiliser pour faire quelque chose de bien, serait réduite à néant, elle aussi.

« Voilà la preuve absolue que tu ne peux pas être ma sœur. Ma sœur est la personne la plus pingre que je connaisse. En dehors de mon père, à la rigueur. »

Blessée, elle eut un mouvement de recul. Mais le visage atone de son frère l'arrêta. Sans doute avait-il raison. Sa vie durant, paniquée, elle s'était cramponnée à tout ce qui flottait assez pour l'arracher au maelström de Cappy et Joan. Toutes ses réserves amassées l'avaient diminuée. Ainsi en allait-il de la sécurité : plus on mettait une chose sous clé, moins on en disposait. Elle voulait se rattraper à présent. Mark ne lui coûterait pas moins que tout le reste. Elle consacrerait le reste de sa vie à payer pour cette existence que Mark n'avait même pas conscience d'avoir perdue. Mais mise au pied du mur, pouvait-elle encore parler de générosité ?

« La prochaine fois, l'addition sera pour toi, dit-elle. Allez, rentrons. »

Le temps de quitter Grand Island, la nuit tombait déjà. Quinze kilomètres après la sortie de la ville, Mark défit sa ceinture de sécurité. Ce geste n'aurait pas dû inquiéter Karin. Bien au contraire : le Mark d'autrefois ne bouclait jamais sa ceinture. Il retrouvait donc ses vieilles habitude et lui rendait sa confiance. Mais elle fut saisie de panique. « Mark, s'écria-t-elle. Attache ta ceinture. » Elle s'avança pour l'aider ; il lui frappa la main. Tremblante, Karin s'arrêta sur l'accotement obscur de la grand-route. Elle refusa de repartir tant qu'il ne serait pas attaché. Mark semblait ravi de rester assis là, dans le noir, à goûter cette impasse.

Il finit par lui dire : « Je mets ma ceinture à une condition : tu m'emmènes là-bas.

– Où ça ? demanda-t-elle, bien qu'elle le sût déjà.

– Je veux voir l'endroit où c'est arrivé.

– Mark, non. Je t'assure. »

Il regardait droit devant lui, enfermé dans son monde. Signe de son absence, il se caressait le crâne. « Si ça se trouve, je n'ai jamais foutu les pieds là-bas.

– On ne peut pas y aller. Pas ce soir. Il va faire nuit noire. On n'y verra rien de rien.

– Moi, maintenant, même ça, je ne le vois pas.

– Laisse-moi te ramener à la maison. Je te promets qu'on ira là-bas demain à la première heure. »

Il se tourna vers elle, agressif. « Ce serait commode, hein ? Tu me ramènes “à la maison”, tu appelles tes complices, puis vous allez tout maquiller pendant que je dors. Et moi, je n'y verrai que du feu. »

Formes massives, modifiées par les ruses de la nuit, données manipulées tandis qu'ils avaient le dos tourné. Toute certitude à vau-l'eau.

« Vous allez trafiquer les lieux du crime », dit-il. Il ouvrait et refermait la boîte à gants de la Corolla.

« Les lieux du crime ? Qu'est-ce que tu veux dire ? Quel crime ?

– Tu sais bien. Vous allez passer le fossé au peigne fin et faire disparaître les preuves. Déposer de fausses empreintes sur la route.

– Mark, si quelqu'un a voulu trafiquer les preuves, il a eu presque six mois pour le faire. Il ne reste plus aucune preuve. Pourquoi aurait-on attendu jusqu'à maintenant ?

– Parce que, jusqu'à maintenant, je n'avais pas demandé à voir. »

Il ouvrait et fermait la boîte à gants de plus en plus vite. Karin se pencha pour lui bloquer la main. « Il n'y a plus rien à voir. Tout est effacé, par la pluie, la végétation. »

Mark se redressa, survolté. « Alors, tu es d'accord avec moi ? Quelqu'un trafique tous les indices qui pourraient me permettre de tirer cette affaire au clair. »

Cette affaire. Sa vie. « La nature, Mark. » Qui recouvrait tout ce qui avait jamais existé. « Remets ta ceinture. Et partons. »

Il suivit les instructions de Karin, mais à condition qu'elle passe la nuit à la Homestar où il pourrait garder un œil sur elle. « Tu n'auras qu'à dormir dans le séjour, sur ce convertible qui casse un peu les vertèbres. » Ils regagnèrent Farview en silence. Mark ne permit pas à Karin d'allumer la radio, pas même pour écouter KQKY, station qui, affirmait-il, ne diffusait plus le même genre de musique qu'avant. Une fois dans la maison, il demanda à Karin ses clés de voiture, pour les glisser sous son oreiller. « Je dors plutôt comme une brute en ce moment. Probable que je ne t'entendrais pas si tu filais pendant la nuit. »

Tandis que son frère prenait une douche, Karin appela Daniel. Elle l'arracha à une profonde méditation. Elle lui raconta la soirée et lui annonça qu'elle restait chez Mark. « On se voit demain ? » demanda-t-elle, pressée de raccrocher. Pendant un court instant, il ne répondit rien. Il ne la croyait pas. Elle ferma les yeux et chancela. Sous les lames du plancher, l'histoire attendait de s'embraser.

Daniel s'emplit de sollicitude. « Tout va bien ? Tu veux que je passe ?

– Qui c'est ? demanda Mark venu s'encadrer dans la porte du salon, une serviette vacillante tendue devant lui, de l'eau dégoulinant sur la moquette mordorée. Je t'avais dit de n'entrer en contact avec personne.

– À demain, lança Karin avant d'éteindre son portable.

– Qui c'était ? Putain ! Je ne peux pas tourner le dos une seconde.

– C'était Daniel Riegel. » Mark leva l'avant-bras pour parer ce nom. « On se voit depuis un petit moment. Je vis avec lui ; on peut dire ça, je crois. Je me sens bien auprès de lui. Après toutes les crasses qu'on s'est faites, lui et moi. En fin de compte, ça colle entre nous. » Elle n'ajouta pas : « grâce à toi ».

« Danny Riegel ? Le chevalier de Dame Nature ? » Encore mouillé, Mark s'assit sur son relax en s'épongeant le torse d'un air absent. Un peu tard, Karin détourna les yeux. « Alors comme ça, vous êtes ensemble pour de vrai ?

– Il est venu te voir à l'hôpital. » Stupide, forcé, hors de propos.

« Ah oui ? Danny Riegel. Alors là, voilà qui ne peut pas me causer du tort. Danny ne ferait pas de mal à une amibe. Il est incapable du moindre coup bas. Pas Danny Riegel. Mais quand même, merde. Comment tu as réussi à sortir avec lui ? C'est franchement étrange. Ma sœur et lui étaient du genre cul et chemise. Ils ont dû te programmer, inscrire ça dans ton ADN, un truc dans ce goût-là.

Elle se retourna vers lui, au-delà de l'épuisement, et reprit le fardeau qu'elle devrait porter chaque jour jusqu'à la fin de son existence, si elle restait prendre soin de lui. « Mark, pour une fois, va au plus simple. Rends-toi à l'évidence.

– Ha ! Dans cette vie ? Tu débloques. »

Il noua sa serviette autour de ses reins et l'aida à ouvrir le canapé-lit. Plus tard, dans le noir, après minuit, allongée sur ce matelas de roulements à billes instables et de ressorts affûtés, elle se mit à l'écoute des mouvements de la maison. Tout s'animait : l'air conditionné s'enclenchait puis s'arrêtait dans un soubresaut, des créatures légères livraient bataille à l'intérieur des cloisons, des branches au sang chaud frappaient aux carreaux, quelque chose de la taille d'une voiturette effectuait une reconnaissance dans les azalées, des insectes lui excavaient l'oreille et leurs ailes, comme la roulette d'un dentiste, lui frôlaient le tympan. Et chaque grincement ressemblait à son frère (quel qu'il soit) venu se faufiler dans le séjour.

Après l'habituel petit déjeuner aux céréales soufflées, Karin l'emmena sur la North Line. Déjà, l'air du petit matin était d'amiante, prêt à dépasser les trente-huit degrés de chaleur moite avant midi. Malgré cela, Mark portait son jean noir. Il ne s'habituait pas aux cicatrices de ses jambes et ne voulait pas que quelqu'un puisse s'imaginer à quoi il ressemblait. Le bout de route miroitante semblait presque uniforme : des pâtures bordées de joncs et des prairies, des panneaux esseulés et de rares buissons, des carrefours désignés par de simples chiffres. Mais Karin se gara à dix mètres du lieu de l'accident.

« C'est là ? Tu es sûre ? C'est ici que j'ai renversé le camion ? »

Muette, elle descendit de voiture. Il la suivit. Chacun dans une direction, ils ratissèrent la route déserte. On aurait pu croire à un couple de vacanciers parti à la recherche d'une carte que le vent a fait s'envoler par la fenêtre de leur voiture. Les lieux offraient encore moins de choses à voir que lorsqu'elle était venue avec Daniel ; rien sinon le cours brutal de la nature, base de toute la pyramide, trop minuscule et proliférante pour qu'on s'en préoccupe : un tapis vert agrippé au sol, qui se déployait jusqu'à l'horizon, brûlé par des éclaboussures de goudron en fusion.

Mark se laissa dériver de l'autre côté de la route, aussi interdit que le troupeau de simmental rassemblé sur une éminence, trois cents mètres plus loin, sur la droite. Seule différence : les vaches vagabondes ne hochaient pas la tête.

« J'allais dans quel sens ? » Elle désigna l'ouest, la direction de la ville. Quelles que fussent les preuves qu'il cherchait à découvrir, elles avaient été balayées depuis longtemps par des forces bien décidées à gommer sa vie. « Tu vois ? Il n'y a rien ici. Je te l'avais dit. Tout est parti. » Il s'accroupit et épousseta l'asphalte du plat de la main. Il finit par se laisser tomber à terre, assis sur l'ourlet de la route, les bras enlacés autour de ses genoux. Karin alla le rejoindre pour le prier d'aller s'installer plus loin sur l'accotement. Mais elle se laissa choir à ses côtés : deux cibles destinées au premier véhicule qui serait plus rapide qu'une moissonneuse-batteuse. Il ne redressa pas la tête. Il leva les bras en l'air, soulevant le vide. « On était au Silver Bullet. Je me souviens de ça.

– Qui ? demanda-t-elle dans un souffle, d'une voix qui se voulait aussi blanche que la sienne.

– Moi, Tommy, Duane. Deux ou trois gars de l'usine. Il y avait de la musique : les Bêtes à Cordes, il me semble. Je faisais un bras de fer avec quelqu'un. Et puis plus rien. Le trou noir. Je ne me rappelle même pas être monté dans le camion. Rien, jusqu'à ce que je me retrouve assis dans un lit d'hôpital, à me baver dessus. À quand ça remonte ? Des semaines ? Des mois ? C'est comme si j'étais enfermé quelque part, pendant qu'un autre vit ma vie. » Cette monotonie sortait de lui, avec le timbre appauvri d'une voix de synthèse.

Elle posa le bras sur son épaule et il ne chercha pas à se dérober. « Ne t'inquiète pas pour ça, dit-elle. Essaye seulement de... »

Il lui tapota le bras et tendit l'index. Dans la direction de l'est, un antique break Pontiac roulait au pas. Ils se levèrent et reculèrent d'un mètre. La voiture ralentit et s'arrêta à leur hauteur, vitres baissées. Les sièges disparaissaient sous un attirail entassé : caisses remplies de vêtements, piles d'assiettes, livres, outils et même un petit bouquet de fleurs en plastique. À l'arrière, gisait un matelas pneumatique sur lequel était tendue une couverture de coton miteuse. Un homme aux traits grossiers, au visage cramoisi – un Winnebago, à n'en pas douter – se pencha vers eux depuis le siège avant. « Un problème mécanique ?

– Si on veut, dit Mark.

– Besoin d'un coup de main ?

– Besoin de quelque chose. »

Le Winnebago ouvrit la portière côté passager. Karin s'avança. « Tout va bien. Pas de problème. » L'œil fixe, l'homme les observa un long moment avant de refermer la portière et de s'éloigner, plus lentement qu'une tondeuse autotractée.

« Ça me rappelle... » fit Mark d'une voix tout aussi lente.

Karin attendit, mais sa patience ne servit à rien. « Ça te rappelle quoi ?

– Ça me rappelle, c'est tout. » Il s'écarta du bord de la route pour rejoindre la ligne médiane. Elle lui emboîta le pas. Mains tendues, il reconstituait la trajectoire imaginaire. « Je sais que j'ai fait un tonneau avec le camion. Je sais qu'ils m'ont opéré.

– Ils ne t'ont pas vraiment opéré.

– J'avais une saloperie de robinet en métal qui me sortait du crâne.

– Ce n'était pas de la vraie neurochirurgie. »

Il leva la main pour la faire taire. « Je vais te dire ce que ça me rappelle. Cette voiture. Il y avait quelqu'un avec moi là-bas. Je n'étais pas seul. »

Des insectes affouillaient l'épiderme de Karin. « Qu'est-ce que tu racontes ?

– Ce que je raconte ? Dans le camion. Il n'y avait pas que moi.

– Je crois que si, Mark. Tu sais, si tu n'arrives déjà pas à te souvenir que tu étais toi-même dans ce camion...

– Écoute. Toi non plus, tu n'y étais pas. Alors, merde ! Je te dis ce que je sais. Quelqu'un était assis là et me parlait. Je me souviens d'avoir parlé. Je me souviens distinctement d'une autre voix. Peut-être que j'ai pris quelqu'un en stop.

– On a trouvé personne d'autre près du camion.

– Dans ce cas, il ou elle aura ramassé sa civière et se sera fait la malle !

– Si les enquêteurs avaient découvert des empreintes, ils auraient...

– Foutre queue ! Tu veux savoir ce que je me rappelle, oui ou non ? Je vais te dire de quoi il retourne dans cette affaire. Des gens apparaissent et disparaissent, comme ça ! » Il claqua des doigts, brutal. « Un coup ils sont là, un coup ils n'y sont plus. Dans le camion, sur la route, envolés. Si ça se trouve, j'ai déposé cette personne quelque part. N'importe qui peut te fausser compagnie à n'importe quel moment. Un jour, tu as des parents ; le lendemain, ce sont des plantes vertes. » Il fouilla dans sa poche et en tira le bout de papier froissé, sa seule amarre. Le cadeau qui ne cessait de lui parler. Des larmes gonflèrent ses yeux et l'aveuglèrent. « Au début, ce sont des anges, et après ça, même pas des bêtes. Des sauveurs qui ne veulent pas admettre qu'ils existent. » Il jeta le chiffon de papier sur la chaussée. Un vent de travers le balaya dans le fossé où il s'accrocha à une touffe de switchgrass.

Karin poussa un cri et s'élança à la poursuite du billet comme s'il s'agissait d'un bébé en vadrouille. Elle courut tête baissée dans le fossé, un massif de robiniers écorcha ses jambes nues. Elle se pencha et, d'un geste brusque, s'empara du papier en reniflant. Triomphante, elle se retourna vers Mark. Resté sur la route, immobile, il regardait vers l'est. Elle l'appela, mais il n'entendit rien. Il ne détacha pas son regard de l'horizon, même lorsque Karin vint le retrouver.

« Il y avait quelque chose, juste là. » Il fit demi-tour sur lui-même. « J'arrivais par là, dans la côte. » Il se tourna de nouveau vers l'est en branlant du chef. « Quelque chose sur la route. Juste là. »

L'épine dorsale de Karin avait pris feu. « Oui, chuchota-t-elle. C'est vrai. Une autre voiture ? Qui a franchi la ligne médiane. Et arrivait sur toi, dans ta file. »

Il secoua la tête. « Non. Pas ça. C'était comme une colonne de blancheur.

– Oui. Les phares...

– Non, putain ! Pas une voiture. Un fantôme, ou un truc dans le genre. Ça flottait dans l'air, et des choses volaient. Puis plus rien. » Il tendit le cou loin devant et écarquilla les yeux ; il s'arrachait à l'épave.

Elle le guida jusqu'à la voiture et le fit asseoir sur le siège passager. Jusqu'à Farview, tout le long du trajet, il refit un perpétuel calcul. À un kilomètre de la ville, il exigea son billet. Karin dut presque se tenir debout derrière le volant pour l'extraire de son short trop serré. Il relut le message en hochant la tête.

« Je suis un assassin, dit-il, tandis qu'elle se garait sur l'emplacement vide devant la Homestar. Un pur esprit est venu me guider sur la route, et moi j'ai tenté de le tuer. »

L'auteur du billet ne fréquente donc pas les églises. Au poil. Voilà au moins un point éclairci. Il a fait le tour de toutes les chapelles autorisées, montré son papier à tous les croyants du coin ; aucun n'en a revendiqué la paternité. L'heure a sonné d'aller au-devant des païens. C'est une chose qui se sait peu, mais le Nebraska regorge de païens. Il entraîne Bonnie-Baby dans l'aventure. Vieille astuce de missionnaire : dépêchez devant vous la plus jeune et la plus sexy des filles que vous avez sous la main. C'est le pilier de toutes les grandes religions. Les jolies poulettes attirent davantage la sympathie. Envoyez une belle frapper à une porte : madame se dira que vous ne pouvez pas être un tueur en série, pendant que monsieur se laissera attendrir et videra ses poches dans celles de l'organisation caritative de votre choix. Il ira même jusqu'à lire le Livre de Mormon, si la demoiselle lui sourit comme il faut.

Ensemble, ils se mettent en chemin, la belle et la bête. Comme deux époux, ou comme un mari et sa femme, enfin ce genre de chose. Ce qui ne lui poserait d'ailleurs aucun problème si, pour ça, il suffisait de se laisser peindre les griffes et cracher dans le bénitier à intervalles réguliers. Parfois, ils emmènent aussi sa chienne : une belle et grande famille. Au début, Bonnie n'est pas franchement emballée, mais elle s'adapte. Billet en main, ils se lancent dans une campagne de porte-à-porte. Un combat de rue, pour déloger le messager caché derrière le message.

Beaucoup connaissent Mark Schluter, enfin, c'est ce qu'ils disent. Lui en reconnaît certains, mais avec les gens, on ne sait jamais. Ce sont peut-être des camarades d'école, des collègues d'ACI, ou de son premier boulot, moins lucratif. Vivre dans une petite ville : pire que d'avoir sa photo affichée au bureau de poste. Beaucoup disent le connaître, même s'ils ne veulent pas vraiment dire « connaître ». Mais simplement : « Oh, cet abruti dont on a entendu parler dans le *Kearney Junction*, celui qui a renversé son camion et qui a dû se tirer d'un état végétatif. » C'est assez facile de lire dans leurs véritables pensées : il suffit de voir la gentillesse qu'ils lui témoignent quand Bonnie et lui viennent sonner chez eux. Au moins, quand ils les font asseoir et leur servent des boissons pétillantes, il peut vérifier leur écriture. Ils ont peut-être laissé dans un coin des lettres prêtes à poster. Peut-être une liste de courses fixée au réfrigérateur par un petit aimant de *La Guerre des étoiles*. Ou alors, ils y vont de leurs suggestions navrantes – un numéro à contacter, un bouquin à lire – et il leur lance : « Hé ! Super, ça. Vous pouvez me l'écrire ? »

Mais personne n'écrit comme sur ce billet. Cette écriture s'est éteinte cent ans plus tôt, dans le Vieux Monde. Tous ceux à qui il la montre en restent comme deux ronds de flan ; ils savent que ces lettres sinueuses ne peuvent venir que d'outre-tombe.

Le billet se désintègre, retourne à ses cendres. Il le fait plastifier à l'usine par Duane-o. Le rend perpétuel, pour aussi longtemps qu'il lui faudra le trimbaler. Mais au début du mois d'août, un phénomène étrange commence à se manifester. Ils frappent aux portes depuis des semaines. Personne à Farview ne veut admettre savoir quoi que ce soit. Farview est en passe d'être éliminé, rayé de la liste. Il veut s'attaquer à Kearney. Ils pourraient aller à la station essence sur la voie express, ou à l'entrée du Sino-Mart. Au pire, ils se feront expulser du magasin. Mais Bonnie commence à voir tout ça d'un drôle d'œil. Alors il reprend les choses avec elle.

Il lui demande : Tu as remarqué un truc qui sort de l'ordinaire ?

Ordinaire dans quel sens, Marko ?

Elle porte un chemisier blanc sans manches, un jean coupé au-dessus du genou – très au-dessus – et puis elle a cette chevelure noire et lisse, et ce nombril qui ne veut pas se taire. Vrai de vrai, elle est supérieurement ravissante. Que, avant son accident et tout le bazar, Mark ne se soit jamais penché avec assiduité sur cet état de fait demeure un mystère.

Inordinaire. Extraordinaire. Quelque chose de particulier ? Disons, simplement... un *motif récurrent* ?

De sa jolie tête, elle fait signe que non. Il veut la croire. Par facilité, elle s'est un peu trop rapprochée de la Pseudo-Sœur, mais cette nana a couillonné tout le monde, Barbara y compris.

Tu veux dire que, parmi les gens à qui nous avons parlé, aucun ne t'a semblé un peu... bizarre ?

Ce petit rire, comme une boîte à musique. Bizarre comment ?

Il faut que ça ait l'air d'une chose qui ne l'effraiera pas. Personne ne veut croire un truc qui risque de mettre en péril toute sa vision du monde. Alors soit, il se lance. Parmi ces gens qui nous ont ouvert leur porte, beaucoup, je ne dis pas tous, mais juste... certains. Certains semblaient être les mêmes.

Les mêmes... ? Les mêmes que quoi ?

Comment ça, *les mêmes que quoi ?* Une seule et même personne.

Tu veux dire... tu veux dire qu'ils étaient... semblables à eux-mêmes.

Ce n'est pourtant pas sorcier ; pas la peine de se triturer la cervelle. Il s'agit en fait d'un concept simple : quelqu'un les a suivis dans tous leurs déplacements. Ils n'auraient pas dû battre le pavé de façon si méthodique. Ils auraient dû mélanger, aller au hasard. Prévisibles, ils se sont conduits en nigauds. Ils sont tombés dans le panneau.

Écoute. Je sais que ça va te paraître un peu dément. Mais il y a un type... qui revient sans arrêt.

Qui revient ? Il revient d'où ?

Tu as compris ce que je veux dire. Il nous suit. D'une maison à l'autre. Et je crois savoir qui c'est.

Voilà qui déclenche chez elle un certain nombre de propos plutôt ineptes. Ça se comprend : elle a la trouille. Lui aussi, mais il a disposé d'un peu plus de temps pour réfléchir. Bonnie en est encore au premier stade du déni : Comment quelqu'un pourrait-il nous suivre ? Comment pourrait-il entrer dans la maison suivante, enfiler un déguisement, etc., tout ça avant notre arrivée ?

D'assez piètres objections, qui se dissipent sitôt examinées. Mais Bonnie est bouleversée. Elle ne veut plus poursuivre la tournée. C'était à prévoir. Elle croit sans doute que sa vie est menacée. Il tente de lui expliquer. L'as du déguisement s'intéresse à une personne et une seule : Mark Schluter. Mais il n'arrive pas à la convaincre de prolonger les recherches. Ça vaut peut-être mieux comme ça, après tout. La traque n'a rien donné, et qui peut dire quand ce petit jeu du chat et de la souris tournera au vilain ? Du vilain, à dire vrai, il y en a déjà eu. Le 20 février dernier pour être précis.

Il continue seul. Il arpente la bibliothèque municipale et le centre d'aide aux personnes âgées. Mais il est intéressant de constater que rares sont les gens qui veulent bien lui donner un échantillon de leur écriture, et que, parmi ceux qui acceptent, un individu sur trois fait semblant d'être quelqu'un qu'il n'est pas. L'as du déguisement lui file toujours le train. Quelqu'un qu'il n'a pas vu depuis des années. Il a cet œil qui tombe tristement et vend la mèche à chaque fois. Comme si tout le monde se plantait, et que ce visage solitaire et avisé soit le seul à comprendre pleinement de quoi il retourne. Danny boy. Riegel, l'homme aux oiseaux.

Une idée traverse l'esprit de Mark : son accident a eu lieu au tout début de la saison des oiseaux. Certes, il pourrait s'agir d'une simple coïncidence. Mais maintenant que monsieur Migration s'est mis à le suivre, voilà qui donne pas mal de poids à une théorie plus globale. Sans compter les frotti-frotta de parties génitales entre Riegel et sa sœur artificielle. Tout ça, c'est un peu trop copieux. Mark ne sait pas quoi en faire au juste, mais il faudra bien qu'il trouve, ou c'est eux qui le trouveront.

Il défie la Karin factice. Rien à perdre. Ils l'ont déjà dans le collimateur. Il attend qu'elle se pointe à la prétendue Homestar avec son dernier sac d'épicerie non sollicitée. Là, de but en blanc, avant qu'elle puisse l'embrouiller, il lui demande : Dis-moi franchement. Ton ami, l'homme des bois, qu'est-ce qu'il trafique ? Ne mens pas ; ça fait un bail maintenant qu'on se connaît tous les deux, pas vrai ? On en a bavé ensemble.

La voilà toute timide, qui se tient par les épaules et inspecte ses chaussures comme si elles venaient de lui sauter aux pieds. Je ne sais pas trop, déclare-t-elle. Curieux, non ? Cette façon qu'il a de ressurgir dans ma vie à différents moments de crise ? D'abord à la mort de Cappy, puis celle de maman, et maintenant...

Curieux, cette façon qu'il a de ressurgir tout le temps, dans ma vie à moi.

Elle le fixe, comme un peloton d'exécution. Coupable, Votre Honneur. Mais ensuite, elle se lance dans de grandes manœuvres dilatoires. Te suivre partout ? De quoi tu parles ? Elle se met à pleurer, à deux doigts de reconnaître sa culpabilité. Après quoi, elle devient pire qu'inutile. Elle sort son portable et appelle Bonnie pour tenter de synchroniser leurs histoires. Dix minutes plus tard, c'est du deux contre un ; elles dégoisent sur des conneries sans aucun intérêt, puis Karin lui passe l'appareil, lui dit que Daniel est à l'autre bout du fil – allez, dis quelques mots à Daniel...

Il faut qu'il se tire de là, qu'il aille dans un endroit où il pourra réfléchir. Il a un coin à lui, près de la rivière, où il peut s'asseoir dans les hauts fonds et laisser les centaines de kilomètres d'eau limoneuse lui dévaler sur le corps. Il part vers le sud, à pied. Il n'est pas retourné sur la Platte depuis l'automne dernier. Par peur de découvrir qu'on a aussi trafiqué la rivière. Il quitte la maison tête nue, et le soleil l'ébouillante. Des oiseaux le pistent d'arbre en arbre. Une troupe de quiscales, des animaux espions. Ils font un boucan des plus inconvenant, comme si sa présence leur posait problème. Leurs soi-disant chants résonnent dans sa tête ; ça fait *en, en, en avant*...

Et les mots le devancent : les mots qu'il disait, juste avant que son camion s'envole. *En avant, tête à cornes*, c'est peut-être de son camion qu'il parle, comme s'il disait son nom. Mais non. *Tête à cornes* : il y a quelque chose de plus là-dessous, ou sa vie n'a aucun sens. Il atteint la lisière du Pas des Eaux, se faufile à travers la haie de sycomores. Il s'avance sur la longue étendue, deux kilomètres de promontoire infestés de pollens et de mouches noires, sans rien pour le protéger contre les éléments. La rivière recule à mesure qu'il approche. Les quiscales lui tapent sur les nerfs. *Tête à cornes, tête à cornes.*

Allez, en avant.

Aussi sec, la puissance de ces mots l'oblige à s'asseoir dans un massif de mimosas. Il disait : « Allez, en avant. » Ou bien quelqu'un le lui disait, dans la cabine du camion. Il a pris un ange en auto-stop, quelqu'un qui a survécu au tonneau, qui s'est extrait de l'épave et s'est rendu en ville pour signaler le désastre. Ensuite, ce quelqu'un l'a suivi à l'hôpital, a déposé le billet : des instructions pour l'avenir, destinées à Mark Schluter. Un ange auto-stoppeur, qui lui dit : « Allez, en avant. » Mais jusqu'où ? Jusqu'à l'accident ? Au-delà ? Jusqu'ici ?

Il se relève, tremblant devant ces perspectives. Parmi le vert roussi du champ, s'élèvent des taches noires, et un puits s'ouvre devant ses yeux. Son corps veut descendre, mais il se bat pour rester debout. Il repart dans la direction de Farview, en petites foulées. Son cerveau crépite comme des braises chaudes que l'on tisonne. Plié en deux par un point de côté, il parvient à la fausse Homestar. Comment se fait-il qu'il ait tant perdu la forme ? Il déboule dans l'entrée, pressé de parler à quelqu'un, même à ceux devant qui il ferait mieux de se taire. Déchaînée, Blackie Deux, qui sait déjà tout de sa découverte grâce à la télépathie animale, manque le faire tomber à la renverse. La femme est encore là, assise au bureau, devant l'ordinateur, telle la propriétaire des lieux. Elle se retourne, coupable, surprise par son retour. Encore plus rouge que d'habitude, elle rejette ses cheveux en arrière, l'air de dire : *Oh, pas de lézard.* On dirait un escroc qui essaie de lui pirater son numéro de carte de crédit. Elle se déconnecte à la hâte et se tourne vers lui. Mark ? Mark, tu vas bien ?

Question incroyable. Qui pourrait aller bien en ce monde misérable ? Lui dévoiler ce qu'il a découvert, c'est risquer la mort. Elle peut être n'importe qui. Il ignore toujours pour qui elle roule. Mais au fil des mois, face à l'adversité, ils se sont rapprochés. Elle éprouve un sentiment pour lui, il en a la certitude. De la compassion ou de la pitié devant sa souffrance. Assez peut-être pour la pousser à faire défection et se rallier à lui. Ou peut-être pas. S'il lui parle, il risque de commettre sa plus grosse bêtise depuis celle qui lui a valu de perdre sa sœur. Mais en fin de compte, il veut lui dire. Il a besoin de lui dire. La logique n'a rien à voir là-dedans. Question de survie.

Écoute, lance-t-il, nerveux. Ton fiancé. Ton petit ami, ou ce que tu voudras. Tâche de voir si tu peux apprendre ce qu'il faisait le soir de mon accident. Demande-lui si « Allez, en avant » lui évoque quelque chose.

L'espace d'un instant, Weber fut incapable de localiser son bras gauche ou son épaule. Il ne sentait plus sa main : sous lui ? Sur lui ? Paume vers le haut ou vers le bas ? Dehors ou dedans ? Il se mit à paniquer, la détresse lui glaçait le sang, ce qui déclencha un état de veille presque suffisant pour lui permettre d'identifier le mécanisme : la conscience se manifestait avant que le cortex somesthésique ne soit tout entier sorti du sommeil. Ce n'est qu'en forçant son côté paralysé à bouger qu'il put de nouveau situer toutes les parties de son corps.

Un hôtel anonyme, dans un autre pays. Un autre hémisphère. Singapour. Bangkok. Réplique à peine plus spacieuse de ces hôtels tokyoïtes en forme de morgue, où l'on range les hommes d'affaires dans des tiroirs loués à la nuit. Même quand il parvint à se rappeler où il était, il ne put y croire. Pourquoi se trouvait-il là ? Question sans la moindre réponse. Il regarda le réveil : un chiffre arbitraire s'affichait, qui pouvait désigner la nuit comme le jour. Il alluma sa lampe de chevet indécise et se dirigea vers la salle de bain. Une douche chaude l'aiderait à disperser sa sensation persistante de déplacement. Mais son corps ne lui revint qu'avec hésitation. Parmi les lumières acquises au long de sa vie professionnelle sur les bizarreries du cerveau, aucune ne le déstabilisait autant que la plus simple d'entre elles : notre expérience ordinaire était tout simplement erronée. La perception de la corporéité ne venait pas du corps lui-même. Plusieurs couches cérébrales s'interposaient entre elle et nous pour bricoler, à partir de signaux bruts, une illusion rassurante de solidité.

L'eau bouillante fumait le long de son cou et sur son torse. Il sentit un relâchement dans ses épaules, mais ne voulut pas accorder trop de crédit à cette impression. À l'intérieur du cortex, les cartes du corps étaient au mieux fluctuantes et faciles à démanteler. Weber pouvait terrifer n'importe quelle étudiante en lui faisant passer les bras dans deux boîtes, dont une (celle de droite) possédait une fenêtre sur le côté. Derrière la vitre, la main de l'étudiante apparaît. Sauf qu'il ne s'agit pas de sa main droite, mais de la gauche, dont l'image est reflétée grâce à un procédé astucieux. Quand on demande à l'étudiante de bouger la main droite, elle voit par la fenêtre une main qui refuse de s'animer. Au lieu d'en arriver à la seule conclusion logique qui s'impose (un jeu de miroirs), l'étudiante ne manque jamais de céder à un accès de terreur et croit que sa main est en quelque sorte paralysée.

Pire encore : un sujet qui observe une main en caoutchouc caressée en même temps que la sienne, cachée à sa vue, continuera à sentir cet effleurement alors que les caresses sur la main véritable auront cessé.

Il n'est même pas nécessaire que la main postiche ait l'air naturel, ni qu'elle ressemble à une main. Qu'il s'agisse d'une boîte en carton ou d'un coin de table, le cerveau continuera de l'assimiler à une partie du corps. Un sujet à qui l'on attache une cheville en bois au bout de l'index va peu à peu intégrer cet appendice à son schéma corporel et allonger de deux centimètres superflus la perception de son doigt.

Le moindre gauchissement suffit à fausser la carte. Chaque rentrée, Weber demandait aux étudiants qui se pressaient dans son amphi de se retourner le bout de la langue et de faire glisser un crayon de droite à gauche sur le dessous de celle-ci – dessous situé à présent sur le dessus. Tous avaient la sensation que le crayon passait sous la langue, et de gauche à droite. Il faisait porter à d'autres étudiants des lunettes prismatiques jusqu'à ce qu'ils aient normalisé l'image d'un monde inversé. Quand ils retiraient ces lunettes et regardaient de nouveau avec leurs yeux privés d'assistance, le paysage réel, non filtré, se présentait à l'envers.

De petits ruisseaux savonneux coulaient sur le tablier de son ventre et le long de ses jambes noueuses. Ils lui rappelaient Jeffrey L., un homme qui avait eu la moelle épinière écrasée dans un accident de moto. L'accident avait couché Jeffrey sur le remblai, tête en bas, jambes en l'air, à l'instant précis où son épine dorsale s'était sectionnée. Il avait perdu l'usage de tous les muscles situés au-dessous du cou, et aurait aussi dû perdre toute sensation. Mais Jeffrey continuait de sentir son corps renversé : ses pieds tanguaient à jamais au-dessus de sa tête. Une autre patiente de Weber, Rita V., croisait les poignets lorsqu'elle fut précipitée en bas de son cheval. Depuis, elle vivait un calvaire. Elle voulait déplier ses bras qui pendaient en fait, pour toujours, le long de son corps. D'autres quadriplégiques disaient n'éprouver aucune sensation physique, hormis celle de n'être qu'une tête suspendue dans les airs.

Plus déconcertants encore : les membres fantômes. Rien de pire qu'une douleur insoutenable dans un membre qui n'existe plus, une douleur reléguée par le reste du monde au rang des maux purement imaginaires – *Tout ça, c'est dans ta tête* – comme s'il pouvait en être autrement. N'importe quelle partie du corps était susceptible de développer une sensibilité permanente : les lèvres, le nez, les oreilles et notamment les seins. Un tel ressentait des érections dans son pénis amputé. Tel autre éprouvait des orgasmes intenses qui se prolongeaient jusque dans le pied qui lui faisait défaut.

Il y avait aussi les guerres frontalières, les cartes mentales des estropiés en partie annexées par des cartes voisines. Quelque part – Dieu seul sait dans lequel de ses livres – Weber avait relaté la découverte d'une main, à peu près intacte, qui s'était épanouie sur le visage d'un amputé. Si on lui touchait le sommet de la pommette, Lionel D. sentait ce contact sur son pouce absent. Si on lui effleurait le menton, cette caresse faisait réagir son petit doigt. Si on lui aspergeait le front, l'eau ruisselait sur sa main disparue.

Weber arrêta la douche et ferma les yeux. Pendant quelques secondes, des affluents chauds continuèrent de lui couler dans le dos. Même intact, le corps était un fantôme, un échafaudage assemblé par les neurones, prêt à l'emploi. Le corps constituait notre seule maison, mais encore ne s'agissait-il que d'une carte postale plus que d'un lieu véritable. Nous n'habitions pas à l'intérieur de nos muscles, de nos articulations et de nos tendons ; nous habitions dans l'idée que nous nous en faisions, dans l'image et le souvenir que nous en gardions. Pas de sensation directe, mais seulement des rumeurs aux échos incertains. Les acouphènes de Weber ? Simple carte auditive remaniée pour produire des sons fantômes dans une oreille saine. Il finirait comme l'un de ses patients victime d'une attaque : affublé d'un bras gauche surnuméraire, de trois cous et d'un candélabre plein de doigts, le tout dissimulé sous la couverture d'un lit d'hôpital et perçu distinctement.

Pourtant, le fantôme était bien réel. Lorsqu'on leur demandait de frapper le sol du bout de leurs orteils, des amputés du pied activaient la zone du cortex moteur responsable de la locomotion. Même chez les valides, s'imaginer en train de marcher suffisait à exciter le cortex moteur. Quand il se vit courir pour échapper à quelque chose, Weber sentit son pouls accélérer, alors qu'il demeurait immobile dans la baignoire. Sentir et bouger, imaginer et faire : deux fantômes qui versaient leur sang l'un dans l'autre. L'espace d'un instant, Weber ne put décider ce qu'il y avait de pire : être enfermé dans une pièce aux murs solides, avec l'illusion de se croire au-dehors ; ou pouvoir s'évader, à travers les cloisons poreuses, dans le bleu protéen...

Sans chercher sa serviette, il éteignit la lumière de la salle de bain et retourna vers le lit faiblement éclairé. Il s'assit, encore dégoulinant, sur une chaise rembourrée. Il s'était humilié dans un pays étranger. Chez lui, des centaines de patients l'attendaient, de vrais gens dont il s'était servi comme de simples cobayes pour mener des expériences intellectuelles. Chacun d'eux palpitait en lui et ne se laissait pas retrancher. Il n'existait plus aucun endroit au monde, réel ou imaginaire, où il pût faire halte.

Chez Mark, elle trouva un descriptif en ligne, dans quelque chose qui s'appelait *L'Encyclopédie libre pour tous*. Le site paraissait fiable, avec notes de bas de page et citations, mais il s'agissait d'une réalisation collective alimentée par les contributions des utilisateurs, ce qui laissait à Karin toutes ses incertitudes.

SYNDROME DE FREGOLI : trouble appartenant au groupe rare des délires d'identification dans lequel le sujet affecté est persuadé que différentes personnes sont en réalité la même, déguisée sous des apparences changeantes. Le syndrome emprunte son nom à Leopoldo Fregoli (1867-1936), prestidigitateur et transformiste italien dont la capacité à changer de visage et de voix en un éclair, pour incarner toutes sortes de personnages, faisait l'étonnement du public.

Comme le syndrome de Capgras, Fregoli implique une perturbation de l'aptitude à catégoriser les visages. Certains chercheurs estiment que l'on peut retrouver l'ensemble des délires d'identification dans un éventail d'anomalies familières partagées par des consciences ordinaires qui ne souffrent d'aucune pathologie.

Elle en parla à Daniel autour d'un repas au restaurant chinois. Pour échapper à sa cellule monacale et s'entretenir avec lui dans un lieu public, elle l'avait convaincu de passer une soirée en ville. Elle s'était habillée et même parfumée. Mais elle avait omis de prendre en compte les problèmes logistiques qui se posèrent dès l'instant où Daniel eut la carte en main. Daniel au restaurant : un pasteur calviniste au milieu d'une *rave party*. Il hochait la tête en sifflant. « Huit dollars le bœuf aux brocolis ? Tu te rends compte, K. ? »

Cette entrée était le produit d'appel de l'établissement. Karin fit le dos rond et attendit la suite.

« Huit dollars, ça représente beaucoup d'argent pour le Refuge. »

Avec des subventions de cet ordre et une bonne gestion, ils pouvaient racheter et mettre hors culture trois centimètres carrés de terres arables à faible rendement. La serveuse vint leur annoncer les plats du jour. La liste des poissons, volailles et viandes sacrifiés crucifia Daniel.

« Vos "aubergines chinoises", demanda-t-il à l'employée irréprochable. Vous pourriez me dire, comme ça, de tête, de quelle manière vous les préparez ?

– À la mode végétarienne, assura la serveuse, comme le menu l'indiquait.

– Mais vous faites revenir les aubergines dans du beurre ? Il y a de la crème dans la préparation ?

– Je peux me renseigner, gémit la jeune femme.

– Serait-il possible d'avoir juste une assiette de légumes découpés en rondelles ? Carotte crue, concombre ? Ce genre-là. »

Karin avait été folle de proposer cette sortie, et lui de l'accepter. Le bœuf aux brocolis lui semblait un rêve, un remède contre l'anémie croissante qu'entraînait un régime aux aliments complets. Les semaines passées auprès de Daniel l'avaient démolie. Elle lui lança un regard furtif, la serveuse à l'affût au-dessus de leurs têtes. Il arborait une mine placide, comme une bête que l'on mène à la passerelle où l'attend le pistolet d'abattage. Elle commanda le tofu et ses vermicelles chinois.

Elle avait oublié comment Daniel se comportait dans ce genre d'endroit, des endroits sur lesquels tablait le reste de l'humanité. Quand la serveuse lui apporta ses rondelles de concombre, il se contenta, chicanier, de les pousser dans l'assiette du bout de sa fourchette.

« Je ne vois pas comment il pourrait être atteint des deux syndromes en même temps, dit Karin. Enfin quoi ? Souffrir du syndrome de Capgras, c'est ne plus être capable d'identifier quelqu'un. Et Fregoli, c'est tout le contraire.

– K. ? On devrait peut-être se méfier de l'autodiagnostic.

– L'auto... ? Qu'est-ce que tu racontes ? L'auto... ?

– Celui du profane. Toi et moi, nous ne sommes pas qualifiés pour établir le diagnostic de Mark. Il faut qu'on retourne au Bon Samaritain.

– Retourner chez Hayes ? C'est à peine s'il ne m'a pas insultée la dernière fois. Daniel, je t'avoue que tu me surprends un peu. Depuis quand défends-tu la médecine conventionnelle ? Je croyais que tous les docteurs étaient des charlatans. “Les Amérindiens ont perdu plus de remèdes que la technologie occidentale n'en a encore trouvés.”

– Oui. Dans le fond, c'est la vérité. Mais il n'y avait pas autant d'accidents de voiture à l'époque où les Premières Nations ont découvert leur médecine. Si je connaissais un Amérindien spécialiste des traumas crâniens, je le recommanderais en priorité, avant tous les experts auxquels tu t'es adressée. »

Il ne mentionna pas le nom du neuroscientifique. Pas la peine. Daniel avait conçu une antipathie irrationnelle envers cet homme, sans l'avoir rencontré.

« Il faut que j'en parle au docteur Weber », fit Karin. Elle voulait dire qu'elle lui avait déjà écrit.

« Tu crois ? » Daniel s'emplit d'un calme nirvanesque. Comme s'il méditait.

« C'est l'un des plus grands... » Mais peut-être pas, après tout. Peut-être n'était-il que célèbre. Pas tout à fait la même chose. « J'ai promis de le tenir au courant si Mark venait à changer. » Daniel avait changé lui aussi. Et les amis de Mark. Elle-même s'était transformée plus qu'aucun d'entre eux.

Daniel étudiait le bout de ses doigts.

« Quel inconvénient y a-t-il à le contacter ?

– Nouvelles humiliations et déceptions mises à part ? »

La serveuse vint leur demander si tout allait bien. « Impeccable », répondit Daniel d'un air affable.

Quand elle fut repartie, Karin demanda : « On est allés en classe avec elle ? »

Il sourit du coin des lèvres. « Elle a dix ans de moins que nous.

– Pas possible ! Tu crois ? » Ils mangèrent en silence. Au bout d'un moment, elle dit : « Daniel, par ma faute, l'état de Mark s'aggrave. »

Il éleva de nobles objections ; c'était son devoir. Mais il avait toutes les preuves contre lui.

« Je t'assure. À mon avis, me voir tous les jours, sans pouvoir me reconnaître, c'est une épreuve pour lui... Je le détruis. Je n'ai guère réussi à l'aider. Et voilà qu'il développe de nouveaux symptômes. C'est ma faute. Me voir, ça le traumatise. Je le rends... »

Daniel se servait de Karin pour s'entraîner au calme plat, mais ses ondes alpha oscillaient de plus en plus. « On ne sait pas comment il aurait évolué si tu n'avais pas été là tout ce temps.

– Ta vie à toi aurait sûrement été plus simple, non ? »

Il sourit de nouveau, comme si elle venait de faire une plaisanterie. « Plus vide. »

De ce vide qu'elle sentait en elle. Ce vide auquel ses gestes avaient abouti. De sa fourchette, elle trancha ses vermicelles, comme avec une faux. « Tu sais le plus étrange ? Puisqu'il ne croit pas que je sois elle ; puisqu'il ne le croira jamais. Si je m'en allais – si j'arrêtais de le torturer, si je retrouvais du travail, que je remonte la pente et commence à rembourser mes dettes – ce ne serait pas du tout comme si elle l'abandonnait. Sa sœur. À moi, il n'en voudrait pas. Il fêterait l'événement ! »

Elle aperçut l'éclair dans l'œil de Daniel avant qu'il ne parvînt à le contenir. Elle lui flanquait la trouille. Lui aussi, elle finirait par le détruire. Elle lui infligeait ce que son frère lui faisait subir. Avant peu, elle serait une étrangère aux yeux de cet homme. Puis à ses propres yeux. Pour Daniel aussi, il valait mieux qu'elle disparût.

Il hocha la tête, plein d'une merveilleuse assurance. « Ce n'est pas lui qui en souffrirait.

– Comment ça ? Je resterais ici pour moi ? » La pire des raisons imaginables. Ces paroles la projetèrent à des millions de kilomètres de lui, sur une planète lointaine dépourvue d'atmosphère. « Tu as l'air préoccupé », dit-elle.

Il fit signe que non, l'air un peu triste.

« Oh que si, l'accusa-t-elle, en s'efforçant de faire le pitre. J'ai lu dans un de mes bouquins sur le cerveau que les femmes sont dix fois plus sensibles que les hommes aux états intérieurs d'autrui. »

Daniel abandonna le demi-poivron qu'il tourmentait et posa sa fourchette. « Mais c'est de toi que nous parlons, dit-il. De Mark...

– J'aimerais tant parler d'autre chose, rien qu'une minute.

– Soit. Je réfléchissais... En ce moment, il se passe de drôles de trucs au Refuge. Mais ça me fait bizarre de discuter de choses si... alors que nous devons affronter...

– Continue », dit-elle. Et c'est ce qu'il fit, laissant à Karin une vague impression de trahison.

Le Refuge, lui expliqua-t-il, se préparait à un conflit. Pendant des années, un groupement de défenseurs de l'environnement avait veillé à l'exploitation équitable de la rivière. Chaque fois que des prélèvements d'eau faisaient chuter le débit de la Central Platte en dessous de la limite nécessaire à la sauvegarde de la faune et de la flore, ils brandissaient la loi de protection des espèces menacées. Ils avaient renoncé à cette tactique d'intimidation après la mise en place d'une charte environnementale : des niveaux garantis pour la préservation du milieu par les trois États qui s'alimentaient dans la rivière.

Mais à présent, cette politique fragile, qui esquissait un droit du commerce de l'eau, commençait à battre de l'aile. Le système des bassins de recharge alimentés pendant l'hiver ne satisfaisait plus toutes les parties désireuses de venir boire à la rivière. Lors du tout dernier tour de table, le Refuge s'était aliéné l'ensemble des intéressés, à l'exception des grues. « Ils nous tombent sur le poil de tous les côtés. L'autre jour, je me trouvais sur les berges, je traversais la levée juste à l'ouest de l'ancien pont à carrioles. Je me promène dans ces champs depuis que j'ai six ans. Tout d'un coup, au détour d'une rangée de maïs, voilà un fermier qui vient vers moi. Jeans, grosses bottes en caoutchouc, chemise de travail et un fusil posé sur l'avant-bras, façon raquette de tennis. Il s'avance comme ça, tout sourire, et il me fait : "Vous travaillez avec ces gens qui essaient de sauver ces foutus oiseaux, pas vrai ? Vous savez les dégâts qu'ils causent ?" J'accélère le pas, pour éviter les ennuis, et il se met à crier : "Il a fallu aux Américains des centaines d'années pour transformer ces marécages en bonnes terres. Et vous autres, vous voulez qu'elles redeviennent des marécages. Je vous conseille de faire bien attention à vous. Planquez vos miches. Dans votre intérêt." Tu peux croire un truc pareil ? Il m'a menacé pour de vrai.

– Pas étonnant, dit-elle. Ça fait des années que je te mets en garde. »

Il se mit à ricaner : le tiouk, tiouk, tiouk d'un écureuil. « Planquer mes miches ?

– Par ici, tout le monde n'est pas convaincu qu'il faille faire passer des oiseaux avant les gens.

– Ces oiseaux sont la meilleure chose que cet endroit ait jamais connue. On pourrait s'attendre à ce que les gens s'en rendent compte. Mais non. Tous les accords locaux, qui ont pris dix ans à se mettre en place, se cassent la figure. Le barrage de Kingsley : sa licence a été renouvelée pour quarante ans. C'est insensé ! Tu devrais venir travailler pour nous, K. On a besoin d'une combattante. On a besoin de tous ceux qu'on pourra mobiliser.

– Oui, fit-elle, pas loin de penser ce qu'elle disait, cette fois.

– Crois-moi, l'avidité ne connaît plus de limites. Le Conseil pour le développement se prostitue à un consortium de promoteurs. Ils avaient promis qu'il n'y aurait pas de nouveaux chantiers. On s'était battu pour ça, et on avait gagné. Un moratoire de dix ans sur les grands projets de construction. Ils nous ont trahis, vendus, comme les Pawnees des temps modernes.

– Un consortium ? » Avec ses dés de tofu empilés, Karin montait une pyramide dans son assiette. Elle savait ce qu'il voulait dire, sans qu'il ait besoin de le formuler. Et lui savait à l'avance les questions qu'elle allait lui poser.

« Une meute de magouilleurs et de maquignons affamés. Tu n'es pas au courant de l'affaire... ? Tu n'as rien entendu, n'est-ce pas ? » L'air incertain, il scrutait son visage.

« Rien. » Karsh. « J'aurais dû ? »

Il haussa les épaules et hocha la tête en signe d'excuse. « Nous savons de quels promoteurs il s'agit, mais nous ignorons ce qu'ils ont dans la tête. Ils guignent des parcelles de terre pour un nouveau projet. Des étendues ouvertes en bord de rivière. Nous leur avons barré la route il y a deux ans. Quinze hectares de terre arrachés à la barbe de ces escrocs.

Maintenant, ils savent que nous sommes fauchés et ils se préparent à une nouvelle guerre. Ils vont réunir le Conseil pour le développement après les élections de novembre.

– Qu'est-ce qu'ils veulent ? » Karin époussetait la nappe.

« Ils cachent plutôt bien leur jeu. Mais avant de pouvoir abattre leurs cartes et rafler les terrains qu'ils lorgnent, il faudra d'abord qu'ils nous disent quelle quantité d'eau il leur faut.

– Qu'est-ce que tu sais d'eux ? » Question presque désinvolte, mais Daniel la prit en pleine face. « Je veux dire, combien sont-ils ? Ils disposent de gros moyens ?

– Il semblerait qu'il s'agisse de trois boîtes différentes. Deux de Kearney et une de Grand Island. Quel que soit leur projet, c'est du sérieux.

– Assez pour poser problème ?

– Ce sont les berges qui les intéressent. Et tout ce qu'ils bâtiront augmentera la consommation d'eau. Chaque tasse qui sort de la rivière en réduit le débit et favorise l'avancée de la végétation. Les oiseaux...

– Oui », le devança-t-elle. Elle n'aurait pas supporté d'entendre à nouveau tout le couplet, pas maintenant. « Alors, comment le Refuge va-t-il les contrer ?

– Il faut que nous mettions au point une stratégie, un peu à l'aveuglette. » Il la jaugea, et l'espace atroce d'un instant elle sentit qu'il évaluait sa fiabilité. Aussi proche que possible d'une accusation, sans les mots pour l'exprimer. « Nous sommes en train de monter notre petit consortium à nous : le Fonds de défense de l'environnement, le Refuge et le Sanctuaire. Si nous parvenons à constituer une caisse commune spéciale, nous pourrons nous emparer de parcelles stratégiques et essayer de faire barrage à de vastes acquisitions par le camp adverse. Évidemment, jamais on ne l'emporterait sur eux dans une enchère officielle. Mais si on réussit à s'approprier deux ou trois lopins bien placés, une petite bande de terre dans les zones les plus sensibles, avant que l'offensive des offres ne commence. C'est sûrement Farview qu'ils visent. Ou ses alentours. Les meilleurs terrains non encore exploités en dehors de Kearney. »

Le nom de la ville de Mark arracha Karin à sa rêverie.

« Comme toujours, ce sont les oiseaux qui pâtissent, déclara Daniel. Dans la mythologie, ils se font toujours baiser par les dieux. Pourquoi ça s'arrêterait ? »

La serveuse revint, trop tôt. « Tout va comme vous voulez ?

– Tout va bien, psalmodia Karin.

– Et vos légumes ? demanda-t-elle à Daniel.

– Parfaits, répondit-il. Très frais.

– Vous êtes bien sûr de ne rien vouloir d'autre ? Quelque chose d'un peu plus... »

Daniel sourit. « Merci. Ça va. »

Il suivit la jeune femme des yeux tandis qu'elle s'éloignait. Quand le serveur vint remplir leurs verres d'eau, Daniel dit « pardon » à la place de « merci ».

Un immense barrage d'humiliation se rompit et les vagues d'un ancien torrent déferlèrent sur Karin. Son échine se fit saule pleureur. Ses poings reposaient sur ses genoux comme deux pierres. « Lequel des deux tu préfères ? demanda-t-elle.

– Des deux quoi ?

– Tu sais bien. Le serveur ou la serveuse ? »

Il lui opposa un sourire et secoua la tête : parfait modèle d'innocence élusive.

Elle fixa un point à mi-distance, son visage de cuivre assorti à ses cheveux. « Tu préférerais être ailleurs ? »

Il essayait de garder le sourire, même en cet instant. « Explique-toi. »

Elle admirait son sang-froid, malgré la transparence du déni. Elle lui rendit son sourire, à pleine puissance. « Tu serais en meilleure compagnie par là-bas, non ? »

Ces paroles accablèrent Daniel. Il regarda son assiette, les rondelles éparses. « Karin. S'il te plaît, ne nous... Je croyais qu'on avait décidé de ne plus recommencer.

– Je le croyais aussi. » Jusqu'à ce qu'il se fût mis à douter.

« K. Je ne sais pas ce que tu... ce que tu imagines avoir vu...

– Ce que j'imagine ? Ce que j'imagine avoir vu ?

– Je te le jure, jamais cette pensée ne m'a traversé l'esprit.

– Quelle pensée ? »

Il baissa de nouveau la tête, comme l'une de ces créatures fantastiques à qui il suffit de se recroqueviller et d'encaisser les coups pour accumuler de l'énergie vitale. « Aucune pensée. »

Elle avait encore le champ libre : elle pouvait tout balayer d'un rire, devenir adulte. Prendre sur elle. Ou les renvoyer à leur pire cauchemar. Un frisson enivrant la parcourut. « C'est un joli petit lot, elle aussi. "Très fraîche." Et le verseur d'eau n'est pas mal non plus. Aussi délicieux l'un que l'autre. Tu as de la veine ce soir. Deux pour le prix d'un.

– Je ne fais pas mon marché. » Il tenta de soutenir le regard de Karin mais l'éclair malsain dans son œil le contamina lui aussi. Toute leur histoire.

Elle fit preuve d'un calme égal au sien. « Juste du lèche-vitrines ? »

Il leva les mains. « Je ne regardais pas. Qu'est-ce que j'ai fait ? Quelque chose de mal ? J'ai prononcé une parole qui t'a blessée ? Si oui, j'en suis sincèrement...

– Ça va comme ça, Danny. Je peux admettre que le sexe masculin soit génétiquement programmé pour la variété. Chaque homme se doit d'inspecter la marchandise proposée à l'étalage. Ça ne me gêne pas. J'aimerais simplement... Non, arrête ! S'il te plaît ! J'aimerais que tu arrives à l'accepter. »

Il repoussa son assiette et joignit les mains devant son visage – un conseiller d'orientation ou un prêtre. Il posa son front sur le clocheton de ses doigts. « Écoute. Je suis navré. Si, à l'instant, je t'ai fait de la peine, je t'en demande pardon.

– À l'instant ? Impossible de te faire avouer, hein ? Tu n'arrives pas à admettre qu'elle te plaît. Qu'ils te plaisent tous les deux. Je ne te demande même pas d'être désolé. J'apprécierais simplement que tu reconnaisses une fois dans ta vie t'être imaginé... »

Il bascula la tête en arrière. Des paroles anciennes sortirent de sa bouche, aussi anciennes que celles avec lesquelles elle le frappait. « Je l'admettrais, si je l'avais fait. Je n'ai même pas remarqué cette fille. Je ne saurais pas dire à quoi elle ressemble. »

Un sentiment d'inanité la submergea, la futilité de tout échange. Personne ne se souciait vraiment de la façon dont les autres voyaient le monde. Elle ressentait le besoin profond de briser tout ce qui prétendait tisser des liens. Vivre en cette vacuité où la loyauté commandait toujours. L'amour n'était pas l'antidote au syndrome de Capgras. L'amour en était l'une des manifestations, qui fabriquait et reniait l'autre, au hasard. « Tu l'as déjà oubliée ? Regarde-la encore une fois ! »

Les paroles de Daniel passèrent entre ses dents serrées : « Je ne suis pas comme ça. Je te l'ai dit, il y a huit ans. Je te l'ai dit, il y a cinq ans. Tu ne m'as pas cru. Mais je t'attendais quand tu es revenue. Je suis de ton côté. Je l'ai toujours été, et ça ne changera jamais. Je suis avec toi et personne d'autre. Je ne cherche pas. J'ai déjà trouvé. »

Il tendit le bras par-dessus la table pour lui prendre la main. Elle eut un geste de recul qui fit sauter sa fourchette et dispersa les dés de tofu. « Pourquoi moi ? Alors que tu as toujours l'œil baladeur ? De quel "moi" parles-tu ? » Honteuse, elle avisa la salle. Tout le restaurant évitait de regarder dans leur direction. Elle se tourna vers lui et se mit à babiller : « Ne t'en fais pas, Daniel. Je ne te juge pas. Tu es comme tu es. Si seulement tu acceptais de me dire... »

Il retira sa main. « Nous n'aurions jamais dû aller dîner en ville. Nous aurions dû nous rappeler comment ça tourne à chaque fois... » Elle leva les sourcils devant cet aveu. Il avala une bouffée d'air dans l'espoir de retrouver son sang-froid égaré. « Un jour, tu comprendras ce que je regarde. Tout le temps. Fais-moi confiance, K... »

Il semblait si effrayé qu'elle en fut piquée au vif. En cet instant, elle sentait l'appel puissant de Robert Karsh, un homme qui ne possédait pas dix pour cent de cet idéalisme. Parmi tous les hommes qu'elle avait connus, Karsh avait au moins la décence de dire quelles femmes il regardait. Pas de faux-semblants. Lui au moins ne s'était jamais bercé de l'illusion qu'il lui appartenait tout entier. Karsh, toujours aux aguets. Karsh, l'inlassable promoteur.

Assis à table, ils tripotaient leurs couverts, rongés par l'humiliation. En dire davantage n'eût que clarifié la situation. À côté d'eux, les clients engloutissaient leur repas, payaient et s'en allaient. Karin aurait bien voulu de changer de sujet, faire semblant de n'avoir rien dit. Le doute formait une petite croûte sur la blessure, qu'elle écorchait. Elle ne désirait rien, sinon tout démolir, déblayer le terrain, fuir en un lieu désert et authentique. Mais un tel lieu n'existait pas ; seul son mirage fugitif, suivi d'une longue et cuisante autojustification. Karin repartirait ce soir avec cet homme vers sa cellule monacale. Il était son amant, son ami. Sa promesse éternelle, pour l'année en cours. Elle n'avait pas d'autre lit où coucher, pas d'autre endroit où aller, sans s'éloigner de son frère, ce frère qu'elle ferait sans doute mieux de ne plus approcher. « Je suis désolée, dit-elle. Je crois que je perds les pédales.

– Ce n'est pas grave. Aucune importance. »

Mais tout importait. La serveuse revint encore, toujours souriante, quoique sur ses gardes. Tout le monde les avait repérés à présent. « Je peux vous débarrasser, ou bien vous n'avez pas encore terminé... ? »

Daniel tendit son assiette à moitié vide, en détournant les yeux de cette gorgone. L'exercice de contorsion ne fit que conforter Karin dans son jugement et rendit la chose plus triste encore. Quand la jeune fille s'en retourna, Daniel concentra toute la force de sa volonté sur Karin, avide de manifester une retenue qu'elle-même serait obligée de confirmer.

« Il faudra parler de Mark à Weber. Nous sommes en terrain inconnu maintenant. »

Karin acquiesça, mais sans pouvoir le regarder. Tant de vieilleries remises à neuf.

Revenu enfin en ce coin du globe, son aire au bord de Conscience Bay, Weber retrouva la réalité. Bien entendu, Sylvie restait imperturbable, d'une parfaite indifférence à toutes les opinions, hormis celle de leur fille. Les jugements du monde n'avaient pas plus de valeur à ses yeux qu'une liste de spams. Croire au consensus tenait selon elle du délire véritable. « Seul, on n'arrive pas à avoir les idées claires, et moins encore à deux ou trois. Comment veux-tu que je prenne au sérieux ce qui se colporte sur la place publique ? Attendons de voir ce qu'on dira de toi dans vingt ans. »

Le sort de Gerald le Grand la tracassait moins que l'épidémie de scandales au sein des grandes entreprises : Enron, WorldCom. Les escroqueries du mois à mille milliards de dollars. Au petit déjeuner, elle lui donnait lecture des dernières affaires en date.

« Des couleuvres, oui, monsieur. Comment peuvent-ils nous faire avaler tout ça ? Nous vivons à l'ère de l'hypnose des masses. Aussi longtemps que nous applaudirons et resterons crédules, les capitaines d'industrie nous rouleront dans la farine. »

Weber lui était reconnaissant de cette distraction, de sa juste colère envers la rouerie du capital. Elle avait raison de ne pas accorder d'importance à ses angoisses personnelles. Et pourtant, une part de lui-même s'indignait de cette indifférence, s'indignait de se voir souffler la vedette par des patrons véreux. S'indignait que, par tempérament, cette femme ne se laissât pas ébranler par le jugement soudain et sommaire prononcé à son encontre.

Chaque fois qu'il se connectait à Internet, il allait vérifier son classement sur Amazon. Cavanaugh lui avait montré la procédure, aux temps glorieux. Il avait besoin de réalisme. Les auteurs des recensions poursuivaient des intérêts professionnels, mais pas les particuliers. Leurs avis, pourtant, étaient contradictoires. Une étoile : « Il se prend pour qui, ce type ? » Cinq étoiles : « N'écoutez pas les opposants systématiques. Une fois encore, Gerald Weber a fait mouche. » Éloge pire que le poison. Les réponses proliféraient, comme ces serpents que Weber voyait sinuer au sous-sol de la maison familiale, dans le seul cauchemar récurrent de son enfance. Chaque fois qu'il retournait voir, il en découvrait des dizaines d'autres. D'une certaine façon, quand il ne regardait pas, la pensée individuelle s'effaçait devant l'évaluation collective en continu. Fini, l'âge de la réflexion personnelle. Désormais, tout se marchanderait dans des querelles publiques où l'on échangerait ses réactions. Libre antenne et groupes de discussion, à la première initiative qui passe. Léon Tolstoï : 4,1. Charles Darwin : 3,0.

Et pourtant, chaque fois qu'il se déconnectait, écœuré par ces évaluations incessantes, Weber ressentait aussitôt le besoin d'y retourner, pour voir si la prochaine réaction n'allait pas effacer la dernière rebuffade gratuite. Il comparait ses scores à ceux d'autres auteurs mis dans le même sac que lui. Affrontait-il seul ce revers ? Qui était la coqueluche du moment ? Parmi ses confrères, lesquels avaient aussi chuté ? Comment le public réussissait-il à virer sur l'aile en une si parfaite synchronie, comme à un signal ?

Il n'avait rien fait de plus cette fois que, à au moins deux reprises déjà, par le passé. Peut-être était-ce là le problème : il ne savait pas répondre à l'insatiable appétit collectif pour la nouveauté. Personne n'aimait qu'on lui rappelle ses enthousiasmes d'autrefois. Il était devenu l'icône de la décennie précédente. Il devait maintenant payer pour toutes les ovations passées.

Et c'était bien là l'ironie révoltante. À ses débuts, la trentaine venue, il ne dédiait à personne ses soirées d'écriture. Simple réflexion. Lettre à Sylvie. Des mots pour la petite Jess, quand elle aurait grandi. Il voulait seulement appréhender son champ d'étude de façon plus humaine, y introduire quelques parallèles supplémentaires, ces petites spéculations interdites à l'empirisme, connaissance véritable que, sans oser l'admettre, la science cherchait à mettre au jour. Rien qu'un petit supplément, pour requinquer sa sensibilité, chaque soir. Le cerveau humain méditant sur lui-même.

Seul l'enthousiasme de quelques amis proches auxquels il avait montré des extraits de son travail l'avait convaincu de l'existence d'un public potentiel pour de tels essais. Le suffrage populaire ne signifiait rien pour Weber, avant de l'avoir recueilli. À présent, l'idée de perdre ses lecteurs le mortifiait. L'activité qu'il avait d'abord envisagée comme un à-côté avait gagné en définition, une définition qui s'était évanouie sitôt admise. Il n'avait que cinquante-cinq ans. Cinquante-six. Comment allait-il remplir les vingt prochaines années ? Il avait son labo, bien sûr. Mais voilà longtemps qu'il n'y tenait plus qu'un rôle d'administrateur. Fléau des sciences à succès : les chercheurs confirmés se voyaient condamnés à devenir collecteurs de fonds.

La majeure partie des découvertes réalisées dans les neurosciences l'avait été depuis que Weber avait débuté ses travaux. La base des connaissances doublait tous les dix ans. Weber pouvait raisonnablement supposer que tout ce qui restait à apprendre sur le fonctionnement cérébral serait connu à l'heure où ses étudiants de licence prendraient leur retraite. La cognition s'acheminait vers un exploit collectif de premier ordre : la saisie de son propre fonctionnement. Dans la pleine lumière des faits, quelle image allions-nous conserver de nous-mêmes ? Il se pouvait que l'esprit ne pût endurer cette découverte de soi. Qu'il ne fût jamais prêt à accueillir ce savoir. Que ferait l'espèce humaine, une fois parvenue à la connaissance totale ? Quelle nouvelle créature le cerveau irait-il fabriquer pour le remplacer ? Une structure nouvelle, plus efficace, délestée de son antique ballast... ?

Il fit de longues promenades autour du bief, jusqu'à ce qu'il commence à rencontrer de charmants voisins. Il partit faire de la voile dans Conscience Bay. Son dériveur était resté si longtemps retourné dans le jardin qu'un opossum nichait en dessous. Dérangé par la lumière du jour, l'animal avait poussé un cri menaçant quand Weber l'avait délogé. Sur l'anse, emporté par la marée, il sentait le vent ballotter le bateau à sa guise. Il avait fait honte à sa femme et à sa fille en public. Il était devenu la cible des moqueries faciles.

Il n'avait rien fait de mal, n'était coupable d'aucune mystification volontaire, n'avait commis aucune erreur grave. Il pouvait encore se prévaloir de trente ans de respectables recherches, minuscule fraction de l'entreprise suprême conduite par la race humaine. Seule sa tentative de vulgariser cette science avait en quelque sorte mal tourné. À sa grande surprise, il comprenait à présent ce qu'il éprouvait : il se sentait minable, pris au piège d'une espèce d'infidélité.

Vint septembre, cette cassure, le premier anniversaire. Quelle importance un revers personnel pouvait-il avoir dans l'ombre de ce traumatisme partagé ? Il essaya de se rappeler l'effroi général de l'année précédente, quand il avait allumé la radio et découvert un monde ravagé. La violence en restait intacte, même si les détails s'en étaient allés. À coup sûr, sa mémoire flanchait. Même pour des choses simples : le nom de ses étudiants. Un air connu depuis l'enfance. Les premiers mots de la Déclaration d'indépendance. Rappeler ses souvenirs tournait à l'obsession, il voulait se prouver que tout allait bien, ce qui accentuait encore le blocage. Il ne dit rien à Sylvie. Elle se serait contentée de s'esclaffer. Il ne fit pas non plus mention de ses accès dépressifs. Elle n'aurait su que lui trouver des excuses. Peut-être que quelque chose clochait sur l'axe HPA, qui pourrait expliquer tout ce débord émotionnel. Il envisagea de se prescrire une faible dose de Deprenyl, mais l'orgueil et ses principes l'en empêchèrent.

Dans les derniers jours du mois, alors que Cavanaugh lui-même ne songeait plus au livre et avait cessé d'appeler, une nouvelle parut dans le *New Yorker* où il était arrivé à Weber de publier ses propres méditations. L'auteur était une jeune femme d'environ vingt-cinq ans, réputée semblait-il, et du dernier chic. Sur deux pages, cette pochade humoristique – « Le cabinet du docteur Loeb Fronthal » – se présentait sous la forme d'une suite d'études de cas écrites à la première personne, telles que rédigées par le neuroscientifique qui les avait réalisées. La femme qui se servait de son mari comme d'un couvre-théière. L'homme qui sortit d'un coma de quarante ans avec le besoin irrépressible de croire en ses élus. L'automobiliste devenu adepte du dédoublement de personnalité pour pouvoir rouler sur une deux-voies. Sylvie avait ri. « C'est affectueux. Et de toute façon, Monsieur mon homme, ce n'est pas de toi qu'il est question.

– De qui alors ? »

Ses narines se dilatèrent. « Des gens. Ces kyrielles de symptômes ambulants aux particularismes infinis. Nous tous.

– De l'humour aux dépens des personnes affligées d'une déficience cognitive ? » Idée ridicule ; lui-même s'en aperçut. S'ils n'en revenaient à peine, il eût proposé à Sylvie de partir en vacances.

« Tu sais bien ce qui est visé. Ce dont la comédie se moque toujours. Nos fanfaronnades. Personne ne veut croire que nous soyons ce que les gens comme toi disent que nous sommes.

– Les gens comme moi ?

– Tu sais bien. Les spécialistes du cerveau.

– Et que disons-nous au juste que personne ne veut entendre ? Nous autres, les spécialistes du cerveau.

– Oh, toutes ces histoires. Que les objets seraient plus près qu'ils n'en ont l'air. Que la machine peut produire un résultat inattendu. Aucune garantie, ni écrite, ni implicite. Tout ce que vous savez être faux. »

Ce soir-là, il reçut un nouveau mail du Nebraska. Il lui parvint en même temps que ceux d'amis et de collègues qui, derrière le déni d'agression de leur bonne humeur, voulaient lui envoyer le *New Yorker* en pleine figure. Il passa tout de suite au message de Karin Schluter et, de nouveau, se rappela ne pas avoir répondu à ceux qu'elle lui avait adressés plus tôt durant l'été. Les critiques disaient vrai. Mark Schluter avait cessé d'exister dès lors qu'il ne pouvait plus rien pour Gerald Weber.

Les nouvelles de Karin l'électrisèrent. Son frère croyait que quelqu'un le suivait, sous divers déguisements. Mark dressait une liste d'éléments détaillés prouvant que, entre la nuit de son accident et le jour de son réveil, la ville de Farview tout entière avait été remplacée par une autre, dans l'intention expresse de le tromper.

Weber venait de prendre connaissance d'une étude parue dans la littérature clinique sur un cas repéré en Grèce, lieu mythique par excellence, qui décrivait la coexistence des syndromes de Capgras et de Fregoli chez un seul et même patient. Quelque chose de vraiment remarquable arrivait à Mark. De nouveaux examens systématiques pourraient mettre en lumière des processus mentaux dont on ne possédait pas même une compréhension minimale, des processus que seule sa terrible déficience permettrait de révéler. *Toutes ces choses dont personne ne voulait entendre parler.*

Mais à l'instant où cette pensée se formait dans son esprit, il lui en vint une autre. Gerald Weber, le neurologue opportuniste. Le violeur de vies privées, le profiteur de phénomènes de foire. Il ne parvenait à décider ce qui serait le pire : suivre ces nouvelles complications, ou laisser sans réponse cet appel réitéré. Ces gens demandaient de l'aide, et il était entré dans leur histoire. Ensuite, il les avait oubliés. Toujours dans la détresse, ils se tournaient de nouveau vers lui. Sa seule recommandation – la thérapie cognitive comportementale – semblait aggraver le mal. Même si Weber ne pouvait rien faire de plus, au moins était-il obligé d'écouter et de servir.

Le message de Karin ne présentait aucune requête explicite. « Mon intention n'est pas de revenir à la charge, d'autant que je suis sans nouvelles de vous depuis juillet. Mais j'ai entendu votre interview sur Public Radio, et sachant ce que vous avez dit au sujet de la plasticité du cerveau, je pensais que vous aimeriez peut-être apprendre ce qui arrive à Mark. » Il leva les yeux de son écran et regarda par la fenêtre vers l'antique érable qui faisait flamboyer (depuis quand ?) la couleur d'un chardonneret de mai. Le Nebraska au temps des moissons : le dernier endroit sur terre où il voulait se rendre. Comment appelait-on ça, déjà : cette peur irraisonnée des espaces vides qui ondulent à perte de vue ?

Écrire encore, cela seul pourrait le sauver. Un compte rendu dans les règles de l'art, publié ou non. Qui rachèterait peut-être ce qu'il avait raté dans son précédent ouvrage. Non plus une étude de cas, mais une vie. Il pourrait se concilier à l'avance la bonne volonté de toutes les parties. Pourrait recréer Mark Schluter, sans composition, sans pseudonyme, sans maquiller aucun détail, sans se cacher derrière l'enquête clinique. Rien que l'histoire d'un refuge inventé, de la lutte angoissée menée dans l'intention d'édifier une théorie assez vaste pour que l'utilisateur humain puisse l'habiter.

Ce soir-là, après le dîner, tandis qu'il faisait la vaisselle, il annonça la nouvelle à Sylvie. Transaction lestée d'un bout à l'autre par un sentiment de déjà-vu. Mais jamais il n'aurait cru que cette annonce la bouleverserait. « Retourner au Nebraska ! Tu es sérieux ? La dernière fois, il a fallu que tu rentres en quatrième vitesse.

– Ce ne sera que pour deux semaines environ.

– Deux semaines ! Je ne comprends pas. C'est… un revirement complet, on dirait.

– Je crois que le Grand Tour-opérateur veut que je le fasse. »

Sylvie prenait les verres propres sur l'égouttoir, les essuyait lentement, et n'en rangeait aucun à la bonne place. « Tu me le dirais, si quelque chose était arrivé, n'est-ce pas ? »

Weber ferma le robinet d'eau chaude. « Arrivé ? Qu'est-ce que tu veux dire ? » Que pouvait-il encore lui arriver dans l'existence ?

« Je n'en sais rien… Un grand chambardement. Tu comprends ? Si quelque chose te tracassait pour de bon. Toi, ou Gerald le Grand. Tu me le dirais ? »

À des semaines de là, déjà. Il avait posé son éponge, pris le torchon des mains de Sylvie, l'avait plié en deux bien proprement et suspendu dans le sens de la longueur à la poignée du four. « Bien sûr. Comme toujours. Comme pour tout. Tu le sais. » Il s'approcha d'elle, posa trois doigts sur son lobe temporal. Scanner mental. Baiser de scout. « Ce n'est qu'en te disant les choses que je les comprends moi-même. »

Quatrième partie

Pour que tu puisses vivre

Mon panier n'était pas plein, mais ma mémoire. À l'instar des moineaux, j'avais oublié que sur la Alder Fork, ce serait toujours le matin, encore et encore.

Aldo Leopold, *Almanach d'un comté des sables*

Elles trouvent le chemin qui les ramène de l'Arctique. La famille des trois grues vole à présent en compagnie de dizaines d'autres. En milieu de matinée, à l'heure où le soleil cuit l'air et crée de vastes courants ascendants, les oiseaux s'élèvent à cinq mille pieds, ou plus, au-dessus de la terre. Ils flottent en volées croissantes, descendent jusqu'à la prochaine colonne de chaleur, plus au sud, et, là, reprennent de l'altitude. Leur vitesse atteint les quatre-vingts kilomètres-heure, et ils couvrent huit cents kilomètres par jour sans presque battre des ailes. Le soir, ils se laissent glisser vers le sol et se posent dans des étendues d'eau peu profonde dont ils gardent mémoire d'une année sur l'autre. Ils voguent au-dessus des champs moissonnés, dinosaures à plumes qui trompettent, derniers grands témoins d'une vie antérieure au moi.

La jeune grue bientôt adulte suit ses parents sur la route du bercail dont il lui faut apprendre à revenir. Elle doit accomplir la boucle une fois pour en mémoriser les jalons. Cet itinéraire est une tradition, un rituel qui ne change jamais beaucoup, transmis de génération en génération. Même ses petits méandres sont préservés : à gauche dans cette vallée, tout droit, passé cet affleurement. Quelque chose dans l'œil de ces volatiles doit associer les symboles. Mais comment cela se passe ? Nul ne le sait et aucun oiseau ne peut le dire.

De nouveau, ils survolent les États de l'Ouest. Ils bénéficient chaque jour d'un vent arrière. La première semaine d'octobre, les trois grues font halte sur les plaines orientales du Colorado. Après le lever du jour, tandis que la famille grappille dans les champs en attendant que le sol se réchauffe et que l'air s'élève, l'espace autour du jeune oiseau déflagre. Son père est touché. Il le voit étendu au sol à côté de lui. Les oiseaux poussent leurs clameurs dans l'air fracassé, tout à la panique que distille leur tronc cérébral. Ce chaos, lui aussi, laisse une marque indélébile, à jamais gravée dans la mémoire : *l'ouverture de la chasse.*

Quand, après ce coup de sang, le monde se stabilise, le jeune oiseau localise sa mère. Il l'entend qui appelle à six cents mètres de là et tourne en rond, traumatisée. Ils attendent deux jours, cherchent, lancent à l'unisson le fantôme de leur cri. Rien ne peut les éclairer ; ils n'ont aucun moyen de savoir. Ils ne peuvent que décrire des cercles, appeler et attendre – une sorte de religion – que le mort se montre. Quand celui-ci ne se manifeste pas, il ne reste plus qu'hier, l'année dernière, les soixante millions d'années qui ont précédé cela, cette migration, ce retour aveugle qui s'organise de lui-même.

Désormais, les bancs de sable ne se forment plus dans le Nebraska. La Platte n'accueille plus le grand rassemblement de l'automne. Les grues ne s'y arrêtent qu'un moment, en groupes restreints. La mère conduit son petit à bon port, le prépare. Elle l'amène à dix pas de l'emplacement où, fin février l'an passé, son compagnon et elle s'étaient blottis l'un contre l'autre, à quelques mètres de l'endroit où le camion a versé. Elle marche dans les basses eaux de l'automne, prête à rencontrer de nouveau son compagnon, de retour en ces lieux, sur les méandres de la rivière, en ce temps dilaté, animal, immuable *maintenant*, mappemonde dont les bords s'enroulent sur eux-mêmes.

Mais ici non plus, pas de compagnon. Reprise par la fièvre, elle se souvient de cet accident lointain, le traumatisme du printemps dernier. Quelque chose de néfaste s'est déjà produit en ces lieux, une chose aussi bruyante et meurtrière que ce nouveau mal funeste. Une sorte de pressentiment, masse grenue irritante dans l'esprit de la grue endeuillée ; voilà tout ce qui demeure de cette nuit-là. Tous les témoignages oculaires engloutis dans ce présent animal. Personne ne peut dire ce qu'un oiseau pourrait avoir vu, ce dont un oiseau pourrait se souvenir.

La nervosité de la mère déteint sur son petit né dans l'année. Une détresse contagieuse le soulève de terre et lui fait faire un bond. Il donne des coups de patte dans le vide alentour. Ses rémiges se déploient comme des doigts tendus. Son cou se tord en arrière et lance un cri qui glace l'air. Il jette des feuilles par-dessus son dos cambré, les ailes dressées au-dessus de sa tête. Et pour la première fois de sa vie, comme il le fera des milliers de fois, il danse. Dans l'obscurité qui avance, d'autres espèces pourraient y voir de l'extase.

Il abandonne cette soi-disant thérapie cognitive. Il aurait dû le faire depuis longtemps. Tout ce à quoi Kopy Karin le pousse avec acharnement ne saurait servir ses propres intérêts. Rien que des salades destinées à détourner son attention, à lui détourner l'esprit de ce qui se passe autour de lui. Une espèce de lavage de cerveau qui l'obligerait à prendre toutes ces contrefaçons pour argent comptant. Il espère simplement que la thérapie ne lui a pas embrouillé les idées pour de bon.

Le docteur Tower pique une crise. Elle est à deux doigts de le supplier : « Mais nous n'avons même pas encore terminé l'évaluation. » Lui, il veut bien qu'elle l'évalue, et en détail si ça la tente. Mais l'engueulade continue. Est-il bien sûr de vouloir abandonner ? Ne préférerait-il pas attendre de se sentir plus à l'aise avant de... ? Lamentable et égoïste. Il lui conseille d'aller consulter un professionnel.

Mais il a besoin de parler à quelqu'un, quelqu'un qui puisse l'aider à mettre de l'ordre dans toute cette affaire. Bonnie est hors jeu. Bien sûr, elle reste sa Bonnie-Baby. Appelez ça de l'amour ou ce que vous voudrez. Mais Kopy Karin se l'est mise dans la poche, elle l'a cabanée, comme disent les fédéraux. Elle l'a persuadée qu'il ne tournait pas rond. Il a beau accumuler les preuves devant elle – sa sœur disparue, la fausse Homestar, personne pour reconnaître le billet, la nouvelle Karin qui met le grappin sur l'ancien Daniel, Daniel déguisé qui les suit partout et dresse des animaux pour les surveiller – Bonnie persiste à ne pas être convaincue.

Il pourrait aller trouver Rupp et Cain. Il aurait pu, il y a longtemps déjà, sans cette petite graine de doute. Où étaient-ils, après tout, le soir où il a plié son camion ? Il s'est tâté, il a attendu une explication qui n'est jamais vraiment venue. Mais maintenant qu'il y pense : qui a semé ce doute ? Carbone Karin, encore une fois, qui tente avec lui ce qu'elle a réussi à faire avec Bonnie. Le persuader que ses amis sont ses ennemis, et vice versa. Et la théorie des trois véhicules ? Une idée de l'usurpatrice. Il est fou d'y penser encore.

Il guette une occasion de gagner Rupp et Cain à sa cause. Il la trouve, un après-midi frisquet où ils viennent le chercher pour un dépôt d'écureuils. C'est une spécialité de Ruppie : tout l'été, il dégomme les écureuils cendrés de son jardin à coups de carabine à plomb, puis il les fourre dans son congélateur, jusqu'à ce qu'il y en ait assez pour justifier un délestage à l'extérieur de la ville. Alors, ils se munissent tous trois de jumelles, emportent quelques packs de bières, des saucisses, un grand sac-poubelle rempli de rongeurs décongelés, et partent pour une étroite langue de prairie non cultivée sur les bords de la South Loup. Ils montent une petite pyramide d'écureuils en plein champ, établissent leur bivouac cent mètres plus loin, et guettent l'arrivée des vautours auras. Rupp adore ces bestioles ; il pourrait passer la journée à les observer. « *Cathartes aura*, lance-t-il lorsqu'ils apparaissent dans le ciel en décrivant des cercles. *Ave, Cathartes aura* », comme si ces créatures sortaient de la Bible et que les écureuils fussent l'offrande déposée pour elles sur le bûcher. Et de fait, il y a quelque chose de biblique là-dedans, en cette épaisse nuée d'oiseaux.

Mark et Duane sont en jeans et pulls ; Rupp, en short et T-shirt noir : insensible au froid. Ils dressent leur camp puis se posent un moment. La conversation porte sur les femmes désirables. Vous voulez savoir qui est bandante ? dit Cain. Cokie Roberts – de la dynamite.

Sept, fait Rupp. Sept et demi. Une jolie frimousse, mais une tête bien trop pleine : ça en réduit la valeur marchande. Et Christiane Amanpour ? Dites-moi un peu. Qu'est-ce qu'on lui trouve, à celle-là ? Est-ce qu'elle est américaine seulement ?

Ils parlent en code. Le premier dit : Tu sais ce qui rendrait pas mal aux oreilles de Britney ? L'autre répond : Ses chevilles ? Au bout d'un moment, Mark finit par en avoir assez. Il regarde le monticule d'écureuils. Au fond, pourquoi tu les flingues, ces bestioles ? demande-t-il à Rupp.

Parce qu'elles flinguent mes tomates, les plus belles et les plus rouges.

C'est leur boulot, dit Duane-o. Le bon vieux rat des champs se doit de saccager tes bonnes vieilles tomates. Tu savais que la tomate est un fruit ?

Ça fait un bail que je m'en doute, dit Rupp. Je n'y verrais pas d'inconvénient si ces rongeurs les bouffaient pour de bon. Mais eux, leur truc, c'est de faire tomber les tomates et de jouer au polo avec. Pas moyen de les raisonner, alors, au congélo !

Tuer, c'est un péché, mon vieux.

Je suis au courant. J'ai lutté au corps à corps avec ma conscience, et je l'ai eue, cette salope. Je lui ai mis deux manches dans la vue.

Ils sont assis là, tous les trois. Ils boivent, font griller des saucisses sur le minibarbecue. Les vautours arrivent, et voilà bientôt deux espèces cousines qui fraternisent autour d'un petit pique-nique partagé.

Ah, la fête du Travail ! dit Duane. On l'adore.

Rupp acquiesce. Au rayon *dolce vita*, on ne fait pas mieux. Un jour comme celui-là, ça mérite un poème. Récites-en un pour nous, tu veux, Cain ?

J'irais plus vite arracher un pet au cul d'une vache, répond-il.

Rupp hausse les épaules. Il y a un troupeau derrière cette colline. L'Amérique est à toi. Alors, si ça te tente...

Duane propose un entraînement au tir sur cible, mais Rupp lui répond d'une simple calotte sur le sommet du crâne. On ne canarde pas les *Cathartes aura*. Ce sont des princes. Les plus beaux que nous ayons. Tu n'irais pas pointer ton feu sur le président, quand même ?

Sauf s'il dégaine le premier. À ce propos : Tu as des nouvelles de ton unité ? L'ordre de mobilisation et tout le tintouin ? Rupp se contente de rire. Mais Duane-o s'emballe : C'est imminent. Tu sais bien que l'Amérique va se rebiffer avant la fin de l'année, et gare à ceux qui se mettront en travers de son chemin. À côté de ça, l'Afghanistan va ressembler à une gentille promenade en pédalo. La grande secousse se prépare. L'Armée-geddon est en marche. Un vol direct Fort Riley-Riyad. Ton billet pour le *hadj*, mon pote. Un week-end par mois, mon cul !

Ce n'est peut-être pas pour tout de suite, mais ça vient, Rupp. Il faut bien qu'on réagisse. On ne peut pas rester là, bras croisés, devant ce brasier. Mais ce sera comme la fois d'avant : missiles de croisière contre tribus de Bédouins. Moi, tout ce que j'aurai à faire, c'est de m'assurer que les moteurs sont bien huilés. Je serai de retour pour le 11 novembre. Il donne une tape sur l'épaule de Duane : Allez, tête de nœud. Rejoins-nous. Pas de savoir sans souffrance.

Me faire tirer dessus ? Je préfère encore me faire défoncer le trou de balle par des évadés de Hastings.

Hé ! Qui te dit que tu ne peux pas combiner les deux ?

J'ai reçu une lettre de la garde nationale, dit Mark.

Quoi ? s'écrie Rupp. Comme si ça l'emmerdait. Qu'est-ce qu'elle disait ?

Mark agite une main autour de sa tête, pour chasser les moucherons. C'était juste une lettre : amicale et personnelle, dans le genre papier officiel. Du style que tu ne peux pas te contenter de lire en diagonale.

C'était quand ? Rupp veut savoir. Comme s'il y avait de quoi en faire une histoire.

Alors ça. Il y a un bout de temps. La belle affaire ! C'est l'armée, mon pote. Avec ceux-là, ça ne presse jamais de trop.

Mais Rupp est tout retourné et commence à lui casser les couilles. On s'occupera de ce papelard séance tenante, dès qu'on t'aura ramené chez toi. Tu m'y feras penser.

Oui, oui. Mais pose-toi une minute. Tu sais. Il se pourrait que le gouvernement ait d'autres projets pour nous, des projets bien différents.

Voilà qui attire leur attention. Mais il faut y aller mollo. La vue d'ensemble n'est pas commode à saisir, et Mark ne veut pas que ses camarades risquent la surchauffe. Il commence par ce qu'ils savent déjà. Les substitutions : sœur, chien, maison. Puis le billet, déposé pour lui, il en est désormais convaincu, par quelqu'un qui se trouvait là, dans le camion à ses côtés.

Impossible, lancent les deux compères à l'unisson.

Il leur adresse un regard sévère : je sais ce que vous allez dire. On n'a trouvé personne. Personne dans la carcasse quand les secours sont arrivés. Personne, sauf moi. Ce quelqu'un s'en est sorti. C'est lui qui a signalé l'accident.

Rupp secoue la tête et applique sur son front une cannette glacée. Mais non, Mark. Si tu avais...

Duane l'interrompt. Mec, ton camion avait l'air d'une bonne grosse Angus après dépeçage. La photo était dans le journal. Personne ne peut sortir d'un truc pareil. C'est un miracle si tu...

Mark Schluter commence à perdre patience. Il retourne la grille du minibarbecue. Une braise roule sur ses Chuck Taylors et y laisse une trace de brûlure.

OK, OK, dit Rupp. Admettons. Pour dire. Qu'est-ce qui te fait croire que ce type... ? Qui c'est, d'abord ? Qu'est-ce qu'il foutait dans ton camion ?

Mark lève les mains. On se calme. On se reprend. Je sais qu'il était là, parce que je me souviens de lui.

On se croirait dans un thriller, au moment où le type glisse la main sous son menton et arrache son masque en latex.

Tu te souviens ? De qui ? Qu'est-ce que tu racontes ?

D'accord : c'est vrai. Mark ne se souvient pas de l'auto-stoppeur. Mais il se rappelle lui avoir parlé. Comme il leur parle maintenant. Il avait dû le prendre un peu plus tôt sur la route, parce qu'ils en étaient rendus au jeu des devinettes. Des questions auxquelles l'auto-stoppeur ne répondait pas directement mais de façon allusive. Tu brûles, tu refroidis, ce genre-là. Essaie de trouver mon secret.

Rupp est tourneboulé, chose qui n'arrive pas tous les jours. Il s'affole : Attends. De quoi tu te souviens au juste ?

Mais Mark ne s'encombre pas de détails pour l'instant. Il cherche à reconstituer le puzzle dans son ensemble. Ce dont, précisément, tout le monde veut l'empêcher. Par une sorte d'obstruction systématique, pour qu'il ne puisse pousser trop loin ses découvertes. Regardez les choses en face : quelques minutes après avoir pris cet ange auto-stoppeur au milieu de nulle part et entamé avec lui une partie de ni oui ni non, il a un accident. Ensuite, à l'hôpital, il lui arrive un pépin sur la table d'opération. Un pépin qui, comme un fait exprès, lui efface la mémoire. Quand il revient enfin à lui, on a fait disparaître sa sœur, qui aurait pu l'aider à reconstituer ses souvenirs, et on l'a remplacée par une copie qui le fait surveiller vingt-quatre heures sur vingt-quatre. Ça fait beaucoup de coïncidences. Et pour finir, ils l'ont expédié dans un Farview parallèle. Une grande expérience *in vivo*, avec Mark dans le rôle du singe de laboratoire.

Et nous alors ? Duane veut savoir. Comment ça se fait qu'ils ne nous aient pas fait disparaître ? Il a l'air vexé. Se sent oublié.

C'est évident, non ? Vous deux n'êtes au courant de rien.

Duane se fout en rogne. Mais Mark n'a pas le temps de préciser chaque point particulier. Il doit leur faire comprendre l'ampleur manifeste de cette entreprise, assez vaste pour que le gouvernement dépense ses deniers sans compter et remplace une ville entière par une autre.

Merde, dit Duane, qui commence à saisir les proportions de l'affaire. Qu'est-ce qu'ils manigancent, d'après toi ?

Justement, nous y voilà. C'est sûrement à ça que l'auto-stoppeur faisait allusion. Tu brûles, tu refroidis. Ils utilisent cet endroit pour y mener un projet. Soit qu'ils aient besoin d'un grand espace tout vide sans personne dedans. Soit qu'ils s'intéressent à une particularité du coin – une chose propre à la vie du lieu.

Rupp pousse un grognement. Une particularité du coin ? Propre à la vie du lieu ?

Mark insiste. Réfléchissez : une chose si proche de nous que nous ne la voyons même plus. Une chose que nous faisons et que personne d'autre ne fait.

Duane manque s'étouffer avec une saucisse. Le blé. Le conditionnement. Les oiseaux migrateurs.

Nom de Dieu, s'écrie Mark. Les oiseaux ! Comment on a pu passer à côté de ça ? Vous ne vous rappelez pas ? Quand est-ce que j'ai eu mon accident ?

Tous se taisent, devant l'évidence. C'était pendant ces quelques semaines où leur bled paumé devient célèbre à la face du monde.

Et je ne vous ai pas encore dit le plus beau : Quand j'allais de maison en maison avec le billet, il y avait quelqu'un... Quelqu'un qui réapparaissait sans cesse, mais qui pourtant n'était jamais tout à fait...

On dirait que Rupp n'écoute même plus. Qu'il ne suit pas la logique du raisonnement. Il ne pose qu'une seule question : Comment tu sais que c'est le gouvernement ?

C'est précisément ce que Mark essaie de lui expliquer. Quelqu'un le suit partout depuis des semaines, quelqu'un qui n'est autre que Daniel Riegel. L'Homme aux oiseaux. En plus, ne voilà-t-il pas que le lascar s'est laissé embarquer dans une histoire avec la fausse Karin. Et vous savez très bien pour qui il travaille, non ?

Daniel ? Danny Riegel ? Il ne travaille pas pour le gouvernement. Il travaille pour ce satané Refuge.

Qui est une association chapeautée par le gouvernement... et reçoit des subventions du...

Tu sais, je pense qu'il pourrait bien s'agir d'une opération gouvernementale, dit Cain. Réfléchis un peu.

Vous êtes complètement tarés. Rupp s'efforce de rire, mais seule une volée de petit plomb sort de sa bouche.

En tout cas, reprend Duane, c'est une administration publique. Une réserve publique.

Ça n'a rien de public. C'est une fondation. Financée par des capitaux privés...

Ils sont bien un peu affiliés à l'État...

Vous ne voulez pas la fermer une seconde, tous les deux ? Vous êtes à côté de la plaque. Supposons que le type que j'ai pris en stop ait été un terroriste. Plusieurs mois après. Qui voulait s'en prendre à un objectif cent pour cent... américain. Et supposons que le gouvernement...

Tu n'as jamais pris personne en stop, dit Rupp. Il n'y avait pas d'auto-stoppeur.

Qu'est-ce que tu en sais, bordel ? Tu m'as dit que tu n'étais pas là !

Possible que Mark hurle un peu. Comme Rupp et Cain. À dire vrai, cette séance devient un brin pénible. Le trio souffle une minute, regarde les vautours auras qui piochent dans le tas d'écureuils. Mais en gros, le pique-nique est terminé.

On devrait rentrer chez toi, dit Rupp. Et jeter un œil à cette lettre de la garde nationale.

Inutile de me faire une fleur, répond Mark.

Mais ils remballent le matériel et s'entassent dans le pick-up Chevrolet 454 de Rupp. C'est lui qui conduit. Cain s'assoit à la place du mort et Mark s'installe entre eux deux, sur le siège escamotable, comme au bon vieux temps. Mais il commence à comprendre que le bon vieux temps n'est plus, s'il a même jamais existé. Rupp a placé dans son lecteur le dernier CD des Bêtes à Cordes : *Pilotage manuel*. La chanson s'intitule *Autant qu'il m'en souvienne, j'ai toujours été amnésique*. On croirait entendre des oisons châtrés ; depuis leur libération conditionnelle, les BAC ont toujours inscrit ce genre de came à leur répertoire. Mais Duane commence à s'agiter, Rupp appuie alors sur une touche pour passer au titre suivant, comme s'il se sentait gêné. Du coup, Mark n'a qu'une envie : revenir en arrière pour écouter plus attentivement.

Ils remontent la 40, juste avant l'embranchement vers Odessa, quand un grand cerf déboule d'un taillis et, d'un bond, traverse la route devant eux. Il arrive droit sur le pick-up, un véritable missile tiré sur le capot. Pas même le temps de crier. Mais alors que l'animal est sur eux, Rupp monte en surrégime et exécute un dérapage qui leur fait franchir par deux fois la ligne médiane. Le cerf s'immobilise sur le bord de la route, sidéré. Il s'attendait tellement à mourir qu'il ne sait comment réagir devant ce changement d'itinéraire. Les trois humains ne retrouvent leurs esprits qu'à l'instant où l'animal s'ébroue et s'élance parmi les arbres.

Bon Dieu de merde !

Les deux amis regardent Mark. Rupp lui saisit le genou et Duane, l'épaule. Ça va, mon vieux ? Putain, on était cuits. Finis.

Mais au bout du compte, rien. Même pas une éraflure, et le cerf va s'en tirer sans bobo. Mark ne voit pas bien pourquoi ils voudraient qu'il soit tellement bouleversé.

Putain, ne cesse de piauler Duane, tout remonté. On était foutus. Le pactole de l'assurance décès allait tomber. Comment tu as fait ça, bon Dieu ? Tu as tourné avant même que je voie le bestiau.

Rupp est secoué de frissons. Duane et Mark essaient de ne pas le regarder, mais c'est un fait. Monsieur Sang-Froid, le soldat de la garde nationale, tremble comme un parkinsonien monté sur échasses au beau milieu d'un séisme. Ce cerf a voulu nous tuer, dit-il. Rupp fait semblant de s'être ressaisi. Mais à présent, ils voient ; ils le voient. Je vous assure. Ce maniaque a tenté de traverser le pare-brise. C'est ce jeu vidéo à la con qui nous a sauvé la mise. Il regarde ses mains qui s'agitent. Si je n'y avais pas passé des centaines d'heures, on serait tous *ad patres*.

Rupp redémarre et engage le pick-up sur la bonne voie. Cain hurle comme un coyote. Il n'arrive pas à croire qu'il a eu de la chance, pour une fois dans sa vie. Il lance ses poings dans le vide. La vache ! La vache ! Quel pied. Il donne un coup dans la boîte à gants, qui s'ouvre. Cain en sort un communicateur mobile, un appareil que Mark a déjà vu quelque part. Duane se le colle sur la figure et mâchouille des mots à la façon d'un flic. Allô, saint Pierre ? C'est toi, mon petit pote ? Tu veux bien annuler nos trois réservations pour ce soir ? Allez, en avant, tête à cornes !

À ces mots, Mark bondit de son siège et se rue sur le mobile. Donne-moi ça. Mais il n'a pas vraiment besoin de le toucher. Il l'a déjà eu en main auparavant. Celui-là, ou un autre tout pareil.

Range ça, ordonne Rupp. Cain se débat avec la boîte à gants et tient le mobile hors de portée de Mark. Mais pas moyen de remettre l'appareil en place.

Mark pointe un doigt vers Cain puis vers Rupp, comme s'il agitait un pistolet. Vous ? C'est avec vous que je parlais ? L'auto-stoppeur, c'était vous ? Je ne comprends pas... Qu'est-ce que je... ?

Rupp s'en prend à Cain. Tu as de la flotte à la place du cerveau ? Il tient le volant d'une main et de l'autre tente d'attraper le mobile. Dans la mêlée, il parvient à s'en emparer. Il le jette par la fenêtre du côté conducteur, comme si ce geste était la réponse à toute question. Il fusille Cain du regard, prêt à le tuer. Misérable gamète ! Qu'est-ce que tu croyais ?

Quoi ? Je n'ai fait que... Quoi ? Comment tu voulais que je sache ?

Vous m'aviez dit que vous n'étiez pas là, reprend Mark. Vous m'avez menti.

On n'y était pas, répliquent-ils ensemble. D'un regard, Rupp réduit Cain au silence. Il se tourne vers Mark, implorant. Tu avais le même dans ton camion. On ne faisait que... On venait de se les acheter.

Et quel était le but du jeu ? Une petite causerie par talkie-walkie ? En avant, tête à cornes... C'était vous ?

C'est toi qui avais inventé ça. Ça te faisait marrer. On jouait aux cibistes, c'est tout ; on bavardait ensemble, à distance, quand tu...

Mark Schluter est une statue. Un bloc de grès. Vous aussi. Vous trempez dans la combine depuis le début. Aussitôt, ils se mettent à parler, essayent de lui expliquer et noient le poisson. Mark se bouche les oreilles. Je veux descendre. Stoppez ce camion. Déposez-moi ici.

Marko. Arrête tes conneries. On est à trois bornes de Farview.

Ils veulent le raisonner, mais il n'écoute pas. Je vais marcher. Je ne reste pas dans ce camion.

Il devient violent, alors ils finissent par le laisser descendre. Mais pendant un long moment, ils roulent au pas à côté de lui et essaient de le convaincre de remonter dans le Chevrolet. Essaient, comme toujours, de l'embrouiller un peu plus, avant de reprendre la route dans un crissement de pneus rageur.

Ils ne se touchèrent pas, cette nuit-là, après la dispute au restaurant. Le lendemain, ils échangèrent des monosyllabes tendres et obligeants. Ils allaient et venaient à pas feutrés, chacun rendant à l'autre de menus services. Tout au long de la semaine suivante, Daniel fit preuve de modestie, de patience, de dévouement, comme s'ils occupaient encore ce plateau ensoleillé, à l'abri de leur vieux cauchemar. Il se comportait comme si le faux pas venait de Karin, et que lui, magnanime, lui accordât son pardon. Elle le laissait agir à sa guise, l'encourageait, même si cela la mettait en rage. Karin était comme ça.

À l'évidence, Daniel ne savait pas ce qui était préférable pour lui, ni ce dont il avait besoin. Il ne disposait que du masque exaspérant de l'abnégation. Elle aurait voulu hurler : Lance-toi. Fais des essais. Goûte. Trouve qui tu es. Je sais que je ne suis pas à la hauteur. Tu me le dis assez, chaque fois tu acquiesces avec patience. Mais elle se taisait. La vérité n'aurait servi qu'à attiser en lui la colère. Elle le cernait à présent. Saint Daniel, ou le besoin de se hisser au-dessus du lot. Besoin de prouver qu'un homme pouvait être meilleur que l'espèce, aussi pur que l'animal livré à son instinct. Mais il fallait qu'elle le lui confirme. Une part d'elle-même était disposée à admettre qu'elle ne rencontrerait sans doute jamais un homme aussi bon que lui en ce monde. Elle aimait son obstination triste à vouloir guérir toute blessure. Mais ce doute dans son regard, cette vague désillusion, cet œil toujours en quête de quelque chose d'un peu plus digne, d'un peu plus reluisant... Vertu, sacrifice, longanimité : il l'étouffait petit à petit.

Si Karin laissait entendre qu'il pouvait être aussi fragile que n'importe qui, Daniel partait aussitôt en vrille. Pris de panique, il s'employait à la satisfaire, travaillait à consolider leur relation, comme si celle-ci se trouvait menacée. Il faisait le ménage et la cuisine, dépensait des fortunes en mets raffinés : morilles et noix de macadamia. Il lui dénichait des articles sur le syndrome de Fregoli et transigeait devant toutes ses hantises. Le soir, il lui massait le dos avec du baume du tigre, et se résignait à appuyer aussi fort qu'elle le lui demandait.

Elle lui faisait l'amour en s'imaginant être celle qu'il imaginait. Ensuite, une tendresse affolée s'emparait d'elle, tentative désespérée de se saisir et de les arrimer tous deux à un point fixe. « Daniel, murmurait-elle à son oreille, dans le noir. Danny ? Peut-être devrions-nous penser à quelque chose de petit, quelque chose de nouveau, quelque chose qui serait un peu de nous deux. »

Elle lui toucha la bouche et le vit sourire dans un éclat de lune. Prêt à la suivre là où elle aurait besoin de lui, presque n'importe où. Il n'éleva aucune objection mais, pourtant, l'un des muscles minuscules de sa lèvre supérieure n'était pas en place. Il disait : *Pas de bébés. Pas de nouveaux humains. Regarde ce qu'ils font.*

Elle sut, au moins, quelles chances il lui laissait de devenir mère. Et quelle image, au fond, il se faisait vraiment d'elle.

En fin de semaine, Mark annonça à Karin qu'il abandonnait sa thérapie. Cette nouvelle l'abasourdit. Elle eut l'impression de se revoir, à huit ans, quand Cappy Schluter avait fait faillite pour la première fois, et que les huissiers étaient venus saisir leur salon pour le mettre aux enchères. Son dernier espoir de rééduquer Mark s'envolait. Elle le supplia, si épuisée par le manque prolongé de sommeil qu'elle se mit à pleurer pour de bon. Ses larmes le décontenancèrent. Mais il finit par hocher la tête. « Alors c'est ça, la santé mentale ? demanda-t-elle. Notre objectif ? Nous l'avons atteint ? Pas moi, petit frère. Une santé comme celle-là, moi je n'en veux pour rien au monde. »

Elle se rendit à Dedham Glen pour prendre conseil auprès de Barbara. Des mois s'étaient écoulés depuis le séjour de Mark, mais Karin s'attendait presque à le voir déboucher d'un pas traînant dans le couloir, des reproches à la bouche. Elle s'assit sur la banquette plastifiée face à l'accueil et s'arrangea fébrilement en attendant Barbara. Quand celle-ci se présenta enfin, son visage se ferma devant l'embuscade. Elle avait toujours dit à Karin qu'elle pouvait venir la voir au moindre problème. Peut-être avait-elle menti. Mais elle eut tôt fait de se ressaisir et réussit à sourire vaillamment. « Alors, l'amie ! Tout va bien ? »

Elles partirent discuter dans la salle télé, cernées par les incontinents et les hébétés. « Je ne suis pas juriste, lui dit Barbara. Me croire apte à vous conseiller, c'est déjà de la folie de ma part. Sans doute pourriez-vous imposer votre point de vue, si vous le souhaitiez. Vous êtes sa tutrice légale à présent, n'est-ce pas ? Mais à quoi bon ? Une thérapie forcée ne serait sûrement d'aucun secours. Cela ne ferait que convaincre Mark que vous le persécutez.

– Peut-être que je le persécute en effet. Par le simple fait de ne pas être celle qu'il croit que je suis. Tout ce que j'entreprends aggrave son état. »

Barbara enfouit la main de Karin au creux des siennes. Ce contact fit davantage pour la jeune femme que le toucher de Daniel. Pourtant, même attentionnée, Barbara restait sur son quant-à-soi. « Il est normal que vous ayez cette impression, parfois.

– J'ai cette impression tout le temps. Comment savoir ce que je dois faire, si je ne peux pas me fier à mes impressions ?

– Vous avez écrit à Gerald Weber ? C'est ce qu'il fallait faire. »

Karin éprouvait le besoin irrépressible de s'ouvrir entièrement à Barbara, de lui confier cette vérité simple et défendable, ce sentiment d'impuissance qu'elle n'avait encore jamais ressenti par le passé. Mais elle en savait assez aujourd'hui sur le cerveau humain, endommagé ou non, pour ne pas s'aventurer sur ce terrain, ni même y songer. Elle avait besoin qu'une femme, peu importe laquelle, la conforte et lui rappelle les bienfaits d'une chaleureuse simplicité, pour la soustraire aux perpétuelles rebuffades que lui infligeaient les hommes. Une complicité entre copines. Non, plus que ça : Karin aimait cette femme, en raison de tout ce que Barbara avait fait pour elle et son frère. Mais à la première alerte, Barbara se déroberait. Elle s'écouta prendre le ton de l'invite pure et simple. « Vous avez des enfants ? » Prête, si jamais elle la renvoyait dans ses buts, à nier toute tentative d'intimité.

Le « non » de Barbara ne laissa rien transparaître.

« Mais vous êtes mariée ? »

Cette fois, « non » voulait dire « plus maintenant ». En un recoin de son être, Karin tressaillit devant cet aveu, comme s'il lui était encore possible de donner en retour un petit quelque chose à cette femme. Mais pas moyen de savoir jusqu'où elle l'autorisait à pousser ses investigations. « Vous êtes seule ? »

Avant qu'elle ait pu la contenir, une réaction impulsive éclata sur le visage de Barbara. *Qui ne l'est pas ?* Ses traits se radoucirent. « Pas vraiment. J'ai ça. » Dans un haussement d'épaules, elle tendit ses mains ouvertes et embrassa la salle de télévision. « J'ai mon travail. »

Karin ne put réprimer un grognement. Elle sentit monter en elle la véritable question qui depuis longtemps lui brûlait les lèvres. « Qu'est-ce que cet endroit vous apporte ? »

Barbara sourit. Face à elle, la Joconde n'eût pas fait le poids dans le jeu de l'invité mystère. « Des contacts. Un ancrage. Des... amis. Nouveaux à chaque fois. »

Ses yeux disaient *Mark*. Karin y perçut quelque chose d'illicite, prête à soupçonner même la charité chrétienne. Si Barbara avait été un homme, la police aurait pris l'affaire en main. Mark, *son ami* ? Elle entretiendrait des relations avec ces gens-là, des patients prisonniers de leurs corps affaissés, incapables de tenir une cuillère ou de la ramasser si elle tombait par terre ? Une pensée acerbe menant à une autre, Karin se laissa aller à la rancœur. Rancœur à l'idée que cette femme ne lui donnerait pas le dixième de ce qu'elle avait offert avec joie à un homme au cerveau abîmé, et de quinze ans son cadet. Rancœur à l'idée que Barbara pût avoir Mark, et pas elle. Cette pensée l'obligea à cligner les yeux et lui gauchit le visage. La rancœur : l'autre nom du besoin. Ne voyait-elle donc pas combien elles étaient proches l'une de l'autre ?

« Barbara... ? Comment est-ce que vous faites ? Rester loyale, quand tout le monde est si... ? » Elle allait perdre son sang-froid et lui faire horreur. Karin regarda l'aide-soignante en s'efforçant de ne pas l'implorer.

Mais le visage de Barbara n'exprima que sa surprise. Elle ouvrit la bouche pour signifier sa protestation. « Ce n'est pas moi qui... » Les vies broyées, les attaques, les lésions. « Je ne suis pas celle... »

Qui pouvait avoir atteint pareille maîtrise ? Où avait-elle acquis semblable maturité ? À quoi ressemblait-elle, à l'âge de Karin ? Les questions s'accumulaient, sans qu'elle puisse s'autoriser à en poser aucune. La conversation était au point mort. Barbara commençait à s'agiter : besoin de retourner travailler. Karin sentit qu'elles se parlaient peut-être ainsi pour la dernière fois. Avant de partir, elle prit Barbara dans ses bras et la serra contre elle. Mais quelle que fût la nature de leur relation, cette étreinte n'en conserva rien.

Ce soir-là, quand Daniel rentra, elle était assise dans l'allée sur trois valises pleines, à un mètre cinquante de la maison. Elle attendait depuis une demi-heure. Elle avait prévu d'être partie bien avant le retour de Daniel. Mais elle était restée camper là, à dix mètres de sa voiture, incapable de savoir quelle direction prendre. La croyant blessée, Daniel sauta de sa bicyclette. Quand il fut à trois pas de l'endroit où elle était assise, il comprit néanmoins.

Jusque dans le délaissement, il fit preuve d'une inexorable noblesse. Toutes les questions qu'il ne posait pas – *Pourquoi tu fais ça ? Tu es sûre de toi ? Et Mark, alors ? Et moi ?* – la brûlaient de l'intérieur, tandis qu'elle restait assise, paralysée. Il n'essaya même pas de la culpabiliser par des mots ou des caresses. Il demeura un long moment sans rien dire, à cinquante centimètres d'elle, pour prendre la mesure de la situation et réfléchir. Il guettait son regard dans l'espoir de déterminer ce qu'elle voulait qu'il fasse pour elle. Elle ne pouvait pas lever les yeux vers lui. Quand enfin il prit la parole, il n'y avait presque aucune accusation dans sa voix. Rien que des préoccupations concrètes à son égard : tout ce qu'elle ne pouvait supporter. « Mais où vas-tu aller ? Toutes tes affaires sont en garde-meuble. Tu viens de vendre ton appartement. »

Elle répondit qu'elle préparait son départ dans sa tête depuis des semaines. « Daniel, je suis à bout. Je ne peux plus continuer comme ça. Chaque petite bricole que je fais pour l'aider lui cause trois fois plus de tort. Me voir aggrave son état. Il veut que je disparaisse. Je n'en peux plus, et je suis un poids pour toi. J'ai la tête qui tourne, je n'ai pas eu une nuit correcte en six semaines. Devant lui, j'ai l'impression d'être invisible, un virus, une moins-que-rien. Je suis à ramasser à la petite cuillère, Danny. Je n'ai plus de jambes, et des bourdonnements dans les oreilles. Il y a comme de petites araignées qui se promènent sans cesse sur ma peau. Je ne suis bonne à rien. Je me dégoûte. Tu ne comprends pas, tu ne peux pas, tu n'as absolument aucune... »

Il posa une main sur son épaule pour la calmer. Il ne dit pas : « Je sais. » Il se contenta d'un signe de tête.

Une espèce d'excitation la propulsa. « Je suis encore propriétaire de mon appart pour une dizaine de jours. Je peux camper sur le parquet. Ce sera très simple : l'essentiel et rien d'autre. Je peux utiliser l'argent de la vente pour me trouver une location. Je peux reprendre mon travail, commencer à rembourser tous les frais que tu as engagés, tous ces... »

Il l'obligea à se taire. Il jeta un regard furtif par-dessus son épaule, vers les alignements de baies vitrées derrière lesquelles le voisinage assistait maintenant à un numéro de théâtre de rue, en ce soir de septembre. Voilà que, en plus du reste, elle se donnait en spectacle et lui faisait honte. Elle se leva d'un bond et empoigna l'une de ses valises pour la traîner jusqu'à la voiture. Cette hâte soudaine la fit trébucher sur lui. Il la retint par les épaules et la remit d'aplomb. Il se baissa pour prendre le bagage. « Attends. Laisse-moi t'aider. »

Devant cette charité brutale et stupide, Karin perdit son sang-froid. Elle pivota sur elle-même pour s'échapper et serra les poings contre sa mâchoire, le souffle court. Il voulut s'approcher d'elle pour tenter de la réconforter autant que possible. Elle le repoussa des deux mains. « Fous-moi la paix. Ne me touche pas. Mes larmes sont fausses. Tu n'as pas encore compris ? Je ne suis pas elle. Je ne suis qu'une simulation. Une invention que tu as dans la tête. » Elle ne parvenait à distinguer ses propres mots, vagues et trempés. Une graine de peur incandescente vint germer dans son esprit et l'envahir : elle était atteinte de ce mal sur lequel Mark et elle spéculaient autrefois, dans la terreur de l'enfance – une dépression.

Mais aussi soudainement qu'elle s'était déchaînée, la tempête cessa, et Karin resta sur le bord du trottoir, encalminée. Quelque chose en elle devait savoir cela depuis le début : jamais elle ne dépasserait le seuil de cette émotion. Partir, c'était donner raison à Mark. Perdre tout moyen de se justifier. Une grande curiosité la saisit, l'impatience de découvrir ce qu'elle pourrait encore devenir, en restant. Celle qu'elle pourrait être encore, à défaut de ne plus pouvoir être l'autre. Elle se rassit sur sa valise renversée. Daniel prit place à côté d'elle sur la pelouse, indifférent désormais à ce que d'autres humains pouvaient voir ou penser d'eux. « Je ne peux pas partir maintenant, déclara-t-elle. Ça m'était sorti de la tête. Mais il y a ce message du docteur Weber. Il revient la semaine prochaine.

– Oui, répondit Daniel. Exact. » Il ne fit même pas mine de vouloir la suivre dans sa logique. Et sans qu'elle puisse dire comment, cela suffit à la soulager un petit peu. Ils restèrent assis sur ses paquetages, jusqu'à ce qu'autour d'eux les premières gouttes grasses d'une pluie éparse commencent à éclabousser l'automne. Alors, il l'aida à rentrer les valises.

Le lendemain, Karin vit Karsh. Elle était allée flâner devant son bureau sur Central, un parcours qu'elle évitait depuis des mois. C'était une de ces magnifiques matinées d'automne, sèche, bleue et cristalline, où la température s'envole vers les promesses à venir. Karin savait qu'elle finirait par venir là, depuis ces mots prononcés par Daniel pendant leur dîner désastreux. On aurait presque dit un défi : sortir au grand jour toutes les affaires non classées. Le nouveau consortium des promoteurs. *Les magouilleurs et maquignons du cru*. Tu ne serais pas au courant par hasard... ? Eh bien non, elle n'était pas au courant. Ne savait rien, sur personne.

Mais sur son propre compte, il y avait des choses qu'elle pouvait apprendre. Elle tourna dans la rue en face de Platteland Associates, comme si elle faisait du lèche-vitrines devant les quelques officines (vendeur d'équipements médicaux, Armée du Salut, livres d'occasion) que l'arrivée du Wal-Mart n'avait pas encore euthanasiées. Karsh sortirait de son repaire à midi moins dix et se dirigerait vers le Home Style Cafe pour aller y déjeuner. Rien n'aurait changé en quatre ans. Robert Karsh était l'habitude faite homme. *Un grand esprit sait ce qu'il veut*. Tout le reste était chaos.

Il sortit de son bureau en compagnie de deux collègues. Manteau gris impeccable et cravate bordeaux, pantalon noir de chez Brooks : l'homme d'affaires en pleine surcompensation, qui faisait mine de croire que Kearney deviendrait un jour un nouveau Denver. Karin se détourna pour inspecter dans la vitrine d'un serrurier un carrousel d'ébauches de clés. Karsh l'aperçut à deux rues de distance. Elle porta la main à ses cheveux, puis la laissa retomber aussitôt. Il adressa à ses collaborateurs un vague signe d'au revoir. L'instant d'après, il se tenait devant elle, sans la toucher, mais se l'appropriant déjà, la consumant de nouveau. Touriste d'autrefois, au temps où voyager était encore une épreuve.

« Toi », dit-il. La voix un peu plus grave. « C'est toi. Je n'arrive pas à y croire. »

Pour la première fois depuis des mois, elle se reconnut. L'année qui s'était à demi écoulée retira ses doigts du fond de sa gorge. Ses épaules se relâchèrent. Sa tête se redressa. « Crois-le », dit-elle, d'une voix empruntée à la standardiste personnelle du Très-Haut.

Il esquissa une grimace et agita les mains. « Qu'est-ce que tu t'es fait ? » Sa coupe de cheveux – censée faire croire à Mark qu'elle était elle. « Dis donc. Tu es superbe. Comme une vierge remise à neuf par le constructeur. On se croirait revenus à la fac ! »

Elle se renfrogna en se retenant de pouffer de rire. « Au lycée, plutôt.

– Oui. C'est ce que je dis. Tu as minci ? » Il l'avait un jour traitée d'anorexique manquée.

Pas loin de prendre la pose, elle savourait sa revanche. « Tes gosses vont bien ? » C'était presque ça. La tête sur les épaules, les pieds sur terre. « Et ta femme ? »

Il sourit et se passa la main dans les cheveux. « Bien, bien ! Enfin... c'est une longue histoire. »

Le cœur de Karin, ce rescapé stupide, s'affola comme un pigeon dans une boîte de Skinner. Pour cet homme, elle avait naguère acheté un livre intitulé *L'Adultère, mode d'emploi*, alors qu'elle cherchait sa robe de mariée. Au moins avait-elle limité son choix aux tons pêche et abricot.

Il ne la quittait pas des yeux et hochait la tête, incrédule. « Comment va... ton frère ?

– Mark », dit-elle. Elle s'attendait de la part de Karsh à un geste d'excuse. Trop de temps passé avec Daniel.

« Oui. J'ai appris ce qui lui était arrivé dans le *Junction*. Un vrai cauchemar. »

En quelques paroles remarquablement concises, ils avaient fait mouvement vers un banc, en face du monument aux morts. Il était assis à côté d'elle, en plein jour, au cœur de la ville. Situation risquée. Il lui demandait à tout instant si elle voulait quelque chose : un sandwich ou peut-être une bricole. Chaque fois, elle refusait d'un signe de tête. « Va manger, toi », disait-elle. Il passerait de l'eau sous les ponts avant qu'elle n'avale de nouveau quoi que ce soit. Il écarta d'un revers de main l'idée d'un repas, manière de souligner qu'il y avait encore plus important que la nutrition en cet instant. Il demanda des détails sur Mark et, sans broncher, en encaissa une quantité surprenante pour qui avait connu Robert Karsh quatre ans plus tôt. Il secouait la tête en glissant des commentaires : c'est *La Quatrième Dimension*, les *Body Snatchers*. Simpliste, scabreux, banal. Mais familier.

Sans le moindre mal, elle déversa en lui son trop-plein. Elle raconta tout, donnant une allure presque comique à sa déchéance. « Ces six derniers mois, ma vie n'a fait que graviter autour de lui. Malgré ça, il a décidé que je ne serai plus jamais moi. Il lui aura fallu la moitié d'une année. Mais il a fini par avoir raison.

– Oh, tu es toujours toi, c'est moi qui te le dis. Deux, trois rides en plus, peut-être. » La vérité à la hussarde : la devise de Robert. Plus elle était brutale, plus grande était sa valeur. Karsh se connaissait dix fois mieux que Daniel. Depuis toujours, il éprouvait presque de la délectation à reconnaître toutes les femmes qui lui inspiraient du désir. *Je suis un homme, mon lapereau*. Programmé pour mater. *Je jette un œil à tout ce qui vaut le détour*. La vérité brutale : voilà ce pour quoi elle se trouvait assise à côté de lui en cette minute, au cœur de la ville, devant le monument aux morts, au vu et au su de chacun.

La voix de Robert lui donnait le frisson : le son du temps en train de se remettre en marche. Une très légère couche de givre recouvrait à présent ses cheveux, au-dessus des oreilles. Sa chemise débordait de sa ceinture au lieu de faire un pli. Mais à part ça, il n'avait pas changé : un des frères oubliés de la famille Baldwin, renié par le reste du clan, car légèrement trop râblé et le visage juste un peu trop large pour faire carrière au cinéma. Quelque chose la chiffonnait néanmoins, une petite différence. Simple affaire de rythme peut-être. Il était devenu un rien plus lent, plus ouvert, plus apaisé. Un soupçon d'acidité s'était évaporé. Moins de futilité, moins d'agressivité, moins d'autosatisfaction. Ou peut-être se montrait-il sous son meilleur jour. Tout le monde pouvait être ce qu'il voulait, l'espace d'une heure.

Il la prit par l'épaule, comme une aveugle qu'il aiderait à traverser la rue. Elle ne fit rien pour se dégager. « Pourquoi as-tu mis si longtemps ? »

Le sous-entendu dans sa voix la heurta. « Qu'est-ce que tu veux dire ?

– Pour passer me voir ?

– Je ne suis pas passée te voir, Robert. Je me promenais en ville. C'est toi qui m'as trouvée. »

Il sourit, échauffé par ce mensonge transparent. « Tu m'as appelé au printemps dernier.

– Moi ? Je ne crois pas, non. » Puis elle se souvint : le fléau de l'identification d'appel.

« En fait, c'était le numéro de ton frère. Mais il se trouvait encore à l'hôpital. » Petit sourire, plus taquin que sadique. « J'ai supposé, comme ça, que ça devait être toi. »

Elle ferma les yeux. « J'ai eu ta fille, Ashley ? J'ai compris, à la seconde où j'ai entendu sa voix... Je suis désolée. C'était stupide. Déplacé. » Elle se souvint des mots de sa mère, à la veille de sa mort : « Même les souris ne se laissent pas prendre deux fois au même piège. »

« Bah, fit-il. Des crimes contre l'humanité, j'en ai vu de pires. » Il tira de la poche de son manteau un petit agenda noir et en remonta les pages jusqu'au printemps. Il lui montra le mot écrit de sa main en lettres propres et glacées : « Appel Lapereau. » Le surnom que son frère lui donnait, vestige de l'enfance. Ce nom qu'elle n'aurait jamais dû avouer à Karsh. Le nom qu'elle croyait ne plus jamais devoir entendre. « J'aurais aimé que tu restes au bout du fil. J'aurais pu t'aider. »

Pas le genre de sentiment que l'ancien Robert Karsh aurait seulement pu simuler. Leur rencontre allait peut-être s'achever là. Peut-être ne le reverrait-elle jamais, et pourtant elle se sentait justifiée, mille fois mieux dans sa peau que lorsqu'ils s'étaient quittés, la dernière fois. « Tu m'aides à présent », dit-elle.

Robert remit la conversation sur Mark. Les symptômes le fascinèrent, le pronostic le déprima, et la réaction des médecins le scandalisa. « Fais-moi savoir quand le docteur Auteur sera de retour. Ça me plairait de le soumettre à quelques tests. »

Elle ne lui fit pas le portrait de Barbara. Elle ne voulait pas que ces deux-là se rencontrent, fût-ce en imagination. « Parle-moi de toi, dit-elle. Qu'est-ce que tu fais ? »

Il fit un geste en direction des bâtiments. « Tout ça ! Tu en étais restée où la dernière fois ? La ville doit te paraître bien changée. »

La ville avait un air de Brigadoon. Le Pays oublié par le temps. Elle se mit à ricaner sottement. « Je me disais au contraire que rien n'avait bougé depuis Roosevelt. Theodore Roosevelt. »

Il fit la grimace comme si elle lui avait donné un coup de genou. « Tu rigoles, là ? » Il jeta un regard autour de lui, dans trois directions, comme si lui-même pouvait être victime d'une hallucination. « La ville de taille moyenne au plus fort taux de croissance de tout le Nebraska, voire des plaines orientales ! »

Elle étouffa un rire qu'elle transforma en hoquet. « Je suis navrée. En fait... J'ai remarqué quelques... nouveautés. En particulier du côté de l'autoroute.

– Je ne te crois pas. Cette ville est en pleine renaissance. On réalise des aménagements dans tous les coins.

– Ça frise la perfection, Bob-o. » Ce surnom lui échappa. Celui qu'elle s'était juré de ne plus jamais prononcer.

Il semblait prêt à un assaut frontal de grande ampleur, comme autrefois. Mais il se contenta de se polir le front avec ses jointures, l'air un peu abattu. « Tu sais, Lapereau ? C'est toi qui avais raison. On construit pas mal de merdes par ici. Rien qui ne soit pas conforme aux normes en vigueur, mais quand même. Au jour du Jugement, il me faudra expier pour une tripotée de zones commerciales et de complexes d'habitations tout en parpaing. Heureusement, la plupart de ces constructions seront balayées à la première grosse bourrasque. » Il se mit à fredonner dans les aigus une interprétation du thème de la tornade dans *Le Magicien d'Oz*. Elle rit, malgré elle. « Mais nous avons changé. Nous nous sommes adjoint deux partenaires et sommes bien plus ambitieux qu'auparavant.

– Robert. L'ambition n'a jamais été un problème pour toi.

– Non. Là je te parle d'une saine ambition. Nous sommes en cheville avec l'Arche ! »

Elle eut un nouveau hoquet. Mais la fierté du chef scout qui rayonnait sur le visage de Karsh la stupéfia. Inconcevable qu'elle ait pu avoir peur de cet homme. Elle s'était tout bonnement trompée sur son compte, n'avait jamais compris ce qu'il cherchait vraiment à accomplir.

« Il m'a fallu du temps pour m'en apercevoir, mais la bonne conscience, ça se vend bien. Il te suffit d'apprendre aux gens comment distinguer leurs propres intérêts. Nous avons réussi à faire accepter l'usine de recyclage pour le papier. Tu es allée la voir ? Une installation dernier cri. Je l'appelle Mea Pulpa... »

Elle le sonda sur ses nouveaux projets. Sitôt parvenue en eaux sûres, elle jetait déjà ses filets. Du nouveau et du gros, là-bas, du côté de Farview ? Avec Karsh, mieux valait aller droit au but. Il n'essaya pas de dissimuler ; il ne l'avait jamais fait. Il fixait du regard cette question, et sa surprise menaçait de se transformer en désir. « Mais où as-tu entendu parler de ça ? Ce contrat est top secret, mam'zelle !

– Petite ville. » Pourquoi elle avait passé son âge adulte à la fuir. Pourquoi elle n'y était jamais parvenue.

Il voulait voir ce qu'elle savait. Mais se refusait à l'interroger. Il se contenta de l'aviser, d'un regard aussi intime qu'un bras passé autour de la taille. « Attends une minute. Toi, tu as causé au Druide ? Comment se porte le petit monde du djihad écoterroriste ?

– Ne sois pas méprisant, Bob-o. »

Il eut un large sourire. « Tu as raison. De toute façon, lui et moi, nous travaillons pour ainsi dire dans le même business maintenant. Nous bâtissons un avenir meilleur. Chacun selon ses compétences. »

Elle leva les yeux vers lui, écœurée, enivrée. Les quelques édifices du centre-ville qu'elle pouvait apercevoir semblaient en effet reprendre vie, d'une certaine façon. Peut-être Kearney ressuscitait-il pour de bon ; retour aux temps glorieux, un siècle plus tôt, à l'âge du toc, où ses habitants pleins d'optimisme avaient défendu fermement le projet d'un transfert de la capitale, à Washington, vers leur ville miraculeuse, au cœur de la nation. Cette bulle avait éclaté avec tant de fracas qu'il avait fallu cent ans à Kearney pour s'en relever. Mais à écouter Karsh pérorer sur l'ADSL, le raccordement au réseau national, les liaisons satellite et la radio numérique, la géographie ne comptait plus : l'imagination était redevenue l'unique frein de l'expansion.

Au bout d'une demi-heure à peine, Karin s'était rangée à l'opinion de Karsh. Telle l'assistante d'un magicien, ou une actrice chargée de vendre des robots ménagers sur Télé Achat, elle faisait de grands gestes en direction d'une banque remise à neuf, de l'autre côté de la rue. « C'est toi, le responsable ?

– Possible. » Il passa une main sur son large visage à la Baldwin, amusé par son propre enthousiasme. « Mais ce nouvel… aménagement. C'est autre chose. Celui-là, c'est du bon, Karin.

– Et du gros, ajouta-t-elle d'un ton neutre.

– Je ne sais pas ce qu'on t'a raconté, mais c'est un beau projet. J'ai toujours voulu réaliser au moins une chose dans ma vie dont tu puisses être fière. »

Elle se retourna pour lui faire face. Ces paroles surgissaient de nulle part, si parfaitement imméritées que Karin fondit en larmes. Depuis toujours, elle caressait le rêve que quelques années d'absence porteraient Robert à l'apprécier davantage. Elle prit appui sur un bras pour garder l'équilibre, inspira une bouffée d'air et, de sa main libre, se cacha la moitié du visage. Trop d'effusions : il fallait arrêter. Karsh lui toucha le cou, et six mois d'anéantissement se volatilisèrent. En plein jour. Sans se soucier de qui pouvait les voir. Jamais l'ancien Robert Karsh n'aurait pu accomplir ce geste.

Ils restèrent assis en silence jusqu'à ce que les larmes de Karin aient séché et qu'il eût retiré sa main. « Tu me manques, Lapereau. Notre complicité me manque. » Elle ne répondit rien. Il marmonna quelques mots au sujet d'une éventuelle escapade, d'une petite demi-heure ou à peu près, le mardi soir suivant. Elle acquiesça, frémissante comme la barbe du blé tendre par un jour sans vent.

Pour qu'elle soit fière de lui. Personne sur cette planète n'était celui ou celle que l'on croyait. Elle reprit possession de son visage, les yeux fixés sur la rue, concentrée sur un point situé à sa gauche. *La ville doit te paraître bien changée*. Elle se tourna de nouveau vers lui : regard sardonique très appuyé, prêt à faire feu. Mais l'attention de Karsh s'était portée sur un groupe de quatre employés, dont trois femmes, âgés d'une vingtaine d'années, qui regagnaient leurs locaux administratifs après une heure de pause.

« Il faut sans doute que tu retournes travailler. »

Il la regarda, sourit et, de sa tête de gosse, fit signe que oui. Elle sentit son cœur de mammifère égaré battre de nouveau la chamade.

« Va », lui dit-elle. Un mot d'allure légère, nonchalante. « Vas-y. Tu dois crever de faim.

– Je pense que je vais me contenter… d'attraper une bricole au passage. » D'un geste de la main, elle lui fit signe de partir : révocation, bénédiction. Il lui fallait un gage de plus. « À mardi ? »

Elle le regarda sans rien dire, une infime contraction autour des yeux : *D'après toi ?*

Elle ne dit pas un mot à Daniel ce soir-là. Ce n'était pas vraiment le tromper. La tromperie eût été de lui parler, de l'inciter à tirer de fausses conclusions. En cet instant, il voulait encore lui prouver qu'il pouvait chérir la plus profonde de ses angoisses et se dévouer pour elle comme pour ces oiseaux sans tache. De fait, Karin aimait ce fond en lui, incapable de se laisser contaminer. Son frère (le Mark d'autrefois) avait vu juste : Daniel était un arbre. Un tronc long de quelques décennies, penché vers le soleil. Ni victoire, ni défaite ; rien qu'un perpétuel fléchissement. Chaque fois qu'elle le blessait, il grandissait un peu. Ce soir, il semblait presque parvenu à sa pleine maturité.

Au dîner – un couscous aux raisins de Corinthe – la claustrophobie des derniers jours les rattrapa. Daniel était assis en face d'elle, à la vieille table de ferme, les coudes appuyés sur la planche de chêne, le clocher de ses doigts adossé à ses lèvres. Il menaçait de disparaître dans ses réflexions. Il se leva et empila les assiettes sales. Le soin tranquille qu'il mit à les emporter vers l'évier trahissait la réalité des faits : Karin lui infligeait une défaite. Elle brisait ses idéaux verts.

Il déposa les assiettes dans la bassine et se mit à les récurer avec une tasse d'eau tiède. Comme toujours, lorsqu'il faisait la vaisselle, il appuyait la tête contre les éléments qui s'avançaient au-dessus de l'évier. Au fil des ans, un petit ovale de peinture était parti, à cause des huiles qu'il se mettait dans les cheveux. Elle aimait cet homme pour de bon.

« Daniel ? » dit-elle. Presque comme dans une conversation anodine. « Je me demandais.

– Oui. Quoi ? » Il semblait toujours prêt à la suivre n'importe où. Son vieux christianisme païen : *Est-ce que les animaux éprouvent de la rancune ?* C'était un homme bon, de ceux que seule une personne vraiment instable pouvait juger méprisable.

« J'ai été une sangsue. Un vrai parasite.

– Pas du tout. » Il s'adressait à la bassine.

« Bien sûr que si. Je me suis tant préoccupée de Mark. Toujours rendue auprès de lui. À avoir peur de me trouver un boulot avec de vrais horaires, au cas où... si jamais...

– Bien sûr, répondit Daniel.

– J'ai besoin de travailler. Je nous rends cinglés, tous les deux.

– Mais non.

– Je me disais... que je pourrais donner un coup de main, murmura-t-elle. Si la place est toujours disponible... Ce travail dont tu m'as parlé, au Refuge ? » Elle finirait ses jours dans la peau d'un collecteur de fonds.

Il posa son torchon et se tourna vers elle. Ses yeux la sondèrent, prêts à s'éclairer. À la première offre d'assistance, sa méfiance retombait. Il ne songeait déjà plus au pire, et le meilleur lui semblait déjà acquis pour moitié. Quelle envie cet homme éprouvait de croire en elle ! « Si c'est seulement d'argent que tu as besoin...

– Pas seulement d'argent, non. » Pas seulement d'eau ; pas seulement d'air. Pas seulement, se disait-elle, de tout et le reste.

« Parce qu'on ne pourra pas te payer beaucoup pour l'instant. On est dans une mauvaise passe ces temps-ci. » Il semblait si convaincu qu'elle donnerait le meilleur d'elle-même qu'elle faillit faire marche arrière. « Mais on a sacrément besoin de toi en ce moment, crois-moi. »

Et le besoin n'était-il pas chose suffisante ? On avait besoin d'elle quelque part, bien davantage que Mark désormais. Elle examina Daniel, à la recherche d'un soupçon de charité exorbitante. Irait-il truquer les livres de comptes et risquer son statut professionnel, rien que pour l'empêcher de commettre une bêtise ? Qui pouvait donner sa confiance à qui la confiait tout entière à n'importe qui ? Elle soutint son regard ; il ne détourna pas les yeux. Il avait besoin d'elle, absolument, mais pas pour elle-même. Pour quelque chose de plus grand. Autrefois, elle n'avait aspiré qu'à cela. Elle se leva et alla le rejoindre. Elle l'embrassa. Marché conclu. Ce que Mark ne voulait pas recevoir, elle irait le donner ailleurs. Elle surprendrait le Refuge par son énergie.

Le mardi suivant, elle partait retrouver Karsh.

Quatre mois, et l'endroit s'était transformé en un autre pays. Les étendues vertes et rases qu'il avait traversées en juin dernier roulaient maintenant des vagues brunes et dorées. Même route vers l'ouest depuis l'aéroport de Lincoln, à bord d'une voiture de location identique, et pourtant, autour de lui, tout était différent. Il y avait là plus qu'un simple changement de saison : davantage de houle et de méandres, de drumlins et de pentes, de crevasses et de taillis dissimulés dérangeaient les étendues impeccables de l'agribusiness – éléments de surprise, là où Weber n'avait vu que le comble du vide. La première fois, il était passé à côté de tout.

Mais alors pourquoi cette impression de familiarité, sur les quinze derniers kilomètres avant Kearney ? Impression de rentrer dans une maison de vacances fermée pour y récupérer un vêtement oublié. Pas besoin de carte ; il n'eut qu'à quitter la bretelle d'autoroute et se diriger vers le MotoRest à l'aide de sa boussole intérieure. Sur la façade, déjà prête pour la prochaine migration de printemps attendue dans tout juste quatre mois et demi, l'auvent souhaitait encore la « Bienvenue aux guetteurs de grues ».

C'était comme une retraite spirituelle. Weber sentait ses cellules se recharger et les compteurs se remettre à zéro. Dans sa chambre, les écriteaux le priaient toujours d'économiser sa serviette de bain et de sauver la planète. Ce qu'il fit, avant de gagner son lit, l'esprit curieusement serein. Devant le buffet du petit déjeuner – un solide festin à la mode du Midwest qui proposait trois variétés de saucisses – il lui apparut que ses écrits n'auraient jamais dû sauter le pas de la méditation privée, une dévotion quotidienne réservée à son usage personnel et à celui de ses quelques amis. Grâce à l'extraordinaire Mark Schluter, il pouvait renouer avec cette pratique. Il n'était pas tant revenu décrire Mark que l'aider à faire avancer son histoire dans l'inconnu le plus complet. Il se pouvait, au bout du compte, que les neurosciences fussent incapables d'arrêter cet esprit lancé dans une improvisation effrénée. Mais peut-être Weber pourrait-il aider Mark à improviser.

Il suivit les indications de Karin pour se rendre à Farview, Domaine du Pas des Eaux, sur des routes numérotées aux croisements aussi orthogonaux que le rationalisme prétendait l'être. Il trouva la maison, dans un lotissement tapi au cœur d'un immense champ moissonné, bordé d'un côté par la ligne serpentine des peupliers et des saules qui proclamait la présence de la rivière cachée. Weber resta dans sa voiture un moment et regarda la maison : achetée sur catalogue, un article à démoulage rapide, qui n'était pas là hier et ne serait à l'évidence plus là demain. En se dirigeant vers la porte de bois lamifié, il eut la sensation passagère, non pas du déjà-vu, mais du déjà-écrit : celle d'une page rédigée de longue date, qui avait attendu cet instant pour se concrétiser.

L'homme venu lui ouvrir était un étranger. Toutes les cicatrices de Mark avaient guéri et ses cheveux repoussé. Il ressemblait à un dieu en puissance, entre Loki et Bacchus. Il parut à peine surpris de voir Weber.

« Doc ! Je suis content que ce soit vous. Où vous étiez passé ? Vous n'allez pas croire ce qui se trame par ici. » Il jeta un coup d'œil sur le jardin par-dessus l'épaule de Weber avant de le faire entrer. Il referma la porte et s'y adossa, survolté. « Avant que je ne dise quoi que ce soit, racontez-moi ce que vous avez entendu. »

Tout entretien clinique devrait se dérouler au domicile du patient. Au bout de cinq minutes dans son séjour, Weber en avait appris davantage sur Mark que tout au long de leurs rencontres passées. Mark le fit asseoir dans un fauteuil trop rembourré et lui apporta une bouteille de bière mexicaine accompagnée de quelques cacahuètes grillées enrobées de miel. Il signala à Weber de ne rien dire et partit fouiller dans la salle de bain. Il revint avec un bloc-notes et un stylo. Par gestes, il demanda à Weber de mettre en route son magnétophone ; deux vieux collaborateurs au travail. « Très bien, prenons le taureau par les cornes une bonne fois pour toutes. »

Débordant d'agitation, Mark se mit à dérouler le fil d'un récit qui lissait tous ses accrocs. Il se hâtait d'apporter des réponses aux questions de Weber avant même qu'il ne les pose. Mark traçait la ligne simple et nette de sa pensée : tous ses amis conspiraient pour lui cacher ce qui était arrivé cette nuit-là. Cain et Rupp détenaient des informations. Ils lui parlaient par talkie-walkie à l'instant même où son camion s'était renversé. Mais ils lui avaient menti sur ce point. Sa sœur savait quelque chose, aussi l'avaient-ils remplacée, pour l'empêcher de parler. Comme l'ange gardien rédacteur du billet, on la séquestrait sans doute quelque part. Et, pour une raison inconnue, Daniel Riegel s'était lancé dans une espèce de filature. « Comme si j'étais un genre de bestiole. C'est un pro de la traque, vous savez. Il est capable de repérer des trucs déments, invisibles à l'œil nu. Des trucs que vous et moi n'imaginons même pas se trouver là. »

Le petit ami de votre fausse sœur vous suit à la trace sous divers déguisements : Freud pourrait bien s'avérer plus utile que l'IRM. À coup sûr, le phénomène dépassait la simple dissociation des voies ventrale et dorsale de la reconnaissance. Mais qu'entendre par « psychologie » désormais, sinon un phénomène encore dépourvu d'un substrat neurobiologique identifié ? Weber n'échafaudait aucune théorie sur les nouvelles croyances de Mark. Désormais, son travail ne consistait qu'à aider ce nouvel état mental à s'adapter à lui-même. Jamais plus on ne pourrait l'accuser d'un manque de compassion. Il laisserait Mark écrire le livre.

Quel effet cela faisait-il d'être Mark Schluter ? De vivre dans cette ville, de travailler aux abattoirs, puis de voir le monde se fracturer en un instant ? Le chaos brut, l'absolue confusion de l'état induit par le syndrome de Capgras retournait l'estomac de Weber. Voir la personne la plus proche de soi en ce monde, et ne rien ressentir. Mais c'était là le plus étonnant : rien en Mark n'éprouvait la sensation d'un changement. La conscience improvisatrice veillait à cela. Mark continuait de se reconnaître, seul le monde était devenu étranger. Il avait besoin de ses illusions pour combler ce fossé. Le moi ne poursuivait qu'un seul but : sa propre permanence.

Au moins Mark était-il encore lui-même – plus que Gerald Weber ne pouvait l'affirmer pour son compte. Comme un adepte de la méthode de

Stanislavski, il essayait d'habiter l'homme assis en face de lui, qui tissait ses théories. Il eût sans doute canalisé Karin avec plus d'aisance : ses recherches apeurées, ses mails désespérés, effacés. Comment pourrait-il habiter Mark Schluter, le patient inconscient de son état, quand il ne parvenait pas à habiter Mark Schluter, l'individu sain, bricoleur de camions et technicien des abattoirs ? Il ne pouvait même plus imaginer l'effet que cela faisait d'être Gerald Weber, ce chercheur confiant du printemps dernier...

« Tous ceux qui sont nés ici maquillent quelque chose. Vous et la poupée Barbie, vous êtes les deux derniers en qui je puisse avoir confiance. »

Selon Mark, que pouvait-on bien vouloir maquiller ? Pire encore : par quel mystère croyait-il pouvoir faire confiance à un inconnu ? Par principe, Weber ne souscrivait jamais aux délires de ses patients. Pourtant, chaque jour de la semaine, il souscrivait à ceux du reste du monde. Le taxi pakistanais sur le chemin de LaGuardia, avec ses théories sur al-Qaida et ses liens avec la Maison Blanche. L'agent de sécurité à l'aéroport, qui lui avait fait retirer chaussures et ceinture. La femme assise à côté de lui dans l'avion, qui s'était agrippée à son bras au décollage, certaine que la cabine allait exploser à quinze mille pieds. Souscrire aux délires de Mark était affaire de *statu quo*.

« Il semblerait donc que je leur parlais par mobiles interposés. Eux, dans le camion de Rupp, et moi dans le mien. On était sur un coup, on poursuivait quelque chose. Il fallait arrêter l'un de nous. C'est drôle, non ? Cette femme qui joue Karin ? Elle a toujours laissé entendre que ces deux-là rôdaient dans les parages, et moi je ne l'ai pas écoutée. »

Quelque chose était bel et bien arrivé à Mark, la nuit de l'accident. Et ses amis lui avaient bel et bien menti. Weber lui-même ne savait expliquer la note déposée par l'ange gardien, ni interpréter les trajectoires tortueuses laissées par les différentes traces de pneus. Pourquoi Mark trouvait-il le monde différent désormais ? La réponse de Weber n'était pas même partiellement satisfaisante. Mark méditait sur son état et creusait sa réflexion depuis plus longtemps que quiconque. Weber pouvait bien souscrire à ses théories. Peut-être était-ce de la compassion sous un autre nom. Affalé sur son canapé, une épaule calée contre l'accoudoir et un coussin entre les genoux, Mark mettait à la mer ses meilleures hypothèses. Il penchait pour un projet secret dans le secteur de la biologie. « Une découverte capitale. Comme celle que mon père a toujours rêvé de faire. Mais à grande échelle. Le genre d'expérience que seul le gouvernement peut mettre sur pied. Et ça a sûrement un rapport avec les grues. Autrement, pourquoi Danny l'Oiseleur me collerait au train ? »

Ici encore, Weber n'avait pas d'explication.

« L'affaire doit être assez secrète. Sinon, on en aurait eu vent, pas vrai ? Alors, voilà ce que je pense. Tout a commencé à la minute où j'ai quitté l'hôpital. Ils se sont occupés de moi quand j'étais sur le billard. Bon d'accord, K2 prétend qu'on ne m'a pas vraiment opéré. Mais j'avais quand même un drain qui me sortait du crâne, non ? Un petit robinet ? Ils ont pu m'injecter une saleté, ou m'enlever un bout de cervelle. Si ça se trouve, tout ça n'est qu'un rêve que je suis en train de faire, là maintenant. Ils ont pu m'implanter toute cette discussion, en plein dans le cerveau-laid.

– Dans ce cas, ils m'ont fait une injection à moi aussi. Parce que, comme vous, je suis convaincu d'être là. »

Mark plissa les yeux. « Vraiment ? Vous voulez dire que... ? Attendez une minute. Non, c'est n'importe quoi ! Vous n'y êtes pas du tout. »

Il griffonna quelques mots dans son bloc-notes. Il se laissa aller en arrière dans le canapé et posa les pieds sur la table basse, les yeux dans le vague. Puis il se redressa d'un bond, le bras tendu, en agitant l'index. Il se leva en titubant et avança vers son ordinateur. Du bout de l'ongle, il se mit à tapoter le moniteur. « Je n'avais jamais songé à ça. Ça ne m'avait jamais traversé l'esprit... Vous croyez qu'il serait possible que les derniers mois de la vie de Mark Schluter soient programmés sur une des machines du gouvernement ? »

Weber ne pouvait affirmer que c'était impossible.

« Voilà qui expliquerait pourquoi j'ai l'impression de vivre dans un jeu vidéo. Un jeu dont je n'arriverais pas à dépasser le premier niveau. »

Weber lui proposa une petite promenade, du côté de la rivière. Un peu nerveux, Mark accepta. L'air vif lui fit de l'effet. Plus ils parlaient, plus Mark se montrait catégorique. Weber eut soudain le sentiment qu'il avait peut-être aidé cet homme à fabriquer sa maladie. Le risque iatrogène. Une collaboration entre le médecin et son patient.

« Je suis donc en liaison talkie-walkie avec mes potes. On communique, on poursuit cette chose. D'un coup, je vois ce truc sur la route. Et mon camion se renverse. Alors, je pose la question : Qu'est-ce que j'ai vu ? Qu'est-ce qui se trouvait au milieu de la route cette nuit-là ? Il n'y a pas trente-six solutions. »

Weber lui concéda ce point.

« Quelqu'un qui n'aurait pas dû s'y trouver. Je ne dis pas qu'il s'agissait forcément d'un terroriste. Il pouvait appartenir à l'un ou l'autre camp. »

Ils revinrent par un sentier de gravillon poussiéreux entre deux murs de maïs roux, à quelques jours de la récolte. L'automne : la saison que Weber attendait toujours, paralysé d'impatience. Fraîche et sèche, la brise vivifiante le remua comme elle ne l'avait plus fait depuis des années. Son pouls grimpa, trompé par ce jour parfait qui lui laissait croire que quelque chose allait bientôt arriver. À ses côtés, Mark avançait, sombre et résigné. Sa démarche ne laissait plus deviner la moindre blessure.

« Parfois, vous voyez, je me dis que c'était... Mark Schluter. L'autre Mark. Le type qui gagnait sa vie en bossant. Celui qui ne se posait pas de questions et aurait pu torcher vos tests truqués les doigts dans le nez. C'était lui, là-bas, au milieu de nulle part. C'est ce mec-là que j'ai renversé. Que j'ai tué. »

Il commençait à se dédoubler. Allez savoir si cet homme-enfant n'allait pas éclairer d'une inépuisable lumière tous les mystères de la conscience. À travers champs, ils regagnèrent le Pas des Eaux, la Homestar. Ils s'assirent côte à côte sur le béton des marches du perron. Mark écartait trop les jambes. Attachée à une chaîne, Blackie Deux s'approcha et glissa son museau dans la main du jeune homme. Au hasard, son maître la cajolait ou l'ignorait. La chienne glapissait, incapable de décoder ce caprice humain. Comme Weber. Il avait abjuré tout ce qu'on pouvait taxer d'exploitation. Néanmoins, sa compassion ne devait pas exclure une attention plus globale. La science n'avait pas encore dit son dernier mot. Weber se tut aussi longtemps que possible. Puis il demanda : « Ça vous tenterait de venir passer un moment à New York ? » Un bilan complet au centre médical, sur du matériel de pointe, avec le luxe du temps devant soi, une foule de chercheurs talentueux et des interprétations moins partiales que les siennes.

Étonné, Mark s'écarta de Weber. « New York ? Pour que je me fasse écrabouiller par un avion ? » Weber lui expliqua qu'il n'y aurait aucun danger. Mark se contenta de s'esclaffer : on ne la lui faisait plus. « Vous autres, par là-bas, vous donnez aussi pas mal dans l'anthrax, non ? »

Rien ne comptait plus, hormis la confiance. « Je vous comprends, dit Weber. On sera sans doute plus en sécurité par ici. »

Mark hocha la tête. « Croyez-moi, doc. On vit dans un monde étrange. Ils peuvent frapper où que vous soyez. » Il inspecta l'horizon, en quête de l'indice qui finirait bien par y apparaître, un jour. « Mais j'apprécie votre offre. Je serais peut-être mort sans vous à l'heure qu'il est, toubib. Vous et Barbara êtes les seuls à vous être vraiment souciés de ce qui m'arrivait. »

À ces paroles, les plus délirantes que Mark eût prononcées de tout l'après-midi, Weber tressaillit.

Les bras du jeune homme se mirent à trembler, comme si son corps était saisi d'un froid terrible. « Doc, j'ai un très sale pressentiment à propos de ma sœur. Ça fait quoi maintenant ? Six mois. Rien, même pas un mot. Personne ne veut me dire ce qui lui est arrivé. Il faut comprendre : depuis que je suis en âge de mouiller mes draps, pas une semaine ne passe sans que Karin s'assure que tout va bien pour moi. Dieu sait pourquoi, mais elle s'est toujours souciée de moi. Elle et cet ange gardien, disparus l'un et l'autre sans laisser de trace. Même si on l'avait séquestrée, elle aurait trouvé le moyen de me transmettre un message, depuis le temps. Je commence à croire que j'ai buté ma sœur. Je l'ai foutue dans la merde, allez savoir si je ne l'ai pas tuée, par le simple fait d'être parent avec elle. Vous ne pensez pas... qu'il se pourrait... ? Regardons les choses en face... elle doit... J'ai bien l'impression qu'elle est...

– Parlez-moi d'elle », dit Weber pour l'empêcher de se livrer à de plus sinistres spéculations.

Mark aspira une bouffée d'air et expulsa la syllabe aiguë d'un rire. « Ne lui répétez jamais que je vous ai dit ça, mais il n'y a pas plus facile à vivre qu'elle. C'est la personne la plus simple qui existe. Elle a juste besoin d'être câlinée. Donnez-lui le quart d'un bon point, et elle ira se jeter dans les flammes pour vous. Vous savez, on avait une mère spéciale. À part Jésus, entré dans la carrière à cinq ans, rien ni personne n'était assez bon pour elle. Elle et ma sœur avaient ce qu'on pourrait appeler un différend. "Misérable ingrate, coureuse de frisson, progressiste", et j'en passe. "Neuf mois de nausées matinales suivis par la douleur la plus atroce de mon existence, tout ça pour que mademoiselle aille séduire son professeur d'éducation physique", ce genre de joyeusetés. Du coup, Karin, elle a décidé de devenir irréprochable. De découvrir ce que chacun attendait d'elle et de le faire bien comme il faut. Décevoir un parfait inconnu, ça suffit à la foutre en l'air. Elle est encore moins difficile qu'un animal domestique. Elle n'a besoin que de deux choses : aime-moi et dis-moi que je fais bien. Et puis ne me traite pas de bouseuse apathique. Hé ! Peut-être bien que ça fait trois choses, au fond. Et vous, doc ? Des frères et sœurs ? Dites. Inutile de réfléchir cent sept ans. Ce n'est pas une question piège.

– Un frère, dit Weber. Quatre ans de moins que moi. Il est cuisinier dans le Nevada. » S'il s'y trouvait encore. S'il était encore de ce monde. Weber avait eu des nouvelles de Larry pour la dernière fois deux ans plus tôt, avec trop de détails sur le rassemblement annuel des bikers pour la liberté : « Sois un loup, suis la meute ou ferme ta gueule. » Une organisation nationale de motards conservateurs et fanatiques : toute la vie de Lawrence Weber. Tous les deux ou trois mois, Sylvie tarabustait Gerald pour qu'il appelle son frère, qu'il fasse l'effort de rester en contact. « Un brave homme, affirma Weber. Vous me le rappelez un peu.

– Sans déconner ? » Cette idée plut à Mark. « Et vos vieux ?

– Partis », répondit Weber. Pas même un demi-mensonge. Son père : emporté par une attaque, plus jeune de trois ans que son fils aujourd'hui. Sa mère : atteinte d'un Alzheimer avancé. Elle vivait à Dayton dans un centre catholique médicalement assisté, où il allait lui rendre visite une fois tous les trimestres. Sylvie et lui conversaient encore avec elle par téléphone deux fois par mois, dialogues à la Ionesco.

« Je suis navré », dit Mark qui, en guise de consolation, invita Weber à dîner chez lui. Cette simple marque d'attention porta un coup à Weber. Combien de ces petites politesses de l'esprit persistaient encore en leurs boucles obscures, inconscientes des désastres qui les frappaient de plein fouet ? Le dîner : bières servies à même la bouteille et lasagnes surgelées, réchauffées au fond d'un moule en aluminium. « C'est un truc que ma sœur de substitution a apporté. Si vous en mangez, c'est à vos risques et périls. »

« Tu vas bien ? lui demanda Sylvie ce soir-là. Tu n'as pas la même voix que d'habitude, j'ai l'impression. Elle est très... comment dire... très ouverte. On croirait entendre un genre de philosophe.

– Philosophe. Voilà une belle perspective de carrière.

– Ça m'inquiète. »

De fait, Weber lui-même se sentait différent : drossé au large de la sanction publique. « Curieux, non ? Deux allers-retours de six mille cinq cents kilomètres chacun, rien que pour voir un homme qui tient surtout à faire de moi un détective.

– Et dire qu'on prétend que les médecins ne consultent plus à domicile !

– Mais ça vaut le détour ! La médecine doit savoir.

– La médecine devrait savoir bien d'autres choses. Je suis heureuse que tu aies pris cette décision. Je te connais, Monsieur mon homme. Tout ça te minait.

– Sylvie ? Fais-moi penser à appeler mon frère quand je serai de retour. »

Après cette conversation, il quitta l'hôtel et alla se promener en ville au gré des façades tarabiscotées, sous la lumière ambrée des réverbères, comme s'il se rendait à un obscur rendez-vous. L'automne empesait l'air. L'année rentrait en elle-même, concentrée sur ses préparatifs. En route vers l'hibernation, des érables massifs s'embrasaient. L'essaim turbulent d'un chœur d'insectes faisait retentir un requiem pour scie à ruban. Weber s'arrêta au coin de quatre maisons en bois blanc aux toits pentus : dans la première, vacillait une lueur rougeâtre du dix-neuvième siècle ; dans les deux autres, la lumière bleutée d'un téléviseur ; la dernière était plongée dans le noir. Jamais il ne s'était senti aussi désireux de découvrir quelque chose. Mais découvrir quoi ? Il ne savait le dire. Que faisait-il là, de retour ? L'automne lui promettait une réponse.

Il marchait encore au hasard quand la rue sombra dans l'obscurité. Il prit quatre bonnes secondes pour réfléchir : une coupure de courant. Le frisson des orages et des ambulances le saisit. Il leva la tête ; le ciel baignait dans les étoiles. Il avait oublié qu'il y en avait autant. De grands tourbillons, déversés par torrents. Il avait oublié les riches apparats de l'obscurité. Il voyait, mais voyait mal, sans couleurs, abîmé dans l'achromatopsie. Rouge, jaune, bleu ; à ces simples mots les deux achromates qu'il avait étudiés étaient sortis de leurs gonds. Ils vivaient pour la nuit, un monde où ils se montraient supérieurs à ceux qui distinguent les couleurs, ou au simple quidam. Weber arpenta plusieurs quartiers à tâtons, son sens de l'orientation en déroute. Quand la lumière revint, il ressentit la banalité de la vision.

Le lendemain, Mark l'emmena à la pêche. « Pas de finasseries. On s'en tiendra aux rudiments. Le Mark d'autrefois vous aurait sans doute appris à monter une de ces saloperies de mouches. Mais les temps actuels sont aux appâts du commerce. Des vers en caoutchouc aromatisé, qui laissent traîner dans la flotte leur gros cul à barbillons d'invertébré factice, jusqu'à ce qu'une pauvre perche se fasse baiser. C'est à la portée du premier venu. Les mômes. Les neuropsys. Qui vous voudrez. »

Comme tous les coins de pêche, celui-ci était secret. Weber dut faire vœu de silence avant que Mark n'accepte de l'y conduire. Sur un terrain privé, Shelter Lake se révéla à peine plus grand qu'une mare en proie à la folie des grandeurs.

« Nous y voilà. La planque. On prend et on relâche, dit Mark. Celui qui en aura attrapé le plus à deux heures cet aprèm est un être supérieur. À vos marques, prêts, partez. Dites, on croirait que vous ne vous êtes jamais servi d'un hameçon.

– Seulement à des fins d'autodéfense », répondit Weber.

Tous les étés jusqu'à ses douze ans, il avait accompagné son père qui pêchait la perche soleil sur un petit lac empoissonné, juste au-dessus de la frontière de l'Indiana. Son père disait que les poissons ne connaissaient pas la douleur, et il l'avait cru, sans l'ombre d'une preuve. Absurde : bien sûr qu'ils souffraient. Comment avait-il fait pour ne pas le voir ? Il avait emmené Jess, une fois, quand elle était encore petite ; récréation nostalgique, une partie de pêche dans les brisants, sur la péninsule de South Fork, à Long Island. L'expédition s'était soldée par un désastre lorsque l'hameçon de Jess avait traversé l'œil d'un bar. Il revoyait encore sa fille courir de long en large sur la grève en hurlant. Ce fut la dernière fois.

« Vous êtes sûr que c'est légal ? » demanda-t-il à Mark.

Il se contenta de rire. « Si on se fait piquer, c'est moi qui trinquerai à votre place, doc. Je veillerai à ce que votre casier reste vierge. »

Ils pêchèrent depuis le bord. Mark pestait. « On aurait dû piquer le bateau de Rupp. D'ailleurs, il est en partie à moi, ce canot. Sûr que ce con-là me tirerait une balle dans le dos si j'essayais de le lui faucher maintenant. C'est incroyable que mes potes m'aient menti. Je ne sais pas qui on poursuivait cette nuit-là, mais il a dû se les mettre dans la poche. Il les a retournés. Maintenant, je ne saurai plus jamais ce qui s'est passé. »

Ils pêchaient mollement, lançaient leurs lignes et les ramenaient sans conviction. Weber ne prit rien. Mark s'amusait à le provoquer. « Pas étonnant que vous soyez dans les choux. On croirait regarder une lanceuse de softball. »

Mark attrapa une demi-douzaine de perches de taille moyenne. Weber examinait chaque prise avant que Mark la remette à l'eau. « Vous êtes sûr que vous prenez chaque fois un poisson différent ? Moi j'ai l'impression que c'est toujours le même, encore et encore.

– Là, vous vous foutez de moi ! Les deux ou trois premiers cherchaient à se rebiffer. Celui-là, par contre, il est tout mollasson. Ils n'ont rien à voir les uns avec les autres. » De l'eau jusqu'aux chevilles, Mark secouait la tête, amusé et écœuré. « L'impression que c'est toujours le même ! Ce coup-ci, vous perdez vos boulons, doc. Vous avez pris trop de soleil sur le crâne. Pour quelqu'un dans votre branche, ce n'est pas bon. » Planté là, il ressemblait à un héron penché vers l'avant, immobile parmi les joncs. Il pêchait à la ligne comme Weber tapait sur son clavier : avec un ravissement éperdu. Il avait fallu que Mark l'entraîne hors de la ville, en un lieu assez lent, pour pouvoir réfléchir et parler, à l'abri des oreilles indiscrètes. « D'après vous, pourquoi ils se donnent tant de mal avec moi, alors que je ne sais rien ? Toutes ces inventions compliquées, pour me cacher Dieu sait quoi. Pourquoi ne pas simplement me supprimer ? Ils auraient pu le faire sans mal quand j'étais en réa. S'introduire dans la chambre, débrancher les machines et hop !

– Vous savez peut-être quelque chose qu'ils veulent découvrir. »

À cette idée, Mark fut saisi de stupeur. Et Weber, à entendre ces mots sortir de sa bouche, le fut davantage encore.

« C'est sûrement ça, dit Mark. C'est comme ce que raconte le billet : on m'a laissé en vie pour que je ramène quelqu'un d'autre. Il faut que je me serve de ce que je sais pour faire un truc. Mais l'emmerdant, c'est que je ne sais pas ce que je sais.

– Vous en savez beaucoup, insista Weber. Sur des choses que vous connaissez mieux que personne. »

Mark se dévissa le cou. Ses yeux étaient ceux d'un chat-huant. « Ah bon ?

– Vous savez l'effet que ça fait d'être vous. Là, en ce moment. »

Mark replongea son regard dans l'eau, si abattu qu'il ne parvenait pas à se mettre en colère. « Des conneries ! Je ne suis même pas sûr que "là", on soit ici. »

Mark leur fit troquer la mouche pour la cuillère, non dans l'espoir de prendre beaucoup de perches en un si petit étang, mais pour le simple plaisir de faire filer les appâts métalliques dans l'eau. Weber s'étonnait de sa propre insuffisance. Pas tant de son impuissance à attraper le moindre poisson que de son inaptitude totale à rester assis et profiter de l'instant. Perdre une demi-journée, une canne et un fil à la main, alors qu'autour de lui toute sa carrière, toutes ses obligations professionnelles, faisaient naufrage. Pourtant, en cette minute, il remplissait ses obligations, accomplissait le travail qu'il s'était lui-même fixé. S'asseoir et observer, non un quelconque syndrome, mais un être en pleine improvisation. À moins de cela, les critiques auraient raison et le reste de son existence ne serait que mensonge.

Pendant ce temps, Mark avait retrouvé la placidité d'un organisme benthique. Il goûtait l'air à grandes goulées. « Au fait, doc. Je me disais. J'ai comme l'impression que vous et moi, on est peut-être cousins. Ouh là ! Ne me faites pas vos yeux de neurologue. Vous me comprenez, Sherlock. Vous savez bien : les trajectoires de collision et tous ces machins. Écoutez. » Mark baissa la voix pour s'assurer qu'aucun chordé ne risque de l'entendre. « Vous croyez aux anges gardiens ? »

Ce souvenir affligeait Weber : enfant, sa piété était extrême. Rien ne lui plaisait tant que de revêtir une aube blanche et d'agiter un machin en laiton tout fumant. Même ses parents le trouvaient exaspérant de mysticisme. En ce temps-là, il estimait devoir faire pencher le monde en faveur de l'antique et du révérencieux. Son zèle pour la pureté, sa manie compulsive de se purger l'âme, avaient perduré sous une forme à peine modifiée tout au long de l'adolescence, allant jusqu'aux accès de honte que lui infligeait l'impuissance à repousser la tentation de ce que, par accord tacite, son confesseur et lui appelaient sa « susceptibilité », nom de code du plaisir qui amoindrissait toute grâce, au seul motif d'être solitaire. Même la science n'avait pas tordu le cou à ses croyances : ses professeurs jésuites avaient su maintenir une harmonie ingénieuse entre les faits et la foi. Ensuite, à l'université, sa religion était morte, du jour au lendemain, sans bruit et sans pleurs, simplement, après qu'il eut rencontré Sylvie dont la confiance illimitée en l'autosuffisance de l'humain l'avait convaincu de renoncer aux enfantillages. Dès lors, toute son enfance était devenue celle d'un autre. Sans lien avec sa personne. Il ne restait rien du garçon de naguère, que la foi de l'adulte dans le scalpel de la science.

« Non », répondit-il. Pas d'anges, sinon ceux que la sélection laissait sur le carreau.

« Non, reprit Mark en écho. Je n'y croyais pas, moi non plus. Jusqu'à ce billet. » Sous l'effort de la réflexion, son visage se crispa. « Vous ne pensez pas que ma sœur aurait pu l'écrire... ? Non, ça ne tient pas debout. Elle est comme vous. Réaliste jusqu'au bout des ongles. »

Ils restèrent là, à regarder la course de leurs lignes rider l'eau et figer le temps. Hypnotisé par le leurre, le regard de Weber s'enfonça dans le vague. Tout autour du lac, l'air devint aussi sombre que l'eau. Il inspecta le plafond nuageux aux couleurs d'aubergine semée de farine. C'est alors seulement qu'il sentit les gouttes de pluie.

« Ouais, confirma Mark. Des orages. Sur Météo TV, j'ai vu qu'il s'en préparait.

– Vous l'avez vu ? » L'eau commençait à claquer autour d'eux. « Alors pourquoi diable nous avoir emmenés à la pêche ?

– Bah. Allez, quoi. Il faut grandir un peu. Les trois quarts de ce qui se raconte sur cette chaîne, c'est acheté par un sponsor. »

Weber ne tenait plus en place, mais Mark n'entendait pas se laisser bousculer pendant qu'il remballait le matériel. Ils se dirigèrent vers la voiture, parmi des colonnes d'eau cascadante : Mark, fataliste, saisi d'un étrange gloussement tandis que Weber courait.

« Pourquoi vous vous pressez ? » hurla Mark par-dessus ce vacarme d'écluse. Un éclair déchira le ciel en l'une de ses coutures, suivi d'une détonation si violente qu'elle projeta le jeune homme au sol. Assis par terre, il riait. « Celui-là, il m'a littéralement mis sur le cul ! » Weber hésitait : aider Mark à se relever ou sauver sa propre vie ? Il ne fit ni l'un ni l'autre et resta debout au milieu du pâturage, pétrifié devant Mark qui peinait à se remettre debout. Celui-ci leva la tête, hilare sous le torrent. « Recommence un peu, si tu oses ! » Le ciel se fendit en deux et Mark retomba.

Quand, les pieds dans l'eau, ils arrivèrent tous deux à la voiture, il pleuvait des tombereaux de grêlons. Trempés, les deux hommes s'affalèrent sur les sièges avant. Un rideau de boules de naphtaline s'abattit sur eux avec assez de force pour cabosser le véhicule de location.

Mark tendit le cou et regarda le ciel à travers le pare-brise. « Qu'est-ce qui nous manque maintenant ? Les sauterelles ? Les grenouilles ? Les premiers-nés ? » Dans le cocon gris pilonné par la grêle, il fit silence un instant. « Si ça se trouve, c'est déjà fait. » La grêle redevint pluie électrique, assez fine pour être bravée. Pourtant, Weber attendit encore avant de démarrer. Mark finit alors par dire : « Bon, racontez-moi un truc sur vous. Du temps où vous étiez môme par exemple. Pas besoin que ce soit certifié conforme. Juste un souvenir au hasard. Inventez-le si vous voulez. Sans ça, je fais comment, moi, pour savoir qui vous êtes ? »

Rien ne venait à l'esprit de Weber. Il avait travaillé toute sa vie à effacer son passé. Aucune biographie sinon celle qui pouvait tenir sur le rabat d'une jaquette. Il regardait Mark et tentait de réfléchir. « J'aimais aduler des filles à distance, sans rien leur dire. »

Mark retroussa la lèvre supérieure et opina du chef. « J'ai pratiqué, moi aussi. Pas beaucoup de retour sur investissement. Comment vous avez réussi à vous marier, Roméo ?

– Mes amis ont monté une opération. Ils m'ont attiré dans le traquenard d'un rendez-vous arrangé. J'étais censé me rendre dans un café, un dimanche après-midi, pour y retrouver une femme qui devait ressembler comme deux gouttes d'eau à Leslie Caron. Je suis allé là-bas, et personne sur place ne correspondait à la description, même de loin. Il se trouve que la jeune fille s'était décommandée. Mais je l'ignorais, alors je suis resté là, dans la fumée, à détailler chaque femme présente dans la pièce et à me dire : "Tiens, c'est peut-être elle, ou pourquoi pas celle-là ?" Vous savez : cheveux bruns, symétrie bilatérale... Une serveuse m'a demandé si elle pouvait m'aider. Je lui ai répondu que j'espérais trouver une femme qui ressemblait à Leslie Caron. Elle m'a pris pour un jeune homme effronté doté du sens de l'humour. Trois ans plus tard, nous étions mariés.

– Vous me montez un char ! Vous vous êtes marié par pur accident ? Vous êtes bon à enfermer.

– J'étais très jeune.

– Et elle ressemblait un tantinet à... Lindsay Machin ?

– Pas le moins du monde. Une minuscule Nathalie Wood, à la rigueur. Mais surtout... elle ressemblait à celle que j'allais épouser. »

Mark regarda au-dehors, à travers la cascade panoramique, et sa jubilation retomba. « Le destin, je vous en ficherai ! Tenez-vous deux centimètres plus à gauche, et votre vie est à un autre. Cette fille était là, elle gagnait sa croûte, et paf ! La voilà devenue votre compagne à perpète. Moi je dis que quelqu'un veillait sur vous. »

Weber mit le moteur en route. Mark lui arrêta le bras. « Sauf que... on ne croit pas à ces conneries d'anges, nous autres. Pas vrai ? »

Weber voyait à présent combien il avait négligé cet homme et sa sœur. Il ne voulait plus que cela se reproduise. Il passa des coups de fil, mit à contribution son réseau de collègues. Tous sans exception furent déconcertés de l'entendre, persuadés qu'il s'était retiré en un lieu reculé pour y mourir après sa disgrâce publique. Mais l'histoire de Mark les fascina. Ils n'avaient jamais travaillé sur un cas semblable. Et pas un ne préconisait la même approche. Deux seulement lui suggérèrent de ficher la paix à un syndrome qui ne présentait de menace pour personne. La plupart du temps, ils semblaient soulagés quand Weber raccrochait.

Dans le hall de l'hôtel, il fit marcher ses relations ADSL jusque tard dans la soirée. Il se connecta à l'ensemble des dictionnaires médicaux et explora chaque référence clinique consignée dans la littérature. Il l'avait déjà fait auparavant mais en trop grande hâte. Le patient était alors celui du docteur Hayes, et Weber un simple enquêteur de passage. Il avait suffisamment compulsé la littérature pour conclure qu'il n'en existait pas sur le sujet. Les quelques cas qu'il avait trouvés n'entretenaient aucun rapport direct avec celui de Mark.

Lors d'un second périple parmi les bases de données les plus courantes, le résumé d'un article lui sauta aux yeux. Butler, P. V. Un jeune homme de dix-sept ans atteint du syndrome de Capgras après un traumatisme cérébral. Traitement et résultat : disparition complète des conceptions délirantes après deux semaines d'Olanzapine dosé à 5 mg par jour.

Weber vérifia la date du document : août 2000 ; deux ans. Publié dans le *Australian and New Zealand Journal of Psychiatry*. Aucune excuse pour être passé à côté la première fois. Pas avec les moyens électroniques de recherche. Sauf que la première fois, Weber ne cherchait pas vraiment. La sœur de Mark le suppliait de trouver un traitement, mais il refusait de considérer que le syndrome pût se soigner avec l'une de ces pilules miracle mises tous les jours en vente sur le marché. La psychopharmacologie : ça passe ou ça casse. Difficile à doser, des effets secondaires en pagaille, simple masque posé sur le symptôme et, une fois commencé le traitement, pas facile de diminuer les prises. La médecine de la génération à venir se souviendrait sans doute de celle de Weber avec autant de tristesse que Weber se rappelait celle de son père. Dans l'ensemble, la barbarie reculait, mais jamais aussi loin ni aussi vite qu'on le croyait. À moins que Weber ne fût le dernier barbare. Des mois de souffrance inutile à cause de son aveuglement puritain. Et aussi parce qu'il n'avait jamais vu en Mark autre chose qu'une bonne histoire.

Karin vint le retrouver à son hôtel. Elle monta même jusqu'à sa chambre, escortée par son petit ami en guise de protection. Sans la moindre raison, Daniel Riegel, un jeune homme des plus convenables, mit Weber fort mal à l'aise. Un mal-être spontané, caché dans une quelconque association d'idées : ce bouc, cette chemise ample sans col, l'aura de celui qui s'accepte avec sérénité. Évidemment, Karin était anxieuse. La première fois, le départ précipité de Weber l'avait blessée. Et qu'il eût accepté de revenir la déroutait. Elle remuait les lèvres tandis qu'il parlait, luttant contre l'espoir qu'il pût encore les aider. Combien de temps avait-elle entretenu cet espoir ? Weber pouvait à peine l'imaginer. Comment, au fil des âges, l'espoir lui-même avait-il été retenu par la sélection ? Weber n'en avait aucune idée.

Avant leur arrivée, il avait mis de l'ordre dans sa chambre, entassé ses affaires dans des placards et des tiroirs. Il avait oublié une paire de chaussettes, un gobelet de milk-shake et son livre de chevet : *Les Sept Piliers de la sagesse*. Il ne pouvait plus les récupérer à présent sans attirer l'attention. La chambre n'offrait pas de véritable endroit où s'asseoir, et Weber n'arrivait pas à retrouver le rythme d'une authentique consultation. De leur côté, Karin et Daniel s'étaient rendus à ce rendez-vous comme au tribunal. Et Weber ne leur avait pas encore présenté les différentes options.

Il décrivit la visite de contrôle qu'il avait effectuée auprès de Mark. Sans contredit, son état présentait des caractères plus marqués. Une amélioration spontanée ne semblait plus envisageable. La thérapie comportementale avait échoué. « Je reste convaincu que Mark ne risque pas de faire de tort à qui que ce soit », déclara-t-il. Karin en eut le souffle coupé, ce qui contraria Weber. « Je suggère que nous mettions Mark sous Olanzapine, à faibles doses. »

Devant ce mot, Karin eut un battement de paupières. « C'est nouveau ? » *Nouveau depuis juin ?*

Daniel demanda des explications. « De quel genre de médicament s'agit-il au juste ? »

Weber aurait voulu l'écraser de son autorité. Mais il se contenta de hausser les sourcils.

« Enfin... est-ce que... à quelle catégorie ?... C'est un antidépresseur ?

– Un antipsychotique. » Weber avait trouvé le ton juste et assuré du professionnel. Mais une peur réflexe s'empara de ses deux interlocuteurs. Karin rougit.

« Mark n'est pas psychotique. Il n'est même pas... »

Weber se tenait prêt à lui prodiguer le réconfort nécessaire. « Mark n'est pas schizophrène, mais il a développé des symptômes complexes contre lesquels ce médicament est efficace. Il a très bien fonctionné dans un cas semblable... ailleurs. »

Daniel revint à la charge. « On ne veut pas le droguer ni lui passer une espèce de camisole chimique. » Il regarda Karin mais elle ne l'appuya pas.

« Il ne serait pas sous camisole chimique. » Pas plus que n'importe qui, toujours et partout. « Chez de rares patients, on a constaté une certaine léthargie et une prise de poids. L'Olanzapine contrôle les niveaux de certains neurotransmetteurs, dont la sérotonine et la dopamine. Si ça marche sur Mark, cela réduira son agitation et sa confusion. Avec de la chance, il se peut que le médicament le rende un peu plus lucide et moins sujet aux raisonnements extravagants.

– Avec de la chance ? » demanda Karin.

Weber sourit et ouvrit les mains. « La grande alliée de la médecine.

– Il pourrait me reconnaître de nouveau ? » Prête à tout tenter.

« C'est sans garantie. Mais il semble qu'il y ait un précédent. »

Daniel se prépara à une bataille morale. « Ces médicaments, ils n'entraînent pas une dépendance ?

– Pas l'Olanzapine. » Weber se garda de dire combien de temps Mark devrait suivre le traitement, pour la simple raison qu'il n'en savait rien.

Daniel insista. Il avait entendu des histoires. Les antipsychotiques provoquaient un repli sur soi, émoussaient l'affect. Avec tact, Weber lui rappela l'évidence : Mark avait déjà dépassé ce stade. Daniel se lança alors dans la liste de tous les effets secondaires connus de la thérapeutique. Weber acquiesçait, en proie à l'irritation. Il voulait voir cet homme dans la détresse, le voir se repentir. « Ce médicament est plus récent. C'est ce qu'on appelle un antipsychotique atypique. Il entraîne beaucoup moins d'effets secondaires que la plupart. »

Assise sur le bord du fauteuil violet, Karin tricotait des jambes. Hypotension posturale et akathisie : deux des effets indésirables de l'Olanzapine. Troubles sympathiques, par anticipation. « Ce que Daniel veut dire... c'est que nous craignons que ce médicament ne transforme Mark en quelqu'un d'autre. »

Précisément le résultat qu'elle attendait de Weber. Celui-ci hésita, puis finit par dire : « Mais il est déjà quelqu'un d'autre. »

La consultation prit fin, les laissant tous trois insatisfaits. Weber se sentait coincé. Daniel s'était drapé dans un désarroi plein de dignité. Karin se débattait dans un tourbillon d'émotions. Elle avait très envie de ce médicament miracle, mais ne pouvait faire un pas sans trahir quelqu'un. *Aime-moi et dis-moi que je fais bien.* « Si vous êtes certain que cela diminuera les symptômes... » dit-elle pour le sonder. Mais Weber refusa de lui promettre quoi que ce soit. « Il faut que je réfléchisse. Que je pèse le pour et le contre.

– Prenez tout votre temps », répondit Weber. Tout le temps nécessaire.

Il appela Sylvie, sortit dîner, prit une douche, lut, et écrivit même quelques lignes mais rien de valable. Quand il consulta ses e-mails, un mot de Riegel l'attendait déjà. Daniel avait été effrayé par des informations trouvées en ligne sur un site qui annonçait : « L'Olanzapine est employé dans le traitement de la schizophrénie. Il opère par réduction des piques anormaux de l'activité cérébrale. » Le message était truffé de liens qui renvoyaient à des sites consacrés à des erreurs médicales et à des listes d'effets secondaires connus ou supposés. Daniel prenait lui-même d'exaspérantes précautions. Weber savait-il que l'Olanzapine modifiait de manière considérable le taux de sucre dans le sang ? Une plainte en attente de jugement affirmait même que l'Olanzapine avait « rendu certaines personnes diabétiques ». Daniel niait avoir part à la décision de Karin. « Mais je voudrais l'aider à faire le bon choix. »

Bonheur de l'information infinie : Internet démocratisait même les soins médicaux. Ne pourrait-on attribuer à chaque produit pharmaceutique un classement sur Amazon ? La sagesse des foules. Au rancart les experts ! Weber prit une inspiration et entreprit de répondre à Riegel. Voilà précisément pourquoi la profession médicale avait érigé tant de barrières entre praticiens et patients. Le simple fait de donner suite à cet e-mail était une erreur. Mais Weber s'y employa malgré tout avec autant de bienveillance que possible. Une dette à rembourser. Il connaissait les éventuels effets secondaires du médicament et les leur avait indiqués pendant leur discussion. Sa propre fille souffrait de diabète, et il ne souhaitait nullement déclencher cette maladie chez qui que ce soit. Il n'entendait pas proposer à Karin une ligne de conduite qui ne lui conviendrait pas totalement. Daniel avait raison de la tenir informée par tous les moyens. La décision appartenait à Karin, mais Weber se tenait à leur entière disposition. Il adressa ce message en copie à la jeune femme.

Il s'endormit en songeant à ses propres questions, qui ne lui plaisaient pas davantage. Quels facteurs avaient déclenché en lui cette surprise perpétuelle, cette impression de sortir du long sommeil de l'imposture ?

Pourquoi ce cas, et non les centaines d'autres avant lui, l'avait-il déstabilisé ? Jamais depuis la puberté il n'avait autant douté de ses impulsions. Quand se sentirait-il enfin déchargé, exonéré, et de nouveau prêt à se faire confiance ? Il était devenu à ses propres yeux le sujet d'une intense fascination clinique, celui d'une expérience improvisée conduite par ses soins...

Le lendemain matin, il traversa la ville à pied en quête du *diner* où, des mois plus tôt, il avait pris un petit déjeuner. L'air vif et tonifiant le préparait à tout. Aussi loin qu'il marchait, un bleu de porcelaine, limpide et sans fêlure, encadrait l'horizon. Les bâtiments, les maisons, les voitures, l'herbe et les troncs d'arbres rayonnaient, tout saturés de lumière. Il aurait pu se trouver au beau milieu d'une fête des foins en Kodachrome. De la poussière et de la barbe de maïs séchée dans le nez : il ne se souvenait plus quand il avait senti des odeurs aussi puissantes pour la dernière fois. Il retrouvait ses dix-sept ans, l'époque où, au lycée Chaminade de Dayton, il s'était fixé la tâche d'écrire chaque jour un ghazel à la mode persane. En ce temps-là, il savait qu'il deviendrait poète. À présent, le sentiment d'une terrible imposture s'emparait de lui et l'emplissait de nouvelles possibilités lyriques.

Il s'était laissé convaincre par ses détracteurs. Quelque chose s'était érodé : le noyau de plaisir placé au cœur de sa réussite. En cet instant, ses trois livres lui apparaissaient uniformément plats, vains et égoïstes. Plus Sylvie faisait preuve de courage devant son désarroi, plus il était certain de l'avoir déçue, poussée à lui retirer la confiance viscérale qu'elle lui portait, une perte qu'elle était trop effrayée pour pouvoir reconnaître. Qui saurait dire quel regard Karin Schluter devait porter sur lui ?

Après avoir beaucoup erré, Weber tomba sur le *diner*. Implacable carroyage : cette ville-là n'était pas faite pour qu'on s'y perde. Alors qu'il s'apprêtait à pousser la porte et à mettre au défi la mémoire de la serveuse, il jeta un regard à travers la vitre. Assise dans un coin sur une banquette, Karin Schluter faisait face à un homme qui n'avait rien de Daniel Riegel. Cet homme, en fine cravate turquoise et costume anthracite, semblait pouvoir acheter le défenseur de l'environnement avec la petite monnaie tombée dans la doublure de sa veste. Le couple se donnait la main par-dessus la table jonchée des restes d'un petit déjeuner. Weber s'éloigna de la porte, tourna les talons et reprit sa marche. Peut-être Karin l'avait-elle aperçu. Il descendit la rue, jetant par-dessus son épaule des regards furtifs aux devantures qui bordaient le trottoir d'en face : un cabinet d'avocats bien propret, un magasin de musique sombre et encombré à la vitrine fissurée, une boutique vidéo qui arborait à sa façade un fanion blanc dont les caractères festifs annonçaient : « Mercredi, c'est miniPrix. » Derrière les revêtements d'aluminium rutilant et les panneaux en plastique, perçaient des pans de briques et des bouts de corbeau qui remontaient aux années 1890. La ville entière vivait en état perpétuel d'amnésie rétrograde.

Personne ne viendrait lui en demander davantage. Il avait déjà passé plus de temps avec Mark qu'aucun clinicien ne pouvait se le permettre. Il avait trouvé le meilleur traitement disponible. Il s'était proposé d'assister Karin dans sa décision. Il ne tirerait de cette visite aucune espèce de profit. Tout ce voyage lui avait même coûté beaucoup de temps et d'argent. Mais il ne voulait pas partir tout de suite. Il n'en était pas encore quitte avec Mark. Il retourna à l'hôtel, se rendit au buffet et s'empara d'un objet en forme d'en-cas, monta dans sa voiture, et partit pour Farview.

Dans un champ à trois kilomètres de la ville, il croisa le brontosaure vert et cubique d'une moissonneuse-batteuse qui ravageait des rangs de maïs. En mourant, les cultures accédaient à une beauté austère et minimale. De ces horizons vides, rien ne pourrait jamais surgir pour vous surprendre. L'hiver, bien sûr, était le plus pénible. Peut-être Weber aimerait-il venir ici tenter l'expérience d'un mois de février. Des semaines dans un air à moins vingt degrés, encroûté de neige, battu par les vents qui déferlent des Dakota, sans rien pour les ralentir sur des centaines de kilomètres. Il porta son regard au-delà d'une éminence ourlée de céréales sur une vieille ferme à peine plus moderne qu'une bicoque de pisé. Il s'imaginait dans l'une de ces constructions aux bardeaux gris blanc, sans autre lien avec les hommes qu'un poste de radio rudimentaire. Il lui semblait, depuis la voiture, que cet endroit était l'un des derniers en ce pays où l'on devait encore affronter le contenu de son âme dépouillée de toute espèce d'emballage.

Quelques années plus tôt, le Domaine du Pas des Eaux n'était qu'un grand champ de blé ou de soja. Et à peine quelques décennies auparavant, il y poussait une dizaine d'espèces de graminées dont Weber ne connaissait pas le nom. Dans vingt ans d'ici, dans vingt siècles, les lieux retourneraient à la prairie, oubliant tout de ce bref interlude humain. Une voiture était garée devant la maison de Mark. Weber devina à qui elle appartenait. Son pouls grimpa en flèche. Effet de surprise, il fallait fuir ou combattre. Il se regarda dans le rétroviseur : il avait l'air d'un nain de jardin aux couleurs passées. Il se présenta devant la porte d'entrée sans motif plausible, ni professionnel ni personnel, mais Mark lui ouvrit comme s'il l'attendait. Par-dessus l'épaule du jeune homme, Weber l'aperçut, assise à la table de la cuisine. Elle lui souriait, l'air contrit, familière. Il ne parvenait toujours pas à dire qui elle lui rappelait. Un premier soupçon lui traversa la conscience, mais il n'y prêta pas attention. Elle l'accueillit, telle une vieille confidente. Il lui adressa un sourire crispé, coupable, comme ceux que l'on affiche devant les douaniers lorsqu'on dissimule des marchandises de contrebande.

Marc l'empoigna par les épaules et le secoua, manifestation émoussée de sa joie. « Alors vous voilà tous les deux réunis, les seuls en qui je puisse avoir confiance. En soi, déjà, c'est assez intéressant. Vous ne trouvez pas ? Les seules personnes qui me restent fidèles sont celles que j'ai rencontrées depuis l'accident. Allez, entrez. Asseyez-vous. Nous étions justement en train d'envisager diverses tactiques. Pour faire sortir les coupables du bois. »

Barbara creusa ses joues et haussa les sourcils. « Ce n'est pas tout à fait ce dont nous parlions, Mark. »

Weber admirait son humour pince-sans-rire. Il semblait impossible qu'elle n'ait jamais eu d'enfants.

« À prendre ou à laisser, dit Mark. Inutile de pinailler sur des questions techniques.

– De quoi parliez-vous alors ? » demanda Weber. À découvert, en déséquilibre, sur le point de se noyer dans quelques centimètres d'eau.

Le sourire de Barbara évoquait des échanges secrets. « Je suggérais au jeune Mark ici présent...

– Alias ma pomme...

– Qu'il était temps de songer à une nouvelle approche. S'il veut savoir ce que veut Karine...

– Elle parle de ma pseudo-sœur.

– S'il veut découvrir "ce qu'elle a dans le ventre", alors la meilleure tactique consiste simplement à discuter avec elle. S'asseoir autour d'une table et lui poser toutes les questions. Lui demander qui elle croit être. Qui elle croit qu'il est. Lui demander d'évoquer son passé. L'entendre pour voir si...

– Un genre de coup monté, vous voyez ? Pour la faire parler. Passer au crible les alibis et les renseignements. L'obliger à se couper. Lever un lièvre.

– Monsieur Schluter. »

Mark exécuta un salut militaire. « Au rapport, mon commandant.

– Ce n'est pas du tout l'esprit de ce que nous avions...

– Ne bougez pas. Tout ça est trop excitant. Il faut que j'aille pisser. Ça me prend à tout bout de champ en ce moment. Doc ? À partir de quel âge peut-on raisonnablement avoir un de ces trucs à la prostate ? » Il n'attendit pas la réponse.

Admiratif, Weber regardait Barbara. Son plan possédait une beauté simple, inaccessible aux théoriciens de la neurologie. Personne – pas plus les tenants du modèle informatique du cerveau que les cartésiens ou néocartésiens, ni davantage les zélateurs déguisés de la renaissance béhavioriste, ou les pharmacologues, ou les fonctionnalistes, ou les lésionnaires – personne, hormis une civile, n'aurait pu proposer pareille solution. Et elle ne semblait ni plus destructrice, ni plus désespérée que toutes celles auxquelles la science pourrait parvenir. Peut-être n'aboutirait-elle à rien, sans pour autant se révéler inutile.

Elle évita son regard et murmura une question. Il répondit : « Dans l'État de New York. »

Barbara leva la tête, un sourire inquiet aux lèvres. « Pardon ! J'ai dit "Où" ? Je voulais dire "Comment ?"

– Oh, fit Weber. Dans ce cas, la réponse est : "Dans un état second." »

Ces mots semblaient sortir de la bouche d'un autre. Mais ils le surprirent moins que le confort instantané dans lequel tous deux s'étaient installés. Ils avaient abandonné leur cachette, après des mois : il pouvait oser toutes les confidences, tout dire à cette aide-soignante improbable, à cette femme indéchiffrable.

Barbara recueillit l'aveu de Weber sans sourciller. « Oui, bien sûr. C'est normal. Le contraire serait inquiétant. La chasse est ouverte, et aujourd'hui, c'est vous le gibier. » Elle abattit ses cartes pour lui laisser voir son jeu. Une assistante médicale au fait de la dernière satire parue dans le *New Yorker*. Mais une communion d'esprit aussi naturelle qu'on pût l'imaginer. Elle leva les yeux. Les prunelles de ses yeux noisette étaient aussi larges que les ocelles d'une phalène en carnaval. Ces prunelles le connaissaient. « Chez les humains, tout est encore affaire de domination, n'est-ce pas ? Même quand les hiérarchies sont imaginaires.

– Je ne m'intéresse guère à cette compétition-là. »

Elle rejeta la tête en arrière pour lui lancer le regard amusé et sceptique qu'elle avait adressé à Mark. « Bien sûr que si. Ce livre, c'est vous. Les chasseurs vous encerclent. Il n'y a rien d'imaginaire là-dedans. Qu'allez-vous faire ? Vous coucher par terre et attendre la mort ? »

La plus douce des réprimandes, une gronderie fondée sur une parfaite loyauté. Une confiance sans faille, mais au nom de quoi ? Une heure et demie passée en tête à tête ? La lecture de ses livres ? Pourtant, cette femme voyait ce que Sylvie ne voyait pas. Elle le bouleversait. Pourquoi ? Que cherchait-elle dans ces recensions ? Que faisait-elle ici, chez un ancien patient ? Existait-il une relation entre eux ? Idée insensée. Une visite d'ordre privé, des mois après la sortie de Mark : cela faisait encore moins partie du travail de Barbara que de celui de Weber. Pourtant, il était là lui aussi. Elle l'observait, devinant ses motivations secrètes. Et que répondre au sujet de son retour ? Il restait sans rien dire, prêt à se coucher par terre et à attendre la mort.

Mark sortit des toilettes avant même d'avoir refermé sa braguette. Il hochait la tête, plus vif que Weber ne l'avait encore jamais vu. « Bon, j'ai un plan. Voilà ce que nous allons faire. »

Son timbre métallique semblait se perdre dans le lointain. Weber ne parvint à distinguer les paroles de Mark dans le tohu-bohu qui se déchaînait à côté de lui. Le visage de Barbara Gillespie, cet ovale généreux, le regardait encore – la plus simple des interrogations. En apesanteur, les viscères de Weber répondirent à sa place.

Ils finirent par se retrouver tous les deux dans un restaurant de Kearney, un de ces établissements dessinés à Minneapolis ou Atlanta, puis faxés à la chaîne aux quatre coins du pays. L'Amérique disparue, historique, réincarnée sous la forme de franchises rassurantes. Celle-ci était censée figurer une mine d'argent des années 1880, échouée à environ six cents kilomètres de l'endroit où elle aurait dû se trouver. Mais après tout, Weber en connaissait une toute semblable dans le Queens.

La simplicité de leur conversation le troublait. Ils s'exprimaient dans la langue dépouillée, l'abrégé comique, qu'utilisent ceux qui se connaissent depuis l'enfance. Idioglossie bien partagée. Ils piquaient dans un plat d'oignons frits et bavardaient, sans qu'il leur fût nécessaire de s'expliquer. Bien sûr, le cerveau de Mark leur fournissait un inépuisable sujet de discussion : « Alors, vous, vous en pensez quoi, de ce traitement ? » La voix de Barbara ne trahissait rien, ne laissait rien deviner de ses propres inclinations.

L'attention qu'elle portait à Mark intriguait Weber et mettait sa propre sollicitude en accusation. Pourquoi fallait-il que Barbara fût si proche de ce jeune homme quand elle possédait encore moins de choses en commun avec lui que Weber ? Il hochait la tête en se passant la main dans l'idée de ses cheveux. « Je suis, au mieux, partagé. D'ordinaire, face à un phénomène d'une telle ampleur, j'ai tendance au conservatisme. En neurochimie, chaque coup de dés tient un peu du quitte ou double. C'est comme tenter de fixer un petit bateau à l'intérieur d'une bouteille en la secouant. D'ailleurs, je ne suis pas pour les ISRS ; je préfère épuiser d'abord les autres possibilités.

– Ah bon ? Alors, vous n'êtes pas vraiment dépressif. »

Il n'en était plus très sûr. « La moitié de ceux qui réagissent aux antidépresseurs réagissent aussi aux placebos. J'ai lu des études selon lesquelles un quart d'heure d'exercice et vingt minutes de lecture par jour font autant contre la dépression que les traitements les plus courants. »

Elle cligna les yeux et pencha la tête sur le côté. « Je lis trois à quatre heures par jour, et je ne me sens pas franchement à l'abri. »

Cette femme lisait plus que lui et traversait elle aussi de sombres périodes : deux faits qu'il n'eût jamais soupçonnés. Et qui, à présent, lui semblaient l'évidence même. « Ah tiens ? » Sa bouche fit une grimace. « Essayez de vous en tenir à vingt minutes. »

Elle sourit et se donna une petite tape sur le front. « Oui, docteur.

– Mais pour Mark, c'est peut-être la bonne solution. La seule voie qui puisse lui être d'un quelconque secours. » Deux choses différentes, Weber le savait. Mais il glissa sur ce point.

Insatiable dès qu'il s'agissait de Mark, Barbara posait beaucoup de questions. De fil en aiguille, la conversation dévia : le syndrome de Capgras, puis la paramnésie réduplicative, puis les délires d'intermétamorphose. Barbara voulait tout savoir sur l'anosognosie : des patients inconscients de leur mal, même après qu'on le leur eut révélé. « Ça me dépasse. Vous croyez que ce Ramachandran pourrait avoir raison ? Qu'il existe dans l'un des sous-systèmes du cerveau un petit “avocat du diable” qui se détraque ? »

Elle avait lu bien autre chose que les livres de Weber. Elle montrait beaucoup trop de cœur à parler de ses lectures. Il l'écoutait avec grande attention, la regardait, l'oreille presque collée à l'épaule, en une posture vaguement canine. Il aurait voulu l'interroger : *Dites-moi un peu qui vous êtes, quand vous n'êtes pas vous-même.* Il lui demanda : « Et depuis combien de temps exercez-vous le métier d'infirmière ? »

Elle baissa la tête. « Je ne suis pas vraiment infirmière. Vous le savez bien. Je suis assistante médicale. Aide-soignante. » Furtive, elle vola une rondelle dans l'inflorescence d'oignons frits.

« Mais vous n'avez jamais eu envie d'obtenir une licence ? Songé à suivre une formation de thérapeute ? » Weber commençait à échafauder une théorie : cette femme ressentait une panique semblable à celle qui s'emparait de lui à l'idée d'entrer dans l'arène pour affronter le jugement du public. Encore un point commun.

« En fait, je ne travaille dans le domaine de la santé que depuis peu.

– Que faisiez-vous avant ? »

Ses yeux pétillaient. « Pourquoi ai-je l'impression de devoir bientôt figurer parmi vos prochaines études de cas ?

– Désolé. Je vais trop loin.

– Oh, ne vous excusez pas. Je suis flattée, je vous assure. Il y a bien longtemps qu'on ne m'avait pas soumise à un interrogatoire complet.

– J'arrête de fouiner, promis.

– Inutile. Pour tout vous dire, ça fait du bien de parler de la... réalité. Ce n'est pas si souvent... » Son regard parcourut la salle. Il la surprit, dans un éclair, à l'affût de la moindre miette d'échange intellectuel, en ce lieu où elle avait choisi l'exil, un lieu qui se méfiait de l'intellect et réprouvait les discours. L'unique raison, peut-être, qui la poussait à lui faire bon accueil.

« Vous vivez... seule ? Pas d'ami ? Pas de mari ? »

Elle se mit à rire. « De nos jours, la question est : "Combien de maris ?"

– Je suis désolé ! C'est très indélicat de ma part.

– Vous dites souvent : "Je suis désolé." On serait presque tenté de vous croire. Enfin bref. J'ai eu deux maris. Le premier : une erreur de jeunesse, une folie passagère. Divorce par consentement mutuel. Le second m'a quittée parce que je mettais trop de temps à me décider pour un enfant.

– Attendez. Il a divorcé parce que vous n'aviez pas d'enfant ?

– Il lui fallait un héritier.

– Pourquoi ? Il était roi d'Angleterre ?

– Comme beaucoup d'hommes. »

Faute de neurosciences pour s'immuniser contre la beauté, Weber examinait le visage de Barbara. Il la vit telle qu'elle serait, à soixante-dix ans passés, atteinte de la maladie d'Alzheimer, le regard perdu, assise devant une fenêtre vide. « Vous ne vouliez pas d'enfants ?

– Pour en revenir à ces sous-systèmes neuronaux. Combien y en a-t-il au juste ? Ils me font l'effet d'un assemblage hétéroclite, façon collège électoral. »

Elle se servait de lui. Pas tant de lui d'ailleurs que de sa cervelle trop pleine et disponible, cette chose contre laquelle elle venait rebondir.

« Allons bon ! La politique maintenant. Je ferais sans doute mieux de rentrer chez moi. »

Il ne rentra pas chez lui. Ils poursuivirent la discussion jusqu'à ce que la serveuse vienne les interrompre pour leur verser une énième tasse de café. Même sur le parking, adossés à sa voiture dans l'air bruissant de feuilles, ils parlèrent encore. Ils revinrent à Mark, à l'amnésie rétrograde et à une question : le souvenir de cette nuit était-il toujours présent dans son cerveau, accessible en théorie, même si lui ne pouvait le retrouver ?

« Il m'a parlé d'un bar dans lequel il se serait rendu, dit Weber. Un genre de boîte en bord de route. »

Elle sourit ; le sourire le plus solitaire qu'il eût jamais vu. « Vous voulez aller y jeter un œil ? »

Weber avait attendu cet instant pour s'apercevoir qu'il cherchait à la manœuvrer.

« Appelez d'abord votre femme, recommanda-t-elle.

– Comment savez-vous... ?

– Je vous en prie. Vous avez passé toute la soirée avec moi. J'ai été mariée deux fois, rappelez-vous. Je connais la musique. »

Weber resta donc sur le parking et alla s'enregistrer auprès de Sylvie pour la nuit, tandis que la femme indéchiffrable, enveloppée dans une veste en daim trop fine, décrivait des cercles sous un lampadaire à cinquante mètres de là, pour le laisser s'isoler.

Ils se rendirent au Silver Bullet dans la voiture de Weber. Quand il mit le contact, la radio s'éveilla dans un rugissement : la seule station de musique classique qu'il avait trouvée au départ de Lincoln. Il éteignit le poste. « Un instant ! dit-elle. Rallumez-le. »

Il s'exécuta et se dirigea vers la sortie du parking pour rejoindre la route déserte. Des voix aiguës et dépouillées s'entrelaçaient, portées par une vague de cuivres. Musique venue d'une autre planète, chant antiphonal, chemin perdu de la pensée.

« Mon Dieu », murmura-t-elle. Elle avait l'air de souffrir. Weber la regarda. Dans l'obscurité, son visage était crispé et ses yeux humides. Elle leva la main en signe d'objection et détourna la tête. « Désolée », dit-elle. Un sanglot dans la voix. « Tiens, vous avez remarqué ? "Désolée." On croirait vous entendre. *Désolée*. Ne faites pas attention. Ce n'est rien.

– Du Monteverdi, supposa Weber. Vous connaissez ? »

Elle secoua vivement la tête. « Je n'ai jamais rien entendu de semblable. » Elle tendit l'oreille, comme à l'écoute d'un vieux poste à galène qui propagerait la nouvelle d'une invasion étrangère. Après la moitié d'un refrain, elle coupa la radio. En silence, ils quittèrent la ville et s'engagèrent sur de petites routes sombres. Barbara indiquait le chemin à suivre par de simples gestes. Quand elle reprit la parole, son ton de voix était neutre. « C'est la route. Celle de Mark. »

Weber ouvrit l'œil mais ne vit rien. Pas le moindre signe distinctif. Ils auraient pu se trouver n'importe où entre le Dakota du Sud et l'Oklahoma. Ils roulaient dans l'obscurité automnale, et les phares éclairaient juste assez pour les pousser sans fin dans l'ignorance absolue.

À l'intérieur de la boîte de nuit, l'ambiance était assourdissante, la musique si forte qu'elle faisait du trampoline sur les tympans de Weber. « Nous ne sommes pas tombés sur la soirée topless, hurla Barbara. C'est déjà ça. Voilà le groupe qui jouait le soir de l'accident. Le préféré de Mark. »

Weber voulait dire qu'il connaissait fort bien les Bêtes à cordes et en savait autant qu'elle sur les goûts musicaux de Mark. Cela le mettait en colère : elle portait à Mark une attention si spontanée, là où la sienne regorgeait d'arrière-pensées.

Ils se trouvèrent une banquette dans un angle. Barbara se rendit au bar et ramena deux bières pâles servies dans des gobelets en plastique à nervures. Elle se pencha par-dessus la table et lui cria à l'oreille : « Vous vous demandez peut-être : “Qu'est-ce que je fiche ici ?”

– Comment vous dites ? »

Elle le regarda pour voir s'il plaisantait. « Rien. Un vieux tube de ma génération. »

Il ouvrit grand les bras. « Tous ces gens sont des habitués ? » Barbara haussa les épaules : *Pour la plupart*. « Certains d'entre eux se trouvaient là, le soir où Mark et ses amis... ? » La musique balaya les paroles de Weber.

Elle se pencha vers lui, les coudes sur la table. « La police a interrogé tout le monde. Personne ne sait rien. Comme d'habitude. »

Assis sur la banquette étroite, ils buvaient et jetaient alentour de petits coups de périscope. Weber jaugeait Barbara. De près, son visage ressemblait à celui d'un enfant qui compte les jours jusqu'à son anniversaire. La solitude inexplicable de cette femme le troublait. Un événement s'était produit, qui l'avait enfermée dans une posture ; une étrange perte de confiance l'avait poussée à mener une existence modeste bien au-dessous de ses compétences. Elle avait perdu une part d'elle-même, ou s'en était amputée, rejetant la compétition, refusant de participer à une entreprise collective chaque jour plus effrénée. Une atteinte du cortex préfrontal pouvait-elle avoir transformé Barbara en ermite ? Aucune lésion n'était nécessaire. Il les reconnaissait, elle et son renoncement. Quelque chose les liait l'un à l'autre. Quelque chose de plus que l'inconcevable bizarrerie du syndrome de Capgras (et que l'orphelin dont ils partageaient la garde) les tenait tous deux éloignés du monde. Elle avait traversé une épreuve très semblable à celle qui érodait Weber à présent.

Barbara surprit son regard inquisiteur. Elle tendit la main par-dessus la table étroite et lui prit le poignet. « C'est donc ça que vous entendiez par “état second” ? »

À l'instant où elle lui saisit le bras, Weber ne parvint à maîtriser son membre tétanisé : il tremblait comme s'il venait de tenter de soulever dans les airs une charge plusieurs fois supérieure à son poids.

Elle se pencha vers lui et lui redressa le menton. « Croyez-moi. Ces gens-là ne sont personne. Ils n'ont aucun pouvoir sur vous. »

Il lui fallut un moment pour identifier « ces gens-là » : le tribunal de l'opinion publique. « Bien sûr que si », répondit-il. Plus de pouvoir qu'il n'en possédait sur lui-même. Le cortex humain avait entamé son évolution en apprenant à naviguer au sein de hiérarchies sociales compliquées. La moitié de la connaissance, le principal facteur de sélection à l'œuvre aujourd'hui, venait de là : le troupeau intérieur.

Et façonné pour accueillir le pouvoir de « ces gens-là », le cerveau de Barbara voyait clair dans celui de Weber. « Pourquoi vous soucier de ces querelles de singes ? Ces combats entre mâles. Ce qui compte, c'est le sentiment que vous inspire votre travail. »

Mais tout sentiment avait disparu. Ne restait que le jugement sommaire. Elle inclina la tête. Ses yeux l'imploraient. Et devant ce geste d'impuissance, un flot de paroles s'épancha de lui. « C'est bien le problème. Ce que disent les critiques, c'est l'exacte vérité, de bout en bout. Mon travail est des plus suspects. »

Oser cet aveu devant cette femme : Weber était au bord de l'extase. Elle plissa les paupières et secoua la tête. « Pourquoi dites-vous ça ?

– Je ne suis pas venu pour aider Mark. Pas au début. » La musique lançait ses coups de boutoir. Tout autour de Weber, des gens s'évertuaient à fabriquer d'autres gens. Il ne pouvait supporter de spectacle plus complexe que celui de la mousse sur sa bière. « Simple narcissisme, d'ailleurs ; me croire capable de l'aider. Que puis-je faire, sinon lui mettre entre les mains un genre de carabine chimique ? Tiens, prends ça, et croisons les doigts pour qu'il n'y ait pas de pépin. »

Elle lui caressait les jointures avec l'arrière du pouce, comme si elle avait toujours fait ce geste.

« Et que peuvent pour lui toutes les neurosciences de la terre ? C'est de l'arrogance, rien d'autre. Une espèce de charlatanisme. Et moi, pourrait-on seulement m'expliquer ce que je fiche ici ? »

Elle laissa sa main reposer sur les doigts de Weber, sans rien dire. Le buste en avant. Quelque chose en elle partageait son sentiment de fausseté et s'en pénétrait. Seul le regard de cette femme offrait à Gerald une certitude : l'empathie était affaire de vertige. Elle lui prit le poignet et l'agita. Weber avait presque cessé de trembler. « *Basta cosi*. Assez de flagellation. Allons danser. »

Saisi de stupeur, il eut un mouvement de recul et se plaqua contre la banquette. « Je ne danse pas.

– Comment ça ? Tout ce qui vit danse. » Elle rit de le voir terrorisé. « Il suffit d'aller là-bas et de se trémousser. Comme si on voulait attraper des bestioles. »

Il était trop épuisé pour protester. Elle l'entraîna vers le centre de la piste, remorqueur tirant un cargo blessé. Il peinait dans son sillage, attendant des instructions qui ne vinrent pas. Danser dans un bar en compagnie d'une inconnue : Weber se sentait aussi mal à l'aise qu'après une journée sans travail. Il ne s'agissait pourtant que de trouver refuge dans un abri de fortune, simple et partagé. Que cela pût impliquer quoi que ce fût d'illicite semblait presque comique : « Attaque à main désarmée », plaisantait-il toujours avec Sylvie. Weber et Barbara commencèrent à se mouvoir et à se déployer. Tout autour d'eux, des gens remuaient. Salsa et boogie. Jazz box et trébuchements cadencés. Contorsions baroques posées sur les rythmes folkloriques déjantés des guitares non moins étranges. À côté d'eux, les yeux dans les yeux, un couple de jeunes gens se démenait avec vigueur. Plus loin, le descendant d'une tribu ponca paradait sur des variations de danses rituelles, tandis que sa partenaire déployait ses ailes. Partout, des genoux se levaient, des épaules se dressaient. Cette femme avait raison : tout être vivant s'agitait sous l'attraction de la lune.

Elle rit de le voir. « Vous avez fière allure ! »

Il avait surtout l'air d'un idiot. D'un oisillon maladroit qui trompette dans l'automne. Mais son corps épousait la pulsation des choses. La musique s'arrêta, les livrant à eux-mêmes. Weber baignait dans une mare de honte et ressentit le besoin de combler le vide. « Vous croyez que Mark et ses amis ont dansé ce soir-là ? »

Elle examina cette éventualité du coin de l'œil. « Bonnie n'était pas de la partie. Mais ça ne veut pas dire qu'il n'y avait aucune femme dans les parages. L'alcool, lui, était bien présent, et d'autres substances aussi. Mark me l'a dit. »

La musique reprit : du *bluegrass* teinté de *heavy metal*. Légère, omnisciente, une vague submergea Weber. Même la danse semblait de trop en cet instant. « Venez, dit-il, mieux vaut nous en aller. Nous n'apprendrons rien ici. »

Elle le sentait, elle aussi, il en avait la certitude. Le grand frisson des débâcles. Ils auraient pu être n'importe qui, dans n'importe quelle vie : deux clandestins en cavale. Le visage de Barbara, aussi troublé que le sien, arborait le masque de la désinvolture. Elle trouva la sortie. Ils quittèrent le nuage de fumée et de bruit, précipités dans un ciel plein d'étoiles. Un calme très improbable s'était emparé de Weber, la quiétude de l'impuissance, et il savait que Barbara avait basculé comme lui dans le silence. L'air des moissons était sec et dense. Sur le chemin qui les ramenait à la voiture, le gravier crissait sous les pas de Weber. Barbara le saisit par l'épaule et l'arrêta. « Chut ! Écoutez ! »

De nouveau, il entendit. Version nocturne, cette fois. Tempêtes d'insectes et cris perçants de ceux qui les chassent. De temps à autre résonnait le ululement d'une chouette – *Qui se dévoue ? Se soucie de vous ?* – et l'antienne entonnée par ce qui était manifestement des coyotes. Autant de créatures qui ne distinguaient en l'humain qu'un élément dans la trame sonore. Des êtres vivants de tous calibres, pour qui ce bar en bord de route n'était qu'un tertre de plus dans l'expérience perpétuelle du terrain, un nœud grouillant à exploiter encore, au sein du biotope.

Elle leva les yeux vers lui : la femme la plus seule qu'il eût jamais rencontrée, à la recherche désespérée d'un lien, d'une preuve que son existence n'était pas tout entière le fruit de son esprit. Weber écoutait la nuit, le son de leur solitude. Mais comme ce témoin, auteur secret du billet, il gardait un silence absolu dans l'espoir qu'on le laisse à la marge. Il se déroba au regard interrogateur de Barbara et se dirigea vers la voiture. Parvenu au véhicule, il ne pouvait déjà plus se défendre, fût-ce devant lui-même, le plus indulgent des publics. Certes, il avait rectifié sa conduite envers les Schluter, et remis de l'ordre en lui. Mais en cet instant, parmi les bruits de la nuit, sous la caresse légère du vent qui lui frôlait le bras, et dans le regard de cette recluse, enfoui si loin à l'écart de la vie, il reconnut l'effacement auquel il aspirait lui aussi.

Karin alla chercher conseil auprès de Karsh. Daniel noyait toutes ses recommandations sous la morale. Selon lui, les médicaments allaient poser plus de problèmes qu'ils n'aideraient à en résoudre. Mais il n'était pas lié à Mark par le sang. Karin et Daniel avaient beau servir ensemble une même cause, elle n'allait pas lui sacrifier son frère pour autant.

Elle avait vu Karsh à deux reprises. Autour d'un verre. Un petit remontant. Rien de répréhensible, rien que Karin ne pût affronter. Elle n'avait éprouvé aucun plaisir depuis si longtemps que ces quelques pichenettes parvenaient à peine à réinitialiser le système. Elle était entrée en contact avec Robert par le biais du vieux pseudonyme qu'il utilisait sur Internet pour sa correspondance secrète. Il lui avait proposé un brunch. « Ça nous changera un peu, non ? Une troisième mi-temps, sans match préalable. »

Autrefois, cela l'exaspérait. Elle n'aspirait qu'à une chose : s'asseoir avec lui devant un petit déjeuner, comme des gens civilisés, au lieu de filer en douce à la façon de criminels. Elle l'avait retrouvé chez Mary Ann, à deux pas de son bureau. Quand elle était entrée, il s'était levé d'un bond et l'avait embrassée sur la joue. Ce geste soudain l'avait fait tressaillir.

Un petit déjeuner, rien de plus : elle s'assit et commanda. L'esprit de cet homme, aussi tranchant et brutal qu'un audit, lui offrait ce dont elle avait justement besoin. Elle lui exposa le traitement proposé par le docteur Weber. « Un antipsychotique », chuchota-t-elle. Robert se contenta d'acquiescer. Elle lui soumit les objections les plus effrayantes de Daniel. « J'ai peur de rendre mon frère accro à des substances psychotropes. »

Karsh secoua la tête et, d'un geste, désigna leur petit déjeuner. « Le café est un psychotrope. Comme cette omelette aux pommes de terre. Et je crois me souvenir d'une de tes petites drogues personnelles : ce chocolat suisse en portions triangulaires ? Ne viens pas me dire que cette chose ne t'a jamais fait planer, passé deux ou trois prises.

– Robert, je ne te parle pas d'une barre de chocolat. Ce truc agit sur le psychisme. »

Il haussa les épaules et frappa dans ses mains. « Tu retardes, Lapereau. La moitié des États-Unis est sous psychotrope. Regarde autour de toi. Tu vois ces gens là-bas ? » Il indiqua une zone au confluent d'une tablée de quatre retraités en jogging et d'une famille mennonite. « C'est presque du moitié-moitié. Quarante-cinq pour cent des Américains prennent des substances qui modifient le comportement. Anxiolytiques. Antidépresseurs. Tu as l'embarras du choix. Ça ne marcherait pas, sinon. Le monde est bien trop rude. D'ailleurs, moi aussi, je prends deux ou trois petites choses. »

Elle le regarda, saisie d'un vertige. Cette tranquillité inconnue, cette aisance et cette humilité nouvelles : l'effet, peut-être, de quelque substance. Des traits radoucis, des rondeurs de nourrisson. Chimie, encore et toujours. Mais au fond, le cerveau lui-même baignait dans un flot de psychotropes. Tous les livres qu'elle avait lus depuis l'accident de Mark le disaient bien. Un malaise s'empara d'elle. Elle voulait le vrai Karsh, pas ce philosophe indulgent et insaisissable. « Mais un antipsychotique... »

Il avait une manie : se tâter le pouls en permanence, les doigts de la main droite posés sur le poignet gauche. Ce tic la rendait cinglée autrefois. À présent, il lui procurait juste de l'effroi. Robert leva l'index, façon prédicateur : « "Un gramme vaut mieux qu'un drame."

– Pardon ?

– Tu ne te rappelles pas ? Il jubilait. On a dû se farcir ce bouquin au lycée. Tu te souviens du lycée quand même ? Tu devrais peut-être prendre quelque chose pour la mémoire.

– Je me rappelle t'avoir emmené au bal de novembre et t'avoir retrouvé derrière un talus, vautré comme un cochon truffier sur cette morue de Marie Harkness Couche-toi-là.

– Je croyais qu'on parlait littérature.

– On parlait de l'avenir de mon frère. »

Il baissa la tête. « Désolé. Dis-moi ce qui te préoccupe. Donne-moi tes meilleurs arguments, et les plus mauvais aussi. »

Être écoutée, simplement, sans devoir subir sans cesse un jugement silencieux, lui faisait du bien. Pouvoir fumer devant cet homme, sans se cacher, lui faisait plus de bien encore. Elle lui avoua toutes ses peurs : le risque que Mark se blesse. Ou qu'il blesse quelqu'un. Le risque qu'apparaisse un nouveau symptôme étrange. Que le traitement le rende encore plus méconnaissable. « Ça me démolit, Robert. J'avais fait mes valises, j'étais prête à partir. Et je n'en ai même pas trouvé la force. Mark a bien raison. Je suis une doublure. Regarde-moi. Il y a de quoi rire. Un caméléon. Vide à l'intérieur. Le Vendredi de tous les Robinson. Mark m'accuse d'imposture ? C'est la vérité. Je n'ai jamais fait que feindre. J'ai toujours voulu être ce que je croyais que les gens attendaient de moi...

– Hé ! lança Karsh sur le ton de la réprimande. Doucement. Si ça se trouve, c'est à toi qu'on devrait administrer ce traitement. »

Elle céda à un rire mouillé de larmes. Elle raconta à Robert le procès de l'Olanzapine, celui que Daniel avait découvert, en lui faisant croire qu'elle avait déniché l'information elle-même. Karsh prit quelques notes dans son agenda.

« Nous entretenons un bataillon d'avocats. Je demanderai à l'un d'entre eux de voir ce qu'il peut trouver là-dessus. »

Le simple fait de parler à Karsh la rassurait, plus que de raison. Bien sûr, il était tout aussi partial que Daniel. Aucun d'eux ne savait ce qui valait mieux pour Mark. Mais entendre les contre-arguments de Robert libérait Karin. La responsabilité d'une mauvaise décision ne pèserait plus sur ses seules épaules.

Karsh se prit le pouls. « Cela dit, si tu t'engages dans cette voie, un problème demeure.

– Oui ?

– Faire en sorte que Mark accepte la démarche.

– Qu'il accepte d'avaler des pilules ? Un problème ? » Elle laissa échapper un grognement de douleur.

« Réussir à lui faire suivre son traitement. Respecter les doses. Mark ne sera pas le plus fiable des patients. S'il lui prend tout d'un coup l'envie d'arrêter... »

Elle acquiesça : un tracas de plus. Ils avaient atteint tous deux le seuil limite de leur consommation de café. Il était temps de partir. Mais ils ne bougeaient ni l'un ni l'autre.

« Tu devrais aller travailler, dit-elle.

– Alors, c'est vrai, ce qu'on raconte ? Te voilà aide-bénévole aux Sandhills ? »

Elle lui rendit son sourire, coup de griffe pour coup de griffe. « Crois-le si tu veux, mais ils me payent pour de bon. » Elle-même ne parvenait pas encore à s'en convaincre tout à fait. En quelques semaines, pressée de se rendre digne de cet emploi, elle avait lu chacun des rapports émis par le Refuge. Et d'emblée, le Refuge lui avait confié d'authentiques responsabilités. Pour la culpabiliser sans doute, ses nouvelles obligations la tiraient de l'ornière dans laquelle elle s'était complu depuis l'accident de Mark. Un endroit réclamait vraiment son énergie, donnait à ses journées une définition utile. Comme Daniel, elle travaillait maintenant au moins cinquante heures par semaine. Mark ne pouvait pas lui en vouloir : les imposteurs n'étaient contraints envers lui à aucune loyauté. Elle en savait désormais davantage que n'importe quel stagiaire sur les efforts destinés à protéger la rivière. Des informations pour lesquelles Karsh aurait pu tuer.

« Sans rire ? fit-il, sourcils levés. Ils te paient, avec de l'argent ? En dollars américains ? C'est chouette, ça. Et qu'est-ce qu'ils te font faire au juste ? »

Tout : archivage, relecture. Démarchage téléphonique auprès des politiciens du cru et des éventuels donateurs. Elle se servait de son plus bel atout, sa voix chaude et rassurante de mezzo rodée au service clientèle. « Robert. Tu sais bien. Je ne suis pas censée en parler.

– Je vois. » Dans ses yeux vert d'eau luisait l'éclair de l'innocence offensée. Le Robert d'autrefois. Celui qui pouvait la mettre en pièces sans avoir besoin de consulter la notice. Le Karsh auquel il ne pouvait se soustraire, pas plus qu'elle ne pouvait échapper à elle-même. « Les secrets bien gardés des protecteurs du marais. Je comprends tout à fait. Que pèse notre histoire personnelle auprès de quatre milliards d'années d'évolution à préserver ? »

Deux ans plus tôt ce mois-ci, elle s'était étendue près de cet homme sous une pluie battante, nue sur les berges liquides, et lui avait léché les aisselles comme un chaton. « Je ne sais pas, Robert. Que te dire ? C'est le travail le plus gratifiant que j'aie jamais eu. Plus grand que moi ? Oui, plus grand que n'importe qui. Je compulse des documents en ce moment... Tu savais que nous avons plus transformé cette rivière en cent ans qu'au cours des dix derniers millénaires... ?

– Excuse-moi... des documents ? Quel genre de documents ?

– Des photocopies en provenance du bureau du comté, si tu veux tout savoir. » Elle en avait déjà trop dit. Et il avait à coup sûr deviné. Elle le regardait feindre le calme. Elle avait souvent vu cet air sur son visage, mais sans jamais encore parvenir à le déclencher. Ce spectacle agissait ni plus ni moins sur elle comme un psychotrope.

« Tu as raison. Tu ferais sans doute mieux de ne rien me dire. » Son grand numéro de charme, un charme de gosse d'autant plus curieux que Karsh commençait à grisonner. « Mais tu peux me dire si je me trompe, non ?

– Ça dépend.

– De quoi ?

– De ce que tu me diras en échange. »

Mains à plat sur la table. « Vas-y. Demande-moi ce que tu veux.

– Ce que je veux ? » Elle se mit à glousser. « Comment va la famille ? »

Il se cala sur la banquette et déposa les armes, trop vite. « Les gamins sont... vraiment géniaux. Je suis très heureux de m'être lancé dans la paternité et tout ce bordel. Pas une semaine sans nouveauté. Skateboard, club de théâtre, piratage informatique à l'échelle industrielle. Non, je t'assure : ils sont fantastiques. Wendy et moi, c'est différent.

– Différent... ?

– Écoute. Je ne veux pas t'ennuyer avec ça, Lapereau. Cette affaire n'a absolument rien à voir avec ton retour. Ça couvait depuis des mois, bien avant qu'on se retrouve. »

Peu de différence, apparemment, entre cette affaire et ce qu'il lui avait raconté pendant des années. Mais cela ne pouvait plus l'atteindre désormais. Comme ces courriers publicitaires marqués « Urgent : répondez avant la date limite ». « Tu ne m'apprends rien, Robert. Mes allées et venues ne t'ont jamais affecté.

– Ce n'est pas ce que je veux dire, et tu le sais. Mais je vais faire preuve de beaucoup de psychologie en te laissant m'agresser. » Elle riposta en versant du sel sur la dernière demi-lamelle de bacon restée dans l'assiette de Karsh. Contrit, il se la fourra dans la bouche. « C'est bien ce que je disais. » Il faisait de grands gestes, ravi. « Saurais-tu me dire quand je me suis senti aussi libre pour la dernière fois ? Wendy et moi, on tourne en rond dans notre baraque coloniale aseptisée, on s'épie comme deux enquêteurs d'assurance qui flairent l'escroquerie à l'incendie. On est à cran. Au point qu'il va falloir se séparer pour épargner les gosses. » Il fixait l'artère du centre-ville derrière la baie vitrée.

« Tu vois quelque chose d'intéressant, là-dehors ? Une belle journée pour exercer son talent ? »

Il répondit d'un simple hochement de tête. « Tout ce que je vois, je le trouve un peu plus intéressant. Quand tu es là. »

Attaque la plus dangereuse de toute la partie. Être celle qui rendait les autres plus heureux d'être ce qu'ils étaient ; elle en avait toujours rêvé. Et seul cet homme connaissait cette faiblesse fatale en elle. Elle l'écouta sans le contrer, acquiesçant aux détails qu'il lui fournissait : l'appartement qu'il s'était mis de côté pour se ménager un point de chute, l'avocat qui lui avait promis une défense raisonnable. Elle le laissa enchaîner sur ses projets d'avenir. Au moins eut-il la décence de ne pas lui demander si en faire partie l'intéressait. Un baiser sur la joue et un petit déjeuner offert, voilà tout ce que cette brève escapade avait coûté à Karin.

Il l'empoigna par les épaules et lui dit au revoir. « Je crois que ton frère a raison, après tout. Tu as changé. » Avant qu'elle ait eu le temps de se récrier, il ajouta : « En mieux », puis il disparut dans la grand-rue de Kearney tout juste rénovée.

Ce soir-là, le docteur Weber appela. « Vous tenez le coup ? » lui demanda-t-il. Il semblait vraiment se soucier de son état. Mais Karin ne voulait pas d'une psychanalyse. Elle se passait de son aide : seul son frère en avait besoin. Elle se précipita sur la liste des nouvelles questions qu'elle souhaitait poser au sujet du traitement envisagé, et commença à les égrener. Weber l'interrompit avec douceur. « Je repars pour New York demain matin. »

Ces mots l'abasourdirent. Elle tenta deux objections confuses, avant de comprendre. De nouveau, il se retirait du jeu, plus vite même que la première fois. Elle ne le reverrait plus, quelle que soit l'option qu'elle retiendrait.

« Je resterai en contact avec le docteur Hayes au Bon Samaritain. Je lui transmettrai un rapport complet. Lui donnerai toutes les informations que j'ai pu rassembler et le mettrai au courant de la situation actuelle.

– C'est... Je ne... Je voulais encore vous demander... » Elle fouillait dans la paperasse du Refuge et en bouscula une pile qui tomba à terre. Elle lança un juron brutal, puis couvrit d'une main le combiné.

« N'hésitez pas, dit Weber. Posez-moi toutes vos questions. Maintenant, ou après mon départ.

– Mais je croyais que nous allions... Je pensais que nous aurions l'occasion de discuter des possibilités encore une fois. C'est une décision grave, et je n'ai pas...

– Nous pourrons discuter. Et le docteur Hayes est là. Comme le personnel de l'hôpital. »

Elle sentait le contrôle lui échapper, et n'en avait cure. « Alors c'est ça, la compassion du médecin pour son patient ? » dit-elle à voix haute.

Il fallait que ça sorte, dans son propre intérêt. Le calme professionnel de Weber la mettait hors d'elle. Pourquoi s'être donné la peine de revenir s'il avait prévu d'agir ainsi ? Rentrer chez lui, retrouver sa famille, sa femme. Et si, lorsqu'il franchirait le pas de sa porte, cette femme ne le reconnaissait plus ? Si elle menaçait d'appeler la police pour le faire partir ? Un antipsychotique. « Vous n'avez pas idée de l'état dans lequel je me trouve.

– Je peux imaginer, répondit Weber.

– Non, vous ne pouvez pas. Vous êtes à cent lieues de comprendre. » Elle n'en pouvait plus de ces gens qui s'imaginaient pouvoir imaginer. Elle était sur le point de lui dire tout ce qu'elle pensait de lui. Mais pour Mark, elle reprit son calme. « Excusez-moi, dit-elle. Je suis impardonnable. Pas trop dans mon assiette ces temps-ci. » Elle lui assura qu'elle comprenait sa décision et qu'elle ferait face de son côté. Puis elle le remercia de toute son aide et lui dit au revoir pour de bon.

Un peu plus, et elle le lui crachait au visage : « Vous êtes à cent lieues de comprendre. » Comme si son intention expresse avait été de confirmer les pires accusations du public : Weber l'opportuniste, le fonctionnaliste au sang-froid. Qui ne porte aucun intérêt aux personnes. Tout ce qui compte à vos yeux, ce sont les théories.

Le culot de cette femme le laissait pantois. Il lui avait apporté un traitement là où il n'en existait pas, avait donné de son temps et fourni des efforts pour trouver une solution. Un travail qui se chiffrait en dizaines de milliers de dollars, livré sans frais à domicile. Deux déplacements gratuits d'un bout à l'autre du pays, effectués par un chercheur de renommée internationale, quand cette femme aurait pu frapper à bien des portes afin de mendier un rendez-vous, traîner son frère aux quatre coins du continent, d'une clinique non conventionnée à l'autre, afin de trouver quelqu'un qui sache seulement identifier ce qu'il avait sous les yeux.

Weber était resté d'un calme surprenant, du moins dans son souvenir. Il n'avait, de toute façon, pas exprimé ce qu'il éprouvait. Trop entraîné à cela. Aussi loin qu'il se rappelle, il n'avait jamais perdu son sang-froid dans une situation professionnelle. Il aurait voulu lui expliquer : *Mon départ n'est pas dû à ce que vous croyez.* Mais alors, il aurait fallu en avouer la cause.

L'une des accusations silencieuses de Karin était fondée : il manquait de psychologie. Le comportement humain, déjà si opaque lorsqu'il avait entamé ses études, lui semblait à présent, de manière frappante, plus difficile à démêler que le pire des mystères religieux. Il ne comprenait rien chez personne. Incapable de savoir par quel bout prendre l'énigme de cette femme. Sans la moindre raison, elle était passée de la gratitude à l'accusation. La vulnérabilité avait tourné au réquisitoire, alors même qu'elle implorait sa pitié. Toute sa vie, il avait étudié les aberrations du comportement, bien loin de prévoir pourtant les mots qu'elle lui avait lancés à la figure.

Certes, les lésions qu'il faisait profession d'étudier se répartissaient sur un spectre qui prolongeait la psychologie ordinaire. Mais il ne pouvait excuser chez cette femme en pleine santé les anomalies qu'il s'efforçait d'expliquer chez les personnes frappées de déficiences. Aucun conseil de l'ordre ne l'aurait condamné s'il avait raccroché au nez de Karin. Mais au contraire, il avait tenu bon, et tout ressenti, à distance. Il avait observé le même phénomène chez une jeune patiente, naguère. L'asymbolie à la douleur : une atteinte du gyrus supramarginal dans le lobe pariétal de l'hémisphère dominant. « Docteur, je sais que la douleur est là ; je la sens. Elle est insoutenable. Seulement voilà, elle ne me gêne plus. » Douleur omniprésente, seulement voilà, sans souffrance.

Il avait peut-être subi une lésion, lui aussi, et mettait en œuvre tout un mécanisme de compensation. Mais au téléphone, il ne pouvait qu'exécuter une pantomime : Que ferait Gerald Weber ? Il avait laissé Karin Schluter l'insulter sans se défendre. Il avait répondu à ses questions aussi honnêtement que possible. Il avait raccroché, pire qu'humilié. Mais il ne s'inquiétait pas de l'humiliation. Abattu, il se sentait aussi euphorique, soulevé à bras-le-corps, au point de flotter au-dessus de lui-même. Il approchait la soixantaine, et demain menaçait de dévoiler le mystère que toute son existence s'était évertuée à percer.

Un flot d'impatience se déversait en lui, plus redoutable qu'une substance pharmaceutique. Il était tombé amoureux d'une énigme absolue, une femme qu'il ne connaissait ni d'Ève ni d'Adam.

Il appela Christopher Hayes au Bon Samaritain, qui lui réserva un accueil chaleureux. « Je suis arrivé au milieu de votre nouveau livre. Je ne l'ai pas encore fini, mais je ne comprends rien à tout ce barouf dans la presse. Ce bouquin ne diffère en rien de tout ce que vous avez déjà écrit. »

Weber était déjà parvenu à cette accablante conclusion. Désormais, tout ce qu'il avait écrit ne faisait plus qu'ajouter à sa vague disgrâce. Il annonça à Hayes qu'il était passé examiner Mark. Cette nouvelle réduisit son correspondant au silence. Weber décrivit la détérioration de l'état du jeune homme, mentionna l'article trouvé dans le *ANZJP*, et avança ses arguments en faveur de l'Olanzapine.

Le docteur Hayes le rejoignait sur tous les points. « Vous vous souvenez, bien sûr, qu'en juin dernier je pensais souhaitable de creuser dans cette direction. »

Weber ne s'en souvenait pas. Trop conscient de l'idée que cet homme devait se faire de lui, il poussa la conversation vers son terme et finit par l'euthanasier. Il reprit la route de Lincoln le soir même, puis attendit sur place de pouvoir embarquer. Il appela Mark depuis l'aéroport pour lui dire au revoir.

Mark se montra stoïque. « Je me doutais bien que vous alliez vous tirer. Vous vous êtes carapaté plutôt vite l'autre jour. Quand est-ce qu'on se revoit ? »

Weber répondit qu'il ne savait pas.

« Jamais, hein ? Je ne peux pas vous en vouloir. Moi aussi, je retournerais à la réalité, si je savais comment. »

Mark ne vaut pas un clou ces temps-ci, il ne réussit qu'à échouer aux tests qu'on lui soumet. Il ne sait pas bien pourquoi (rapport, sans doute, au résultat moins que brillant de leur dernier entretien), mais le doc a taillé la route comme si on lui avait fourré dans le cul une lampe à incendie bourrée d'abeilles. Sitôt le toubib en déroute, c'est la garde nationale qui rapplique. Un accord signé autrefois par le jeune Mark, et voilà que son pays dit avoir grand besoin de ses services.

Vous-savez-qui – celle-là au moins on peut toujours compter dessus – le conduit à Kearney au bureau du recrutement. L'endroit où Rupp et le susnommé Mark s'étaient pointés, à des siècles de là, pour discuter de sa contribution à la sécurité intérieure. Pendant le trajet, il essaie de débrouiller l'affaire : Rupp le Spécialiste, celui-là même qui a fini par admettre avoir communiqué avec lui, juste après que Mark a soi-disant signé de la paperasse officielle, et juste avant qu'on ne l'expédie dans le décor. Et comme toujours, tout ça ne colle pas, à moins d'impliquer le gouvernement. Mais en général, pas besoin de chercher bien loin pour flairer ce genre d'implication.

Au bureau de la garde nationale, une conférence au sommet à laquelle il n'est pas convié réunit le sosie de Karin et le grand manitou. Pour tenter de faire casser l'accord, elle lui flanque sous le nez des dossiers empruntés à l'hôpital, parle de son frère manifestement diminué ; elle leur sort tout le couplet. Mais bien sûr, l'armée voit clair dans son jeu. Alors on demande à Mark Schluter de répondre à quelques questions pour son pays. Il s'applique – franchement. Si l'Amérique se trouve assiégée et que, pour se libérer, elle doive aller botter les fesses d'une nation étrangère pas piquée des hannetons, Mark ira au charbon, comme tout le monde. Mais certaines questions le font quand même bien marrer. Vrai ou faux : « Je crois que rencontrer des gens d'horizons différents peut m'être bénéfique sur le plan personnel. » Eh bien, ça dépend. Ces « gens », ce ne seraient pas des Arabes armés de fusils, qui cherchent à planter ma compagnie aérienne ? « Dans des situations répétitives et monotones, il m'arrive parfois d'être irrité. » Vous voulez dire : comme maintenant, devant ce questionnaire ? Il demande au médecin recruteur si, par hasard, on ne serait pas en train de se préparer à dégainer enfin le saddamatomiseur pour finir le boulot commencé dix ans plus tôt. Mais monsieur Cul-Serré est incroyablement tendu du gland. Je ne saurais vous dire. Contentez-vous de répondre aux questions, s'il vous plaît. Ça sent l'affaire classée top secret, et pas qu'un peu.

Sur le chemin du retour, Carbone Karin lui livre ses opinions personnelles, si proches de celles de sa sœur que c'en est suspect. « Notre seule patrie, c'est la famille », ce genre de baratin. Mark oublie toute l'histoire jusqu'à la semaine suivante, quand il reçoit un courrier de la garde nationale du Nebraska frappé du petit logo à tête de patriote dans un cercle d'étoiles. En substance : Ne nous appelez pas, c'est nous qui vous contacterons.

Une troisième fois, il flaire l'embrouille. Sa pseudo-sœur laisse échapper que les versements en provenance des As du Couteau vont cesser après la date anniversaire de l'accident. Ça se voit *illico* : elle n'a pas fini de parler qu'elle regrette déjà, comme s'il eût mieux valu qu'il n'entende pas, ce qui, bien sûr, attire son attention. Il n'y a absolument aucune raison qu'elle ait les jetons comme ça. Du coup, inutile de le préciser, lui, ce petit manège aux mystères, ça lui colle sérieusement les foies.

Il appelle l'usine. Au bout d'un million de minutes, environ, après s'être farci la litanie des « faits surprenants de la conserverie », alors qu'on le balade d'un bureau incompétent à l'autre, il finit par tomber sur quelqu'un qui semble au courant de toute l'affaire. Mauvais signe : il faut croire que Rupp et Cain l'ont pris de vitesse et donné l'autre versant de l'histoire, celui que tous veulent lui cacher. L'agent du personnel explique qu'il devra passer une nouvelle série de tests – obtenir du Bon Samaritain la confirmation de son rétablissement – avant qu'ils puissent envisager de le rembaucher. Mais bon Dieu, qu'est-ce que ça veut dire, « le rembaucher » ? Il travaille déjà à l'usine. Le rond-de-cuir fait une remarque déplacée et Mark contre-attaque, un truc du genre : Vous voulez que j'aille raconter aux fédéraux que vous faites bosser des clandestins – la trentaine d'Hispaniques employés à la découpe ? Vaine menace, à dire vrai, attendu que Mark et les fédéraux ne sont pas franchement à tu et à toi en ce moment. Le type lui raccroche au nez. Pas d'autre choix, donc, que d'aller passer les tests à l'hosto. Il est sûr de ne pas trop les foirer, ceux-là, vu qu'il a quand même pas mal d'entraînement. Mais à l'hôpital, ils ont une dent contre lui à ce qu'on dirait, pour avoir soi-disant jeté l'éponge pendant la thérapie. Du coup, ils lui filent un questionnaire vraiment loufoque, et une fois de plus il se loupe.

Résultat : trois essais manqués et, selon la règle du jeu, le voilà éliminé. Sauf que Mark est toujours dans la merde. Le chômage le guette pour de bon. Toute cette histoire prend la tournure d'un jeu vidéo réglé sur la minuterie d'une bombe à retardement, une partie dont l'issue est la vie ou la mort. D'ici la date anniversaire de son accident, il doit avoir découvert ce qu'ils ont trafiqué avec lui sur la table d'opération. Son seul espoir : trouver celui qui l'a trouvé, l'auteur du billet, son ange gardien, l'unique personne au courant de tout.

Un plan lui vient à l'esprit, auquel il aurait dû penser depuis un bout de temps. Auquel il aurait pensé sans ce tourbillon de dingueries tout autour de lui. Un plan assez simple, dont la beauté tient en ce qu'il force la main aux autorités. Mark va tout déballer sur la place publique. Faire passer le billet dans *Affaire non classée.* D'un bout à l'autre des quatre comtés, chaque téléspectateur verra le document plastifié s'afficher sur son écran. *Je ne suis Personne mais ce Soir sur la North Line...* S'il reste en ce monde une seule personne réelle, qui n'a pas subi de lavage de cerveau et sait ce qui s'est passé cette nuit-là, elle ne pourra que se manifester. Et si les Puissances essayent de la coincer pour la faire taire, tout le centre du Nebraska en sera informé.

Un an plus tôt, il n'aurait jamais envisagé pareille bassesse. Cette émission est tellement crasse : la pire opération de décervelage menée par une chaîne locale. Une journaliste et un policier arpentent le Big Bend en faisant mine de s'intéresser aux gens et à leurs affaires soi-disant non classées, alors qu'en réalité, ce qu'ils veulent – ça se voit comme le nez au milieu de la figure – c'est foutre le camp dans un champ de blé, hors caméra, et s'enfiler à s'en abrutir. Quant aux mystères embrouillés et déroutants dont ils s'occupent, ce sont, les trois quarts du temps, des histoires d'épouses qui bêlent après leurs maris disparus depuis des semaines. Dites, mesdames : vous êtes allées jeter un œil dans l'appartement de l'adolescente mexicaine qui vous sert de femme de ménage ? Une fois par hasard, ils montrent un truc intéressant, comme ces deux citernes d'ammoniac anhydre volées sur une voie d'évitement à Holdrege, et qui ont reparu dans ce gros laboratoire clandestin de Hartwell où on fabriquait autrefois de la métamphétamine. Ou bien le Bigfoot des grandes plaines, ce bestiau aperçu au bord de la North Platte un soir où il faisait les poubelles, et qu'on a signalé ensuite un peu partout entre Ogallala et Litchfield, alors qu'il s'agissait d'un ours malais en cavale, détenu illégalement par un employé de la compagnie qui pose les lignes téléphoniques : une pauvre bête complètement déboussolée, paniquée par quelques centaines d'humains hystériques et hallucinés.

Mais *Affaire non classée* représente son dernier espoir. Il a un entretien téléphonique avec leur « chasseur d'affaires », aussi appelé stagiaire non rémunéré. Son histoire les intéresse, et ils lui envoient la célèbre Tracey Barr en personne accompagnée d'un cameraman pour le filmer. La Homestar dans la boîte à cons ! Ou du moins, la fausse Homestar. Et Tracey Barr, en chair et en os, dans son séjour ! Il veut appeler les copains pour qu'ils voient ça, et peut-être même les faire passer devant l'objectif. Puis il se souvient qu'il ne peut plus vraiment les appeler.

En vrai, la sculpturale Miss Barr fait un peu plus vieille, et il la trouve un rien moins sexuelle. Pas autant, dirons-nous, qu'une certaine Bébé Bonita dans sa panoplie de fermière. Néanmoins, Tracey (croyez-le ou non, c'est comme ça qu'elle lui demande de l'appeler), Tracey reste impressionnante à sa façon, dans son espèce de petite jupe noire bien moulante et son chemisier rétro couleur rubis. Heureusement, Mark a pensé à se saper lui aussi : un polo Lacoste fantaisie vert à manches longues. Cadeau de la Bonnie d'avant.

Tracey veut entendre toute l'histoire. Mais bien sûr, Mark Schluter ne connaît pas toute l'histoire. C'est même pour ça qu'il fait intervenir les Brigades du Chibre. En plus, l'expérience a montré que lorsqu'il déballe tout ce qu'il sait, les gens deviennent bizarres. Il ne veut pas mettre le pied sur plus de mines que nécessaire. Moins la chaîne en saura sur l'affaire dans son ensemble, mieux ça vaudra. Mark sert à Tracey le topo de base : accident, traces de pneus, hôpital, réa bouclée à triple tour, et le billet sur la table de chevet qui l'attendait à son réveil des semaines plus tard. Tracey gobe le tout. Ils filment à tout-va, dehors et dans la maison : Mark tout seul, qui regarde au loin vers les champs. Mark et une photo du camion. Mark et Blackie Deux, parce que personne n'ira faire la différence. Mark, billet en main, puis le montrant à Tracey. Tracey lisant le billet à voix haute. Et le plus important : le billet en gros plan, plein cadre, pour que chacun puisse voir l'écriture de chez soi et distinguer chaque mot.

Tracey le traîne jusque sur la North Line pour le filmer sur les lieux du crime. Ils sont rejoints par le sergent Ron Fagan, le « flic sur le coup », un gars qui – coïncidence – a connu Karin au lycée, peut-être bien au sens biblique du terme. Il n'arrête pas d'interroger Mark sur sa sœur. Comme si « la police » n'était pas au courant de la substitution. Comment elle va, Karin ? Elle est vraiment géniale. Toujours dans le coin ? Elle voit quelqu'un en ce moment ? Ça lui fout la chair de poule : ce grand type en uniforme, qui le sonde pour voir jusqu'où vont ses soupçons. Mark esquive les questions en espérant ne pas s'enferrer davantage.

Mais devant Tracey, le sergent Fagan se montre magistral quand il passe en revue les indices trouvés sur le lieu de l'accident : les traces qui coupent la trajectoire de Mark et, derrière lui, celles qui s'écartent de la route. « Vous voulez dire, comme une tenaille ? » demande Tracey. Sans se démonter, le flic répond qu'il ne veut pas tirer de conclusions hâtives. Hâtives ? Presque un an après les faits ? Il dit qu'ils n'ont rien trouvé qui corresponde aux traces, et ne disposent d'aucune piste en ce qui concerne les véhicules...

Malheureusement, il mentionne aussi la vitesse de Mark au moment où il est parti en vrille. Ce chiffre ne va pas lui valoir l'affection des éventuels anges gardiens assis devant leur poste de télévision. Mark ne pensait pas rouler si vite. Il comprend alors que la voiture derrière lui devait le poursuivre. Il fuyait, et il est allé se précipiter dans l'embuscade.

Pour filmer le lieu de l'accident, ils installent la caméra au mauvais endroit. C'est bien la route, mais pas le bon tronçon. Mark émet une objection, mais ils l'envoient balader. Ils prétendent que le décor rend mieux de ce côté-ci, qu'il est plus pittoresque ou Dieu sait quoi. Le flic fait des grands gestes, il leur montre comment ça s'est passé, et dans quel coin, mais il a tout faux. Bidon d'un bout à l'autre. Mark le leur dit, un poil trop fort peut-être. Tracey lui ordonne de la boucler. Il lui répond en hurlant : Comment la personne qui l'a découvert pourra-t-elle reconnaître les lieux et se manifester si on ne lui montre même pas le bon endroit ?

Alors ils le regardent tous comme s'il venait de s'échapper de l'asile. Mais ils lèvent le camp et se transportent là où il faut. Ils le filment en train de marcher sur ce bref parcours, ce qui est débile quand on y pense, vu qu'il n'était pas vraiment en état de marcher cette nuit-là. Mais que voulez-vous ? Hollywood. L'air est doux et sec : un temps de curé avec un petit vent taquin, et tous les champs qui s'y laissent prendre. Mais lui, il est frigorifié, glacé jusqu'aux os, si transi qu'il pourrait aussi bien rester couché là, coincé dans un fossé, en février, le visage écrasé contre son pare-brise fracassé, dans la bouillasse gelée.

Encore un hiver sur la prairie, cette chose que Karin Schluter avait passé sa vie adulte à fuir. On l'avait élevée dans le souvenir du tueur de 36, avec ses mois entiers à moins vingt degrés, ou celui de 49 et ses congères de douze mètres de haut, ou le blizzard du 12 janvier 1888, qui avait fait chuter la température de cinquante degrés en un jour et essaimé des statues gelées dans le paysage. Le froid actuel n'était rien. Et pourtant, Karin craignait pour sa survie.

Les couleurs carton d'emballage et les vert-de-gris commençaient à s'imposer. Les dernières courges et citrouilles séchaient sur pied, et tout ce qui possédait deux sous de raison s'en allait vers le sud ou s'enterrait dans le sol. Les longues nuits s'installèrent, encapuchonnant la ville de bonne heure. Le plus souvent, le vent empêchait Karin de dormir : il existait peu d'endroits au monde où l'air faisait autant de bruit. Elle connut sa traditionnelle déprime de novembre, cette impression d'avoir percuté et traversé le rail de sécurité du réel, pour finir là, sous la gaze ininterrompue du ciel du Nebraska, incapable de rien faire sinon d'attendre le printemps, et que quelqu'un la découvre.

Elle se serait diagnostiqué une dépression saisonnière si elle n'avait refusé de croire à ces maladies d'invention récente. Riegel voulut la faire asseoir sous ses lampes photosynthétiques. « Question d'ensoleillement, disait-il. Il en faut un certain nombre d'heures dans une journée.

– Tu veux tromper mon corps avec des lumières fluorescentes ? Je ne trouve pas ça très naturel. » Plus les jours diminuaient, plus elle se sentait vindicative à l'égard de Daniel, mais elle ne pouvait retenir ses piques. Il souffrait en silence, noblement, ce qui rendait les choses plus difficiles encore. Elle s'excusait aussitôt en lui témoignant de petites attentions, lui redisait toute sa reconnaissance pour ce travail, le plus sensé qu'elle eût jamais entrepris. Et le lendemain, elle récidivait.

Elle appela Barbara pour lui demander conseil. « Je suis perdue. Avec ce médicament, je peux transformer Mark en Dieu sait quoi. Ou je peux le laisser dans son état actuel. C'est trop de pouvoir. »

Elle récita la liste des objections que Daniel élevait contre les substances pharmaceutiques. Attentive, l'aide-soignante écouta. « Je comprends les craintes de votre ami. Moi qui vous parle, j'ai arrêté, au cours de mon existence, la cigarette, la caféine et le sucre raffiné. Je sais que vous avez peur de tout ce qui pourrait aggraver la situation. Je ne peux pas vous dire ce qu'il faut faire. Mais vous devez étudier la question de l'Olanzapine avec autant de soin que...

– C'est ce que j'ai fait, répondit Karin d'un ton brusque. Mais celui qui m'en a parlé m'a laissé le bébé sur les bras. Barbara ! Je vous en supplie.

– Je ne peux pas vous donner de conseils. Je ne suis pas qualifiée. Si j'étais capable de prendre cette décision à votre place, je le ferais. »

En raccrochant, Karin, qui avait rêvé autrefois de devenir l'amie de cette femme, et même sa confidente, éprouva un sentiment de haine.

Elle passait plus de temps au Refuge. Si elle avait bénéficié de ce travail dès le début – une rivière à laquelle se consacrer – elle aurait pu devenir une autre. On lui demandait de préparer des fascicules. Des exemplaires destinés aux collectes de fonds et au lobbying, munitions de faible calibre jetées dans la guerre toujours plus acharnée pour les réserves d'eau. Bien sûr, les pros se chargeaient du vrai boulot. Pourtant, même ses affairements de petit écureuil contribuaient à l'effort collectif. Daniel, presque effrayé devant cet acharnement croissant, l'orienta dans son travail de recherche et lui précisa les objectifs du Refuge en quelques instructions : « Il nous faut trouver de quoi réveiller les somnambules. Rendre au monde son étrangeté et sa réalité. »

Elle voyait Karsh, aussi, tous les deux ou trois jours, quand il parvenait à s'échapper. Ils ne faisaient rien de mal, rien en tout cas que Wendy pût utiliser devant un tribunal : ils se pétrissaient la tête. Daniel lui avait enseigné l'existence de certaines lignes sur le crâne, et elle les montrait à Robert. Des méridiens. Effet puissant garanti – quand on parvenait à mettre le doigt dessus. Dehors, dans le parc de Cottonmill Lake, sous les arbres squelettiques, ils passaient des heures à chercher : un point de compression au-dessus de l'arcade sourcilière, un chemin aller-retour vers le sommet du crâne, qui pouvait vous fouetter le sang si l'on appuyait dessus avec vigueur. Quand Karin accédait aux méridiens de Robert, il renversait la tête et s'écriait : « Du wasabi ! » en se tâtant le pouls.

Les soirées devinrent trop froides pour rester au grand air. Mais ils n'avaient nulle part où aller. Ils finissaient par se réfugier dans la voiture embuée de Karin, garée au bord de petites routes sombres ou devant des supermarchés, tout au bout de parkings abandonnés. À cause de l'odorat développé de Wendy, ils ne pouvaient se servir de la voiture de Karsh. Aux dires de son mari, cette femme possédait le flair puissant d'un blaireau.

« Pire que des adolescents, fulminait Karin. Enfin merde, Robert. Je vais finir par exploser. »

Puis ils faisaient une pause et retournaient à leurs tête-à-tête sans contact physique. Ils étaient parvenus à l'âge où la frustration avait plus à leur offrir que l'abandon. S'en tenir à cette fidélité technique avait son importance. Le mensonge venait plus tard, quand ils retrouvaient leurs conjoints respectifs.

Cette découverte fut pour Karin une surprise : à choisir entre une liaison ou une conversation, elle préférerait cette dernière. Pouvoir parler était ce qu'elle attendait le plus de Robert en cette période. Son esprit tranchait de façon si brutale sur celui de Daniel, et sur le sien. Elle avait aussi plus vite fait de le contourner : extension énorme et calculatrice de cet agenda électronique qu'il taraudait sans cesse. Garé dans un coin, au volant de la Corolla, Robert pouvait passer des heures à faire joujou avec ce petit appareil, comme un nourrisson qui explore son tapis d'éveil Playskool. Aux angoisses que Karin exprimait lorsqu'elle envisageait le traitement de Mark, il répondait : « Évalue les pertes. Estime les profits. Et calcule la différence.

– Tu entends ce que tu dis ? Si seulement c'était aussi simple que ça.

– C'est aussi simple que ça. À moins que tu ne tiennes à tout compliquer. Enfin quoi ! Qu'est-ce que tu veux rajouter encore ? Il y a la colonne plus et la colonne moins. Ensuite, c'est mathématique. »

Cette limpidité la hérissait, mais l'aidait à tenir le choc.

« Franchement », lui disait-il. Il avait une voix si apaisante : Peter Jennings venu rendre visite à une classe de collégiens en cours d'éducation civique. « Qu'est-ce qui t'empêche de mettre Mark aux antipsychotiques pour voir ce qui se passe ?

– Quand tu commences, c'est difficile de diminuer les doses.

– Difficile pour toi, ou pour lui ? »

Elle lui assena un grand coup de poing, ce qui l'amusa. « Et si ça marche, qu'est-ce que je fais ? »

Il se tortilla sur son siège pour lui faire face. Il ne comprenait pas. Comment aurait-il pu ? Elle-même n'était pas certaine d'y voir clair. Il secoua la tête. Mais son regard paraissait plus amusé qu'exaspéré. Elle était son Rubik's Cube ambulant, son casse-tête chinois.

Elle lui prit la main et lui caressa la paume avec le pouce, leur transaction la plus risquée à ce jour. « À quoi ressemblerait-il s'il... revenait ? »

Robert renifla. « À ce qu'il était. Ton frère.

– D'accord. Mais lequel ? Ne me regarde pas comme ça. Tu vois bien ce que je veux dire. Il se montrait parfois si agressif, un sale con. Toujours sur mon dos. »

Karsh haussa les épaules : le tort de toute l'humanité. « Tu sais, moi aussi, on m'a un peu connu dans ce rôle-là.

– Au fond, je ne suis pas vraiment... Quand j'essaie de l'imaginer, comme avant... Je n'arrive pas à être sûre que... Il me fichait tellement la trouille, des fois. Mon départ le foutait en rogne, mon envie de m'en sortir qui le vouait aux guérisons miraculeuses et aux entrepreneurs. Il me traitait de... Il lui arrivait de me détester pour de bon.

– Il ne te détestait pas.

– Qu'est-ce que tu en sais ? » Robert se dépêcha de lever les mains pour tendre une cible à la colère de Karin. « Pardon, s'empressa-t-elle d'ajouter. Je ne suis pas certaine de pouvoir supporter ça une deuxième fois, c'est tout. » Ils restèrent assis en silence. Karsh regarda sa montre puis mit le contact. Karin manquait de temps pour poser sa question : « Robert ? Tu crois que je lui en ai voulu à l'époque ? Tu sais, le genre rancœur cachée ? »

Sur le volant, les doigts de Robert tambourinaient. « Tu veux que je te dise ? Elle n'avait rien de caché. »

Karin s'emporta, puis baissa la tête. « Mais tu vois ? C'est justement ça... Je ne lui en veux plus vraiment aujourd'hui, dans son état. Ça... ça ne me gêne plus. Le fait qu'il soit...

– Ça ne te gêne plus ? fit Karsh avec un temps de retard. Tu veux dire que tu le préfères maintenant ?

– Non ! Bien sûr que non. Mais... je préfère l'idée qu'il se fait de moi à présent, plutôt que l'ancienne. Enfin, je me comprends. Je ne te parle pas de moi, la "vraie Karin". J'aime celle qu'il croit que j'étais. Il la défend contre tout le monde. Il y a deux ans, cette Karin-là lui causait déception sur déception. Tout en moi le désespérait. Coureuse, vendue, cupide, prétentieuse, arriviste, méprisante à l'égard de ses racines. Aujourd'hui, la vraie Karin serait plutôt une victime de l'histoire. La sœur que je n'ai jamais tout à fait réussi à devenir. »

Karsh conduisait en silence. On aurait dit qu'il avait envie d'allumer son ordinateur de poche pour ouvrir un tableur. Mise à jour de Karin Schluter. *Pertes et profits*.

« Je n'en reviens pas, de t'avoir dit tout ça. Tu me trouves totalement dégueulasse ou pas ? »

Les yeux fixés sur la route, il sourit, railleur. « Pas totalement.

– Je n'en reviens pas, de m'être confiée. Ni même d'avoir seulement admis ces choses à voix haute. »

Ils se garèrent à quatre rues de chez lui, à l'endroit où il descendait toujours pour continuer à pied. Il ouvrit la portière côté conducteur. « Tu m'en as parlé parce que tu m'aimes », lança-t-il.

Elle se passa la main sur le visage. « Non, répondit-elle. Pas totalement. »

Il l'appelait de temps en temps, quand il n'avait personne dans son bureau. Ils se parlaient par épisodes volés, se chuchotaient des petits riens. Une fois épuisées les questions essentielles (qu'avait-il mangé au déjeuner ? comment était-elle habillée ?), le reste de la conversation portait sur les divers sujets de l'actualité. Le tireur embusqué de Washington était-il un terroriste ou un individualiste forcené, fils de ses œuvres ? Pourquoi les inspecteurs de l'armement dépêchés en Irak ne trouvaient-ils rien ? Fallait-il confier leur propre chaîne de téléréalité aux patrons de Enron et ImClone ? Aussi jouissif qu'une vraie séance de sexe au téléphone, d'un côté comme de l'autre.

Elle continuait de prétendre à l'honnêteté, et lui, à la liberté. Chacun croyait pouvoir convertir l'autre : leur attirance fatale, comme toujours. Tous deux s'accordaient à penser que le gouvernement ne maîtrisait plus rien. Mais elle souhaitait qu'on en fît enfin un usage raisonnable, tandis qu'il voulait le supprimer une fois pour toutes et sans délai. Au hasard de ses lectures, *La Source vive* avait transformé ce garçon enjoué et modeste, champion de natation de son lycée, en véritable libertaire, même si Karsh jugeait cette appellation bien trop restrictive. « Toute personne compétente sur cette terre est un genre de dieu, ma chère. Unis, rien ne nous arrêtera jamais. Le génie humain peut tout accomplir. Cite-moi une contrainte matérielle, et c'est déjà la transcender à moitié. Faites place et admirez le miracle qui s'avance.

– Oh, mon Dieu, Robert. Je n'arrive pas à croire que tu puisses dire une chose pareille. Regarde autour de toi ! Nous avons tout saccagé.

– Qu'est-ce que tu racontes ? Aujourd'hui, l'ado standard vit mieux que les princes d'autrefois. Je préfère mon époque à n'importe quelle autre. L'avenir mis à part.

– Parce que tu es un animal. Enfin, non, parce que tu n'es pas un animal, justement.

– Quand est-ce que ça t'a pris, ces convictions ? »

Quand elle s'était aperçue combien elle était impuissante à changer Mark. Il lui fallait investir son énergie ailleurs, ou mourir. Cette rivière la réclamait peut-être avec plus de force que son frère n'avait jamais eu besoin d'elle.

En quelques minutes, ils s'étaient aventurés sur un terrain glissant et s'y attardèrent, bras dessus, bras dessous, comme un couple de patineurs exécutant leur programme libre. Chacun ressentait le besoin de mettre l'autre en difficulté : acte gratuit mais irrésistible. Elle préférait hurler, horrifiée par les énormités de Karsh, que d'acquiescer dans un murmure aux sermons moralisateurs de Daniel. Robert savait cette vérité qui échapperait à Riegel jusque dans la tombe : nous n'aimons que les choses dans lesquelles nous nous voyons.

À chaque fois, Karsh essayait de lui tirer les vers du nez. « Alors, ça filoche au Couvent des oiseaux ? Parle-moi un peu de votre dernière campagne de financement. Vous n'auriez pas l'intention d'acheter quelques zones humides, des fois ?

– Commence donc par m'en dire davantage sur le nouveau centre commercial de votre consortium.

– Ce n'est pas un centre commercial !

– Quoi alors ?

– Tu sais bien que je ne peux pas en parler.

– Moi en revanche, je suis censée crier mes petits secrets sur les toits ?

– C'est donc que tu as des secrets ? Vous autres, là-bas, vous mijotez quelque chose. »

Grisant, de l'entendre supplier. Elle jouissait d'un certain pouvoir sur lui. Y goûter rachetait les humiliations permanentes du passé. « Tu sais, il ne reste plus en bord de rivière des masses d'endroits qu'on puisse encore vouloir se disputer. » Daniel avait prononcé ces mots au petit déjeuner, deux matins plus tôt. Elle reprenait à présent ses paroles comme si l'idée venait de lui traverser l'esprit.

« Tout ce que nous voulons, c'est éviter de venir piétiner vos plates-bandes, affirma Karsh. Nous ne souhaitons pas aménager une zone que le Refuge estimerait essentiel de préserver.

– Alors vous feriez bien de vous asseoir autour d'une table avec les responsables pour régler la question, mètre carré par mètre carré. »

Il se mit à glousser. « Je t'ai déjà dit que tu étais vraiment adorable ?

– Pas de mon vivant.

– Eh bien, si nous étions aux commandes, toi et moi, c'est comme ça que les choses se passeraient. Je suis sérieux. Les coups de poignard dans le dos entre partenaires institutionnels, je trouve ça usant. Pour une fois, discutons de cette affaire en public. Et après, tu seras bien plus fière de moi. »

Ce mot – « fière » – la toucha au cœur. Une part d'elle-même admirait cet homme, en effet. Il pouvait désigner certaines choses et en revendiquer la paternité. Des choses horribles pour la plupart, certes, mais des choses concrètes et achevées. Au moins Karsh avait-il laissé sa griffe sur le paysage. De son côté, elle n'avait rien à montrer, hormis une succession d'emplois de service, perdus les uns après les autres, et un appartement désormais vendu. Elle n'avait pas même procréé, tâche dont ses anciennes camarades d'école s'acquittaient avec plus de facilité qu'elle ne faisait le ménage. Son propre frère disait lui-même qu'elle n'était rien. À trente et un ans, elle avait enfin trouvé un travail utile. Elle brûlait de dire à quel point. « Fière ? demanda-t-elle, prête à se perdre. Fière comment ?

– Tu verras bien, si nous obtenons l'approbation du conseil de l'aménagement. Sinon, tout restera à débattre. Viens assister à l'audience publique et fais-toi un avis.

– J'y serai, dit-elle, la voix taquine et sensuelle. Pour mon travail. »

Elle se rendit à l'assemblée en compagnie de Daniel. Il prit le volant, et tout le long du trajet, impitoyable, elle jugea sa conduite. « Si tu arrives le premier au stop, c'est toi qui as la priorité. Ne reste pas planté là à faire signe aux autres d'avancer.

– Politesse élémentaire, répondit-il. Si tout le monde...

– Ce n'est pas de la politesse, fulmina-t-elle. Tu ne fais que semer la perturbation dans tous les esprits. »

Il eut un mouvement de recul. « On dirait, en effet. » Seule méchanceté dont il parvint à faire preuve ; elle en fut mortifiée. Quand ils arrivèrent à destination, Karin était contrite. Au moment de traverser à pied le parking du complexe administratif, elle lui donna le bras.

Elle le reprit, une fois dans le hall, lorsqu'elle aperçut Karsh et ses collègues de Platteland. Elle garda les yeux baissés, fixés sur le marbre couleur pêche, pendant que Daniel la conduisait vers la salle des audiences. Ils partirent à la chasse aux fauteuils dans la pièce qui se remplissait. Daniel scrutait les lieux. Elle suivit son regard tandis qu'il détaillait l'assistance composée surtout de vieillards. Sur la droite, au milieu de l'allée, deux gamins de la chaîne locale des étudiants s'affairaient derrière une caméra vidéo. Eux mis à part, la majorité des participants vivait de pensions. Pourquoi les gens attendaient-ils d'avoir un pied dans la tombe pour se soucier de leur avenir ?

« Ce n'est pas trop mal, comme public, lui dit-elle.

– Tu trouves ? Combien sont-ils, d'après toi ?

– Je ne sais pas. Tu me connais, moi et les chiffres. Cinquante ? Soixante ?

– Soit... environ un millième des personnes directement concernées. »

Ils allèrent rejoindre le contingent du Refuge. Daniel s'anima et Karin demeura dans son sillage, comme un vacher dans son nid. Le groupe se plongea dans ses plans d'attaque et de contre-attaque tandis que Karin leur servait sur un plateau le fruit de ses recherches. Elle observait Daniel au travail, dopé par les forces déployées contre lui. Les faibles chances de succès le rendaient plus séduisant qu'au cours des dernières semaines.

Juste derrière l'équipe de télévision, assise sur une chaise qu'on avait à dessein écartée du champ, Karin aperçut Barbara Gillespie. Cette découverte l'ébranla : choc de deux mondes incompatibles. « C'est Barbara, glissa-t-elle à Daniel. La Barbara de Mark. Comment tu la trouves ?

– Ah ! » Daniel tressaillit.

« Elle a quelque chose, non ? Une espèce d'aura ? Je t'assure, tu peux me dire la vérité.

– Elle a l'air très... maîtresse d'elle-même. » Il craignait de la regarder et s'en tint à l'opinion de Karin.

Le contingent de Platteland choisit cet instant pour faire son entrée. Ils avancèrent en groupe vers les autres promoteurs assis au premier rang, juste devant la tribune des membres du conseil. Karin et Daniel détournèrent les yeux. Au bout d'une minute, elle lança de nouveau un regard à la dérobée. Si Karsh l'avait aperçue, le moment des salutations était passé. Art de la conséquence : il brassait ses liasses de documents. Prise de vertige, Karin jeta un œil en direction de Barbara qui lui adressa un signe discret de la main. *Danger*, disait ce petit salut vacillant. *C'est plein d'humains par ici*.

L'assemblée fit silence. Le maire s'adressa au conseil et institua la procédure. Une femme, porte-parole du groupe des promoteurs, monta à la tribune, plongea la pièce dans le noir et alluma un vidéoprojecteur. L'écran placé dans le dos des membres du conseil afficha un titre. En caractères Mistral, sur un fond « nature » omniprésent, la diapositive annonçait : « De nouveaux migrateurs sur notre vieux cours d'eau. »

Karin se tourna vers Daniel, incrédule. Mais comme les autres membres du Refuge, il se préparait à affronter le spectacle en serrant les dents. Les diapositives paradaient, aussi méandreuses que la rivière dont il était question. Le laïus des promoteurs visait la dernière cible à laquelle Karin eût songé : ce que le conseil de l'aménagement appelait le « secteur hébergement ».

Un histogramme indiquait le nombre de visiteurs venus assister à la migration de printemps sur les dix dernières années. Les chiffres restaient pour Karin un éternel mystère, mais elle était tout de même capable d'estimer la hauteur des rectangles. Leur taille doublait tous les trois ans. D'ici le jour où elle mourrait, une bonne partie du pays viendrait défiler dans les environs à chaque mois de mars.

Sous les yeux de Karin, l'oratrice se métamorphosa en Joanne Woodward. « La concentration sur nos berges de la quasi-totalité des grues du Canada que compte la planète est aujourd'hui l'un des spectacles les plus époustouflants que le monde ait à offrir.

– Offrir ? » chuchota Karin. Mais en plein combat mental, Daniel n'entendit pas. Vint alors une photo panoramique : une portion de la Platte, non loin de chez Mark. En fondu, une incrustation apparut : village rustique vu par un artiste, avec ses fermes à l'ancienne et ses habitations creusées dans des talus. La porte-parole baptisa l'ensemble « Grand Observatoire naturel de la Central Platte ». Elle égrenait depuis un moment la liste des principes environnementaux qui présideraient à sa construction (faible impact sur l'écosystème, chauffage solaire passif, des clôtures de perches en faux cèdre fabriquées à partir de millions de briques de lait recyclées), quand Karin comprit enfin : le consortium envisageait de bâtir un vaste village de vacances pour touristes traqueurs de grues.

Entre promoteurs immobiliers et défenseurs de l'environnement, la bataille s'ouvrit, pantomime glaciale, les uns chargeant, les autres contrant. Daniel se fraya un chemin au sein de la mêlée et assena quelques coups cuisants. Si le nombre des oiseaux était spectaculaire, fit-il remarquer, cela tenait précisément à l'assèchement de la rivière, qui les obligeait à se concentrer dans les quelques sanctuaires encore disponibles. Prélever ne fût-ce qu'une tasse de plus dans ce biotope déjà à l'agonie serait inacceptable. Karin avait étudié les faits, des faits qu'elle avait aidé à rechercher. Tout ce que disait Daniel était parole d'évangile. Mais il prêchait avec une telle ferveur messianique que l'assemblée finit par se détourner, lassée de ce nouveau Jérémie au doigt accusateur.

Robert, souriant tel un spectateur candide, monta au créneau. L'Observatoire ne se situait pas dans une zone de regroupement, mais seulement à proximité. Les visiteurs viendraient, d'une façon ou d'une autre. Ne semblait-il pas raisonnable de chercher à en absorber le flot de manière aussi écologique que possible, grâce à des installations qui conservaient une conscience du passé et s'intégraient au paysage naturel ? Les touristes repartiraient plus informés sur la nécessité de protéger le monde sauvage. Défendre l'environnement ne consistait-il pas à préserver la nature afin que tous puissent en apprécier la beauté ? Ou le Refuge estimait-il que seule une élite devait profiter des oiseaux ?

Cet argument reçut l'assentiment général. Retour au temps des assemblées étudiantes. Dans les votes à main levée, les Karsh de ce monde battaient toujours les Riegel à plate couture. Les Karsh avaient de l'humour, de la distinction, des budgets illimités, ils faisaient preuve de sophistication, dégageaient une séduction subliminale et s'y connaissaient en neuromarketing… Les Riegel n'avaient rien à offrir, sinon de la culpabilité et des faits.

Robert se rassit. Il lança un regard en direction de Karin – le regard appesanti d'un prédateur. *Qu'est-ce que tu dis de ça ?* L'espace d'un instant, elle se sentit personnellement responsable de tout cet affrontement.

Le Refuge contre-attaqua : les promoteurs réclamaient des réserves d'eau dix fois supérieures à la consommation de leur Observatoire. Les promoteurs expliquèrent leurs projections prudentes et promirent que l'Observatoire reverserait dans la cagnotte publique, à prix coûtant, chaque goutte d'eau non utilisée.

Moyen de décision le plus laborieux jamais connu, la démocratie allait son chemin raboteux. Navire aux voiles gonflées par le souffle des hommes. Ravis de la crèche, chiffonniers des rues, tous avaient voix au chapitre. Comment un processus aussi aveugle pourrait-il jamais conduire à la bonne décision ? Un promoteur en costume vert pâle et un membre du Refuge en jean miteux, le cheveu maigre attaché en queue de cheval, croisaient le fer, faisant de leurs bras des sabres de parade et de leurs voix, qui s'élevaient puis retombaient, les plaintes spectrales d'un kabuki. Un voile de gaze enveloppa l'assemblée, comme si Karin s'était redressée trop vite. Tout miroitait comme un champ de soja sous le vent du mois d'août. La question de l'aménagement ne faisait pas encore débat que déjà ces gens se réunissaient ici. Depuis qu'il existait des prairies assez vastes pour éblouir l'œil et attiser la colère, les hommes avaient tenu conseil en ces lieux, ne fût-ce que pour se prouver qu'ils n'étaient pas seuls.

L'auditoire était aussi partagé que le frère de Karin. Pire encore : aussi partagé qu'elle-même. Les débatteurs s'observaient, se contraient, puis contraient leurs propres arguments pour tenir en respect d'invisibles assaillants... Agent double, Karin assistait à la passe d'armes et se vendait aux deux camps. Le combat s'installa en elle. Tous les points de vue possibles se bousculaient dans la démocratie confuse de son crâne. Combien de parties du cerveau les livres de Weber avaient-ils décrites ? Empoignade d'agents autonomes : une soixantaine de zones spécialisées, rien que dans le cortex préfrontal. Toutes ces formes de vie aux noms latins : l'olive, la lentille, l'amande. L'hippocampe et le coquillage, la toile d'araignée, le limaçon et le ver. Assez de pièces détachées pour assembler une autre créature : seins, fesses, genoux, dents, queues. Trop de parties pour que son cerveau se les rappelle toutes. Il en existait même une appelée « substance innommée ». Et chacune possédait son libre arbitre, chacune disputaillait avec les autres pour faire entendre sa voix par-dessus le tumulte. Pas étonnant que Karin fût le siège d'une pagaille effrénée ; c'était le lot de chacun.

Une vague la traversa, une pensée d'une amplitude qu'elle n'avait encore jamais éprouvée. Nul ne savait à quoi le cerveau aspirait, ni comment il comptait parvenir à ses fins. Si l'on pouvait prendre du recul un instant, échapper à la boucle du redoublement et se pencher, non plus au-dessus du miroir fabriqué par l'encéphale, mais sur l'eau elle-même... Pendant une fraction de seconde, tandis que la séance tournait au rituel instinctif, cette vérité la frappa de plein fouet : l'humanité entière souffrait du syndrome de Capgras. Ces oiseaux dansaient comme nos plus proches parents, ils leur ressemblaient, appelaient, voulaient, enfantaient, enseignaient et sillonnaient le monde tout comme nos frères de sang. La moitié de leurs organes résidaient encore en nous. Pourtant, les humains répudiaient ces créatures d'un revers de main : des *imposteurs*. Étrange spectacle, tout au plus, à observer depuis un affût. Longtemps après la mort de tous ses participants, ce concile ferait encore rage : on viendrait débattre de la dégradation des conditions de vie, on réglerait dans l'urgence les détails d'un nouveau projet d'aménagement à grande échelle. La rivière finirait par s'assécher et aller voir ailleurs. Chaque année, les survivants de deux ou trois espèces décimées reviendraient s'attarder en ces lieux, incapables de savoir pourquoi ils retournaient à cette friche aride. Et nous resterions, malgré tout, enfermés dans nos illusions. Mais avant que Karin n'ait pu fixer cette pensée qui prenait forme, ses contours étaient devenus méconnaissables.

La séance s'acheva sans qu'on fût parvenu à une résolution. Déconcertée, Karin attrapa Daniel par la manche. « Ils ne prennent pas de décision ? »

Il la jaugea d'un coup d'œil emprunt de pitié. « Non. Ils vont mettre la proposition au frais pendant quelques mois et prononcer un arbitrage en douce, quand plus personne ne fera attention. Au moins, nous savons maintenant à quoi nous en tenir.

– Je m'attendais à bien pire. Le genre complexe géant pour magasins d'usines. Dieu merci, ce n'est que ça. Tu vois ? Pas un de ces trucs qui déversent du poison dans la nature. Ça, au moins, c'est favorable aux oiseaux. »

Elle aurait tout aussi bien pu le poignarder. Il s'était laissé entraîner vers les issues situées au fond de la salle. Il s'arrêta net au milieu de la file grouillante et saisit l'avant-bras de Karin. « En faveur des oiseaux ? Cette chose ? Tu déconnes ou quoi ? »

Des têtes se tournèrent dans leur direction. Robert Karsh, plongé dans les chiffres avec deux membres du conseil, les regarda du fond de la pièce. Daniel rougit. Il se pencha vers Karin et lui murmura des excuses affolées. « Je suis navré. Une réaction impardonnable. Ces dernières heures ont été détestables. »

Elle s'avança pour lui intimer le silence. Une main lui caressa l'épaule. Elle se retourna et vit Barbara. « Vous ? Qu'est-ce que vous faites ici ? »

Sourcil levé – la marque Gillespie : « Mon devoir de citoyenne. J'habite ici, figurez-vous ! »

Au pied du mur, Karin fit les présentations : « Voici mon ami Daniel. Daniel, voici Barbara, celle... dont je t'ai parlé. »

Riegel se tourna vers elle avec la raideur d'un Pinocchio au sourire figé. Il ne parvint même pas à bredouiller quelques mots. Karin aperçut Karsh au moment où il quittait la salle en lorgnant Barbara.

« J'ai bien aimé ce que vous avez dit, confia Barbara à Daniel. Mais expliquez-moi une chose. Selon vous, qu'est-ce que ces gens comptent faire de leurs installations les cinq sixièmes de l'année, quand il n'y a pas de grues à observer ? »

Daniel resta bouche bée devant cette négligence collective des défenseurs de l'environnement qui n'avaient pas songé à soulever la question pendant les débats. « Peut-être un centre de conférences ? »

Barbara réfléchit. « Possible. Pourquoi pas ? » Puis elle ajouta d'un ton si vif que Karin en fut secouée : « Eh bien, Karin, mon amie, je suis contente de vous avoir revue ! Et faire votre connaissance, Daniel, fut un plaisir. » Flageolant, Daniel lui répondit d'un signe de tête. « On croise les doigts. » Barbara s'éloigna à reculons, le sourire crispé, en leur adressant le salut tétanisé d'une reine de beauté, puis elle se dirigea vers les issues d'un pas hésitant, parmi l'assemblée qui se dispersait. Une partie de Karin s'indigna de cette sortie.

Daniel était dans les affres. « Pardon. Je n'aurais pas perdu mon sang-froid si les événements ne s'étaient pas autant... Je ne sais pas ce qui m'a pris. Tu me connais, je ne suis pas...

– Oublie. Ce n'est rien. » Rien ne comptait, sinon la nécessité de s'affranchir et d'atteindre l'eau véritable. « Je déconne, et après ? Ce n'est pas un scoop. »

Mais Daniel ne pouvait se résigner à l'oubli. Dans la voiture, il échafauda trois théories pour expliquer cette agression verbale. Et il tenait à ce que Karin les ratifiât toutes. Ce qu'elle fit, dans l'intérêt de la paix. Mais cela ne suffisait pas encore. « Ne me dis pas que tu me crois si ce n'est pas vrai.

– Je suis d'accord avec toi, Daniel. Je t'assure. »

Au moins cette conversation leur tint-elle compagnie sur le chemin du retour, et jusqu'au pied du lit. Mais l'autopsie se prolongea dans le noir. Daniel s'adressait aux fissures du plafond. « Cette séance aura été désastreuse d'un bout à l'autre, tu ne trouves pas ? » Karin était incapable de dire si elle devait acquiescer ou protester. « On ne savait pas d'où viendrait le coup. On a tout de suite adopté la tactique du hérisson. Fait comme s'il s'agissait de se battre encore une fois contre l'implantation d'une zone commerciale. Nous n'avons pas su discréditer leur projet. Le conseil a dû quitter la salle en croyant comme toi qu'il y avait du bon dans ce Naturama. »

Elle le croyait encore. Bien menée, cette réalisation pourrait même constituer un équivalent populiste du Refuge, réduire l'impact des touristes dont le nombre irait croissant de toute façon.

« Ils complotent quelque chose, c'est évident. Ceci n'est qu'une première étape. Regarde les quantités d'eau qu'ils réclament. Et ton amie a raison. Ils ne pourront jamais gagner d'argent s'ils ne font le plein que deux mois dans l'année. »

Elle lui frottait le dos d'un geste ample et circulaire. Le dernier livre de Weber disait que cela activait la production d'endorphines. Le truc parut fonctionner une minute ou deux, avant que Daniel ne se retourne.

« On a merdé. On aurait dû les pousser à découvert, et au lieu de ça...

– Chut. Vous avez fait de votre mieux. Pardon, ce n'est pas ce que je veux dire. Personne n'aurait pu faire mieux, étant donné les circonstances. »

Daniel ne ferma pas l'œil de la nuit. Passé une heure du matin, il se mit tellement à gigoter que Karin, tirée de son sommeil agité, lui posa la main sur l'épaule. « Ne t'inquiète pas, marmonna-t-elle, à demi plongée dans un rêve. Ce n'était que des mots. »

Vers trois heures, elle se réveilla dans un lit vide. Elle entendit Daniel à la cuisine, qui tournait en rond comme un animal en cage. Quand il revint enfin se glisser sous les draps, elle fit mine de dormir. Immobile, il n'était plus qu'une oreille dressée, aux aguets sur le terrain, à l'écoute d'une chose énorme. *Ramener la sphère des bruits à l'intérieur de celle de la vision.* Plus un mouvement, pas même celui de ses poumons. À cinq heures et demie, ni lui ni elle ne pouvait encore faire semblant. « Ça va ? demanda-t-elle.

– Ça me travaille, chuchota-t-il.

– J'avais compris. »

Ils auraient dû se lever et prendre leur petit déjeuner, à la mode des pionniers, dans l'obscurité. Mais ils ne bougèrent ni l'un ni l'autre. Daniel dit enfin : « Ton amie est très intelligente, on dirait. Elle a raison. Ces installations pour amateurs d'oiseaux ne sont que la pointe visible de l'iceberg. »

Karin écrasa son oreiller. « J'étais sûre que tu pensais à elle. C'est pour ça que tu... ? »

Daniel ne fit pas attention. « Tu me l'as déjà présentée quelque part ?

– Tu m'as bien regardée ? Est-ce que j'ai l'air de déconner ? »

Il l'observa en clignant les yeux, la tête penchée. « Je t'ai dit que j'étais désolé. C'était impardonnable. Je ne sais pas quoi ajouter. »

Oui. Elle déconnait à plein tube. Abattue par la faillite de ses efforts. « N'y pense plus. Ce n'est rien. C'est moi qui suis folle. Qu'est-ce que tu disais à propos de Barbara ?

– J'ai l'impression très bizarre d'avoir déjà entendu sa voix. » Il se leva et se rendit nu à la fenêtre. Il tira le rideau et fixa l'obscurité de la cour. « C'est la voix de quelqu'un que je connais. »

Hiver sur Long Island. Pourquoi s'entêtaient-ils à rester là ? Sûrement pas à cause de ces quelques instantanés sidérants empruntés à une carte postale : le givre sur la roue du moulin, la canardière gelée, Conscience Bay passée au blanc, sans rien, sinon l'intrusion des cygnes tuberculés et ce héron solitaire qui tenait ses positions jusqu'à ce que la neige fût devenue charbonneuse et que la véritable saison sans vie se fût installée. Sûrement pas non plus pour raison de santé : ils subissaient le grésil qui, des jours durant, les bombardait de minuscules aiguilles hypodermiques. Aucune nécessité économique ne les forçait à demeurer là. Seule une expiation insondable. Agrippés au souvenir du sein vert et tendre du nouveau monde.

« Terrés, quelque part dans cette vaste obscurité au-delà de la ville, dit-il à Sylvie devant l'impitoyable régime – muesli et lait de soja – de son petit déjeuner. Où les champs obscurs de la république se déroulaient sous la nuit.

– Oui, mon ami. Si vous le dites. Et les New York Rangers dans tout ça ? Qu'est-ce qu'ils deviennent ?

– Je pourrais enseigner en Arizona. Ou être professeur invité en Californie, à deux pas de chez Jess. Mieux encore, on pourrait se trouver tous les deux à la retraite. Et habiter une ferme délabrée en Ombrie. »

Sylvie connaissait son métier. « On pourrait aussi être morts et enterrés. Comme ça, tout serait déjà réglé. » Elle rinça les bols du petit déjeuner pour la dix mille neuf centième fois de leur vie commune. « Cours magistral au centre médical dans dix-sept minutes. »

Weber la regarda entrer dans la chambre pour s'habiller. À quoi ressemblait-elle pour ceux qui ne la connaissaient pas ? Encore mince pour son âge, les hanches et la taille conservant l'écho du passé, le corps affichant toujours les signes de la vigueur, longtemps après qu'il en eut perdu le droit. Conséquence de son quasi-déraillement dans le Nebraska, il éprouvait pour elle, depuis quelques semaines, une tendresse presque intolérable.

Le soir même, il lui avait expliqué la raison de son retour précipité, lui avait tout avoué. C'était leur contrat de mariage depuis le début. S'il voulait préserver quelque chose de réel avec cette femme, la plus réelle de toutes, il ne fallait pas commencer maintenant à dissimuler. Il avait toujours cru Blake et son arbre au poison : enfouissez un fantasme si vous voulez le nourrir. Exposez-le au grand air pour le tuer.

L'air humide de Long Island n'avait pas tué le fantasme de Weber. Mais décrire l'épouvantable découverte, au soir de son retour, avait tué autre chose. Couché près de Sylvie, il avait tout raconté. Éprouvé le frisson malsain de la débâcle à l'instant où il s'apprêtait à parler. « Sylvie ? Il faut que je te dise.

– Houlà ! Mon prénom au grand complet. Gros problèmes en perspective. » Elle sourit, se mit sur le côté, la tête posée sur son bras replié. « Laisse-moi deviner. Tu es tombé amoureux. »

Il ferma les yeux et elle prit une inspiration. « Je ne dirais pas ça... fit-il pour commencer. Il semblerait que je sois retourné à Kearney, du moins en partie, pour revoir une femme autour de laquelle, sans m'en rendre compte, j'ai bâti toute une vie hypothétique. »

Elle restait là, sourire aux lèvres, comme s'il venait de dire : *Alors voilà, c'est l'histoire d'un neurologue qui rentre dans un bar...* « Ta syntaxe fait des manières, Ger.

– S'il te plaît. Ça me mine. »

Le sourire de Sylvie se figea. Elle se coucha sur le ventre en le regardant comme s'il venait d'avouer qu'il aimait porter des sous-vêtements féminins. De seconde en seconde, elle devenait de plus en plus professionnelle. Sylvie Weber : la Remédiatrice. Prête à le soutenir. Toujours. Horriblement. « Tu as couché avec elle ?

– Ce n'est pas la question. Je ne crois pas l'avoir seulement touchée.

– Ah. Là, j'ai un gros problème. Je me trompe ? »

Il méritait cette gifle, en avait même besoin. Mais il se déroba et ne répondit rien.

« Je te connais, Monsieur mon homme. La noblesse façon Weber. Je connais ton esprit idéaliste.

– Ce n'est pas quelque chose dont... j'ai besoin. C'est pour ça que je suis revenu si vite.

– Que tu as fui ! lança-t-elle, cinglante, avant de se radoucir, l'air contrit. Quand nous avons discuté de ton retour là-bas, tu ne savais pas ?

– Je... Je ne sais toujours pas. Ce n'est pas une affaire de... » Il voulait dire « de convoitise », mais le terme lui semblait évasif. Aussi équivoque que ce qu'aurait pu écrire Gerald le Grand. Encore un effort désespéré de tirer du chaos une histoire continue. « Rétrospectivement, il se peut qu'une partie de moi ait attendu avec impatience de retourner la voir.

– Lors de ton premier séjour, tu n'avais pas conscience d'éprouver de l'attirance pour elle ? »

Il réfléchit avant de répondre. Quand il reprit la parole, ses mots venaient d'un endroit situé non loin du plafond. « Je ne suis pas certain que le mot "attirance" soit le plus approprié pour désigner ce que j'ai éprouvé il y a deux jours. »

Elle porta les mains à son visage et se couvrit les yeux. « C'est sérieux, alors ? »

Comment cela pouvait-il être sérieux ? Que pouvaient signifier trois jours auprès de trente ans ? Une parfaite énigme auprès d'une femme qu'il connaissait par cœur. « Je ne souhaite pas accorder à cette histoire la moindre importance. »

Dans le creux de ses mains, Sylvie pleurait. Ses larmes, si rares au cours des ans, l'avaient toujours dérouté. Distantes, presque abstraites. Trop polies pour compter vraiment. Un chagrin calme : là se trouvait peut-être la véritable maturité, cette chose nécessaire à l'équilibre mental. Mais Weber avait attendu cet instant pour s'apercevoir que le vague détachement de Sylvie dans la détresse le perturbait depuis toujours. Cette crise dont leurs certitudes granitiques se moquaient sans cesse (liés qu'ils étaient par de petites gentillesses et leurs jeux stupides – « Monsieur mon homme », « Madame ma femme »), ce divorce qu'ils n'avaient jamais compris chez les autres, étaient leur lot à présent. Et Sylvie pleurait, sans bruit. « Alors, bon Dieu, pourquoi me racontes-tu ça ?

– Parce que je ne peux pas laisser cette histoire prendre une quelconque importance. »

Elle se massa les tempes. « Tu ne me jettes pas tout ça à la figure juste pour me punir... ? » La punir de quoi ? De s'être trouvée ? D'avoir découvert, au milieu de sa vie, un moyen durable de s'accomplir, quand lui voyait le sien l'abandonner ? Quelque chose d'animal éclata sur le visage de Sylvie, prêt à rendre coup pour coup. Et il sentit combien il l'aimait cruellement.

Il essaya de lui dire : « Je te donne... J'essaie... »

Mais déjà elle s'était redressée, de nouveau prête à le suivre – trop vite. Elle s'assit et souffla, comme si elle venait de finir sa gymnastique. Du plat de la main, elle donna une tape sur le lit. « Bon, alors. Dis-moi ce qui te plaît chez cette poupée. » Programme de perfectionnement. Prochaine étape de la vie sur le chemin de la maîtrise.

« Comment veux-tu qu'elle me plaise ? Je ne sais rien d'elle.

– Une marchandise inconnue ? L'attrait du mystère ? Le coup de la clé et de la serrure ? Quel âge elle a ? »

Il voulait arrêter de parler une bonne fois pour toutes. Mais parler était sa pénitence. « Pas loin de la cinquantaine », dit-il en mentant de dix ans. Mensonge inutile après la rude vérité : la quarantaine n'eût pas fait de Barbara une gamine pour autant. Elle était plus jeune que Sylvie, certes. Mais la jeunesse n'entrait pas en ligne de compte.

« Elle te rappelle quelqu'un ? »

L'idée s'imposa alors à lui. « Oui. » L'aura de ceux qui se sont soustraits à l'existence. Un peu en dehors, un rien au-dessus. La même prétention angélique que celle de l'auteur de ces trois livres. Avec, pourtant, cette frénésie toute personnelle qui affleurait sous la surface de son irréprochable numéro. « Oui. J'ai l'impression d'un lien entre nous. C'est moi qu'elle me rappelle. »

Il aurait tout aussi bien pu la gifler. « Je ne comprends pas. »

Nous deux. Weber s'enfonça les paumes dans les orbites jusqu'à ce que ses paupières s'éclaboussent de vert et de rouge. « Elle a quelque chose qui fait qu'on se sent lié à elle. Quelque chose que je dois comprendre.

– Tu veux dire que ce n'est pas physique ? Que c'est plus... ? »

Vinrent alors ces mots qu'il avait essayé de dire à Karin Schluter, et que lui-même ne pouvait entièrement se résoudre à croire : « Tout est physique. » Chimique, électrique. Affaire de synapses. Circuit ouvert ou fermé.

Sylvie se laissa retomber sur le lit, à côté de lui. « Enfin quoi ! » Elle souriait en se cramponnant aux draps pour sa sécurité. « Qu'est-ce qu'elle a de plus que moi, cette pouffiasse ? »

Weber croisa les mains sur sa calvitie. « Rien. Juste une histoire totalement indéchiffrable.

– Je vois, dit-elle, entre vaillance et amertume. L'une comme l'autre auraient achevé Weber. Pas moyen de lutter contre ça, on dirait ? »

Il finit par sortir de sa torpeur et encercla Sylvie, attira sur son torse sa tête frissonnante. « Terminée la compétition. Finis les concours. Tu as... tout mon savoir. Toute mon histoire.

– Mais pas tout ton mystère.

– Je me fiche du mystère », affirma-t-il. Le mystère et l'amour ne pouvaient survivre l'un à l'autre. « Il faut juste que je me reprenne.

– Gerald. Gerald. Tu n'as rien trouvé de mieux pour ta crise de la cinquantaine ? » Son échine s'effondra et elle éclata en sanglots. Elle laissa Weber la prendre dans ses bras. Au bout d'un instant, elle refit surface, essuya son visage rouge et humide. « Il va falloir que j'achète des sous-vêtements compliqués sur Internet, c'est ça ? »

Un rire étouffé les prit tous deux, brûlés de compassion.

Cet échange les secoua, plus qu'il ne l'eût imaginé. Sylvie restait fidèle à elle-même, d'une façon déchirante, et, chaque fois qu'elle souriait bravement, Weber s'en voulait de sa stupidité. Au bout de trente ans, elle aurait dû accueillir la nouvelle d'un air las et amusé, comprendre que son mari lui appartenait par défaut, enseveli sous les archives fossiles de l'expérience. Elle aurait dû lui tapoter le sommet du crâne et lui dire : « Rêve donc, mon petit homme ; le monde n'a pas fini de te mettre à l'épreuve. » Elle aurait dû savoir qu'il ne partait jamais qu'au pays des symboles.

Mais une vie consacrée aux neurosciences avait démontré la réalité des symboles. Seul espace habitable. Weber et Sylvie se croisaient dans leur tanière et s'enlaçaient. Ils se caressaient l'avant-bras dans la buanderie. Prenaient leurs repas l'un à côté de l'autre, sur leurs tabourets, comme ils l'avaient toujours fait, galvanisés par le danger, échangeant au passage des théories sur l'ONU et ses inspecteurs de l'armement, ou sur les phoques aperçus dans la baie de Long Island. Le visage de Sylvie était clair et lumineux, mais très lointain, comme une nébuleuse aux couleurs optimisées, transmise par le télescope *Hubble*. Elle refusait de lui demander comment il allait, seule question qui la préoccupât. La regarder lui meurtrissait la poitrine. Ces attentions insupportables finiraient par le broyer.

Quelques années plus tôt, à Parme, l'équipe de Giacomo Rizzolatti avait effectué des tests sur les motoneurones dans le cortex prémoteur d'un macaque. Chaque fois que le singe bougeait le bras, ces neurones étaient stimulés. Puis un jour, entre deux mesures, les motoneurones du primate reliés aux muscles de son bras se mirent à s'emballer, alors même que l'animal restait parfaitement immobile. Après plusieurs expériences, on parvint à cette conclusion ahurissante : les motoneurones du macaque entraient en action dès que l'une des personnes présentes dans le laboratoire remuait le bras. Les neurones qui servaient à déclencher ce même mouvement s'activaient du seul fait que le singe voyait un autre être vivant exécuter ce geste, et, par sympathie, ils levaient un bras imaginaire dans un espace symbolique.

Une partie du cerveau dédiée à des fonctions motrices se trouvait cannibalisée, mise au service de représentations imaginaires. Au moins la science avait-elle établi les bases neurologiques de l'empathie : une cartographie à l'intérieur du cerveau pour cartographier d'autres cerveaux cartographes. Un bel esprit se hâta de baptiser cette découverte « neurones singeurs », et tous l'imitèrent. L'imagerie médicale et l'électroencéphalogramme ne tardèrent pas révéler que le cerveau humain, lui aussi, était truffé de neurones miroirs. La représentation de muscles en action actionnait des muscles symboliques, et ces symboles de muscles actionnaient des fibres musculaires.

Les chercheurs se hâtèrent de parfaire cette découverte renversante. Le système des neurones miroirs ne se limitait pas aux seules fonctions de surveillance et d'exécution des mouvements. Il s'augmentait de filaments serpentins qui s'insinuaient en toutes sortes de processus cognitifs de haut degré. Les neurones miroirs jouaient un rôle dans la parole et l'apprentissage, dans le décodage des expressions du visage, dans l'analyse des dangers, dans la compréhension des intentions, dans l'intelligence sociale et la théorie de l'esprit, dans la perception des émotions et des réactions qu'elles suscitent.

Weber regardait sa femme aller et venir dans la maison, vaquer à ses journées. Mais ses neurones miroirs ne réagissaient plus. Mark Schluter avait peu à peu démantelé son sentiment d'accointance, et plus rien désormais ne lui paraîtrait familier, ni relié.

Jess vint passer trois jours à Noël. Avec sa compagne, Sheena. Shawna. Elle ne remarqua rien. La complicité de ses parents – *les inséparables en hiver* – fit même l'objet d'incessantes plaisanteries entre Jess et son amie docteur ès sémiotique. « Je te l'avais bien dit : le spectacle répugnant de la fidélité hétérobourgeoise tel qu'on l'observe seulement aux entrailles profondes de l'Amérique ultraconservatrice. » Les trois femmes eurent tôt fait de se condenser en trio. Elles partaient déguster des vins dans les vignobles de North Fork ou faire des promenades frigorifiantes sur les plages de Fire Island, laissant Weber à ses « songeries testostéronées ». Quand les deux jeunes femmes furent reparties, Sylvie se laissa gagner par la panique d'après-congés devant le nid déserté. Seules Remédiation et les longues heures passées à prodiguer ses conseils d'assistante sociale semblaient l'aider.

Weber caressait le fantasme de soigner dignement ses propres vacances à coups de Piracétam, un nootrope sans propriétés toxiques connues ni effet de dépendance. Voilà des années qu'il lisait des choses étonnantes sur la capacité de ce médicament à renforcer les fonctions cognitives par stimulation du flux des signaux entre les hémisphères. Plusieurs chercheurs de sa connaissance en prenaient, associé à de petites doses de choline, cocktail synergique censé doper la mémoire et la créativité plus efficacement que chaque molécule prise à part. Mais Weber était trop couard pour tenter l'expérience sur un esprit déjà aussi altéré que le sien.

En cette fin d'année, *Au pays de l'inattendu* n'apparaissait plus sur aucune liste, hormis celle des réalisations douteuses. Rapide disparition dont Weber se sentit presque soulagé : pas de preuves persistantes. Sylvie l'assistait avec un détachement étudié, ce qui l'attristait encore plus. Un dimanche soir après la Saint Sylvestre, alors qu'ils étaient installés devant un feu de bois, il fit une plaisanterie au sujet de Gerald le Grand qui avait omis cette année de descendre par la cheminée. Elle rit. « Tu sais quoi ? Qu'il aille au diable, Gerald le Grand. Je veux bien lui dire adieu tout de suite, il ne me manquera pas. Une carte postale une fois l'an, expédiée depuis le Club Méd des Maldives, ça me suffira amplement.

– Je trouve cette cruauté inutile.

– Cette cruauté ? » Elle frappa le manteau de briques avec force. Ses mains s'élancèrent vers les semaines passées à se taire, à se contenir. « Merde à la fin ! Ça t'ennuierait de me dire quand cette affaire sera classée ? »

Elle avait les yeux brûlants et il vit l'étendue de sa peur. Pas étonnant : réduite à l'impuissance, elle le regardait se détraquer dans son coin, sans savoir où ni quand tout cela finirait. « Tu as raison. Je suis désolé. Je n'ai pas été très... »

Elle prit une série d'inspirations profondes, bien décidée à se calmer. Elle s'approcha du canapé où il était assis et posa la tête sur sa poitrine. « Qu'est-ce qui t'arrive ? Qu'est-ce qui ne va pas ? C'est ta réputation qui te tracasse ? Le jugement du public, c'est de la schizophrénie collective, rien de plus. »

Il secoua la tête et se pinça le cou. « Non. Ce n'est pas une question de réputation. Tu as raison. La réputation... ce n'est pas le problème.

– Quoi alors, Gerald ? Quel est le problème ? »

Personne ne remarquait ses symptômes. Personne n'avait connaissance de ce que d'autres connaissaient de lui.

Sylvie l'attrapa par le col de sa chemise, et fit la grimace devant son silence. « Écoute-moi. Je donnerais sans hésiter toutes tes illuminations pour retrouver mon mari et le voir se remettre au travail pour son propre compte. »

Mais privé de ses illuminations, son mari n'était personne que Sylvie aurait pu reconnaître. Il était à deux doigts de lui avouer ce dont il était désormais convaincu : l'immoralité essentielle de ses livres. Deux mots qui les eussent achevés plus vite que n'importe quelle infidélité, réelle ou imaginaire.

« Cours magistral au centre médical dans dix-sept minutes. » Tout ce qu'elle voulait, en fin de compte, c'était le voir se relever, reprendre en main son existence, comme depuis des dizaines d'années, comme depuis leur rencontre à l'université de Columbus. Son homme. L'homme qui se lançait à corps perdu dans chaque entreprise, non pour savoir où elle l'entraînerait, mais pour l'étrangeté foncière de l'engagement à l'état brut. L'homme qui lui avait expliqué que chaque vie rencontrée est faite d'infinies nuances et impossible à reproduire. Enseigne. Apprends. Combien de saveurs veux-tu encore goûter ? Jusqu'où penses-tu pouvoir encore t'élever ?

Tandis qu'il jouait avec son pamplemousse, quelque chose heurta la fenêtre du coin-repas en faisant un bruit horrible. Weber comprit avant même de s'être retourné. Quand il regarda, il vit l'oiseau qui luttait pour repartir, les ailes brisées : un gros cardinal qui, pendant les deux dernières semaines, avait chargé son reflet dans la vitre, convaincu de la présence d'un intrus sur son territoire.

Il se retrouva devant le quart d'un amphithéâtre, occupé à tripoter son micro UHF et à combattre le sentiment d'imposture qui l'assaillait désormais avant chaque cours. Les étudiants étaient identiques à ceux des années précédentes : des gosses blancs de Ronkonkoma et de Comack, issus des couches supérieures de la classe moyenne, qui expérimentaient toutes les identités : du tatouage façon bagnard au crocodile Lacoste. Mais ce semestre, ils avaient changé d'attitude, pris un air sardonique. Ils s'étaient transmis par e-mails et SMS l'accusation publique portée contre lui. Ils notaient encore chacune de ses paroles, mais plutôt pour le prendre en défaut, débusquer le charlatanisme, stylo à l'affût, prêt au défi. Ils voulaient de la science, pas des histoires. Et Weber ne voyait plus la différence.

Il testa le micro et régla le projecteur. Leva les yeux vers les gradins occupés par des étudiants de maîtrise. Sur les visages, les pilosités farouches faisaient leur retour. Et les piercings, bien sûr, la grosse quincaillerie.

Jamais il ne s'y ferait : les petits-enfants de Levittown avec des pointes d'acier dans le nez et l'arcade sourcilière. Pendant que, au quatrième rang, une demoiselle replète et tatouée passait depuis son portable son dernier appel légal avant la sonnerie – « Salut, je suis en cours de neuro » – il regardait étinceler, lustré par la salive, le bijou qui lui transperçait la langue : surprenante petite perle d'eau douce.

Il ne pouvait observer cette assemblée de jeunes gens lassés du monde sans attribuer à chacun un profil clinique. Depuis son dernier passage écourté chez Mark Schluter, Dickens et Dostoïevski s'étaient réparti le monde. Au fond de la salle, assis de travers, Bhloitov, l'anarchiste fébrile, occupait trois chaises. En bout de rangée, à deux tables de l'estrade, la boule de nerfs pointilleuse, Miss Nurfraddle, prenait grand soin de ses textes alignés au cordeau. Au centre de l'auditorium, un homme d'origine slave ou grecque, le visage maigre, le cheveu noir et plaqué, fusilla Weber du regard quand il s'aperçut que la conférence ne débutait pas à l'heure pile. Quel forfait au monde méritait donc pareil courroux ?

Le temps venu, chaque personne présente dans la salle jetterait sur elle-même un regard empreint de dégoût et d'amusement. *Jamais je ne me suis habillé comme ça. Jamais je n'ai pris de notes avec autant de sérieux. Impossible que j'aie pu penser de la sorte. Qui donc est cet être pitoyable ?* Le moi était légion, cohorte improvisée d'éléments à la dérive. C'était le sujet de la conférence du jour, de toutes les conférences que Weber avait données depuis son rendez-vous manqué avec l'employé des abattoirs du Nebraska. Pas de moi sans un moi qui s'égare.

Deux rangs au-dessous du Grec aux cheveux plaqués se trouvait la jeune femme qu'au cours de ce semestre Weber évitait de regarder. Régulièrement, chaque année, il en arrivait quelques-unes, toujours plus jeunes. Elles n'étaient pas toutes belles. Mais chacune s'amusait à faire plus vieille que son âge, le sourcil trop haut d'un nanomètre. Celle-ci, assise à huit rangées de Weber, en plein centre de sa fovéa, vêtue d'un pull moulant à col roulé couleur pêche, lui souriait, le visage rond et rouge, avide de toutes les paroles qu'il pourrait prononcer.

La sœur de Mark avait dit quelque chose lors de leur première rencontre au restaurant. Une accusation. « Incroyable. Vous faites ça, vous aussi ? Je pensais qu'une personne de votre envergure... » Il croyait ne pas avoir compris de quoi elle voulait parler. Mais c'était faux. Et elle avait raison. Il faisait ça, en effet.

Il jeta un regard sur ses notes : ignorance organisée. Auprès du cerveau, tout savoir humain faisait figure de pastille jaune citron placée à côté du soleil. « Aujourd'hui, j'aimerais vous raconter l'histoire de deux personnes différentes. » Pleine d'une autorité amplifiée, sa voix désincarnée tombait des haut-parleurs fixés aux murs. Les dernières bribes de bavardage se dissipèrent. Le mot « histoire » suscita des ricanements contenus. Bhloitov fixa d'un œil ouvertement sceptique la première diapositive : une section coronale. Miss Nurfraddle implorait son dictaphone numérique. La jeune femme en col roulé regardait Weber avec une curiosité bienveillante. Le reste de l'assistance ne laissait rien paraître, qu'une légère marque d'ennui.

« La première est celle de H.M., le plus célèbre patient de la littérature neurologique. Un jour d'été, il y a un demi-siècle de ça, juste de l'autre côté de la baie, un chirurgien ignorant et trop zélé, qui voulait soigner l'épilepsie grandissante de H.M., introduisit une fine pipette d'argent dans son hippocampe – cette zone gris rose, là sur l'image – et il l'aspira, ainsi que la majeure partie du gyrus parahippocampal, de l'amygdale et du cortex entorhinal et périrhinal : ici, ici et là. Ce jeune homme, de votre âge environ, resta éveillé tout au long de l'opération. »

Comme, soudain, l'ensemble de l'assistance.

« Ceux d'entre vous, dont l'hippocampe fonctionne normalement, et qui ont assisté au cours de la semaine dernière, ne seront pas surpris d'apprendre que tous les tissus retirés au moyen de la pipette emportèrent avec eux l'aptitude de H.M. à fabriquer de nouveaux souvenirs... »

Weber perçut l'outrance de son numéro et en fut écœuré. Mais il avait raconté cette histoire tant de fois au fil des ans, dans des conférences et dans ses ouvrages de neurologie romancée, qu'il n'aurait su la présenter autrement. Il fit défiler les diapositives et exposa le dénouement de l'intrigue qu'il connaissait par cœur : H.M. n'était qu'à moitié revenu au monde des vivants, sa personnalité intacte, mais incapable de mettre un nom sur ses nouvelles expériences.

« Vous avez lu le compte rendu du docteur Cohen au sujet de H.M. Quatre jours de tests, et chaque fois que l'examinateur s'absentait puis revenait dans la pièce, il lui fallait se présenter à nouveau. Plusieurs dizaines d'années s'étaient écoulées depuis l'opération. H.M. les estimait à quelques jours. »

« Le premier devoir d'un médecin est de demander le pardon. » D'où venait cette formule ? D'un film que Sylvie et lui avaient vu ensemble à l'époque de son doctorat. Le film et cette réplique les avaient bouleversés comme seul pouvait l'être un couple de jeunes gens. Peu après cette soirée, Weber s'était engagé dans sa future carrière. Et à la même période, Sylvie s'était engagée envers lui pour la vie. *Le premier devoir d'un médecin est de demander le pardon.* Il aurait dû passer un moment chaque soir à implorer le pardon de tous ceux qu'il avait blessés par inadvertance dans sa journée.

« H.M. conservait du passé une mémoire intacte et même étonnante. Quand on lui montrait une photo de Mohammed Ali, il disait : "C'est Joe Louis." Interrogé de nouveau, deux heures plus tard, il faisait la même réponse, comme pour la première fois. Il était pris au piège d'une chambre forte, coincé dans une époque qui précédait tout juste celle de son opération. Il ne pouvait pas même apprendre qu'il était séquestré dans un éternel présent. Il ne se rendait pas compte de son état. Ou plutôt, la partie de lui-même qui en avait connaissance était incapable de transmettre cette vérité à sa mémoire consciente. Plusieurs fois par heure, il répétait : "J'ai un petit différend avec moi-même." Il vivait dans la hantise permanente d'avoir fait quelque chose de mal et d'être puni pour cela. »

Weber porta le regard au-delà d'une rangée de visages troublés par l'effroi, et il la vit. Il s'interrompit, désorienté. Elle s'était glissée à l'intérieur de l'auditorium, pour l'écouter en secret. Sylvie. Sylvie à vingt et un ans, dans l'Ohio. Elle avait pris place dans le premier tiers des gradins, juste au bord de l'allée de gauche, et regardait les diapositives, un carnet à spirale sur ses genoux croisés, le bout de son stylo appuyé sur la lèvre supérieure. Elle avait posé sur sa tablette pliante tous les documents du cours. La fin du semestre approchait, et il ne l'avait encore jamais remarquée.

« Pendant des dizaines d'années, H.M. fut l'un des patients les plus suivis de l'histoire médicale. À force de répétitions quotidiennes, il parvint à intégrer le fait qu'il faisait l'objet d'une observation. Les examens auxquels on le soumettait en permanence devinrent pour lui le motif d'une fierté douloureuse. Cent fois par jour, il répétait : "Au moins, je peux aider quelqu'un. Au moins, je peux aider les gens à comprendre." Mais il fallait toujours lui rappeler où il se trouvait et lui redire encore, après plusieurs décennies, qu'il ne rentrerait pas chez lui ce jour-là, auprès de son père et de sa mère. »

Weber regardait la cascade de cheveux bouclés qui engloutissait le visage sérieux de la jeune femme. Elle ressemblait en fait assez peu à Sylvie. Mais elle *était* Sylvie. Cette intensité douce et intérieure. Cette curiosité aux aguets, prête à recevoir tout ce que l'étude pourrait lui apporter. Weber retourna bien vite à son auditoire inquiet de voir les secondes s'égrener. Il entra dans les détails de la pathologie sans avoir besoin d'y réfléchir. Ses étudiants écrivaient. Il leur donnait ce qu'ils attendaient : des faits, rien que des faits, concrets et susceptibles d'être régurgités.

« À présent, en regard du cas de H.M., j'aimerais porter à votre attention l'histoire de David, trente-huit ans, agent d'assurance dans l'Illinois, marié et père de deux jeunes enfants, un homme en parfaite santé, qui ne présentait aucun trouble neurologique, sinon une foi persistante en la capacité des Chicago Cubs à remporter le prochain championnat. »

Plus timide que l'année précédente, un rire poli parcourut l'assemblée. Weber leva les yeux. La jeune Sylvie se mordait la lèvre, concentrée sur son cahier. Peut-être lui faisait-il pitié.

« Le premier signe d'un dysfonctionnement apparut lorsque David, plutôt amateur de R.E.M., conçut une passion soudaine pour Pete Seeger. »

Aucune réaction dans l'auditoire. Pas plus que l'année précédente. Ces noms avaient sombré dans l'amnésie culturelle depuis des temps. Seeger n'avait jamais existé. R.E.M. n'était pas même l'un de ces rêves que le cerveau garde en mémoire au sortir du sommeil paradoxal.

« Sa femme trouvait cela étrange mais ne s'inquiéta pas avant le mois suivant, quand David se mit à décrier J. D. Salinger, son auteur fétiche, le qualifiant de menace publique. Il commença à collectionner, mais sans jamais les lire, ce qu'il appelait alors de “vrais livres” exclusivement consacrés à l'aventure du Far West et à l'histoire navale. Le style vestimentaire de David changea : régression, disait sa femme. Il portait au bureau des salopettes à bretelles. Sa femme voulut l'envoyer consulter un médecin, mais il affirmait se sentir en pleine forme. Il faisait preuve d'une telle lucidité que sa femme s'interrogeait sur ses propres angoisses. Il parlait souvent de retrouver celui qu'il avait été autrefois. Sans cesse, il répétait : “C'est de cette façon-là que nous vivions tous, jadis.”

« Puis il commença à avoir des maux de tête et des vomissements, à souffrir de léthargie et de perte de vigilance. Un soir, David rentra chez lui avec trois heures de retard. Sa femme était aux cent coups. Il avait fait à pied le chemin depuis le bureau, dix-huit kilomètres, car il avait vendu sa voiture à un collègue. Ivre de panique, sa femme était furieuse. Il lui expliqua que les automobiles nuisaient à l'environnement. Qu'il pouvait se rendre à son travail à bicyclette et économiser ainsi une somme énorme pour financer les études de leurs enfants. Sa femme soupçonna un trouble de la personnalité dû au stress, ce que l'on appelait autrefois une crise aiguë d'identité... »

La jeune Sylvie griffonna quelques mots dans le carnet posé en équilibre sur sa cuisse. Cette façon dont s'épanouissaient les épaules, cette courbure de la nuque, à la fois solide et vulnérable. Des sensations bombardaient Weber, toutes leurs anciennes harmonies, ces millions d'instants disparus, accord après accord : les heures passées à étudier ensemble jusqu'à la fermeture de la bibliothèque ; les mardis soir, au ciné-club européen du film d'art et d'essai ; les longues discussions sur Sartre et Buber ; le sexe, plus ou moins en continu. Pour la mettre à l'épreuve quand elle affirmait sentir les couleurs, il lui bandait les yeux et caressait son ventre nu avec divers morceaux d'étoffe. Sylvie tombait juste à chaque fois.

Traces, encore intactes. Tout ce que Weber avait jamais été demeurait consigné dans ses archives, quelque part. Mais il n'avait pu retrouver les sensations égarées du souvenir, jusqu'à ce que ce fantôme de chair, qui ajoutait toutes les fausses notes de Weber aux accrétions de son propre journal, vînt s'asseoir devant lui au creux de cet amphithéâtre.

« La femme de David exigea qu'il appelle la personne à qui il avait vendu sa voiture et qu'il la lui rachète le lendemain. Il s'exécuta. Mais quelques semaines plus tard, David oublia tout bonnement de rentrer chez lui. En traversant le parking situé devant son bureau, il s'était tant extasié devant les couleurs changeantes du ciel qu'il avait décidé de passer la nuit là, assis sur l'asphalte, le regard perdu dans le vide. Quand la police le trouva au matin, il était désorienté. Sa femme le conduisit à l'hôpital où on l'admit en psychiatrie, puis il fut rapidement transféré en neurologie. Sans la technologie moderne du scanner, Dieu sait quel traitement on lui aurait fait subir. Mais avec le scanner : regardez ici, le cortex orbito-frontal caudal. Vous y apercevrez, large et circonscrit, un néoplasme – un méningiome – qui grossit depuis des années en comprimant les lobes frontaux pour s'incorporer peu à peu à la personnalité de David... »

Tandis qu'il passait à la diapositive suivante, Weber comprit : son dérapage dans le Nebraska ne marquait pas le tout premier écart d'une conduite par ailleurs irréprochable. Il n'avait jamais trompé Sylvie, techniquement parlant. Mais de loin en loin, Gerald le Fidèle avait flirté avec les limites. L'année de ses cinquante ans, il avait rencontré une femme sculpteur qui vivait dans la baie de San Francisco. Ils avaient correspondu assez longtemps, peut-être un an et demi, avant qu'elle ne le force à reconnaître qu'elle était le pur produit de son invention. Dix ans en arrière, il avait connu une assistante de recherche, une Japonaise en post-doc d'à peine plus de trente ans, enthousiaste et pleine d'attentes. Quelle que fût l'unité de mesure considérée, ils avaient frôlé l'accident. Elle s'en était allée lorsqu'il avait pris ses distances. Cette jeune femme, à peine capable de le regarder dans les yeux quand elle lui parlait, avait laissé un mot après son départ : « Au Japon, au moins, les chercheurs observent un jour de deuil en souvenir de tous les animaux de laboratoire qu'ils ont sacrifiés... » Chacune de ces histoires d'amour théoriques constituait une exception : soit une demi-douzaine d'exceptions en tout. Il semblait que Weber fût un récidiviste du délit de fuite. Chaque fois, il se confiait à Sylvie, mais après coup, et minimisait l'ampleur de la catastrophe évitée de justesse. Rien de définitif ne figurait dans son casier.

Quand la diapositive suivante se mit en place, Weber vit la vérité : il voulait Barbara Gillespie. Mais pourquoi ? Le manège de cette femme sonnait faux. Sa vie, comme celle de Weber, avait déraillé. Elle habitait déjà le néant dans lequel il se préparait à entrer. Bouleversement énorme et caché. Elle détenait un savoir dont il avait besoin. Quelque chose en elle pouvait le ramener à lui.

Mais il existait une autre explication, plus économe. Devant les faits, quel diagnostic ces étudiants établiraient-ils ? Crise banale de la soixantaine ? Simple affaire de métabolisme ? Aveuglement classique ? Ou bien s'agissait-il d'un phénomène plus insolite ? D'une déficience que le scanner mettrait en évidence, une tumeur qui lui comprimait sans relâche les lobes frontaux et refondait imperceptiblement sa personne...

Il s'éclaircit la voix ; le son fit explosion dans les haut-parleurs situés au-dessus de lui. « David ne voyait pas à quel point il était transformé, et pas simplement à cause de l'extrême lenteur du processus. Rappelez-vous notre séance sur l'anosognosie, il y a deux semaines. Le travail de la conscience consiste à donner l'illusion que tous les modules distribués du cerveau sont intégrés. Afin que nous ayons en permanence l'impression de nous reconnaître. David ne voulait pas qu'on le rafistole. Il croyait avoir retrouvé le chemin d'une vérité que, lui mis à part, tout le monde avait délaissé. »

La jeune Sylvie leva la tête et l'observa. Weber se dégoûtait. Il pouvait pardonner l'homme à la liste pitoyable de semi-infidélités. Mais pas au faussaire dont l'image immaculée avait effacé cette liste : après une longue et douloureuse exposition en place publique, quel châtiment pareil individu pouvait-il encore mériter ? Weber voûta les épaules et s'agrippa au pupitre. Il se sentait anémique et compensa par une dose supplémentaire d'analyse structurale et d'anatomie fonctionnelle. Il se perdit dans les lobes et les lésions. À sa montre, un léger bip lui indiqua que l'heure était venue de conclure.

« Voici donc deux déficiences très différentes, chez deux sujets très différents : l'un ne parvient pas à incarner son moi suivant, l'autre s'y enfonce sans la moindre retenue. Le premier reste à la porte de ses nouveaux souvenirs, le second en fabrique avec trop de facilité. Nous croyons avoir accès à nos états intérieurs, mais toute la neurologie nous enseigne que ce n'est pas le cas. Nous nous figurons être une nation unifiée et souveraine. La neurologie fait apparaître que nous sommes en réalité des chefs d'État aveugles, barricadés dans leurs suites présidentielles, à l'écoute d'une petite poignée de conseillers triés sur le volet, tandis que le pays chancelle, voué aux mobilisations *ad hoc*... »

Weber porta son regard sur l'auditoire amorti. Raté. Bhloitov fulminait. La jeune femme en col roulé ne savait où poser les yeux. Miss Nurfraddle semblait prête à dégainer son portable pour réclamer au procureur général l'incarcération de Weber, coupable d'une violation du Patriot Act. Il n'eut pas la force de regarder la jeune Sylvie. Weber aperçut son propre reflet dans le miroir que lui tendaient ces visages : un phénomène de foire neurologique, un cas.

Comment pouvait-il leur expliquer cela ? Une décharge d'énergie s'abat sur une cellule plurimillénaire. La cellule enregistre. Une impulsion déclenche une réaction en cascade qui incise la cellule et en altère la structure chimique, formant ainsi un moulage des signaux reçus. Une éternité plus tard, deux cellules se rejoignent et échangent des signaux, portant au carré le nombre des états qui peuvent s'y inscrire. Le lien qui les associe se modifie. Les cellules communiquent avec plus de facilité chaque fois qu'elles sont activées, leurs connexions ductiles gardent en mémoire une trace du dehors. À peine quelques dizaines de ces cellules arrimées les unes aux autres pour former un modeste limaçon, et cela suffit déjà à assembler une machine capable de se reconfigurer indéfiniment, à mi-chemin de la conscience. La matière organise la matière, registre malléable de son et de lumière, d'espace et de mouvement, de mutation et de résistance. Quelques milliards d'années et des centaines de milliards de neurones plus tard, le réseau de ces cellules tisse la trame d'une grammaire : l'idée du nom, du verbe, de la préposition même. Ces synapses archivistes, courbées sur elles-mêmes (le cerveau se fait la courte échelle et se déchiffre tout en déchiffrant le monde), explosent en une myriade d'espoirs et de rêves, de souvenirs – plus élaborés que le ciseau de l'expérience ne les a d'abord conçus – de théories échafaudées sur d'autres esprits, d'espaces inventés aussi véridiques et historiés que toute réalité matérielle, matière eux-mêmes, mondes microscopiques à l'intérieur du monde, gravés à la pointe de l'électron, où toute forme au-dehors trouve sa forme au-dedans, et où demeure encore une infinité de formes à venir : toutes les dimensions surgissent de cette chose dans laquelle flotte l'univers. Mais jamais le chaud ou le froid, le dur ou le mou, la gauche ou la droite, le haut ou le bas ; seules leurs images, engrangées. Rien que le jeu des ressemblances, battu par la cascade des réactions chimiques, occupée à défaire la configuration qui a présidé au stockage. Sémaphores dans la nuit, qui fabriquent jusqu'à la falaise depuis laquelle ils lancent leurs signaux. « Autonomes, impossibles, presque omnipotents et infiniment fragiles... », comme Weber l'avait écrit naguère.

Aucun espoir de leur faire voir cela. Il pouvait au mieux leur dévoiler les façons innombrables dont les signaux se perdent. Fracassés à la première aspérité du terrain : espace sans dimension, effet précédant sa cause, mots séparés de leurs référents. Montrer comment il peut arriver à n'importe qui de s'abîmer dans la négligence spatiale, d'échanger le haut avec le bas, l'après avec l'avant. Voir sans savoir, se rappeler sans raison. Grand raout de personnalités qui s'affrontent pour le contrôle du corps irrésolu, chacune persuadée pourtant d'être une et tout d'un bloc. Aussi homogènes et d'un seul tenant que ces étudiants, intelligents et sceptiques, avaient la sensation de l'être en cet instant.

« Un dernier cas, dans les quelques secondes qui nous restent. Voici une coupe latérale qui montre une lésion du gyrus cingulaire antérieur. Vous vous rappelez que cette zone reçoit des informations de nombreuses régions sensorielles supérieures et établit une connexion avec des aires qui contrôlent les fonctions motrices de haut niveau. Crick a décrit une femme atteinte précisément de cette lésion, qui avait perdu le pouvoir de se conformer à une intention, ou même d'en former. Mutisme akinétique : tout désir de s'exprimer, de réfléchir, d'agir, de choisir avait disparu. Emporté par son enthousiasme – réaction humaine qu'on lui pardonnera – Crick a déclaré avoir isolé le siège de la volonté. »

La cloche sonna, son salut et sa perte. Quelques étudiants commencèrent à évacuer les lieux alors même que Weber se dépêchait de conclure. « Ce sera tout pour cette rapide introduction à la question éminemment complexe de l'intégration mentale. Nous en savons un peu sur les parties. Et beaucoup moins sur la façon dont elles forment un tout cohérent. Lors de notre dernière séance, nous passerons en revue les candidats susceptibles de correspondre le mieux à un modèle intégré de conscience. Si vous n'avez pas encore l'article sur le problème du *binding*, procurez-vous un exemplaire auprès de votre responsable de groupe avant de vous en aller. »

Les étudiants se levèrent dans un fracas de tablettes et un claquement de livres. Que dirait-il, la semaine prochaine, pour résumer une discipline qui lui filait entre les doigts ? Sa science aurait beau fournir au monde une théorie globale du moi, longtemps après, nul ne pourrait encore comprendre ce qu'être un autre signifie. Jamais la neurologie ne parviendrait à saisir de l'extérieur un phénomène qui existait seulement au cœur impénétrable de l'intériorité.

Les étudiants vidèrent les lieux, allumant ici et là dans les allées les foyers d'une mutinerie. Un sentiment s'empara de Weber, l'envie d'adjoindre aux neurosciences authentiques le supplément d'une littérature maladroite, d'une fiction assez lucide pour reconnaître au moins sa propre cécité. À ces étudiants, il donnerait Freud, le prince des conteurs : « L'hystérique souffre avant tout de réminiscences. » Il donnerait Proust et Carroll. Il mettrait au programme le Funès de Borges : le destin de cet homme paralysé par une mémoire trop parfaite, anéanti par le simple fait qu'un chien vu de profil à trois heures et quart portât le même nom que ce chien vu de face une minute plus tard. « Le présent, presque intolérable, si riche et lumineux. » Il leur raconterait l'histoire de Mark Schluter. Leur décrirait le bouleversement que sa rencontre avec l'homme-enfant avait opéré en lui. Il accomplirait un geste que leurs neurones miroirs seraient forcés d'imiter. Il les perdrait dans le labyrinthe de l'empathie.

Les traînards habituels s'agglutinaient autour de l'estrade. Weber s'efforça d'écouter chaque question, de consacrer à chaque observation toute son attention. Quatre étudiants attendaient, en proie aux angoisses des fins de semestres. Et juste derrière eux, une autre vague de quatre. Weber parcourut l'amphi du regard sans savoir ce qu'il cherchait. Puis il la vit, qui s'attardait au milieu de l'allée gauche. La jeune Sylvie, venue l'aviser. Elle débattait en son for intérieur. Elle avait un message pour lui, pour le jeune homme qu'il avait été naguère, mais elle ne pouvait attendre. Un autre lieu l'appelait, en aval.

Weber essaya d'expédier les questionneurs avec un sourire rassurant pour chacun. La troupe commençait à se clairsemer quand, relevant la tête, surpris, il se retrouva nez à nez avec Bhloitov. De si près, Weber s'aperçut que les cheveux noirs de l'anarchiste étaient teints. Il portait au poignet un bracelet de cuir orné de clous, et sous la manche gauche de sa chemise dépassait un bout de la Vierge de Guadalupe, rouge vif et cyan. Une fine cicatrice entaillait la moustache tombante du jeune homme : souvenir d'une lèvre fendue et mal réparée. Weber jeta un regard furtif sur l'auditorium. La jeune Sylvie, hésitante, commençait à s'éloigner. Il se concentra sur l'anarchiste en essayant de se dominer. « Oui ? Que puis-je faire pour vous ? »

Bhloitov tressaillit, cligna les paupières et recula un peu. « Ce que vous avez dit à propos de ce... David. Ce méningiome... » Sa voix présentait des excuses. D'un signe, Weber l'invita à poursuivre. « Je me demande... Je crois que mon père a peut-être... »

Weber leva les yeux, réflexe désespéré. Sac à dos sur les épaules, Sylvie gravissait les marches, en route vers la sortie. Il l'accompagna du regard tandis que Bhloitov bredouillait et s'effaçait. Elle ne se retourna pas. *Où vas-tu ?* criait Weber dans l'espace symbolique. *Reviens. C'est moi. Je suis toujours là.*

Il était temps pour lui de prendre sa retraite. Plus moyen de se faire confiance dans une salle de cours, et moins encore au labo. Il pourrait toujours participer, en bénévole, à des programmes d'alphabétisation pour adultes, ou faire du soutien scolaire. Consacrer ses vingt dernières années à l'apprentissage d'une langue étrangère, ou écrire un roman neurologique. Il avait bien assez d'histoires à raconter. Et il ne serait jamais obligé de les publier.

Il resta à la fac jusqu'en début de soirée, submergé par un travail inventé : le troc des lettres de recommandation qui font la substance des vies universitaires. Ces modestes besognes avaient la saveur de l'expiation. En guise de phényléthylamine, il se prescrivit trois cents grammes de chocolat. Cela l'aidait, ces temps-ci, à soulever la lourde chape des soirées d'hiver.

Ce qui l'étonnait, c'était de n'éprouver presque aucun désir pour Barbara Gillespie. Peut-être la trouvait-il attirante, dans l'abstrait. Mais en cet instant encore, leurs transactions imaginaires ne dépassaient pas le seuil d'innocentes étreintes. Il voyait en elle... quoi ? Ni une parente, ni une amie ; certes pas une banale maîtresse. Leur relation restait à inventer. Il ne voulait pas la posséder. Armé de son habituelle batterie de questions, il voulait seulement tenter de comprendre ce qui avait entraîné la ruine de cette femme, et pourquoi sa présence lui donnait à ce point l'impression d'être absous. Il voulait la disséquer, la faire parler. Recueillir son histoire, lire sa biographie. Elle n'avait presque rien dit pendant les quelques minutes qu'ils avaient vraiment passées ensemble. Pourtant, elle savait quelque chose sur Mark que les tâtonnements maladroits de Weber cherchaient à découvrir.

Il la voyait, en salopette verte et chemise de coton blanc, monter sur un escabeau en bois. L'escabeau était adossé à une maison blanche de Cape Cod, au bord de l'océan. Bras levés, elle cherchait à atteindre le bord du toit. Que savait-il d'elle ? Rien de rien, sinon ce que son cortex préfrontal pouvait tisser sur le vide, et ce que l'hippocampe laissait flotter jusqu'aux rivages de la conscience. Il la voyait, petite fille au visage couvert d'un voile noir, qui allumait un cierge de quatre sous et le plaçait sur un autel, dans une église saturée d'encens. Que savait-il des gens en général ? Il la voyait avec Mark Schluter, en combinaison grise, un casque de chantier jaune sur la tête, qui inspectait un bouquet de jauges fixées à un cylindre en inox étincelant aussi haut qu'une maison. Il la voyait en promenade, penchée à la portière d'un coupé bleu conduit par Karin Schluter, qui tendait au vent un ours en peluche. Il se voyait avec elle, épaule contre épaule, à l'intérieur d'un tribunal bondé, dans une ville comme Kaboul, essayant d'obtenir la garde des Schluter frère et sœur, mais incapables de faire entendre leur requête dans aucun langage efficace.

L'idée lui vint tout à coup qu'il avait inventé le Nebraska. Toute cette histoire – exploration d'un genre hybride et expérimental, une moralité déguisée en journalisme d'investigation. Il ne conservait aucun souvenir fiable de ce qui s'était passé là-bas. Il était incapable de reconstituer avec précision un seul des traits du caractère de Barbara, et moins encore ceux de son visage. Pourtant, il ne pouvait s'empêcher de convoquer les souvenirs qui lui revenaient, tous si précis qu'on aurait juré des faits circonstanciés.

Que savait-il de la vie de sa propre femme ? Qui était-elle quand elle n'était pas sa femme ? Il rentra chez lui par l'esplanade recouverte de neige. Les deux églises coloniales ne manquaient jamais de l'apaiser. Il fit un long détour par le port de Strong's Neck, gris-vert à marée basse. Il tourna dans Bob's Lane, cette venelle que les gens de passage ne pouvaient trouver sans l'avoir déjà empruntée. Les pluies d'hiver gorgeaient encore le sol devant la maison. Durant l'automne, une famille de sarcelles avait élu domicile au bord de ce lac provisoire. Mais à présent, l'eau était gelée, et les canards partis.

Sylvie l'avait devancé. Ces temps-ci, depuis que Weber avait lancé sa bombe incendiaire, elle essayait de rentrer plus tôt de Remédiation. Il ne lui avait rien demandé. Mais il ne trouvait pas non plus le courage de lui dire que cela n'était pas nécessaire. Elle mettait un plat au four, un ragoût d'aubergines. Vingt ans plus tôt, il s'était déclaré capable d'en manger tous les soirs avec plaisir, et Sylvie se rappelait à présent cet enthousiasme enfoui. Son sourire inquiet, lorsqu'elle leva les yeux, lui transperça le cœur. « Bonne journée ?

– Mirifique. » Comme ils disaient autrefois.

« Ton cours s'est bien passé ?

– Si tu veux mon avis, il y a de fortes chances que j'aie été brillant. » Il la prit dans ses bras avec trop de précipitation, alors qu'elle luttait pour retirer sa manique. « Je t'ai déjà dit que j'étais absolument fou de toi ? »

D'un petit rire, elle exprima ses doutes et jeta un regard par-dessus l'épaule de Weber. Qui s'imaginait-elle voir arriver ? Qui pouvait-il donc ramener à la maison ? « Je crois bien que oui. Hier, me semble-t-il. »

L'émission passe à la télé. Mais c'est bizarre. Ils ont trafiqué Mark Schluter à la palette graphique, ils l'ont fait passer à la moulinette d'un filtre vidéo high-tech. Ceux qui ne le connaissent pas ne se douteront de rien. Mais ses amis, les rares qu'il lui reste, vont penser qu'il s'agit d'un cascadeur embauché pour jouer les doublures.

Ils racontent l'histoire à peu près comme il faut – c'est déjà ça. Ils parlent de l'accident, du véhicule qui lui a coupé la route, de celui qui venait par-derrière et a fait un écart. Puis vient le grand moment où le billet manuscrit apparaît à l'écran et remplit tout le cadre ; ils ont même ajouté des sous-titres, pour ceux qui n'arriveraient pas à lire, sans doute. *Je ne suis personne.* Je ne suis personne. Ça, mon vieux, de nos jours, ça pourrait être n'importe qui. Mais ils offrent une récompense, autour de cinq cents dollars. Vu que l'économie est au fond du trou et que la moitié de l'État pointe au chômedu, sûr que quelqu'un va venir réclamer le pactole.

Il aimerait bien rester dans son fauteuil, attendre que les indics anonymes fassent sonner le téléphone, mais il est trop occupé. Kopy Karin se ramène, toute remontée parce qu'elle a entendu parler de l'émission et qu'elle l'a ratée. « Quand est-ce que tu as fait ça ? Pourquoi tu ne m'as rien dit ? » Bonne prestation. Pour un peu, on se laisserait convaincre qu'elle n'est pas au parfum.

Il a un plan pour la mettre à l'épreuve, un truc qu'il mûrit depuis une éternité ou pas loin. Il lui demande si ça la tenterait, une virée jusqu'à Brome Road, la vieille ferme abandonnée que son père avait tenté de reprendre autrefois. L'endroit où il a vécu de huit ans à presque quatorze. L'endroit dont sa sœur parlait comme d'une espèce de paradis perdu. La doublure de Karin a été briefée, à ce qu'on dirait. Mark vient à peine d'ouvrir la bouche qu'elle fait déjà des bonds sur place comme une gamine. On croirait qu'il l'invite au bal du lycée.

Ils partent ensemble dans la petite jap'. Il règne une chaleur étrange pour un mois de décembre à quinze jours de Noël. Mark porte sa veste bleu ciel, celle qu'il met en octobre. Effet de serre et catastrophe écologique, probablement. En tout cas, merci aux pollueurs du dimanche. Karin Numéro deux est excitée comme une puce, à croire qu'elle n'a pas vu l'endroit depuis un bail. Le plus marrant, c'est que c'est probablement le cas. Ils remontent la longue allée qui conduit à la ferme, et, là, c'est comme si quelqu'un avait balancé une bombe à neutrons sur la façade. Plus un rideau aux fenêtres noires. La cour est une mer de chiendent et d'herbes hautes, le genre projet de restauration des grands espaces naturels. Clouée à la balustrade, il y a une pancarte orange et noire : DÉFENSE

D'ENTRER – la bonne blague. Personne n'habite ici depuis des lustres. Pour dire la vérité, la famille Schluter a coulé l'exploitation, et après ça aucun repreneur n'est parvenu à renverser la vapeur. L'endroit est à l'abandon depuis 1999, mais jamais Mark n'est revenu traîner ses guêtres dans le coin.

La grange penche furieusement sur la droite, comme si elle allait s'affaler à la première micro-onde qui passe. Mais Karin Bis pile avant qu'ils ne soient parvenus à hauteur de l'édifice. Elle s'affole : Où est passé l'arbre ? Le sycomore, il n'est plus là. Celui que papa et toi avez planté pour mes douze ans. D'accord, au début, ça le secoue un peu. Elle sait ce qu'ils ont planté, et quand. Mais après ? Il y a cette souche, là, juste sous leur nez. Et puis tout le monde en ville aura pu lui raconter l'histoire. Ces fadas de Schluter. Planter un grand arbre qui vous pompe des litres d'eau, quand on n'en a même pas assez sur la table pour empêcher les fayots de brûler !

J'ai appris qu'on l'avait coupé, il y a quelque temps de ça.

Elle se tourne vers lui, les yeux douloureux. Pourquoi tu ne m'as rien dit ?

Te dire quoi ? Je ne te connaissais même pas à l'époque.

Elle se gare sur le gravier et sort de la voiture. Il la suit. Elle s'approche de la souche et elle reste là, dans son jean trop large, les mains dans les poches de son petit blouson de cuir marron tout pareil à celui que Karin Numéro un portait autrefois. Ce n'est pas une méchante fille. Elle s'est simplement laissé embringuer dans une méchante affaire.

Elle demande : Quand est-ce qu'ils l'ont enlevé ? Avant ou après maman ?

Cette question le sonne un peu. Et pas seulement parce que c'est elle qui la lui pose. Il n'est plus très sûr.

Elle le regarde et dit : Je sais. C'est comme si elle était encore là, hein ? Comme si on allait la voir débouler sur le côté de la maison, une assiette de saucisses feuilletées à la main, et nous menacer de coups de ceinturon si on ne vient pas s'asseoir à table pour dire le bénédicité.

Alors là, elle lui flanque la chair de poule. Mais c'est exactement pour ça qu'il l'a amenée ici. Pour sonder ses limites. Il demande : De quoi d'autre tu te souviens encore ? Et là, elle se met à lui déballer des tas de trucs. Des trucs que seule sa sœur peut connaître. Des trucs du temps où ils étaient mômes, à l'époque où Joan Schluter ressemblait encore à la première version de Betty Crocker. Elle dit : Tu te rappelles comme elle était fière du titre qu'elle et ses parents avaient remporté quand elle était gamine ?

Il ne peut s'empêcher de répondre : Le concours de la famille la plus robuste, Grande Foire du Nebraska, 1951.

Elle continue : Oui, un concours organisé par une espèce de société d'eugénisme. Les juges notaient les concurrents sur la qualité de leurs dents et de leurs cheveux, comme les vaches et les cochons. Et ils ont décroché la médaille d'or !

De bronze.

Peu importe. Le fait est que, toute sa vie, maman en a voulu à Cappy d'avoir pollué son patrimoine génétique en nous fabriquant.

Elle ne s'arrête plus. Elle énumère tous ces faits étonnants que Mark lui-même a oubliés. Souvenirs des derniers temps de l'enfance, avant que Joan n'en vienne à tutoyer monsieur Tout-Puissant. Souvenirs des années noires, où il suffisait d'un rien pour la faire tomber à genoux et vomir des flots de démons subalternes. Tu te rappelles ce livre, Mark ? Celui qu'elle trimbalait partout et qui la rendait hystérique ? *Jésus comble tes failles* ? Et le jour où elle a enfin compris pourquoi ce titre te faisait rigoler ?

Tous les deux, plantés devant la souche, ils ricanent comme des ados qui ont fumé. Le vent se lève et, très vite, il se met à faire froid. Mark veut se diriger vers la maison, mais les paroles de cette femme se sont changées en fleuve de neige fondue. Souvenirs des derniers temps, à l'époque où sa mère s'était transformée en sainte prématurée. Elle dit : Tu ne l'aurais pas reconnue. Comme si Mark ne s'était pas trouvé dans les parages. Tu n'aurais jamais cru que c'était elle, si douce et agréable. Un après-midi, alors qu'on venait de commencer les perfusions, nous bavardions toutes les deux, et soudain elle s'est mise à m'expliquer que l'au-delà était selon toute vraisemblance une illusion. Mais malgré ça, assise dans son lit, plus chrétienne que le Christ, elle ingurgitait le potage au cheddar de l'hôpital que je lui donnais à la cuillère, et elle disait : « Oh, comme c'est bon ! Comme c'est bon ! »

Elle mélange un peu, mais Mark n'a pas envie de pinailler. Il est frigorifié tout d'un coup. Il la prend par le bras et l'entraîne vers la maison. Elle ne veut pas se taire.

Tu sais que je reçois toujours son courrier ? J'imagine que le cimetière ne fait pas suivre. Ça vient d'associations caritatives surtout, et d'organismes de crédit. Des catalogues expédiés par le magasin où elle commandait ces cardigans de vieille mémère.

Ils arrivent à la porte d'entrée. Il tourne la poignée : fermée. Même s'il ne reste plus rien à l'intérieur, à part des crottes de souris et des écailles de peinture. Il la regarde sans lui donner la moindre indication.

Elle dit : Tu ne te souviens pas ? Et elle se dirige droit vers la latte qui a du jeu, juste à gauche de la baie vitrée, et elle la secoue un peu. Ça coince. Mais la latte finit par céder, et bingo ! Voilà la clé de secours. Celle dont ils n'avaient même pas parlé à la famille qui est venue s'installer ici après eux. Elle doit déchiffrer ses ondes cérébrales, c'est très possible. Un genre de scanographie sans fil, un nouveau procédé numérique. Il aurait dû demander au doc, quand il en avait l'occasion. Elle déverrouille la porte et ils pénètrent dans un décor sorti tout droit d'un film d'horreur. Le vieux séjour est nu, partout recouvert de toiles d'araignées et d'une couche de poussière grise. Au salon, un canapé défoncé a perdu son rembourrage. Des signes d'infestation témoignent de la présence de mammifères bien plus gros que des souris. Karin Numéro deux se prend le visage à deux mains et se déforme les joues.

Arrête de faire ça. Tu ressembles à un braqueur de banque avec un bas nylon sur la figure.

Mais elle ne l'entend pas. Dans le coma, elle déambule de pièce en pièce et montre du doigt des objets invisibles. Le sofa foireux, la télé avec son antenne orientable, la cage de la perruche. Elle sait tout, et elle évoque ces souvenirs avec tant de douleur hypnotique que de deux choses l'une : soit cette femme est la plus grande actrice qui ait jamais vécu, soit une partie du cerveau de Karin a été transplantée en elle. Mark doit tirer cette affaire au clair avant que ça ne le rende marteau. Elle erre dans la maison, stupéfaite, comme ces victimes d'attentats à la bombe vues aux infos sur le câble. C'est ici qu'on mangeait. Là, on entassait nos chaussures. Elle est vraiment bouleversée. Pendant ce temps, Mark se demande si cette maison est bien l'originale ou s'il s'agit d'une réplique à l'échelle. Elle se tourne vers lui. Tu te rappelles quand papa nous a surpris en train de jouer au docteur et nous a enfermés dans le garde-manger ?

Ce n'est pas à ça qu'on... Mais pourquoi discuter avec elle ? Elle n'était pas là.

Deux prisonniers. Ça m'a paru des jours. Alors, tu t'es lancé dans cette histoire de « grande évasion ». Tu t'es servi d'un spaghetti cru pour pousser le passe dans la serrure jusqu'à ce qu'il tombe par terre sur un morceau de papier sulfurisé, et tu l'as ensuite tiré à toi sous la rainure de la porte. Tu avais quoi, six ans ? Où tu avais appris tous ces trucs ?

Dans les films, bien sûr. Où veux-tu apprendre quoi que ce soit ?

Elle se tient devant la fenêtre de la cuisine qui donne sur le petit lopin en friche. Qu'est-ce que tu te rappelles de... ton père ?

Ça lui fait un peu drôle. Parce que c'est comme ça que Karin et lui l'appelaient toujours. *Ton* père. Ils se l'envoyaient à la figure comme un reproche. Eh bien, le vieux n'avait rien d'un fermier. Ça, c'est indéniable. Toujours trois semaines d'avance ou de retard sur le calendrier, au minimum. Il ne voulait jamais rien faire comme tout le monde. Défier les conventions. La seule fois où il a récolté quelque chose, c'est parce que la saison avait été remarquable. On a eu de la veine qu'il décide de raccrocher pour s'embarquer dans ses banqueroutes infaillibles.

Elle répond d'un haussement d'épaules, enfonce les poings dans l'évier sec et rouillé. Elle dit : Tu as raison. On a eu de la veine. La crise agricole aurait eu raison de lui de toute façon. Comme des autres.

Ah ! Et l'ensemencement des nuages ? Personne n'avait jamais misé un dollar là-dessus.

Elle pousse un grognement amer. Allez savoir pourquoi. Tout ça, ce n'est qu'un boulot pour elle. N'empêche. Elle est douée. Elle secoue la tête : Mais qui était ce type ? Enfin quoi ? J'aurai bientôt l'âge qu'il avait à l'époque où il nous a enfermés dans la cave. Et je n'arrive pas à... Je me rappelle qu'il avait une longue cicatrice à l'intérieur du tibia, vers la cheville : souvenir d'un accident du temps de sa jeunesse.

Il lui explique : c'était une traverse de chemin de fer. Il peut bien le lui dire. Ce n'est pas avec de vieilles histoires qu'ils pourront l'atteindre. Il s'est laissé tomber une traverse sur la jambe, quand il bossait pour Union Pacific.

Ce n'est pas possible, Mark. Comment peut-on se laisser tomber une traverse sur le tibia ?

Tu ne connais pas mon père.

Elle se met à rire, mais, un instant plus tard, cette idée la panique. Elle dit : Tu as raison. Et la voilà qui pleure. Tu as raison. Du coup, il doit la prendre un peu dans ses bras pour qu'elle s'arrête. Elle l'entraîne vers le fond de la maison, jusque dans le débarras, une petite pièce qui surplombe l'atelier. Elle demande : Quand on a déménagé pour Farview, maman et toi, vous avez trouvé des vidéos...

Quoi ? Ces films pour businessmen qui veulent se mettre à leur compte ? *L'Arnaque* ? *Une poignée de dollars* ?

Elle secoue la tête en frissonnant. Des trucs horribles. Des trucs que je ne peux même pas... Je ne peux pas.

Oh. Les vidéos de *fisting* ? Oui. J'étais au courant.

Et quand maman les lui a amenées, sous le choc, et qu'elle s'est mise à hurler ? Lui, il restait là, à jurer que jamais de sa vie il n'avait vu ces cassettes. Qu'il ne savait pas comment elles étaient arrivées là. Que l'ancien propriétaire les avait peut-être oubliées. Des vidéos ! On n'avait même pas encore inventé le magnétoscope quand on s'est installé dans cette maison. Il les a emmenées derrière, dans la cour, et il a versé de l'essence dessus. Un feu de joie.

Tu parles, dit Mark.

Et maman a tout gobé. Cap sur le martyre. Elle croyait papa bien engagé sur le chemin du repentir.

Bah. Peut-être pas.

Non. D'accord. Peut-être pas.

Ils montent à l'étage où se trouvaient les chambres. Il s'habitue à cette désolation. Quelques cochonneries parsèment le couloir : une vieille facture de téléphone, un briquet vide. Un bout de toile goudronnée et deux ou trois cannettes de bière. Une fine pellicule de poussière de plâtre recouvre le sol. Rien de méchant. On se fait à tout.

Dans l'ancienne chambre de Mark, elle dit en les montrant du doigt : lit, armoire, étagères, coffre à jouets. D'un regard, elle vérifie auprès de lui qu'elle ne se trompe pas. Zéro faute. Impossible qu'ils aient pu l'entraîner à ce point. Il doit s'agir d'un genre de transplantation des synapses. Ce qui signifie que quelque chose de sa sœur a effectivement été téléchargé dans le crâne de cette femme. Quelque chose d'essentiel. Un bout de son cerveau, son âme. Il y a un petit morceau de Karin en elle. Elle désigne la niche creusée dans l'appui de la fenêtre, la minuscule maison où vivait monsieur Thurman, année après année. Le seul ami d'enfance fiable que Mark ait jamais eu. Il grimace, mais acquiesce.

Ce regard de défi, encore : Mark ? Je peux te poser une question ?

Je n'ai jamais touché à ces foutus numéros de *Seventeen*.

Elle rit un peu, comme si elle n'était pas certaine qu'il veuille faire de l'humour. Mais elle insiste. Est-ce que Cappy... Est-ce qu'il t'a jamais... touché ?

Qu'est-ce que tu veux dire ? Il a failli plus d'une fois me briser les jambes. J'en ai encore les marques.

Ce n'est pas ce que... Aucune importance. Laisse tomber. Viens par là. Dans ma chambre.

Attends. Dis donc ? Tu n'essaierais pas de me séduire des fois ?

Elle lui flanque une bourrade dans l'épaule. Il la suit, docile, en riant doucement. Ça le fait toujours marrer. Ils se retrouvent dans la chambre miteuse, toute grise, et jouent encore aux devinettes : Lit ? Raté ! Commode ? Pas vraiment.

Mais comment veux-tu que je sache, moi ? Elle changeait toujours ses meubles de place.

Karin Bis lui pose la main sur le poignet, retient son bras. Elle essaie de le regarder dans les yeux. À quoi elle ressemblait ? Dis-moi... à quoi ?

Qui ça ? Ma vraie sœur, tu veux dire ? Elle t'intéresse pour de bon ?

Partie depuis si longtemps qu'elle ne reviendra plus. Il doit y avoir un truc qui cloche chez Mark Schluter, un truc qui vient de l'accident, un truc dont même l'hôpital ne s'est pas rendu compte, parce que, d'un coup, il se met à chialer, comme un môme à la con.

Ils étaient là tous les deux, dans la maison abandonnée de Brome Road, à reconstruire un autrefois qu'ils ne partageaient plus. Au milieu des pièces saccagées et des souvenirs branlants, Karin s'aperçut soudain que, à défaut d'autre chose, Mark et elle avaient passé ensemble cette journée, ou du moins cet après-midi de soleil et de confusion. Et quand son frère s'était mis à pleurer, elle s'était approchée pour le consoler ; il l'avait laissée faire.

Ils sortirent dans l'air tiède de décembre. Longèrent l'ancien champ de leur père sans savoir qui le cultivait à présent. Dans le craquement des éteules sous leurs pas, Karin retrouvait la sensation des matins d'été, les réveils avant l'aube, la cueillette parmi les plants de haricots encore couverts de rosée, le désherbage à la houe, dont la lame si tranchante avait failli lui sectionner un orteil à travers le cuir de ses bottes de travail.

Mark avançait à ses côtés, tête baissée. Elle le sentait se débattre, elle avait peur de dire un mot, peur d'être quelqu'un, peur surtout d'être Karin Schluter. Chose des plus étranges, elle n'éprouvait aucune difficulté à se contenir. Elle avait pris l'habitude de jouer les doublures et d'être une autre. Cette femme lui offrait la possibilité de repartir à zéro avec Mark, alors même que l'ancienne Karin faisait son grand retour dans sa mémoire. Une chance de réécrire l'histoire : deux chances en une, à vrai dire.

Ils gravirent l'éminence noire et trapue. Karin sentit de nouveau, comme au temps de l'enfance, la nudité brutale de cet endroit sans arbres. Pas l'ombre d'un abri. Quoi que vous fassiez, Dieu vous épiait. Là-bas, à mi-distance, sur une petite crête, camions et voitures se croisaient sur la nationale, aussi rapides que des faux. Elle se retourna pour regarder la maison. À la même saison, l'année prochaine, effondrée, ou renversée d'un coup de bulldozer, elle aurait disparu – jamais existé. Le toit en forme de livre ouvert, la porte inclinée de la cave, adossée aux fondations de briques, ce cube blanc et râblé aux épaules carrées, qui faisait saillie sur l'horizon dépouillé. Protection dressée contre le rien.

« Tu te souviens le jour où papa et toi avez essayé de nettoyer la citerne qui refoulait ? »

Mark se frappait la tête à coups répétés, comme si la catastrophe venait de survenir. « Ne viens pas me rappeler des emmerdes que tu n'as pas pu connaître. »

Elle ne savait pas jusqu'où elle pouvait aller. « Tu te souviens quand ta sœur a fait une fugue ? » Il croisa les mains sur le sommet de son crâne, pour l'empêcher de s'envoler. Il se remit en marche, scrutant du regard la rigole que suivaient ses pas. « Ma sœur aura été une bénédiction, pendant toutes ces années où j'ai grandi. Elle m'a sauvé de la mort bien des fois. Bon, d'accord, elle avait ses petites bizarreries. Comme nous tous. Mais elle voulait juste qu'on l'aime.

– Comme nous tous, reprit Karin en écho.

– Vous vous ressemblez beaucoup toutes les deux. Elle aussi, elle couchait un peu à droite à gauche. »

Elle se tourna vers lui d'un mouvement vif, avec violence. Il la regarda, éberlué. « Hé ! Du calme. Je te chambre un peu, c'est tout. Mon vieux, tu prends la mouche encore plus facilement qu'elle. » Du revers de la main, elle lui lança une tape sur la poitrine. Il répondit d'un simple rire, son rire sans joie. « Mais, d'ailleurs, il faut que je te demande : ce type avec qui tu sors en ce moment... »

Elle baissa les yeux et regarda le sillon à ses pieds. *Lequel ?*

« Pourquoi lui, franchement ? Est-ce qu'il est bien normal, sur le plan sexuel ? »

Elle ne put s'empêcher de rire. « Normal, qu'est-ce que c'est, Mark ?

– Normal ? Un homme, une femme, par-devant. Rien qui risque de t'expédier en taule.

– Alors, il est... plutôt normal. »

Mark s'arrêta et s'agenouilla devant une carcasse desséchée. Il la poussa du bout du pied. « Un gauphre, déclara-t-il. Pauvre petite bête. »

Elle le tira par la manche. « J'aimerais bien savoir ce que tu reproches à Daniel. Vous étiez si proches pendant toutes ces années. Qu'est-ce qui s'est passé ?

– Ce qui s'est "passé" ? » Du bout des doigts, Mark traçait deux guillemets dans l'air. « Je vais te le dire, moi, ce qui s'est "passé". Il a essayé ses trucs de tarlouze sur moi. Comme ça, sans crier gare. Du harcèlement sexuel.

– Mark ! Allons donc. Je ne te crois pas. Quand est-ce arrivé ? »

Il fit volte-face, mains tendues. « Comment veux-tu que je sache ? Le 20 novembre 1988, à cinq heures de l'après-midi. Ça te va ?

– Oh, Markie. Tu avais quoi ? Quatorze, quinze ans ?

– Il fallait l'entendre : "Ce ne serait qu'entre nous. On pourrait se toucher, juste là. Rien que toi et moi..." Le petit dégueulasse. »

Karin leva les mains au ciel et s'agenouilla sur la terre sèche. « Tu me charries, là ? C'est donc ça, la grande brouille dont ni lui ni toi ne voulez parler, depuis tout ce temps ? » Il s'accroupit à côté d'elle et ratissa la poussière avec ses doigts, en fuyant son regard. « En grandissant, tous les garçons font ça, au moins une fois.

– Euh. Pas le grand garçon que tu as devant toi.

– C'est à cause de ça que tu as bazardé une amitié ? » Mais Karin avait condamné à l'exil quelques-unes de ses meilleures amies pour moins que cela.

Lèvres pincées, Mark jouait avec un amas de racines. « Il a suivi son chemin de tordu ; j'ai suivi le mien. »

Elle lui toucha l'épaule. Il n'essaya pas de se dégager. « Pourquoi tu ne me l'as pas dit ? Enfin, pourquoi n'en avoir jamais parlé à ta sœur ?

– Pourquoi ? Parce que vous êtes toutes les deux des intellos. Si ça vous branche de vous faire niquer par un bi, libre à vous. » Les yeux plissés, il lança un regard plein de ressentiment sur le champ bombé et onduleux. « Qu'est-ce qu'il dirait, d'après toi, s'il nous voyait tous les deux, ici, comme ça ? »

Karin s'appuya contre le rebord d'un sillon, prise d'une envie de rire. Horrible. Pire que tout. Leur conversation la plus sincère et la plus intime depuis l'époque où ils habitaient cette maison.

« Tu sais, il ne voulait pas juste me dorloter l'asticot. Ce type était bel et bien amoureux de moi. »

Mark posa les yeux sur la course des nuages, et Karin commença à éprouver une sensation de malaise. Éréthisme des explications. *Ce type était bel et bien*... Mais cela ne pouvait être vrai. Pas dans le sens que Mark donnait à ces mots.

« J'ai dans l'idée qu'il l'a aussi fait avec des animaux.

– Je t'en prie, Mark ! Arrête. Qui t'a raconté ça ? Tes amis ? Il n'y a pas pires violeurs de basse-cour que ces deux-là. »

Il se croisa les mains derrière la nuque, livré au tourment de ses pensées. « Tu sais, tu avais raison à propos de Rupp et Cain. Tu avais raison et j'avais tort. Je ne t'ai pas écoutée. Je devrais t'écouter davantage.

– Je sais, dit-elle à la poussière. Et ça reste valable aujourd'hui. » Elle écoutait à présent, et Daniel changeait à mesure qu'elle entendait les paroles de Mark. De ses paumes égratignées, elle repoussa la terre moissonnée et se leva. « Viens. Rentrons avant de nous faire arrêter pour violation de propriété.

– Qu'est-ce que vous fabriquez ensemble, franchement ? C'est pour le plaisir ou quoi ? » Il détourna la tête et se réfugia derrière l'écran de ses mains. Elle le regarda en clignant les yeux, mal à l'aise. « Je ne te demande pas de détails cochons. Vous allez à l'opéra ? Vous traînez dans les bibliothèques municipales jusqu'à ce qu'on vous jette dehors ? »

Que fabriquaient-ils ensemble ? Les techniques du plaisir n'étaient pas de celles qu'ils avaient parfaites. « Nous allons nous promener, parfois. Et nous travaillons. Pour le Refuge.

– Vous faites quoi ?

– Eh bien, en ce moment, on essaie de mettre les grues à l'abri de leurs admirateurs. » Elle lui brossa à grands traits le tableau de ses journées, et ses propos la surprenaient elle-même. Elle ne fréquentait le Refuge que depuis un peu plus d'un mois, mais elle montrait toute la ferveur d'une convertie. Elle ne s'imaginait plus à présent sans ce travail. Assise des heures durant devant une montagne de circulaires émises par le gouvernement, elle s'efforçait de les traduire dans une langue capable de réveiller les indifférents et de leur faire voir tout ce qui venait s'abreuver à la rivière. Ce travail avait rempli un vide en elle, comblé le creux laissé par le syndrome de Capgras. Elle était restée en suspens si longtemps. Elle aurait voulu transmettre à Mark les informations dont elle disposait. L'humanité consommait vingt pour cent d'énergie de plus que le monde ne pouvait en fournir. L'extinction des espèces se poursuivait à un rythme mille fois supérieur à la normale. Au lieu de cela, elle décida de lui raconter le combat mené pour les droits de l'eau, la guerre terrestre qui se déroulait aux portes de Farview.

« Attends une minute. Tu veux dire que l'Observatoire naturel va nuire aux oiseaux ?

– C'est ce que montrent les chiffres. C'est ce que pense Daniel. »

Ce nom replongea Mark dans l'effroi. « Ce soi-disant Daniel. Tu sais, ce gars-là, c'est le chaînon manquant. Tout ramène sans cesse à lui. »

Le chaînon manquant. Qui s'accouplait avec des animaux. Défenseur de toute créature incapable de lutter contre la conscience. Ils avaient presque rejoint la maison. Mains coincées dans les poches arrière de son pantalon, Mark poussait du pied une pierre au fond d'un sillon. Il s'arrêta net et se retourna brusquement vers elle. « Leur centre aéré. Où tu dis qu'ils doivent l'implanter ? »

Karin s'orienta et indiqua le sud-est. « Ils veulent le construire quelque part vers là-bas. En aval. »

Mark releva la tête et tout son corps se raidit soudain. « Merde. Regarde quelle direction tu me montres ! Mais qu'est-ce qui se passe, putain ? » Il laissa échapper un cri de douleur. « Tu ne vois donc pas ? C'est pile l'endroit de mon accident. » Il se laissa partir en arrière, adossé à la porte inclinée de la cave. « Explique-moi ça, tu veux ? » Pendant une seconde, elle crut qu'il frôlait l'embolie. « Mettre les oiseaux à l'abri. Sauvegarder la rivière. Et moi alors, qui me protège ? Où est passé le doc, bon Dieu ? J'ai un tas de questions à lui poser. Il s'est tiré d'ici ventre à terre, comme si, pour le coup, c'est moi qui lui avais fait des propositions salaces. »

Il écarquillait ses yeux noisette désespérés, et Karin leur devait une réponse. « Tu n'y es pour rien, Mark. Le docteur a ses propres soucis. »

Il se redressa sur le plan incliné, prêt à bondir. « Qu'est-ce que tu me chantes ? "Ses propres soucis" ? »

Elle recula d'un pas. S'assura de la distance qui la séparait de la voiture. Il était capable de tout. Au fond de lui, quelque chose de primitif jouait des griffes pour remonter à l'air libre.

Mais il se laissa repartir en arrière et leva les bras. « OK, oublie ça. Écoute-moi. Je t'ai demandé de venir ici pour une simple raison. Désolé de t'avoir tendu ce piège, mais à la guerre comme à la guerre. Il y a une question que je dois régler une fois pour toutes. Je ne sais pas bien à qui tu dois rendre des comptes, ni pour qui tu roules en définitive. Ce que je sais, c'est que tu m'as aidé quand j'étais au fond du trou. Je ne comprends pas encore très bien pourquoi, mais je ne suis pas près de l'oublier. » Il tendit le cou et regarda le ciel coquille d'œuf. « Enfin, disons que, aussi longtemps que je me souviendrai de quelque chose, je me souviendrai de ça. Je ne sais pas comment tu sais ce que tu sais mais, manifestement, on t'a fourni la base de données intégrale de ma sœur, ou à peu près. Ils l'ont téléchargée en toi, imprimée dans tes circuits – un truc dans le genre. Tu sais plus de choses sur moi que je n'en sais moi-même. Toi seule peux répondre à ma question. Je n'ai pas le choix : je dois te faire confiance. Alors ne va pas m'embrouiller sur ce coup-là, d'accord ? » Il se releva et vint se placer à trois pas de la maison, distance suffisante pour lui permettre d'indiquer la fenêtre de son ancienne chambre. « Tu te rappelles le type qui vivait là-haut ? »

Karin parvint à secouer la tête.

« Tu n'aurais pas ça en mémoire ? Qui il était, comment il a grandi, ce qui lui est arrivé ? Ce qu'il est devenu ? »

Une fois encore, elle voulut acquiescer, mais sans succès. Mark ne s'aperçut de rien. Il fixait des yeux la fenêtre de son enfance, attendant qu'une preuve en descende le long d'une corde de draps.

Il se tourna vers Karin et la prit par les épaules, comme s'il voyait en elle le messager de Dieu. « Est-ce que tu te souviens bien de Mark Schluter, celui de l'année dernière à la même époque ? Disons, dix à quinze jours avant son accident ? Il faut que je sache, d'après les impressions qu'on a programmées en toi à son sujet... si tu penses qu'il pourrait avoir fait exprès. »

Le cerveau de Karin émettait un bourdonnement sourd. « De quoi tu parles, Markie ?

– Ne m'appelle pas comme ça. Tu as compris ma question. Je cherchais à me supprimer ou pas ? »

Elle sentit ses tripes se retourner. Elle secoua si fort la tête que ses cheveux lui fouettèrent la figure.

Il la dévisagea, à la recherche d'un signe de trahison. « Tu en es sûre ? Absolument certaine ? Je n'en avais jamais parlé avant ? Je n'étais pas déprimé ? Parce que voilà ce que je crois : sur la route, devant moi, il y avait quelque chose. Quelque chose de blanc. Peut-être la voiture qui arrivait en face et m'a coupé la route. Ou alors, peut-être... Tu sais. La personne qui m'a trouvé, l'auteur du billet qui a changé le cours de ma vie. Parce que, si ça se trouve, j'étais là-bas pour... tu comprends ? Pour en finir. Mettre un terme à cette histoire. Et on m'en a empêché. »

Les objections s'élevaient dans son esprit avant même que Karin ait le temps de les penser. Mark n'avait montré aucun signe de dépression. Il possédait un travail, des amis, une nouvelle maison. S'il avait voulu faire ce qu'il disait, elle l'aurait su... Pourtant, elle avait elle-même soupçonné cette éventualité. Dès l'hôpital, et encore jusqu'à ce matin.

« Tu es sûre ? demanda Mark. Rien, dans les souvenirs de ma sœur qu'ils t'ont implantés, n'indique une quelconque tendance suicidaire ? Très bien. Je suis obligé de croire que tu ne me mentirais pas sur ce point. Allons-y. Ramène-moi à la maison. » Ils se dirigèrent vers la voiture. Il prit place sur le siège passager. Elle démarra le moteur. « Attends », dit-il. Il redescendit de voiture, courut jusqu'à la balustrade vermoulue et arracha la pancarte DÉFENSE D'ENTRER. Il revint et s'engouffra à l'intérieur de la Corolla en indiquant la route d'un signe de tête.

Elle le conduisit chez lui ; le trajet s'étirait à mesure qu'ils roulaient. Karin hésitait encore au sujet de l'Olanzapine. Mark appréciait sa compagnie à présent, au moins un peu. Mieux : il aimait celle qu'elle avait été. Elle savait à quelle réalité le traitement risquait de le ramener. Dans son état actuel, Mark ne se trouvait peut-être pas plus mal. Son bien-être ne comptait-il pas davantage que son retour officiel à la raison ? Mark lui-même (l'ancien Mark) aurait sans doute été d'accord. Mais terrassée par la raison, justement, Karin lui expliqua qu'il leur fallait retourner voir le docteur Hayes. « Ils ont trouvé une solution. Un médicament qu'ils peuvent t'administrer pour essayer de clarifier les choses. Pour te permettre de retrouver un peu plus de... cohésion.

– De la cohésion, ça serait bien utile par les temps qui courent. » Mais il ne prêtait pas vraiment attention à ce qu'elle disait. Il scrutait l'horizon sur la droite, regardait vers la rivière, le futur Observatoire et le lieu de son accident passé. « Mettre les oiseaux à l'abri, c'est ça ? » Il hochait la tête d'un air stoïque devant la démence profonde de la race humaine. « Mettre les oiseaux à l'abri et zigouiller des gens. »

Il alluma la radio. Elle était réglée sur une chaîne de parlotte frénétique que Karin écoutait pour le plaisir d'entendre confirmer ses pires hantises. Le président avait ordonné de vacciner contre la variole un demi-million de soldats. Les auditeurs appelaient pour demander des conseils sur les moyens de se protéger contre l'épidémie annoncée.

« Guerre biologique », psalmodia Mark. Il la regarda, le visage fardé d'une totale incompréhension. « Je voudrais être né soixante ans plus tôt. »

Ces paroles prirent Karin au dépourvu. « Qu'est-ce que tu veux dire ? Pourquoi ça ?

– Parce que si j'étais né soixante ans plus tôt, je serais mort à l'heure qu'il est. »

Elle tourna dans le Domaine du Pas des Eaux et alla lentement se ranger devant la maison. « Je vais prendre rendez-vous avec le docteur Hayes. D'accord, Mark ? Mark ? Tu m'écoutes ? »

Il dispersa le brouillard qui l'enveloppait, et resta, hésitant, le pied droit en dehors du véhicule. « Comme tu voudras. Rends-moi simplement un petit service. Si jamais ma vraie sœur revient un jour... » Il se tapotait le front avec deux doigts. « Tu crois que tu pourras encore garder un petit sentiment pour moi ? »

« Le moi se figure être un tout, doué d'intentions, incarné, continu et conscient. » C'est du moins ce que Weber avait écrit naguère dans *Mille deux cents grammes d'infini*. Mais à l'époque, avant même de savoir quoi que ce soit, il savait déjà que chacun de ces préalables pouvait être pris en défaut.

Un tout : les travaux de Sperry et Gazzaniga, menés sur des patients ayant subi une commissurotomie, avaient tranché dans le vif de cette fiction. Des épileptiques, dont, en dernier recours, on avait incisé le corps calleux pour traiter la maladie, avaient fini par habiter deux hémisphères cérébraux distincts et dépourvus de toute connexion. Deux esprits disjoints coexistaient dans un même crâne, l'intuitif à droite, le systématique à gauche, chacun faisant usage de ses propres percepts, de ses propres idées et de ses propres associations. Weber avait assisté à des tests effectués séparément sur la personnalité des deux moitiés du cerveau d'un même sujet. Celle de gauche affirmait croire en Dieu ; celle de droite se proclamait athée.

Doué d'intentions : Libet avait enterré cette idée en 1983, y compris pour le cerveau à l'état normal. Il avait demandé à des volontaires d'observer un chronomètre et de noter l'instant précis où ils prenaient la décision de lever le doigt. Pendant ce temps, des électrodes se tenaient à l'affût d'un « potentiel de préparation » indiquant le déclenchement d'une activité musculaire. Ce signal précédait d'un bon tiers de seconde toute intention de lever le doigt. Le « nous » responsable de la volition n'était pas le « nous » que nous croyions être. Notre volonté tenait un emploi de comédie : celui, bien connu, du coursier qui se prend pour le grand patron.

Incarné : il suffisait de songer aux expériences d'autoscopie et de perception extrasensorielle. Des neuroscientifiques de Genève avaient conclu que ces bizarreries provenaient d'un dysfonctionnement paroxystique de la jonction temporo-pariétale. Un faible courant électrique envoyé dans la zone appropriée du cortex pariétal droit faisait flotter n'importe qui vers le plafond et lui donnait la sensation de regarder d'en haut son corps abandonné.

Continu : ce fil-là était prêt à se rompre à la première tension. Déréalisation et dépersonnalisation. Crises d'angoisse et conversions religieuses. Délires d'identification – le spectre continu de tous les phénomènes voisins du syndrome de Capgras ; phénomènes auxquels Weber avait assisté sa vie durant sans jamais leur prêter une réelle attention. Un amour éternel qui se rétracte. La philosophie de toute une existence, répudiée avec dégoût. Ce pianiste concertiste qu'il avait interrogé : après une longue maladie, il s'était réveillé un matin, sans pathologie visible, sachant toujours jouer, mais incapable de ressentir la musique ou d'y porter un quelconque intérêt...

Conscient : sa femme était là, à côté de lui, endormie sur l'oreiller.

Cette pensée prenait forme en Weber tandis qu'allongé dans l'aube il écoutait un oiseau moqueur lancer la boucle de ses appels chapardés. Ce moi que le moi décrit à lui-même, nul n'en était détenteur. Mensonge, déni, refoulement, confabulation : non pas des troubles, mais une signature. Celle de la conscience s'efforçant de rester intacte. Que valait la vérité auprès de la survie ? Flottant, fracturé, brisé, en retard d'un tiers de seconde, quelque chose continuait d'affirmer : « C'est moi. » L'eau change toujours, mais la rivière demeure.

Le moi était un tableau, peint sur cette toile liquide. Une pensée envoie un potentiel d'action se propager le long d'un axone. Un peu de glutamate passe d'un corps cellulaire à un autre, trouve un récepteur sur une dendrite cible et déclenche un potentiel d'action dans la cellule d'arrivée. Mais la véritable décharge survient ensuite : le potentiel d'action dans la cellule réceptrice expulse un bloc de magnésium contenu par un autre type de récepteur ; le calcium afflue et l'enfer chimique se déchaîne. Des gènes entrent en action, qui fabriquent de nouvelles protéines, lesquelles remontent jusqu'à la synapse et la reconfigurent. Et tout cela engendre un nouveau souvenir, ce canyon où coule la pensée. L'esprit surgi de la matière. Chaque éclat de lumière et de bruit, chaque coïncidence, chaque trajectoire aléatoire à travers l'espace, corrige le cerveau, modifie les synapses, et en ajoute même, tandis que d'autres faiblissent ou disparaissent faute de sollicitation. Le cerveau est un ramassis de changements destinés à refléter le changement. Il faut utiliser ou perdre. Utiliser *et* perdre. Nous faisons un choix, et ce choix nous défait.

Il en allait de la science comme de la synapse. Quand la potentialisation à long terme fut découverte, dans les années 1970, une dizaine d'articles peut-être parurent en cinq ans. Dans les cinq ans qui suivirent, on en compta presque une centaine. « Si deux cellules sont activées en même temps, alors la force de la connexion augmente. » Au début des années 1990, plus de mille parutions. Et deux fois ce nombre aujourd'hui ; un nombre qui doublait tous les cinq ans. Plus d'articles qu'aucun chercheur ne pouvait espérer en digérer. La science s'emballait, comme la synapse exposée. En soi, la synapse était déjà de la science. La plus petite machine imaginable conçue pour comparer et relier. Conditionnement classique et conditionnement opérant engrammés en langage chimique, capable d'apprendre le monde entier, et de faire émerger un « tu » par-dessus l'ensemble.

L'oiseau moqueur lançait ses éclats dans l'air : par rafales de cinq, de sept, de trois. Chacune mutait comme les cycles d'une alarme de voiture. *Écoute l'oiseau moqueur. Écoute l'oiseau moqueur.* Il avait chanté cet air avec sa femme, cette même femme, du temps où ils chantaient encore. *Un oiseau moqueur chante sur sa tombe.*

C'était l'hymne de l'oiseau à la plasticité : chaque reflet du soleil levant sur la baie moutonneuse modifiait la forme de son cerveau. Le cerveau qui retrouvait un souvenir n'était pas celui qui l'avait fabriqué. Le simple rappel d'un souvenir en défigurait le contenu. Chaque pensée endommageait et reconstruisait ses digues. Même l'accompagnement de cet oiseau moqueur – cet accompagnement-ci – transformait Weber à tout jamais.

Le lacis devenait plus dense à mesure qu'il essayait d'en suivre l'enchevêtrement : des groupes de neurones reliés les uns aux autres, qui modélisaient et mémorisaient la lumière changeante, se trouvaient eux-mêmes modélisés dans d'autres groupes de neurones. Des pans entiers du circuit étaient destinés à tester les programmes des sous-circuits, l'œil de l'esprit cannibalisait l'œil du cerveau, l'intelligence sociale piratait les circuits dédiés à l'orientation spatiale. La conjecture mimait le réel : des simulations simulaient des simulations. Quand la petite Jess n'avait pas encore un mois, Weber pouvait lui faire tirer la langue rien qu'en tirant la sienne. Impossible de compter le nombre des miracles impliqués dans le processus. Jess devait repérer l'emplacement de la langue de Weber dans son corps à lui, puis, d'une certaine façon, situer ces éléments sur la carte sensorielle de son corps à elle, y trouver puis actionner une langue qu'elle ne pouvait même pas voir et dont elle ignorait jusqu'à l'existence. Cette toute petite fille, à qui l'on avait encore rien appris, accomplissait cet exploit rien qu'en le voyant faire. Où finissait le moi de Weber, où commençait celui de Jess ?

Le moi se vidait de sa sève : produit des neurones miroirs, des circuits d'empathie, il avait été sélectionné et conservé chez de nombreuses espèces pour ses vertus obscures en matière de survie. Le gyrus supramarginal de la petite Jess suscitait une fiction, un modèle imaginaire de ce que son corps serait s'il accomplissait les mêmes gestes que celui de son père. Weber avait observé des personnes victimes d'apraxie idéomotrice, une lésion qui touchait cette zone du cerveau. Quand on leur demandait d'accrocher un tableau, ils y parvenaient. Mais si on leur demandait de faire semblant d'accrocher un tableau, ils frappaient le mur sans méthode, incapables de mimer la présence du marteau dans leur poing serré, ni le clou entre leurs doigts.

Quand, à quatre ans, Jess feuilletait un livre d'images, son visage reproduisait les expressions des personnages dessinés. Un sourire la faisait sourire et lui procurait une joie enfantine. Une grimace lui infligeait une véritable souffrance. Et de la voir, Weber en éprouvait aussi : les émotions activaient les muscles, mais activer les muscles suffisait à déclencher les émotions. Une lésion du cortex insulaire empêchait la modélisation mimétique intégrée des états corporels nécessaire à l'interprétation ou à la reproduction des contractions musculaires observées chez une autre personne.

Posé sur une branche, près de la fenêtre de leur chambre, l'oiseau persistait dans ses moqueries, bribes de riffs volées à d'autres espèces et rajoutées à la mélodie croissante. Sous les paupières de Weber, faisant appel aux mêmes aires cérébrales que la vision véritable, apparaissait l'image d'un petit garçon inconnu (il aurait pu s'agir de Mark ou d'un enfant très semblable) qui regardait dans un champ gelé des oiseaux plus grands que lui. En les voyant se cabrer, bondir, faire onduler leur cou et déployer leurs ailes, l'enfant, à son tour, déployait les siennes.

Être éveillé et le savoir : cela déjà était terrible. Être éveillé, le savoir et s'en souvenir : cela était insupportable. À cette triple malédiction, Weber ne trouvait qu'une seule consolation. Certaines parties de nous pouvaient modeler le modeleur. De cette simple boucle venaient tout amour et toute culture, l'afflux ridicule des dons, acharnés à démontrer, l'un après l'autre, qu'ils ne sont pas *je*... Il n'existait aucune demeure, aucun tout auquel nous puissions retourner. Le moi recouvrait de lui-même chaque objet observé et changeait au contact d'un rayon de lumière changeante. Mais si en nous, rien jamais n'était pleinement nous, au moins une parcelle de nous allait-elle son chemin, au hasard des autres, aux carrefours des échanges. Les circuits d'un autre mêlaient leurs cercles aux nôtres.

Telles étaient les pensées de l'aube qui se levaient dans l'esprit de Weber, fruit de ses synapses changeantes – toute la lucidité qui lui eût été nécessaire. Mais de nouvelles impulsions les dispersèrent à l'instant où Sylvie poussa une plainte, bougea dans le lit et s'éveilla, ouvrant les yeux dans un sourire. « Alors ? » demanda-t-elle, les idées encore confuses. *Alors*. Vieux code entre eux : *Bien dormi ?*

Oui, fit-il d'un signe de tête en lui rendant son sourire. Toute sa vie, il avait bien dormi.

Noël vint puis repartit, et toujours pas d'ange gardien. Des dizaines de personnes appelèrent après l'émission, chacune y allant de sa théorie, mais sans jamais apporter d'information utile. Quand même l'équipe d'*Affaire non classée* jeta l'éponge, Mark laissa ouvertement entendre à Karin qu'il avait à présent une vision assez nette de ce qui s'était vraiment passé cette nuit-là. Tout projet ambitieux visant à transformer la région nécessitait d'abord de transformer ses habitants. Quand elle lui demanda de préciser sa pensée, Mark lui dit de faire marcher sa cervelle et de découvrir les choses par elle-même.

Le jour de l'an, en début de soirée, le caporal Thomas Rupp du 167e régiment de cavalerie (les soldats de la Prairie) se présenta à la porte de la Homestar. Tête nue, vêtu d'un treillis « camouflage désert trois couleurs », il rentrait de manœuvres avec son unité. Derrière les carreaux sales de sa fenêtre, Mark observait le jardin sombre, convaincu que la milice était venue réquisitionner sa maison en vue de l'implantation du Grand Observatoire naturel.

Depuis le seuil, le caporal Rupp frappait des triolets de croches sur le bois simulé de la porte d'entrée. Par les ouvertures, filtrait le son d'un téléviseur réglé sur une chaîne publique qui diffusait une émission consacrée aux meubles anciens. « Gus. Hé ! Ouvre, Gus. Tu ne vas pas nous faire la gueule jusqu'à la fin des temps ? »

De l'autre côté de la porte, Mark brandissait une clé à pipe grand format. Quand il reconnut son visiteur, il cria à travers le mince panneau lamifié : « Fiche le camp. Tu n'es pas le bienvenu.

– Schluter, mon vieux. Ouvre cette porte. Ça commence à cailler ici. »

Il faisait dans les moins sept degrés et l'on n'y voyait pas à trois mètres. Le vent balayait la poudreuse et formait une tempête de sable blanc. Rupp grelottait, ce qui acheva de persuader Mark qu'il s'agissait d'un piège. Rien, jamais, ne faisait frissonner Tommy Rupp.

« On a des trucs à régler, mon pote. Laisse-moi entrer et parlons. »

La chienne était hystérique, elle grognait comme une louve et faisait des sauts d'un mètre, prête à bondir par la fenêtre pour passer à l'attaque et protéger son maître. Mark n'arrivait plus à s'entendre penser. « Quels trucs ? Vos mensonges, par exemple ? Le fait que vous m'ayez envoyé dans le fossé ?

– Laisse-moi entrer et on va discuter. Tirer toute cette merde au clair, une bonne fois pour toutes. »

Mark donna un coup dans la porte avec sa clé pour effrayer l'intrus et le mettre en fuite. La chienne hurlait. Rupp bramait des jurons pour forcer Mark à se ressaisir. La voisine d'à côté, une retraitée de l'informatique qui servait des repas aux sans-abri à la soupe populaire catholique de Kearney, ouvrit brusquement sa fenêtre et menaça de les exterminer à la bombe incendiaire. Les deux hommes continuèrent de crier : Mark exigeait des explications et Rupp exigeait qu'on ne le laisse pas attendre dans le froid. « Ouvre cette putain de porte, Gus. Je n'ai pas de temps à perdre, moi. On m'a mobilisé, mon vieux. Service actif. Je pars pour Fort Riley après-demain. Et ensuite, dès qu'ils me sonneront, direction l'Arabie Saoudite ! »

Mark cessa ses vociférations et fit taire Blackie, le temps de demander à Rupp : « L'Arabie Saoudite ? Pour quoi faire ?

– Les croisades. L'Armageddon. George contre Saddam.

– C'est des salades, tout ça. Je savais bien que tu me racontais des conneries. Pourquoi on irait là-bas ?

– Pour le deuxième round. Mais ce coup-ci on ne plaisante plus. On va s'en prendre aux salopards qui ont détruit les tours.

– Ils sont crevés, dit Mark en s'adressant à sa chienne plus qu'à Rupp. Tués sur le coup, partis dans une grande boule de feu.

– À propos de crever. » Rupp battait la semelle et couinait sous la morsure du froid. « Je suis habillé pour supporter plus de quarante degrés à l'ombre, et c'est les Naufragés de l'Antarctique par ici, Gus. Tu me laisses rentrer ou tu veux ma mort ? »

Question piège. Mark ne répondit rien.

« D'accord. J'abandonne. Tu as gagné. Parles-en avec Duane. Ou attends mon retour. L'épreuve de force, comme ils disent, sera vite terminée. Ils ne tiendront pas plus d'une semaine, ces connards. Rupp l'Éclair pointera aux abattoirs avant la fête du Drapeau. Je t'emmènerai à la pêche pour ton anniversaire. » Pas un son ne sortit de la maison. Rupp battit en retraite dans la tempête de sable glaciale. « Parles-en avec Duane. Il t'expliquera ce qui s'est passé. Qu'est-ce que tu veux que je te ramène d'Irak, Gus ? Une de ces petites calottes blanches ? Un chapelet ? Un derrick miniature ? Qu'est-ce qui te ferait plaisir ? Dis-moi. »

Rupp avait disparu dans son pick-up quand Mark finit par crier : « Ce que je veux ? Je veux qu'on me rende mes amis. »

Le jour de la fête de la Marmotte, un dimanche, Daniel Riegel appela son ami d'enfance. Premier contact depuis quinze ans, si l'on exceptait les fois où ils s'étaient aperçus en faisant mine de ne pas se voir, et celle où ils s'étaient croisés au supermarché sans échanger un mot. La main de Daniel tremblait tandis qu'il composait le numéro. Il avait d'abord raccroché, puis s'était forcé à recommencer.

Karin lui avait tout raconté de cet après-midi passé dans la maison abandonnée des Schluter, une maison dont Daniel se souvenait autant que de la sienne. Karin était venue le trouver avec les révélations de Mark. Quelque chose s'était brisé en elle. « Tu aimais mon frère, c'est ça ? » Bien sûr qu'il l'aimait. « Je veux dire, tu étais amoureux de lui. » Elle était restée là, à tout repasser dans sa tête, à interroger Daniel du regard comme une créature venue d'ailleurs.

Il n'avait aucune idée de ce qu'il allait dire si Mark Schluter décrochait. Ce qu'il dirait ne comptait plus, du moment qu'il disait quelque chose. Une voix brailla à l'autre bout du fil : « Ouais ? » Et Daniel dit : « Mark ? C'est Danny. » Son timbre vacillait, entre basse et soprane – un ado pubescent. Comme Mark ne répondait rien, Daniel combla le vide, prosaïque jusqu'au non-sens : « Ton vieil ami. Comment ça va ? Qu'est-ce que tu deviens ? Ça fait un bail. »

Enfin, Mark prit la parole : « Tu as parlé avec elle, c'est ça ? Oui, bien sûr. C'est ta femme. Ta maîtresse. Enfin, ce que tu veux. » La voix de Mark oscillait entre confusion et stupéfaction. Pourquoi fallait-il donc qu'on cause de lui dans son dos ? En quoi ses affaires les regardaient-ils ? Ses mots nageaient en plein mystère, prêts au renoncement et à la noyade.

Daniel se jeta à l'eau, hésitant, et parla de vieux malentendus, de méprises, d'expériences qui avaient mal tourné. Pas ce que tu crois ; j'aurais dû t'expliquer ; jamais dû te laisser imaginer... Mark observa un long silence. À la mesure de ces quinze dernières années. Puis il dit : « Écoute. Ça m'est égal que tu sois gay. C'est plutôt dans le coup en ce moment. Ça m'est même égal que tu fasses davantage attention aux animaux qu'aux gens. Ce serait mon cas aussi si je n'étais pas un humain. Cela dit, prends garde à toi. Je sais bien que nous vivons dans une petite ville universitaire, mais va faire un tour à l'extérieur, tu seras surpris.

– Je te l'accorde, dit Daniel. Mais tu te trompes sur mon compte.

– Parfait. Admettons. Ça me va. N'en parlons plus. Rideau. Le petit Danny ; le jeune Markie. Tu t'en souviens, toi, de ces deux-là ? »

Il fallut un moment à Daniel pour en décider. « Il me semble que oui, répondit-il.

– Moi, pas du tout, je te le garantis. Aucune idée de qui ça pouvait être. Deux mondes différents. Qu'est-ce que ça fout maintenant ?

– Tu ne comprends pas. Je n'ai jamais voulu que tu penses...

– Attends. Tu peux bien coucher avec qui tu veux. On n'a qu'une vie, en général. »

Et puis, sans aucune raison, ils retournèrent à la banalité du présent.

« Au fait, je peux juste te poser une question ? Pourquoi elle ? Entendons-nous bien. Ça ne me gêne pas. Elle, au moins, elle ne m'a encore jamais fait de mal. Mais... ça n'a rien à voir avec moi, n'est-ce pas ? »

Daniel essaya d'expliquer pourquoi. Pourquoi elle. Parce que, avec elle, il n'avait pas besoin de faire semblant d'être un autre. Parce que sa présence lui donnait la sensation du familier. Comme celle de rentrer chez soi.

Mark ne fit qu'une bouchée de cette explication. « C'est bien ce que je pensais. Tu te sers d'elle. Tu couches avec elle parce qu'elle te rappelle Karin. Le bon vieux temps. Putain ! La mémoire. À chaque coup, elle te nique en beauté, hein ?

– Oui, à chaque coup, acquiesça Daniel. C'est vrai.

– Bon, oublions ça. Au diable. Qu'importe ce qui t'aide à traverser la nuit. Mais rappelle-toi : l'amour, ça va, ça vient. Un beau matin, tu te réveilles, tout surpris. Enfin bref, j'imagine que je ne t'apprends rien. Alors, raconte un peu, comment va la vie ? » Il se mit à caqueter comme une meuleuse entraînée par une courroie. « Qu'est-ce que tu as fait ces quinze dernières années ? En deux cents mots maximum. »

Daniel lui présenta à grands traits son curriculum vitae, étonné de voir combien sa situation avait peu évolué depuis l'enfance, et le petit nombre de choses qu'il avait accomplies sur une si longue période. Il arrivait à peine à s'entendre parler dans le brouhaha du passé.

Mark voulut en savoir davantage sur le Refuge. « Un genre de Dedham Glen pour les piafs ?

– Oui. J'imagine. Quelque chose dans ce goût-là.

– Bah, ce n'est pas ça qui pourra me faire grand tort. Karin Bis dit que vous vous bagarrez contre un genre de Disney World ? Un camp pour reluqueurs de grues ?

– On se bagarre, en effet, et on est en train de perdre. Qu'est-ce qu'elle t'a raconté ?

– J'ai vu les sbires des promoteurs rôder dans les parages, fourrer leur nez partout. Je crois qu'ils louchent sur la Homestar. Ils vont réquisitionner ma baraque.

– Tu es sûr ? Comment tu sais que ce sont des... ?

– Ils se baladent en équipe avec un de ces machins dont se servent les géomètres. Et il y a des mecs qui pêchent à la dynamite. »

Dans un terrible frisson, une déferlante s'abattit sur Daniel. Les promoteurs menaient une étude d'impact environnemental. Des capitaux étaient engagés pour de bon. « Écoute, dit-il. Est-ce qu'on pourrait se voir ? Je peux passer chez toi ?

– Houlà ! Minute, papillon. Je te l'ai déjà dit il y a longtemps. Je ne suis pas celui que tu crois.

– Moi non plus, répondit Daniel.

– Tu sais. Ça ne me gêne pas. On vit dans un pays libre. » Mark se tut, mais il était calme. « Il y a quand même un truc que je voulais te demander, reprit-il. Tu t'y connais bien, toi, en oiseaux. Est-ce qu'il serait possible d'en dresser un pour espionner quelqu'un ? »

Daniel pesa ses mots. « Les oiseaux sont surprenants. Le geai bleu est capable de mentir. Les corbeaux punissent ceux des leurs qui trichent sur leur statut social. Les corneilles tordent des bouts de fil de fer pour se confectionner des crochets dont elles se servent pour déloger des larves nichées dans des trous. Même les chimpanzés ne savent pas faire ça.

– Donc, filer le train à quelqu'un, ça ne devrait pas leur poser de problème ?

– C'est-à-dire que je ne vois pas bien comment on pourrait ensuite les amener à dire ce qu'ils ont vu.

– Ballot ! C'est le plus facile, ça. Avec la technologie. De petites caméras sans fil et tout le bazar.

– Je n'en sais rien, dit Daniel. Je ne suis guère calé dans ce domaine. Je n'ai jamais trop su faire la différence entre le possible et l'impossible. C'est pour ça que j'ai atterri dans la défense de l'environnement.

– Si je comprends bien, ces bestioles n'ont pas seulement... comment dire... une cervelle de piaf, c'est ça ? »

Daniel se figea en entendant l'intonation de Mark, celle du môme qu'il était à dix ans, son amour d'enfance, celui qui toujours s'en remettait à son autorité livresque. Ils avaient retrouvé d'instinct de vieilles cadences oubliées. « En fait, leur cerveau est beaucoup plus puissant qu'on ne le croit. Un cortex plus important. Mais configuré d'une autre manière que le nôtre. C'est pour ça qu'on ne s'en rendait pas compte. Les oiseaux pensent, aucun doute là-dessus. Ils savent distinguer des structures. On a appris à des pigeons à reconnaître un Seurat d'un Monet.

– Leur Goretex ? À reconnaître quoi ?

– Peu importe les détails. Pourquoi tu me demandes ça ?

– J'ai eu une impression étrange, il y a quelques mois. Je croyais que... que vous me suiviez partout. Toi et tes oiseaux. Mais c'est dément, non ?

– Bof, dit Daniel. J'ai déjà entendu pire.

– À présent, je vois bien que si quelqu'un me file le train, c'est forcément ceux de l'autre camp. Ces types de l'Observatoire. Et ce n'est pas vraiment moi qui les intéresse. Tout le monde s'en tape que je vive ou que je crève. M'est avis qu'ils en ont après mon terrain.

– J'aimerais vraiment pouvoir discuter de tout ça avec toi », dit Daniel. Utiliser un délire pour en pourchasser un autre.

« Ah, mon vieux ! Va savoir si je ne suis pas simplement bon à enfermer. Tu n'as pas idée de ce qui m'est arrivé. Une saloperie d'accident, il y a pile un an ce mois-ci. C'est de là que tout est parti.

– Je sais, fit Daniel.

– Tu as vu l'émission ?

– L'émission ? Non. Je t'ai vu, toi.

– Tu m'as vu ? Quand ça ? Pas d'embrouille, Danny. Je te préviens. »

Daniel lui expliqua : à l'hôpital. Au tout début. Au temps où Mark récupérait encore.

« Tu es venu me voir ? Pour quoi faire ?

– J'étais inquiet. » La vérité brute.

« Tu m'as vu ? Et moi je ne t'ai pas vu ?

– Tu étais encore très amoché. Tu m'as vu, mais... je t'ai fait peur. Tu m'as pris pour... Je ne sais pas ce que tu as cru. »

Mark prit son envol, des bribes de mots se dispersèrent comme des faisans après un coup de fusil. Il savait ce qu'il avait cru alors, et pour qui il avait pris Daniel. Quelqu'un d'autre lui avait rendu visite à l'hôpital. Quelqu'un qui avait laissé un billet. Quelqu'un qui était présent, cette nuit-là, sur la North Line. « Tu n'as pas vu l'émission ? À la télé ? Tu ne pouvais pas la rater.

– Je suis désolé. Je n'ai pas de poste.

– Merde. J'avais oublié. Tu vis dans le règne animal. Ça ne fait rien. Tant pis. Si je pouvais voir à quoi tu ressembles maintenant. Ça me reviendrait peut-être. Je saurais qui j'ai cru que tu étais. De quoi a l'air celui qui m'a trouvé.

– J'aimerais beaucoup. Je... ça me ferait plaisir. Je peux passer un de ces jours si tu veux...

– Viens tout de suite, dit Mark. Tu sais où j'habite ? Mais qu'est-ce que je raconte ? Le Refuge cherche sans doute à racheter ma baraque, lui aussi. »

Daniel frappa à la porte de la maison préfabriquée. Elle s'ouvrit sur un jeune homme qu'il aurait pu croiser dans la rue sans le reconnaître. Les cheveux longs et emmêlés comme jamais Mark ne les avait eus. Une dizaine de kilos, accumulés au cours des quelques derniers mois, surprenait autant que Daniel sa frêle ossature. Son visage, surtout, était étrange : le pilote à la manœuvre s'emmêlait les pinceaux. Les pensées d'un autre animaient à présent ces muscles. Ce visage fixait Daniel qui attendait au seuil glacial de février. « L'Enfant des bois », fit Mark, un peu sceptique. S'efforçant de mettre le doigt sur une différence profonde. Il finit par comprendre : « Tu as vieilli. »

Il entraîna Daniel à l'intérieur de la maison et le conduisit au centre du séjour où il l'étudia. Une goutte d'eau salée lui perlait au coin des paupières. Son visage, pourtant, demeurait studieux, comme celui d'un homme, examinant dans un rayon de supermarché, la composition d'un produit de marque inconnue. Tremblant, Daniel restait immobile. Au bout d'un long moment, Mark secoua la tête. « Non. Ça ne me rappelle rien. »

La mine de Daniel se décomposa, puis il comprit. Mark ne faisait pas référence aux quinze dernières années mais aux dix derniers mois.

« Ça ne revient jamais, pas vrai ? dit Mark. Ce merdier n'est jamais le même d'une fois sur l'autre. Probable d'ailleurs que les choses ne se sont pas passées comme elles se sont passées au moment où elles se sont passées. » Il se mit à rire : une balle de coton hérissée de piquants. « Aucune importance. Tu fus jadis l'Enfant des bois et cela me suffit. Enchanté de faire ta connaissance, Homme des bois. » Il passa ses bras autour de Daniel comme s'il voulait attacher les rênes d'un cheval à un poteau. L'étreinte était finie avant que Daniel ait pu la rendre. « Désolé pour cette chierie historique, mon pote. Beaucoup de temps perdu, un paquet d'angoisses, et aujourd'hui voilà que je ne suis même pas foutu me rappeler ce qui m'a mis de travers à ce point. Je ne voulais pas que ta main vienne se balader sur mes parties intimes, et après ? Ce n'était pas une raison pour te passer à tabac.

– Non, dit Daniel. C'est moi. Tout est ma faute.

– Tu vois, vieillir, ça consiste à accumuler des conneries dont on est obligé de s'excuser ensuite. Qu'est-ce que ce sera quand on aura soixante-dix balais ? » Daniel voulut tenter une réponse, mais Mark n'en attendait pas vraiment. Il fouilla dans la poche de sa grosse chemise de velours côtelé et en tira un bout de papier plastifié couvert de pattes de mouche. « Voilà l'objet. Ça t'évoque quelque chose ?

– Ta... Karin Bis m'en a parlé. »

Mark l'attrapa par le poignet. « Elle ne sait pas que tu es ici, au moins ? »

Daniel fit signe que non.

« Possible que ce soit une chic fille. Mais on ne sait jamais. Donc, tu me confirmes que tu n'es pas mon ange gardien ? Et tu ne vois pas qui ça pourrait être ? Bon, je ne sais pas ce qui s'est passé l'autre fois à l'hôpital, mais aujourd'hui, tu ne me rappelles rien. En dehors d'une version crado grand format de l'Enfant des bois. Tu veux boire quelque chose ? Peut-être une tisane bio à base de plantes du marais ?

– Tu as de la bière ?

– Dites donc ! Le petit Danny R. est devenu majeur. »

Ils allèrent s'asseoir dans le coin-repas autour d'une tablette ronde en vinyle, tout à l'effervescence de leurs retrouvailles. Ils n'avaient pas encore appris à se comporter l'un envers l'autre autrement que comme des enfants. Daniel demanda à Mark de lui décrire les géomètres. Ils lui parurent à peine plus consistants que son ange gardien. Mark l'interrogea sur le projet des promoteurs, qui ressemblait, dans la bouche de Daniel, aux affabulations d'un paranoïaque.

« Je ne pige pas. Tu veux dire que l'enjeu de toute cette bataille, c'est l'eau ?

– Aucune cause ne mérite plus qu'on se batte pour elle. »

Cette idée sidéra Mark. « Une guerre pour l'eau ?

– Ici, une guerre pour l'eau ; là-bas, une guerre pour le pétrole.

– Pour le pétrole ? Ce nouveau conflit ? Et l'esprit de revanche, alors ? Et la sécurité nationale ? Le choc des religions, tous ces machins ?

– Les croyances courent après les ressources. »

Ils burent et discutèrent. Riegel eut bientôt consommé plus d'alcool qu'au cours des deux dernières années. Mais il perdrait connaissance, si nécessaire, pour rester avec Mark.

Mark foisonnait d'idées. « Tu veux savoir comment voler cette terre au nez et à la barbe de ces bouffons, Danny ? Danny. Attends une minute, je vais te montrer quelque chose. » Mû par un semblant d'énergie, ou ce qui s'en rapprochait le plus, Mark se leva et se rendit d'un pas lourd dans sa chambre. Daniel l'entendit fouiller parmi ses affaires, comme une pelleteuse au milieu d'une décharge. Il revint triomphant en agitant un livre au-dessus de sa tête. Il le brandit devant Daniel : *Plates Eaux*. « Un manuel d'histoire régionale, du temps de ma première année de fac. Qui fut aussi la dernière, d'ailleurs. » Au bord de ce qui ressemblait à de l'excitation, Mark feuilletait le volume. « Attends, tu vas voir. C'est écrit dans ce bouquin, quelque part. Sous le mandat du sieur Andy Jackson, si je ne m'abuse. C'est bizarre, non, cette manie qu'a le passé lointain de nous revenir ? Nous y voilà. La loi de déportation des Indiens, 1830. Et 1834, la loi sur le territoire indien. Pas très bandant à première vue, et pourtant... Ça concerne toutes les étendues à l'ouest du Mississippi qui n'appartenaient pas déjà aux territoires du Missouri, de la Louisiane et de l'Arkansas. Elles sont, je cite : "à jamais acquises et garanties" aux Indiens, à leurs "héritiers ou successeurs". "À perpétuité." C'est-à-dire pour toujours. En d'autres termes : un sacré bout de temps, mon pote. C'est inscrit dans la loi, bon Dieu de merde ! Et on prétend que c'est moi qui délire ? Je dirais plutôt que c'est le pays tout entier ! Il n'y a pas un Blanc dans le coin, moi y compris, qui soit légalement propriétaire de ce qu'il possède. C'est comme ça que vous devriez attaquer le problème. Mettez vos avocats sur le coup et allez rameuter quelques Indiens dans les réserves : vous devriez pouvoir faire évacuer tout le Nebraska. Retour à l'état originel.

– Je... je vais regarder ça de plus près.

– Restituez le terrain aux migrateurs. Les oiseaux ne peuvent pas causer plus de dégâts que nous. »

Daniel sourit, malgré lui. « Là, tu as raison. Pour vraiment bousiller quelque chose, il faut des cerveaux de taille humaine. »

Ces mots alertèrent Mark de nouveau. « Danny. Danny Boy. À propos de ces grues et de leur cervelle. Comment ça se fait qu'elles aient toutes la tête rouge ? Tu ne trouves pas ça étrange ? On dirait qu'on les a trépanées. Il fallait me voir, mon vieux, avec mon crâne sanguinolent sous les bandages. Oh, mais c'est vrai : tu m'as vu. C'est moi qui ne me suis pas vu. » Il tenait entre ses mains cette tête cabossée et fendue à nouveau. Riegel ne disait rien ; il ne bougeait pas même un cil. Vieux traqueur chevronné, il n'était plus qu'une forme. Il fallait se fondre dans le paysage pour laisser la créature approcher de son plein gré.

Mark se regroupa, prêt au saut de la foi. « Cette femme avec qui tu sors. Elle veut que je prenne des pilules. Pour me shooter, j'imagine. Enfin, pas au sens propre. Si seulement. Non, cette came-là, elle s'appelle olestra. Ovaltine. Un nom comme ça. C'est censé me "clarifier" les idées. Me donner l'impression d'être plus moi-même. Je ne sais pas trop qui je me suis senti ces derniers temps, mais, crois-moi, ça ne me déplairait pas d'arrêter le tir. » Il regarda Daniel. Dans ses yeux brûlaient de faux espoirs qui imploraient confirmation. « Le hic, c'est qu'il pourrait s'agir de la troisième étape de leur plan. D'abord, on m'expédie dans le fossé. Ensuite, on me retire un bout de cervelle pendant que je suis sur le billard. Et pour finir, on me file un "remède" chimique qui me transforme à jamais. Danny, toi qui me connais depuis le début. Le tout début. On a foutu en l'air notre amitié, c'est vrai. On a envoyé balader le passé et gâché quinze années. Mais tu ne m'as jamais menti. J'ai toujours pu te faire confiance – enfin, si je mets de côté ces pulsions auxquelles tu ne pouvais d'ailleurs pas grand-chose. J'ai besoin de ton conseil. Cette histoire me ronge. Qu'est-ce que tu ferais, toi ? Tu la prendrais, cette merde ? Pour voir ? Qu'est-ce que tu ferais, si tu étais toi ? »

Daniel plongea les yeux dans sa bière, saoul comme un collégien. Une autre forme de vertige s'empara de lui : que ferait-il, à la place de Mark ? Il avait accompagné Karin dans la chambre d'hôtel de Gerald Weber et, bien sûr, il avait pris le parti de la belle morale. Sans doute aurait-il changé de disque si son propre frère, cocaïnomane tout juste sorti de désintoxication à Austin, avait refusé de le reconnaître, lui. Daniel Riegel, pétri de certitudes jusqu'à l'absurde. Peut-être en aurait-il pris lui-même, de l'Olanzapine, s'il avait vu le monde devenir étranger ; si un matin il s'était réveillé écœuré par cette rivière, sans plus un regard pour les oiseaux, indifférent à tout ce qui faisait autrefois sa vie. « Ça se pourrait, murmura-t-il. Essaie de voir si... »

Des coups frappés à la porte vinrent à son secours. Un rythme enjoué et familier. Tagada, tagada, tsoin tsoin. Daniel sursauta, vaguement coupable.

« Qu'est-ce que c'est ? » grommela Mark, puis d'une voix forte : « Entre. C'est toujours ouvert. Me vole qui veut. Qu'est-ce qu'on en a à foutre ? »

Une silhouette frissonnante poussa la porte : la femme que Karin avait présentée à Daniel le jour de l'assemblée. Daniel qui s'était levé d'un bond bouscula la table et se renversa de la bière sur le pantalon. Sur son visage, un tic d'expression protestait de son innocence. Mark, qui s'était levé lui aussi, ne laissa pas à sa visiteuse le temps de souffler. Il la serra fort dans ses bras et, au grand étonnement de Daniel, elle rendit à Mark son étreinte.

« La poupée Barbie ! Où t'étais passée ? Je commençais à me faire un sang d'encre.

– Monsieur Schluter ! Je suis venue il y a quatre jours à peine.

– Ah oui. Sans doute. Mais ça fait loin déjà. Et c'était une toute petite visite.

– Cesse de gémir. Je pourrais emménager ici que tu continuerais à te plaindre de mon absence. »

Mark lança une œillade à Daniel, des plumes de canari au coin des babines. « On pourrait tenter le coup. Simple expérience médicale. »

Elle passa devant Mark et se rendit à la cuisine. Tout en bataillant pour retirer son manteau, elle tendit la main à Daniel. « Ravie de vous revoir.

– Hé là, attendez une minute. Vous voulez dire que vous vous connaissez, tous les deux ? »

Barbara inclina le menton et fronça le sourcil. « C'est ce qu'on entend en général par "ravie de vous revoir".

– Mais va-t-on enfin m'expliquer ce qui se passe ? Tout le monde connaît tout le monde. C'est le grand carambolage ?

– Calme tes petits nerfs. Tu sais bien qu'il y a une explication à tout en cette vie. » Elle raconta l'assemblée générale et la grande impression que la prestation de Daniel lui avait faite. Ces éclaircissements rassérénèrent Mark. Seul Daniel n'était pas convaincu.

« Il faut que j'y aille, dit-il d'un air troublé. Je ne savais pas que tu attendais du monde.

– Barbie ? Barbie, ce n'est pas du monde.

– Ne vous enfuyez pas, dit Barbara. Simple visite de courtoisie. »

Mais quelque chose en Daniel avait déjà pris la poudre d'escampette. Sur le pas de la porte, il dit à Mark : « Demande-lui à elle. C'est une professionnelle de la santé.

– Lui demander quoi ?

– Oui, reprit Barbara en écho. Me demander quoi ?

– Pour l'Olanzapine. »

Mark fit la grimace. « Elle a l'air de penser que la décision n'appartient qu'à moi. » Tandis que Daniel se faufilait au-dehors, Mark le rappela : « Hé ! Fais-moi signe. »

Ce n'est qu'une fois rentré chez lui, et après avoir consulté son répondeur, que Daniel Riegel, vieux traqueur chevronné, se rappela où il avait entendu pour la première fois la voix de Barbara Gillespie.

À la mi-février, les oiseaux revinrent. Ensemble sous les couvertures, dans leur maison recouverte de neige, à Setauket, sur Chickadee Way, Sylvie et Gerald Weber virent aux informations du soir un reportage sur les grues. Gênés, mari et femme fixaient l'écran tandis que la caméra effectuait un panoramique sur les rives sablonneuses de la Platte. « C'est là que tu es allé ? » demanda Sylvie. Difficile pour elle de ne rien dire.

Weber émit un grognement. Son cerveau se débattait avec un souvenir bloqué, un problème d'identification qui le tracassait depuis huit mois. Mais plus il cherchait, plus ses pensées éloignaient de lui la solution presque trouvée. Sa femme faisait erreur sur ce qui le préoccupait. De son poing fermé, elle lui caressa l'avant-bras : *Ne t'en fais pas. Toi et moi, nous avons dépassé le stade de la simplicité. Tout le monde est brouillon. Nous pouvons bien l'être, nous aussi.*

La journaliste postée devant l'objectif, une New-yorkaise raffinée et maladroite que tant de vide semblait perturber, relatait l'événement comme s'il s'agissait d'une nouveauté. « On dit que c'est le spectacle naturel le plus extraordinaire jamais vu, et il met en vedette un demi-million de grues. Elles commencent à arriver le jour de la Saint-Valentin, et elles seront presque toutes reparties d'ici la Saint-Patrick...

– Malins, ces oiseaux, dit Sylvie. Et très à cheval sur les fêtes. » Son mari acquiesça en regardant l'écran. « Tout le monde est un peu irlandais, pas vrai ? » Son mari ne répondit rien. Elle serra les dents et lui frotta l'épaule un peu plus fort.

Le jour de la fête anniversaire de George Washington, après avoir adressé à tous un salut militaire, Mark débuta le traitement. Le docteur Hayes doubla la dose prescrite au patient australien : 10 mg chaque soir, mesure qui restait encore conservatrice.

« On peut donc s'attendre à un mieux d'ici quinze jours ? » demanda Karin, comme si le moindre signe d'agrément de la part du médecin pouvait tenir lieu d'engagement contractuel.

Le docteur Hayes lui répondit, en latin, qu'ils verraient bien. « Rappelez-vous. Il y a un risque de repli sur soi. »

Impossible de se replier sur soi, fit-elle remarquer au neurologue, dans la langue du cru, si on ne commence pas d'abord par être là.

Quatre jours plus tard, à deux heures du matin, la sonnerie du téléphone arracha Daniel et Karin à un profond sommeil. Nu, Daniel se dirigea d'un pas trébuchant vers l'appareil. Il murmura quelques mots incohérents dans le combiné. À moins que l'incohérence ne vînt de Karin qui écoutait depuis le lit. Daniel reparut, abasourdi. « C'est ton frère. Il veut te parler. »

Elle plissa les paupières et secoua sa torpeur. « Il a appelé ici ? Il t'a parlé, à toi ? »

Daniel se réfugia sous les couvertures. La nuit, il coupait le chauffage et son corps nu commençait à entrer en hypothermie. « Je... nous nous sommes vus. On s'est parlé, il y a peu. »

Karin luttait contre un cauchemar éveillé. « Quand ça ?

– Aucune importance. Il y a quelques jours. » Daniel agitait les doigts : l'heure qui tournait, le téléphone qui attendait, une histoire trop longue à raconter. « C'est à toi qu'il veut parler.

– Aucune importance ? » Karin s'empara de la couverture grise achetée dans un surplus de l'armée. « Alors, c'est vrai ? Tu l'aimais. Tu étais amoureux de lui ? C'est pour ça que tu... Je n'ai jamais été rien d'autre pour toi qu'une... » Elle s'enveloppa dans la couverture de laine et tourna les talons pour se diriger vers le téléphone d'un pas maladroit, dans le noir. « Mark ? Tu vas bien ?

– Je sais ce qui m'est arrivé pendant l'opération.

– Raconte, dit-elle, encore droguée par le sommeil.

– Je suis mort. Ça s'est passé sur le billard. Et aucun des médecins présents ne s'en est aperçu. »

La voix de Karin sortit de sa gorge, fluette et suppliante. « Mark ?

– Ça explique pas mal de trucs qui n'avaient aucun sens. Pourquoi tout me semblait si... lointain ? J'ai lutté contre cette idée parce que... c'est évident, non ? Si tu n'es pas en vie, il faut bien que quelqu'un s'en aperçoive ? Et là, d'un coup, j'ai compris : comment veux-tu que les gens se rendent compte ? Si personne n'a vu que c'était arrivé... Enfin quoi ? Moi-même, je viens à peine de piger, et pourtant je suis le premier concerné ! »

Elle resta à lui parler un long moment. Elle voulut d'abord le raisonner, puis glissa dans l'irrationnel pour tenter simplement de le réconforter. Il était paniqué : il ne savait pas comment « être mort comme il faut ». Il parlait de transition manquée, disait qu'il s'estimait incapable de remettre bon ordre à la situation.

« J'arrive tout de suite, Mark. On va trouver une solution, tous les deux. »

Il se mit à rire comme seul un mort pouvait rire. « T'inquiète. Ça peut attendre demain. Je n'ai pas encore commencé à pourrir.

– Tu es sûr ? lui demandait-elle sans cesse. Tu es sûr que ça va aller ?

– On ne peut pas aller plus mal quand on est mort. »

Elle avait peur de raccrocher. « Comment tu te sens ?

– Bien, en fait. Mieux que du temps où je me croyais encore vivant. »

Quand elle revint dans la chambre, Daniel l'attendait avec l'un des livres de neurologie dont elle avait fait l'emprunt perpétuel à la bibliothèque. « J'ai trouvé, dit-il. Syndrome de Cotard. »

Elle jeta la couverture grise sur le lit et se glissa dessous. Elle avait épuisé le sujet, passé un an à explorer chacune des horreurs autorisées par le cerveau. Encore un syndrome délirant, une forme aiguë de Capgras, qui sait ? Une mort inaperçue : seule explication plausible à la sensation d'être si complètement coupé du monde. « Comment se fait-il que ça le prenne maintenant ? Au bout d'un an ? Juste après le début du traitement. »

Daniel éteignit la lumière et vint se couler près de Karin. Il lui posa la main sur le côté. Elle tressaillit. « C'est peut-être à cause du médicament, suggéra-t-il. Peut-être un genre d'effet secondaire. »

Elle se retourna vers lui dans l'obscurité. « Oh, mon Dieu. Tu crois ? Il faut demander à le remettre en observation. Dès demain. »

Daniel acquiesça.

Karin était perdue dans ses pensées. « Merde. Putain. Comment j'ai pu oublier ?

– Quoi ? Qu'est-ce qu'il y a ? » Il voulut lui caresser l'épaule, mais elle se déroba.

« L'accident. Ça fait un an aujourd'hui. Ça m'était complètement sorti de la tête. »

Elle resta allongée environ une heure, à feindre le calme. Elle finit par se lever. « Je vais prendre quelque chose, chuchota-t-elle.

– Pas si tard », dit Daniel.

Elle se rendit à la salle de bain et ferma la porte derrière elle. Elle y resta si longtemps que Daniel résolut d'aller la retrouver. Il frappa à la porte mais n'obtint aucune réponse. Il ouvrit. Assise sur le couvercle des toilettes, Karin le fusillait du regard avant même qu'il ne fût entré. « Tu l'as vu ? Tu lui as parlé ? Et tu ne m'as rien dit ? Il n'y a que lui qui compte pour toi, hein ? Moi je ne suis que sa sœur, c'est ça ? »

Le docteur Hayes examina Mark, déconcerté mais fasciné. Il l'écoutait proclamer : « Je ne dis pas que c'est une arnaque. Je dis simplement que personne n'a rien remarqué. Vous voyez bien comment ça a pu se produire. Mais je vous le garantis, toubib, je ne me suis jamais senti comme ça de mon vivant. »

Hayes l'inscrivit pour un nouveau scanner, la première semaine de mars. Étrangement docile, Mark partit voir l'équipe de radiologie. « Le médicament ne peut pas être en cause, dit Hayes à Karin. On ne trouve rien de semblable dans la littérature.

– La littérature », répéta-t-elle. Tout était fiction. Elle sentait déjà que le neurologue allait se servir de cette nouvelle aubaine pour rédiger une publication.

Cotard ou pas, le diagnostic ne changeait rien d'essentiel à l'affaire. Maintenant que Mark avait commencé l'Olanzapine, le docteur Hayes insistait pour qu'il continue le traitement sans manquer une prise. Karin pouvait-elle lui garantir qu'elle obligerait Mark à suivre à la lettre le protocole ? Elle ne le pouvait pas, mais elle le fit. Se sentait-elle capable de continuer à surveiller son frère ou souhaitait-elle le renvoyer à Dedham Glen ? Continuer à le surveiller, répondit-elle. Pas le choix. L'assurance aurait refusé de couvrir les frais d'un nouvel internement.

Karin ne pouvait pas se permettre de passer plus de temps à Farview. Elle ne trouvait déjà pas assez d'heures dans une semaine à consacrer au Refuge. Ce qui n'était au début qu'un emploi fictif, la charité d'un homme qui voulait la garder près de lui, s'était transformé en véritable travail. Il ne s'agissait même plus de réaliser une tâche essentielle, ni de s'accomplir soi-même. Aussi parfaitement délirante que cette idée pût paraître dès lors qu'on la formulait à voix haute, Karin savait désormais : l'eau attendait d'elle quelque chose.

Désespérée, elle appela Barbara à l'aide pour lui demander de venir la seconder. « À peine quelques jours, le temps que le traitement agisse et que Mark soit tiré d'affaire. » Les objectifs de la thérapie avaient changé. Karin n'attendait plus que son frère la reconnaisse. Elle voulait seulement qu'il se sache en vie.

« Bien sûr, dit Barbara. Tout ce que vous voudrez. Et aussi longtemps que nécessaire. »

La bonne volonté de cette femme piqua Karin au vif. « On est débordé au Refuge, expliqua-t-elle. Ça commence à chauffer avec...

– Naturellement, répondit Barbara. Il serait sans doute préférable que quelqu'un reste aussi passer les nuits sur place. Ce sont sans doute les moments les plus difficiles pour lui à l'heure actuelle. » Sa voix laissait entendre qu'elle consentirait à aller jusque-là. Mais Karin se refusait à lui demander pareil service. Si elle ne pouvait assurer la garde de nuit, il n'était pas non plus question que Barbara s'en charge.

Karin appela Bonnie, sa seule option véritable. Elle tomba sur un répondeur victime de cette annonce pandémique : « Désolée, je ne suis pas là pour le moment... » La voix enjouée de soprano ressemblait au timbre d'une Ford Focus qui carburait aux décoctions apaisantes. Karin refit deux fois le numéro mais sans pouvoir se résoudre à laisser un message. *Tu veux bien venir passer quelques nuits chez mon frère ? Il croit qu'il est mort.* Même à Kearney, on préférait demander de vive voix ce genre de faveur. Pour finir, Karin se rendit à l'Arche aux heures où Bonnie officiait. Karin n'avait encore jamais pris la peine d'aller y faire un saut. On avait déboursé soixante-cinq millions de dollars pour transformer ses arrière-grands-parents en Cartoon Channel et persuader les touristes, au volant de leurs Lincoln Navigator lancés vers la Californie, que l'endroit valait le détour.

Karin paya huit dollars vingt-cinq, passa devant les mannequins de pionniers grandeur nature et, cernée de fresques géantes, emprunta l'escalator qui conduisait jusqu'à un chariot couvert. Elle aperçut Bonnie à côté de la reconstitution d'une cahute, en capote et robe de calicot, qui s'adressait à un groupe d'écoliers d'une voix étrange et datée – version MTV de Ma Kettle. Quand elle vit Karin, Bonnie lui fit un grand signe de la main, et s'écria de sa voix archaïque et fausse : « Hiya ! » Elle se débarrassa de quelques enfants accrochés à ses jupes et vint rejoindre Karin devant le tableau des Pawnees : mariage du coton et de la rayonne.

« Il est persuadé qu'il est mort et que personne ne s'en est rendu compte », expliqua Karin.

À cette pensée, Bonnie fronça le nez. « Tu sais ? J'ai ressenti ça moi aussi, une fois.

– Bonnie ? Tu crois que tu pourrais rester avec lui un petit peu ? Juste quelques nuits ? »

La jeune femme écarquilla des yeux de lémurien. « Avec Marko ? Oui, évidemment ! » Elle répondit comme si la question de Karin avait perdu le nord elle aussi. Et une fois encore, Karin fut la dernière à comprendre la situation.

Décision prise, les trois femmes se relayèrent auprès de Mark qui restait indifférent aux soins dont on l'entourait. « Si ça t'amuse, dit-il à Karin lorsqu'elle lui décrivit le dispositif. Fais-toi plaisir. Moi, ça ne peut pas me causer du tort. Je ne suis déjà plus de ce monde. »

Pourtant, au soir du premier lundi de mars, il réunit Karin et Bonnie dans son séjour pour regarder le dernier numéro d'*Affaire non classée.* « Ils ont appelé aujourd'hui pour me prévenir », expliqua-t-il sans vouloir en dire davantage. Il agissait avec méthode, força les deux femmes à se gaver de boissons chaudes et de cacahuètes grillées, puis s'assura que tout le monde soit passé aux toilettes avant le début de l'émission.

Ensuite, comme sur commande, Tracey, la présentatrice, annonça : « Du nouveau dans l'affaire du jeune homme de Farview dont nous vous parlions il y a quelques semaines... »

À l'image, un fermier des environs de Elm Creek désignait un trou dans la bordure de sa pelouse. Cinq jours plus tôt, sa femme avait découvert des renoncules à l'intérieur de la jardinière que le fermier avait confectionnée pour elle avec un vieux pneu récupéré dans la rivière au mois d'août, à la saison des basses eaux. « Mon épouse et moi, on est tous les deux fans de votre émission depuis longtemps, et comme je me trouvais là à regarder ce pneu, l'affaire de l'autre fois m'est revenue en mémoire, et j'ai eu l'idée de me demander si... »

Le sergent de police Ron Fagan expliqua comment le pneu avait été mis sous scellés et comparé par la brigade scientifique avec les données collectées sur les lieux et consignées dans le dossier. « Nous pensons pouvoir associer ce pneu à l'une des traces », annonçait-il au vaste monde, un peu déconfit de devoir décrire des recherches menées par informatique plutôt que de folles courses-poursuites. Il déclara malgré tout que le pneu avait révélé l'identité de son propriétaire, un homme de la région, convoqué depuis pour interrogatoire. Cet homme travaillait à l'usine de conditionnement de Lexington et s'appelait Duane Cain.

Devant le téléviseur, Karin poussa un cri. « Je le savais ! Ce gros tas de merde ! »

Assise près de Mark à l'autre bout du sofa, Bonnie secouait la tête. « C'est impossible. Ils m'ont juré que c'était pas eux. »

Mark ne bougeait pas, tout raide, un cadavre déjà. « Ils m'ont envoyé dans le décor. Ces péteux. Et ils m'ont cru mort. Moi, au moins, j'ai fini par comprendre que je l'étais pour de bon. »

Karin enfila son manteau et fouilla frénétiquement le fond de son sac à la recherche de ses clés de voiture. « Je vais lui en faire passer un, d'interrogatoire, moi. » Elle cherchait à ouvrir la porte. Dans sa précipitation, elle la prit dans la figure et se cogna la lèvre.

Mark se leva. « Je t'accompagne.

– Non ! » Elle se retourna, si furieuse qu'elle s'effraya elle-même. « Non. Laisse-moi lui parler ! » Blackie Deux se mit à grogner. Mains en l'air, Mark recula. L'instant d'après, Karin se trouvait dehors, dans la nuit, et se dirigeait en trébuchant vers sa voiture.

Elle passa au poste de police. Ils avaient déjà relâché Duane Cain. Le sergent Fagan n'était pas de permanence et personne ne voulut fournir de détails à la jeune femme. La nuit était froide et le monde aussi dépourvu d'atmosphère que tout météore. La respiration de Karin sortait glaciale de ses narines et déversait sur ses mains une vapeur minérale. Elle se battait les flancs à coups de coudes pour que ses poumons continuent de s'activer. Elle remonta dans sa Corolla et se retrouva devant l'appartement de Cain après avoir traversé la ville en quelques minutes. Sous l'assaut de Karin, Duane ouvrit la porte. Il portait un sweat-shirt mauve frappé d'une inscription : « Que ferait Belzébuth à ma place ? » Il attendait quelqu'un d'autre et eut un mouvement de recul en voyant la jeune femme. « J'imagine que tu as regardé l'émission ? »

Elle s'engouffra dans la pièce et poussa Cain contre le mur. Il ne répliqua pas et se contenta de lui immobiliser les poignets.

« Ils m'ont relâché. Je n'ai rien fait de mal.

– Tes traces de pneus lui coupent la route. » Elle bataillait pour lui mettre son poing dans la figure tandis qu'il étouffait les coups d'une étreinte maladroite.

« Tu vas me dire ce qui s'est passé, oui ou merde ? »

Il refusa de prononcer un seul mot tant qu'elle n'eut pas cessé de se débattre. Il la fit asseoir sur un pouf et voulut lui offrir quelque chose à boire. Il se balançait sur un tabouret de bar, à distance respectable, et brandissait l'annuaire comme un bouclier.

« Nous n'avons pas vraiment menti, pas au sens propre. D'un point de vue technique... »

Elle menaça de le tuer, ou pire. Il reprit la parole.

« Tu avais raison à propos des jeux. On faisait une course. Mais ce n'est pas ce que tu crois. On était au Silver Bullet. Tommy venait de s'offrir une paire de mobiles. Alors on est sorti pour s'amuser avec. Moi et Rupp dans le camion de Tommy, Mark dans le sien. On se suivait, c'est tout. On roulait dans les environs comme d'habitude, pour tester la portée de ces engins, et on essayait de se rattraper. Tu connais le truc : tu brûles, tu gèles... On jouait à perdre le signal et à le retrouver. On n'était pas très loin, on arrivait de la ville par l'est, sur la North Line. On croyait tenir Mark. Il se marrait comme un bossu : il parlait d'une manœuvre d'évitement. Ensuite, plus rien. Il a coupé la transmission et ne s'est plus jamais manifesté. On ne savait pas ce qu'il manigançait. Tommy a donné un coup d'accélérateur, pensant que Mark devait être à portée. Il faisait vachement noir dehors. »

D'une main, Cain se protégea les yeux contre l'éclat aveuglant du souvenir.

« C'est là qu'on l'a vu. Retourné dans le fossé, sur le côté droit, juste au sud de la route. Tommy a crié et il a pilé. Le camion a chassé et s'est déporté de l'autre côté de la ligne médiane. C'est ça que tu as vu : nos traces de pneus sur la voie de Mark. Sauf qu'on est arrivé après lui. »

Karin resta assise, droite comme un i, l'échine raide. « Et qu'est-ce que vous avez fait ?

– Comment ça ?

– Il est là, étendu dans le fossé. Toi et ton ami, vous êtes sur place.

– Tu plaisantes ? Mark était enseveli sous trois tonnes de ferraille. Chaque seconde comptait. On a fait ce qu'on devait faire. Demi-tour et cap sur la ville en quatrième vitesse pour signaler l'accident.

– Vous n'avez pas de portable ni l'un ni l'autre ? Vous faites les cons avec des talkies-walkies et vous n'êtes pas foutus d'avoir un portable ?

– On a signalé l'accident, répéta Duane. Dans les minutes qui ont suivi.

– Un appel anonyme ? Et vous ne vous êtes jamais manifestés ensuite. Vous n'êtes jamais venus expliquer toute l'histoire. Vous avez changé les pneus et balancé dans la rivière ceux qui vous accusaient.

– Écoute-moi. Tu ne comprends pas. » Il haussa le ton. « Ici, les flics, ils te tabassent d'abord et ils t'interrogent ensuite. Ils en ont après Tommy et moi. Les types comme nous, on représente une menace pour eux.

– Vous ? Une menace ? Et il était d'accord, ton ami Rupp ? Le caporal !

– Attends. Tu vois bien que, même maintenant, tu te méfies de nous. Alors tu penses que la police allait nous croire le soir de l'accident ?

– Pourquoi ils ne t'ont pas mis au trou ?

– Ils ont interrogé Tommy à Fort Riley et il leur a raconté exactement la même chose. Ce qui compte, c'est que nous ayons fait intervenir les secours aussi vite que possible. On n'avait rien de plus à dire. Pas la moindre idée de ce qui avait pu arriver. Qu'on se manifeste ou non, ça n'aurait rien changé.

– Pour Mark, peut-être que si. »

Duane fit la grimace. « Ça n'aurait rien changé. »

Son besoin de le croire épouvanta Karin. Elle se leva, tandis que tout se modifiait : les traces de pneus, leur succession, ses souvenirs. Le temps passait et repassait sa séquence, au ralenti, en boucle, puis retour rapide. « Le troisième véhicule ! lança-t-elle.

– Je ne sais pas, répondit Cain. Ça fait un an que j'y pense.

– Le troisième véhicule, répéta Karin. Celui qui s'est déporté sur le bas-côté et qui arrivait derrière Mark. » Elle s'avança vers Duane, prête à l'assaillir de nouveau. « Vous avez croisé des voitures quand vous êtes arrivés à proximité de l'endroit ? Des voitures qui arrivaient en sens inverse, qui retournaient en ville ? Réponds !

– Oui. On guettait. Plus on se rapprochait, plus on s'attendait à voir Mark débouler tout d'un coup. Mais c'est là qu'est arrivée une Ford Taurus blanche, avec une plaque d'un autre État.

– Quel État ?

– Le Texas, d'après Rupp. Moi je ne sais pas. On roulait un peu vite, comme je t'ai dit.

– À quelle vitesse allait cette Ford ?

– C'est marrant que tu me demandes ça. On a eu l'impression tous les deux qu'elle roulait au pas. » À cette pensée, il se redressa. « Mais bon Dieu ! Tu as raison. Cette voiture... cette Ford. Elle est arrivée juste avant nous, tout de suite après que Mark... et ils... Tu crois que... ? Qu'est-ce que tu crois, au juste ? »

Karin n'en savait plus rien. Ni en cet instant, ni jamais. « Elle non plus ne s'est pas arrêtée. »

Cain ferma les yeux, s'attrapa la nuque et pencha la tête en arrière. « Ça n'aurait rien changé.

– Peut-être que si », dit-elle. *Dieu me conduit jusqu'à toi.*

Elle rentra à une heure indue. Encore debout, Daniel l'attendait, fou d'inquiétude. « J'ai cru qu'il t'était arrivé quelque chose. J'ai cru... Tu pouvais être n'importe où. Blessée, peut-être. »

Ou peut-être avec cet autre homme. « Je suis désolée. J'aurais dû appeler. » Pour le calmer, elle lui raconta tout.

Il écouta, sans être d'aucun secours. « Qui a signalé l'accident ? Rupp et Cain ? Je croyais que c'était l'ange gardien... ?

– Si ça se trouve, il a appelé lui aussi.

– Mais il me semblait que d'après la police...

– Je ne sais pas, Daniel.

– Mais si l'autre voiture ne s'est pas arrêtée, alors pourquoi ce billet ? Pourquoi se signaler et prétendre avoir quitté les lieux... ?

– J'ai besoin de dormir », expliqua-t-elle. Il était trop tard pour appeler Mark et Bonnie. Elle n'aurait pas su quoi leur dire de toute façon. Pas su ce que son frère était à même de supporter.

Karin se réveilla le lendemain matin au bruit d'un téléphone rageur. La chambre resplendissait de lumière et Daniel était déjà parti pour le Refuge. Elle se tira du lit et de ses rêves animaux. « J'arrive. Une minute, s'il te plaît. Tu me surveilles ou quoi ? »

Mais lorsqu'elle décrocha le combiné, elle entendit à l'autre bout du fil une voix ténue et spectrale. « Karin ? C'est Bonnie. Il fait une espèce d'attaque, et je n'arrive pas à le ranimer. »

Retour obligé à l'hôpital, encore. Longue boucle d'un an qui le ramène à son point de départ, au mois de mars dernier. Animal migrateur qui ne sait pas faire autrement. Mark Schluter est revenu au Bon Samaritain, pas dans le même service, mais tout à côté. Il est sanglé sur son lit, en toxicologie, après qu'on a purgé son organisme de 450 mg d'Olanzapine.

Un mort a tenté de se suicider : seule manière de remettre les choses d'aplomb. Dystonique à l'arrivée des secours. Intubé, lavage gastrique, puis direction l'hôpital pour les solutés en intraveineuse et un monitoring cardiovasculaire, sous la surveillance d'une équipe bien décidée à ne pas le laisser s'échapper une deuxième fois.

Il sort de son second coma, simple fabulation du premier. La conscience revenue, il refuse toute tentative de communication, sauf pour dire : « Je veux parler au doc. Je ne parlerai qu'au doc. »

Le docteur Hayes joint Weber et lui annonce la nouvelle. Celui-ci accueille l'information comme un verdict, le résultat d'une ambition trop longtemps personnelle. Il appelle Mark aussitôt, mais Mark ne veut pas parler. « Pas au téléphone », dit-il à l'infirmière de garde. Toutes les lignes sont sur écoute. Comme le câble et le satellite. « Il faut qu'il vienne ici en personne. »

Weber tente plusieurs fois d'entrer en contact, sans résultat. Mark est hors de danger, du moins pour le moment. Weber s'est déjà investi dans cette affaire bien au-delà de ce qu'exige la conscience professionnelle. Son dernier séjour a failli l'achever. S'il s'implique encore, c'en sera fini de lui.

Mais pour le neuroscientifique quelque chose s'éclaire désormais : la responsabilité ne connaît pas de limite. Les cas que l'on s'approprie deviennent nôtres. S'il ne fait rien, s'il rejette l'unique demande du jeune homme, s'il abandonne maintenant ce qu'il a si misérablement raté, alors il sera en effet ce que sa voix la plus sombre lui affirme déjà. *Il a tenté de se suicider, par ma faute.* Pas d'autre choix que de retourner là-bas. Une longue boucle, de nouveau. Le Grand Tour-opérateur l'exige.

Pas moyen de confier cela à sa femme. De le confier à Sylvie. Après ce qu'il lui a déjà dit, toutes les raisons qu'il pourra invoquer sonneront dans sa bouche comme les plus sinistres des illusions. Elle ne lèverait plus le petit doigt si Gerald Weber, auteur célèbre, saint déchu de l'intuition neuronale, voyait son effigie brûlée pour fausse empathie ; plus moyen de lui expliquer.

Il se prépare à la réaction de Sylvie, mais rien ne lui permet d'anticiper la rudesse du choc qu'elle reçoit. Elle accuse le coup comme une Cassandre égarée qui devine déjà tout ce que Weber n'a pas encore voulu reconnaître. « Qu'est-ce que tu peux faire de plus pour lui que les médecins de là-bas ? »

Elle lui a déjà posé cette question, un an plus tôt. Il aurait dû l'écouter alors. Il devrait l'écouter à présent. Il secoue la tête. Sa bouche est une fente de boîte à lettres. « À mon avis, rien.

– Tu n'en as pas assez fait comme ça ?

– C'est tout le problème. L'Olanzapine était mon idée. »

Elle se laisse tomber lourdement devant la table du coin-repas. Mais elle se domine, atrocement fidèle à elle-même. « Ce n'est pas toi qui as eu l'idée de lui faire avaler en une seule fois la dose prévue pour deux semaines de traitement.

– Non. Tu as raison. Cette idée-là n'est pas de moi.

– Ne me fais pas ça, Gerald. Qu'est-ce que tu veux prouver ? Tu es quelqu'un de bien. Tu as tenu tes engagements. Pourquoi ne veux-tu pas l'admettre ? Pourquoi ne pas simplement... ? »

Elle se lève puis tourne en rond. Elle attend qu'il aborde lui-même la question. Elle lui accorde ce respect terrible et totalement usurpé. Elle continuera de présumer que cette femme ne compte pas, ne compte pour rien, aussi longtemps qu'il n'affirmera pas le contraire. Elle continuera de croire en lui, même si elle a perdu confiance. Il faut qu'il dise quelque chose. Mais il ne peut embellir la réalité, même en la refusant.

Tout est affaire de foi. Cette foi enveloppée d'un voile trop éphémère pour tromper qui que ce soit. Voilà le Saint-Graal des études neurologiques : comprendre comment la chimie de dix milliards de circuits combinatoires, qui se foudroient les uns les autres de leurs arcs électriques, parviennent, d'une certaine façon, à susciter la foi au sein de leurs boucles fantômes. « Il souffre. Il veut me parler. Il attend quelque chose de moi.

– Et toi, qu'est-ce que tu attends ? » Amers, les yeux de Sylvie l'interrogent. Elle semble pétrifiée, le teint blême, victime d'une overdose elle aussi.

Il répond, ou presque. « Ça ne me coûte rien. Des kilomètres en plus sur mon abonnement grand voyageur, deux ou trois jours, et quelques centaines de dollars à prélever sur le budget recherche. » Elle hoche la tête en le regardant : toute la dérision dont elle peut faire preuve. « Je suis désolé, dit-il. Il faut que je le fasse. Je ne suis pas un profiteur. Un opportuniste. »

Ces derniers mois, aussi longtemps que Weber lui a joué le drame de la lente dissolution, elle est restée à ses côtés, l'a soutenu, a bataillé dur pour maintenir un équilibre. « Non », dit-elle en luttant pour ne pas perdre son sang-froid. Elle s'approche de lui, promène ses mains sur sa chemise. « Je n'aime pas ça, Monsieur mon homme. Il y a quelque chose qui cloche. Quelque chose de faussé.

– Ne t'en fais pas », dit-il. Sitôt les mots tombés de sa bouche, il en perçoit le ridicule. *Le moi est une maison en flammes ; sauvez-vous tant que vous le pouvez.* Il voit sa femme, la voit vraiment, pour la première fois depuis qu'il a cessé de croire en son travail. Il voit ces fanons verts d'amphibien sous les yeux, et la flétrissure de la lèvre supérieure : quand est-elle devenue vieille ? Il voit dans son regard mal assuré combien il l'effraie. Elle ne le cerne plus. Elle l'a perdu. « Ne t'en fais pas. »

Écœurée, elle recule devant ces paroles. « Mais qu'est-ce que tu veux à la fin ? Tu veux être Gerald le Grand ? Il peut aller se faire pendre, celui-là. Tu veux que les gens disent de toi… ? » Elle se mord la lèvre inférieure et détourne la tête. Quand elle reprend la parole, elle s'exprime comme une présentatrice du JT. « Tu comptes faire un peu de tourisme, une fois sur place ? » Le visage de Sylvie est exsangue, mais sa voix prend un ton désinvolte. « Voir de vieilles amies ?

– Je ne sais pas. C'est une petite ville. » Puis il se corrige – la dette de trente années : « Il n'y a rien de sûr. Mais ça se pourrait. »

Elle bat en retraite et se dirige vers le réfrigérateur. Son geste méthodique anéantit Weber. Elle ouvre le congélateur et en retire deux morceaux de tilapia qu'elle met à décongeler pour le dîner. Elle dépose le poisson dans l'évier et laisse couler de l'eau froide dessus. « Gerald ? » Vaine curiosité qui voudrait passer pour du consentement mais rate son effet dans les grandes largeurs. « Tu veux bien m'expliquer ce qui se passe ? »

Il mérite sa fureur, et même il la désire. Mais il refuse cette calme résignation. Gerald : explique-moi. *Pour que tu puisses me rendre l'estime que tu me portais.* « Je n'en sais trop rien », lui dit-il. Et il se répète ces mots jusqu'à ce qu'ils deviennent vérité.

Mark n'a pas laissé de lettre avant d'avaler ses antipsychotiques. Déjà mort, comment aurait-il fait ? Pourtant, même cette absence accuse Karin. Pendant toute une année, il l'a appelée au secours, et chaque fois elle a failli. Failli sur tous les tableaux : elle n'a pas pu attester le passé de Mark, pas su lui autoriser le présent, pas vu comment lui restituer un avenir.

La vieille démence des Schluter s'installe en elle, l'héritage dont elle n'a jamais réussi à se défaire. Sa première identité : culpabilité et insuffisance, quelles que soient par ailleurs ses réussites. Elle va voir son frère à l'hôpital. Elle s'y rend même avec Daniel, le plus vieux des amis non imaginaires de Mark. Mais celui-ci refuse de leur parler, à l'un comme à l'autre. « Vous ne pourriez pas avoir la décence de me laisser pourrir ici en paix ? » Le doc ou personne.

Une fois encore, Karin abandonne Mark aux professionnels de la santé, aux correctifs chimiques qui s'écoulent goutte à goutte dans ses bras inertes. Karin dévale l'échelle de Glasgow elle aussi. Incapable de se concentrer sur rien. Son attention s'envole des heures durant. Elle comprend enfin pourquoi son frère ne la reconnaît plus. Il n'y a plus rien à reconnaître. Elle s'est rendue méconnaissable à force de contorsions. Une petite trahison après l'autre, elle a fini par ne plus savoir se situer, ni dire pour qui elle travaillait. Elle a tenu de grands discours, nié, menti, s'est voilé la face. A voulu être tout, pour tous. Elle s'est payé un défenseur de l'environnement et, dans le même temps, un promoteur immobilier. Transformation à vue, personnalité du jour. Son imagination, sa mémoire aussi, n'ont montré que trop de complaisance envers elle – quel que fût ce « elle ». Prête à tout pour une petite caresse derrière les oreilles. La caresse du premier venu.

Elle n'est rien. Elle n'est personne. Pire que personne. Un blanc au cœur du cœur.

Elle doit changer de vie. À la confusion de son nid emberlificoté, il lui faut au moins arracher quelque chose. N'importe quoi. La plus modeste, la plus terne, la plus vile des choses : peu importe, du moment que celle-ci reste primitive et vierge de tout compromis. Sans doute arrive-t-elle trop tard pour ramener son frère. Mais il se pourrait qu'elle puisse encore sauver la sœur de son frère.

Au Refuge, elle s'absorbe dans un travail de fourmi, elle cherche dans ses brochures. *De quoi réveiller les somnambules et rendre au monde son étrangeté.* Un soupçon de science, quelques chiffres dans un tableau, et voilà qu'elle commence à comprendre : les gens, en mal de solidité, doivent tuer tout ce qui les dépasse. Tout ce qui est plus grand, ou plus relié, ou tout ce qui, par son endurance austère, se montre un peu plus libre qu'eux. Nul ne supporte la profusion du monde extérieur, alors même que l'on s'emploie à le décimer. Il suffit à Karin d'ouvrir les yeux pour voir les faits affluer : plus de douze millions d'espèces, recensées au dixième seulement. Et la moitié d'entre elles aura tiré sa révérence avant que Karin ait vécu.

Écrasée sous les données, la jeune femme connaît un étrange réveil. L'air sent la lavande, et même les bruns mornes de cette fin d'hiver lui paraissent plus vifs que depuis ses seize ans. Elle est sans cesse affamée et la futilité de son travail la pousse à redoubler d'énergie. Ses connexions s'opèrent à grande vitesse. Elle ressemble à cette patiente décrite par Weber dans son dernier livre, une personne atteinte de démence fronto-temporale, qui s'était mise soudain à exécuter les plus somptueuses des toiles. Sorte de compensation : lorsqu'une partie du cerveau est submergée, une autre prend le relais.

Le réseau que Karin entrevoit est si complexe, si vaste, que, face à ce spectacle, les hommes auraient dû sécher sur pied depuis longtemps et mourir de honte. La seule chose digne d'être désirée est celle à laquelle Mark aspire : ne plus être, disparaître dans le plus profond des puits et se changer en fossile que seule l'eau parviendra à dissoudre. L'eau comme unique solvant, face à tout ce déferlement toxique, l'eau pour diluer le poison de la personnalité. Plus rien à faire, sinon travailler pour tenter de rendre la rivière à ceux à qui on l'a volée. Désormais, tout ce qui est humain et personnel horrifie Karin, tout, sauf ce labeur désespéré sur les brochures.

L'eau attend d'elle quelque chose. Quelque chose que seule la conscience peut fournir. Karin n'est rien, aussi néfaste que tout ce qui possède un ego. Une imposture, un faux-semblant. Rien qui vaille la peine d'être reconnu. Mais pourtant, cette rivière a besoin d'elle, son esprit liquide, sa façon de survivre...

Le monde regorge de produits de luxe que Karin ne peut s'offrir. Le sommeil est l'un d'eux. Quand elle finit par succomber, elle se retrouve encore dans le même lit que Daniel. Mais ils ne se touchent plus, ou seulement par accident. Il médite davantage à présent, parfois une heure de rang, rien que pour se soustraire à la somme des dommages qu'elle lui inflige. Elle l'a meurtri à force de trahison ; il absorbe les chocs, comme les flots d'injures de la race humaine. Aujourd'hui, elle devine en lui un homme capable de tout encaisser, la seule de ses fréquentations à avoir su se débarrasser de la vanité pour regarder plus loin que sa petite personne. Et c'est bien ce qui a tant déplu à Karin. Mais de tous les hommes qui ont partagé sa vie, lui seul semble désormais posséder la fluidité nécessaire à la dignité d'un père, lui seul saura enseigner à un enfant toutes ces choses qui, au-dehors de la personne, doivent être reconnues. Pourtant, Daniel préférerait mourir plutôt que de mettre au monde un reclus de plus. Un autre comme elle.

Il aurait dû la mettre à la porte des mois plus tôt. Il n'avait aucune raison de ne pas le faire. À part, peut-être, un reste d'amour pour Mark. Ou la simple attention que Daniel porte à toute créature. Elle doit lui paraître hideuse, agrippée aux choses, petite coquille friable remplie de besoin. Impossible qu'il puisse la désirer ; il n'a jamais vraiment voulu d'elle. Il s'obstine néanmoins, fût-ce dans le silence, à lui témoigner un respect sans faille. Mark a frôlé la mort, et seul cet homme sait ce que cela signifie. Seul cet homme pourrait aider Karin à faire face. Allongée dans le lit, l'échine à vingt centimètres de Daniel, elle n'aspire qu'à tendre une paume aveugle derrière elle pour sentir sa chaleur. S'assurer qu'il est encore là.

Trois jours après la tentative de suicide de Mark, le conseil pour l'aménagement formule l'intention d'accorder une autorisation de principe au Grand Observatoire naturel de la Central Platte qui réclame la permission d'acheter des parts d'eau. Karin redoutait cette décision depuis des semaines, mais elle n'avait jamais vraiment cru qu'elle tomberait. Les groupes de défense de la Platte expriment leur désarroi incrédule. La coalition a perdu son marathon contre le consortium des promoteurs et, en une suite de réunions précipitées, l'alliance commence à s'effriter.

Si la décision démoralise Karin, elle anéantit Daniel. Il ne fait aucun commentaire sur l'arbitrage, se contente de maximes cassantes et stoïques. Il estime que le conseil ne mérite même pas d'être condamné. Quelque chose se flétrit en lui, la volonté première de poursuivre le combat contre une espèce qui refuse qu'on la rééduque et ne peut être vaincue. Il ne veut pas se confier à Karin, et elle a perdu le droit de faire pression sur lui.

Elle a besoin de s'amender. De réparer, dans la grande débâcle des derniers jours, un seul de ses torts, pour le bien d'une seule vraie personne. Elle doit se montrer digne de la confiance que Daniel a eu le tort de lui donner, en lui offrant quelque chose en retour, à lui, le seul homme qui aime son frère autant qu'elle l'aime.

Il n'est qu'une chose et une seule qu'elle puisse lui offrir. Cette chose que l'eau réclame. Karin parvient presque à se convaincre que, durant tous ces mois, elle a œuvré dans le simple but de pouvoir faire ce cadeau à Daniel aujourd'hui. Elle sait ce qu'il va lui en coûter ; Daniel va découvrir qui elle est, et lui tourner le dos. L'autre homme s'en ira lui aussi. Elle va les perdre tous les deux, et perdre tout ce pour quoi elle s'est parjurée. Mais elle peut faire à Daniel le don d'une chose bien plus précieuse qu'elle-même.

Elle passe la journée à lui préparer un festin végétalien : du seitan au brocoli et à l'amande, une sauce skordalia, du chutney à la coriandre. Même un gâteau de riz à la crème de sésame, pour cet homme qui voue les desserts au péché. Elle s'active à la cuisine, mélange et assemble, au bord de la quiétude. Cette distraction opportune est aussi le plus grand effort qu'elle ait jamais consenti pour Daniel depuis qu'elle s'est installée chez lui. Elle n'a montré aucune attention à son égard, alors qu'il l'a soutenue dans chacune de ses crises. Elle a laissé les mauvaises herbes de sa personnalité étouffer leur vie. Est-il vraiment impossible d'être une autre ? Ne peut-elle, pour une fois, lui préparer un repas plein de gratitude ? Même s'il s'agit du dernier.

Daniel arrive, poussé par un nuage d'effarement. Il s'efforce de comprendre pourquoi ce festin. « C'est quoi, tout ça ? On fête quelque chose ? »

Aiguillon douloureux, mais elle le veut ainsi. « Il y a toujours quelque chose à fêter.

– Très juste. Alors, allons-y. » Le sourire de Daniel est cloué en croix. Il s'assoit et pose les mains à plat sur la table, hébété par tant de nourriture. Il n'a même pas encore retiré son manteau. « Fêtons donc ma défection. »

Karin s'est arrêtée de lécher la crème de sésame sur le bout de son doigt. « Qu'est-ce que tu veux dire ? »

Tête baissée, l'air serein. « J'ai quitté le Refuge. »

Karin se cramponne au plan de travail en secouant la tête. Elle s'affaisse sur le tabouret en face de Daniel. « Qu'est-ce que tu racontes ? De quoi tu parles ? » Il ne peut pas abandonner son travail. Impossible : autant demander à un colibri de faire la grève de la faim.

Daniel est expansif, presque amusé. « J'ai fait sécession. Un différend idéologique. Au Refuge, ils semblent avoir décrété que ce parc à thème n'est pas une si mauvaise idée après tout. Ils estiment une collaboration envisageable. Le compromis sied aux braves, comme tu le sais. Ils ont publié une circulaire dans laquelle ils déclarent que, bien géré, l'Observatoire pourrait même se révéler bénéfique aux oiseaux ! »

Très longtemps après l'audience publique, elle avait cru cela, elle aussi. « Oh, Daniel. Non. Tu ne peux pas laisser faire ça. »

Sourcil levé, il la regarde. « Ne t'inquiète pas. J'ai assuré tes arrières. J'ai déjà arrangé le coup. Tu peux continuer à travailler là-bas. Ils ne viendront pas te chercher des noises parce que tu es ma... parce que nous sommes...

– Daniel ! » Elle ne le comprend pas. Ils ont perdu. C'est ce qu'il est en train d'expliquer. Le combat est terminé. La rivière sera aménagée. Des zones de regroupement vont encore disparaître. Il dit... mais ce qu'il dit est impossible. Abandonner le Refuge. Un saut dans le néant. La mort par désengagement.

« Tu ne peux pas renoncer. Tu ne peux pas les laisser tomber dans le panneau.

– Ce que je peux ou non ne change rien à rien, dirait-on. »

Elle, au contraire, peut faire en sorte que cela change tout. Elle peut renvoyer cet homme au combat. D'un mot, elle peut convaincre le Refuge d'annuler les accords qu'il a projeté de conclure. Mais ce mot tuera l'amour que Daniel a jamais eu pour elle. Il la verra au grand jour, en ce qu'elle a de plus hideux. Il lui suffirait de se taire pour peut-être garder cet homme brisé, qui a besoin d'elle. Dépossédé de tout, n'ayant plus que l'attention qu'elle lui porte.

L'espace d'un instant, elle s'imagine faire cela pour les oiseaux. Pour la rivière. Puis elle se dit qu'elle œuvre pour le salut de ce juste. Mais elle ne sauvera personne, pas le moindre vivant. À peine parviendra-t-elle à ralentir les humains, que nul ne peut stopper. Elle fait son choix par pur égoïsme, comme tous les choix que font les hommes. Il va la haïr désormais et pour toujours. Mais il saura enfin ce qu'elle est capable de donner.

« C'est encore pire que tu l'imagines, dit-elle. Les gens de l'Observatoire envisagent une phase deux. Je sais comment le consortium va rentabiliser les bungalows, hors saison. Ils veulent appeler ça... le musée vivant de la Prairie. »

Elle lui décrit le projet dans toute sa banalité. « Un zoo ? » demande-t-il. Il perd pied. « Ils vont monter un zoo ?

– En intérieur et en plein air. Mais il y a pire. J'ai découvert pourquoi ils ont besoin qu'on leur alloue des réserves d'eau supplémentaires. Il y a aussi une phase trois. Un parc aquatique. Des toboggans. Des fontaines, des sculptures d'eau, le tout sur le thème de la nature. Une piscine à vagues géante.

– Un parc aquatique ? » Il se frotte le dessus de la tête, du front au sommet du crâne. Il tire sur le lobe de ses oreilles et pince les lèvres. Il glousse. « Un parc aquatique, dans le Grand Désert américain.

– Il faut que tu ailles le dire au Refuge. Il faut arrêter ça. »

Il ne répond rien, reste assis sur un talon, dans la position de Virasan, et regarde d'un œil fixe tous les plats élaborés que Karin a préparés. Voici venir le moment. Karin va payer, malgré ce sauvetage. « Comment tu es au courant de tout ça ?

– J'ai vu le projet. »

Il lève le menton puis le baisse, puis le lève de nouveau. Sorte d'acquiescement sarcastique. « Et tu comptais m'en parler... un jour ?

– Je viens de le faire », dit-elle, mains ouvertes, tendues vers le repas, preuve de sa bonne foi. Elle est prête à tout lui révéler, jusque dans la brutalité des moindres détails. Mais il n'en a nul besoin. Mieux qu'elle ne l'a su, il sait maintenant ce qu'elle a fait tout au long de ces semaines. Assise face à lui, elle se voit comme il la voit. Devant sa lassitude, Karin se sent presque soulagée. Daniel devait avoir compris de longue date. Elle se prépare à affronter ses récriminations, son dégoût – tout ce qui pourra la purifier. Les paroles qu'elle entend balayent sa détermination.

« Vous nous avez espionnés. Toi et l'autre. Vous avez échangé vos secrets. Tu es une sorte d'agent double...

– Il n'a rien à voir là-dedans... C'est vrai. Je suis une salope. Tout ce que tu voudras. Tu as raison en ce qui me concerne. Mais il faut me croire sur un point : Robert Karsh n'est pas l'homme avec qui je veux vivre, Daniel. Robert Karsh peut aller au... »

Il la dévisage comme si elle venait de tomber à quatre pattes et de se mettre à aboyer. Ce qu'elle a fait avec d'autres hommes est sans intérêt. Seule compte la rivière. Il la regarde, consterné. Incapable de saisir, et moins encore de dénombrer, toutes les manières dont elle a trahi la rivière. « Je me fous de Robert Karsh. Tu peux t'amuser avec lui autant que tu veux. »

Elle tend les mains pour l'interrompre. « Attends. De qui tu parles alors ? » De qui, sinon de Karsh. « À quel "autre" pensais-tu ?

– Tu le sais très bien. » Il a perdu toute patience. « Leur détective privé. L'enquêtrice à leur solde. Ton amie Barbara. »

Elle recule, sa tête part en arrière. Il est victime d'une lésion, une atteinte plus sévère que celle de Mark. De petites mains froides la rudoient. « Daniel. » Elle est sur le point de se précipiter au-dehors pour appeler à l'aide.

« Elle m'a sondé à la fin de la réunion, pour voir ce que j'avais deviné.

– Une enquêtrice ? Barbara a été l'aide-soignante de Mark. Elle travaille au centre de rééducation...

– Pour quel salaire ? Trois dollars de l'heure ? Une femme qui s'exprime comme elle ? Qui agit comme elle ? Tu me dégoûtes », dit-il, enfin humain.

Au carrefour des paniques. Que représente Barbara pour Daniel ? Karin imagine une explication secrète et ancienne, un dessous qui la tient à l'écart. Mais l'autre peur est plus forte. Le visage noué, elle recule vers la porte.

Daniel voit la confusion de Karin, et hésite. « Ne me dis pas que tu ne savais rien... Jusqu'où crois-tu donc pouvoir dissimuler ?

– Je ne dissimule pas...

– Elle a appelé ici. La première fois que je l'ai rencontrée, sa voix m'a paru familière. Je lui ai parlé au téléphone, il y a quatorze mois. Elle m'a appelé, justement à l'époque où les promoteurs commençaient à mettre en train leur projet. Elle a prétendu travailler sur un reportage. Elle m'a interrogé sur le Refuge, la Platte, notre travail de réhabilitation. Et moi, comme un imbécile, je lui ai tout déballé. Quand des gens viennent me trouver pour discuter des oiseaux, je leur fais confiance. Quel con, je suis. » Les yeux dans le vague, il regarde au-delà de Karin, pétrifié, comme un petit animal qui meurt dans le blizzard.

« Attends. Daniel. C'est de la folie. Qu'est-ce que tu racontes ? De l'espionnage industriel ? Le travail de Barbara à Dedham Glen serait un genre de couverture ?

– De l'espionnage ? Tu serais au courant, non ? Je dis simplement que je lui ai parlé. J'ai répondu à ses questions. Je me souviens de sa voix. »

Identification de l'oiseau à son chant. « Eh bien, tu te souviens mal. Sur ce point, tu peux me faire confiance.

– Oui ? Confiance ? Sur ce point ? » Il tourne la tête, lofe à la risée. « Et sur quoi d'autre encore ? Tu as été dégueulasse avec moi, tu t'es payé ma tête pendant des mois tandis que tu t'envoyais en l'air avec ton ancien petit... »

Elle se détourne et se bouche les oreilles. La joue droite de Karin est parcourue de tics nerveux. Il plisse les yeux et secoue la tête.

« Tu ne vas quand même pas me dire le contraire, pas après tout ça ? Jamais dans aucune de vos conversations secrètes, toi et Karsh n'avez évoqué le nom de Barbara ? Quand tu le rencontrais pour cafeter sur nous ? Sur le Refuge ? »

Elle gémit et la voilà qui s'effondre. Il se lève et va se placer à l'autre bout de la pièce, aussi loin que possible. Il se tient les épaules, lèvres serrées, et attend qu'elle s'arrête. Elle fait semblant d'être lui, lutte pour retrouver son calme, prend de grandes inspirations, une bouffée après l'autre. « Je crois que je ferais mieux de m'en aller.

– Tu as sans doute raison », dit-il avant de sortir.

Elle erre dans l'appartement un long moment. Elle finit par se retrouver dans la salle de bain où elle fourre ses affaires dans un sac. Il va revenir pour la retenir, écouter ses explications. Mais il est parti à présent, comme son frère. Elle se rend à la cuisine, met le repas dans de vieilles boîtes de pousses de soja qu'elle place au réfrigérateur. Sonnée, elle s'installe sur le couvercle des toilettes et essaye de lire un des livres de méditation de Daniel : cours intensif de transcendance. Elle va s'asseoir devant la porte d'entrée, sur ses valises bourrées. Daniel est quelque part, dehors, il l'observe, il surveille la maison, il attend qu'elle s'en aille.

À minuit moins vingt, elle se décide à appeler l'amie de son frère. « Bonnie ? Pardon de te réveiller. Je peux débarquer chez toi ? Juste pour une nuit ou deux. Je suis paumée. Je ne suis plus rien. »

Au volant de sa troisième voiture de location, Gerald Weber se gare devant un distributeur automatique. Ses mains tremblent. Il retire bien plus d'argent que prévu. Sorti de l'aéroport, il se dirige d'instinct vers l'hôtel où il a désormais ses habitudes. « Bienvenue aux guetteurs de grues. » Mais cette fois, le hall grouille d'une foule obèse entre deux âges, vêtue de tricots, armée de guides et de petites jumelles. Weber lui-même est beaucoup trop chargé ; il a emporté trois fois plus d'affaires qu'il ne le ferait d'ordinaire pour un déplacement professionnel. Il s'est même muni de son téléphone portable et de son enregistreur numérique, vieille habitude qui aurait dû s'éteindre depuis des mois en même temps que les postures du métier. Dans sa trousse de toilette, à côté des bandes de sparadrap et du nécessaire de couture, il a entreposé dix variétés de gélules, de la poudre de ginkgo au DMAE.

Autrefois, il avait étudié un homme en parfaite santé mais persuadé que les histoires devenaient réalité. Les mots faisaient advenir le monde. Toute phrase prononcée déclenchait des événements aussi concrets que ceux du vécu. Voyage, péripétie, crise, rédemption : il suffisait de dire ces paroles pour les voir prendre corps.

Pendant des décennies, le cas de cet homme avait hanté tous les écrits de Weber. Ce délire-là – *les histoires devenaient réalité* – ressemblait au ferment de la guérison. Par le verbe, nous cheminions à rebours vers un diagnostic, puis allions de l'avant vers un traitement. Les récits étaient des orages au cœur du cortex. Il n'existait pas meilleurs moyens d'atteindre à cette vérité de la fiction que certaines paraboles neurologiques inspirées, celles de Broca ou de Luria – ces histoires qui racontaient comment des cerveaux, même fracturés, pouvaient, par la narration, redonner au désastre une cohérence supportable.

Puis l'histoire avait changé. Était venu le temps où des outils cliniques bien réels avaient ravalé les études de cas au rang des contes pittoresques. La médecine avait mûri. Instruments, imagerie, examens, mesures, chirurgie, produits pharmaceutiques : plus de place pour les anecdotes de Weber. Et tous ses remèdes littéraires furent transformés en numéros de cirque et en petit théâtre des horreurs.

Autrefois, il connaissait un homme qui croyait que conter des histoires aux autres hommes pourrait les ramener à la réalité. Puis les histoires des autres hommes l'avaient remodelé, lui. Illusion, perte, humiliation, disgrâce : on avait dit ces mots, et ils étaient advenus. Cet homme lui-même était né de récits tronqués ; Weber l'avait inventé de toutes pièces. Son histoire et son dossier médical : fabriqués de A à Z. À présent le texte se démaille. Même le nom de cet homme – Gerald W. – sonne comme le plus piètre des pseudonymes.

Le revoilà au chevet de Mark, en quête de rédemption. Le jeune homme l'implore. « Doc. Où étiez-vous passé ? Je vous croyais mort. Plus mort que moi. » Il parle avec lenteur et cherche ses mots. « Vous avez appris ce qui est arrivé ? » Weber ne répond pas. « J'ai essayé de me supprimer. Et, à ce qu'on raconte, ce ne serait pas la première fois. »

Ces paroles assoient Weber sur la chaise placée à côté du lit. « Comment vous sentez-vous maintenant ? »

Mark déplie les bras ; son geste révèle le cathéter qui lui perfuse la veine au pli du coude, côté gauche. « Je ne vais pas tarder à me sentir mieux, très bientôt, que ça me plaise ou non. Oui, mon vieux ! Ils vont me ramener à moi. Mark numéro trois. Ils parlent de me faire des électrochocs, vous savez ? »

Weber bafouille. « Je... je... Vous avez dû mal comprendre. C'est une erreur.

– Si, si. Une ECT. “Très douce”, qu'ils disent. Je vais sortir d'ici frais comme un gardon. Remis à neuf. Et ce que je sais aujourd'hui, ce que j'ai compris, je ne m'en souviendrai plus du tout. » Ses bras battent l'air et il agrippe Weber par le poignet. « C'est pour ça que je dois vous parler. Maintenant. Tant que je le peux encore. »

Weber le prend par la main et Mark se laisse faire. Si grand est son désarroi. Quand Mark se remet à parler, sa voix supplie.

« Vous m'avez vu, peu après l'accident. Vous m'avez fait passer une tripotée de tests. On a causé de votre théorie – cette histoire de lésion – le machin postérieur droit déconnecté du truc en amande. La mygale ? »

Weber se cale contre le dossier de sa chaise, époustouflé par la mémoire de cet homme. Lui-même avait oublié leur conversation. « L'amygdale.

– Vous savez quoi ? » Mark reprend sa main et feint un pâle sourire. « J'étais persuadé, à ce moment-là, que vous étiez à côté de vos pompes. » Il ferme les yeux et secoue la tête. Le temps file. Le cocktail chimique qui filtre dans son bras chasse son intuition. Il ne parvient pas à mettre un nom sur la chose qu'il doit dire. La bataille fait rage sur toute l'étendue de son corps. Il lutte pour saisir cette chose située tout à portée. « Mon cerveau, ce ramassis de parties séparées qui essaient de se convaincre les unes les autres... Des dizaines de scouts paumés dans les bois, la nuit, qui agitent leurs pauvres loupiotes. Où est mon moi ? »

Weber aurait eu des histoires à raconter. Victimes d'automatismes dont le corps exécutait des mouvements sans que leur conscience en soit informée. Patients atteints de métamorphosie, tourmentés par des oranges géantes, aussi grosses que des ballons de plage, et par des crayons de la taille d'une allumette. Amnésiques. Propriétaires de souvenirs nets et précis d'événements jamais arrivés. Le moi est un premier jet rédigé à la va-vite, une composition à plusieurs mains, qui espère tromper la vigilance d'un apprenti correcteur et se faire publier. « Je ne sais pas, dit Weber.

– Sans rire... » Le visage de Mark se contracte de nouveau, déformé par la réflexion. Aucune des questions qu'il pourra formuler ne vaut pareille détresse. Mais c'est cela que Weber est venu entendre au terme d'un voyage de deux mille kilomètres. Mark baisse la voix, il se cache. « D'après vous, c'est possible... ? On peut être complètement détraqué et ne pas s'en rendre compte un seul instant... ? Continuer à se croire le même que toujours... ? »

Ce n'est pas possible, voudrait répondre Weber. C'est certain. Obligatoire. « Ça va aller mieux. Vous allez vous sentir plus en accord avec vous-même. » Promesse hasardeuse. Si c'était vrai, il prendrait lui-même ce médicament.

« Il ne s'agit pas de moi, siffle Mark. Je vous parle de tous les autres. Des centaines de gens, peut-être des milliers : ceux pour qui, contrairement à moi, l'opération a vraiment marché. Ils vont et viennent sans se douter de rien. »

Les poils de Weber se dressent. Piloérection, vieille survivance de l'évolution : la chair de poule. « Quelle opération ? »

Mark bouillonne à présent. « J'ai besoin de vous, doc. Il n'y a que vous qui sachiez. Toutes ces petites parties du cerveau qui jacassent entre elles. Toutes ces meutes de louveteaux... »

Weber acquiesce d'un signe de tête.

« On peut en retirer une ? Rien qu'une ? Sans tuer toute la troupe ?

– Oui. »

Son soulagement est immédiat. Mark se laisse aller sur l'oreiller. « Et on peut aussi en introduire une ? Vous savez : kidnapper un scout et le remplacer par un autre. Avec la même petite loupiote qui s'agite dans le noir ? »

Chair de poule, encore. « Expliquez-vous. »

Mark plaque sur ses yeux la paume de ses mains. « "Expliquez-vous", qu'il dit. Il veut que je m'explique. » Il tourne la tête, amer. De nouveau, il baisse la voix. « Je vous parle d'implants. Le croisement des espèces, une salade composée. »

La xénotransplantation. Un article est paru sur le sujet le mois dernier, dans le JAMA. Étendue croissante des expériences : des bouts de cortex prélevés sur un animal et greffés sur un autre adoptent les propriétés de la zone réceptrice. Mark a dû en entendre parler, sous la forme abâtardie et déformée que prend la science quand elle parvient à chacun.

« On implante bien des organes de singe chez l'homme, n'est-ce pas ? Pourquoi pas des organes d'oiseaux ? Échanger leur petite amande contre la nôtre ? »

Weber pourrait se contenter de répondre non, avec autant de douceur et de fermeté que possible. Mais quelque chose en lui veut dire : inutile de procéder à un échange. Tout est déjà là, hérité. D'antiques structures qui demeurent en nous.

Il doit bien cela à Mark ; au moins faut-il lui poser la question. « Pourquoi voudraient-ils faire ça ? »

Mark réfléchit intensément. « Ça fait partie d'une opération plus vaste. Un grand projet d'aménagement qui dort dans les cartons depuis pas mal de temps. Une Cité des oiseaux. Pour faire du fric sur leur dos. C'est ça, le grand marché de l'avenir, vous comprenez ? Trouver comment faire passer les organes d'une espèce à une autre. De la grue à l'homme, et vice versa. Comme vous dites : un louveteau de plus ou de moins, ce n'est pas ça qui change la troupe. Vous avez toujours l'impression d'être vous-même. Ça aurait dû marcher sur moi aussi, mais il y a eu un pépin. »

Quelque chose se transmet à travers Mark. Quelque chose de primitif que Weber doit entendre avant que le goutte-à-goutte des substances chimiques ne scelle le retour de cet homme-enfant à l'humain. Seule existe cette minute. Ce maintenant. « Mais cette opération... c'était pour quoi faire ?

– Ils essaient de sauver l'espèce.

– Laquelle ? »

La question surprend Mark. « Laquelle ? » La stupéfaction cède le pas à ce rire sonore et creux. « Elle est bien bonne, celle-là. Laquelle ? » Il retourne au silence, indécis.

Dans la maisonnette de poche fin XIXe de Bonnie Travis, les deux femmes ont à peine assez de place pour se croiser. Karin s'excuse à tout instant, lave des assiettes qui ne sont même pas sales. Bonnie la gronde. « Allons ! C'est comme du camping. Dans notre petite hutte en terre. »

En vérité, cette jeune femme est une bénédiction : elle sème gratuitement autour d'elle la gaieté et la perturbation. Bonnie les distrait en tirant les tarots ou en faisant griller à la flamme du gaz des marshmallows sur lit de crackers. « Un petit remontant », comme elle dit. La nuit, Karin lutte contre l'envie d'aller se blottir auprès d'elle dans le lit.

Le deuxième soir, elle rentre après avoir fumé un demi-paquet de cigarettes sur le balcon, et trouve Bonnie bouleversée. Celle-ci refuse d'abord de s'expliquer. Elle se contente de répéter : « Ce n'est rien. Tout va bien. » Mais elle n'arrive pas à se concentrer et, pour finir, carbonise les tourtes à la viande. Karin déniche le coupable sur la table basse : le dernier livre de Weber que la jeune femme s'applique à déchiffrer depuis quelques mois, à raison d'une demi-page par jour.

« C'est ça qui te met dans cet état ? demande Karin. Quelque chose dans ce bouquin ? »

Encore une fois, Bonnie secoue la tête en signe de démenti, puis s'effondre. « Il y a une zone de Dieu dans le cerveau ? Les visions mystiques sont causées par un genre d'orage épileptique ? »

Karin fait de son mieux pour réconforter la jeune femme. Et celle-ci en a grand besoin.

« On peut allumer et éteindre Dieu avec des décharges électriques... Dieu n'est qu'une structure que nous portons en nous. Tu le savais déjà ? Tout le monde est au courant ? Tous les gens assez malins ? »

Karin calme Bonnie, lui caresse les épaules. « Personne n'en sait rien. Et lui non plus.

– Bien sûr que si ! Autrement, il ne l'aurait pas mis dans un livre. C'est l'homme le plus intelligent que j'aie rencontré. La religion n'est qu'un lobe temporal... Il dit que la foi est une réaction chimique évoluée que l'on peut déclencher ou stopper... Idem pour ce que Mark a décidé à ton sujet. Et c'est ce qui explique aussi qu'il n'est plus lui-même, et ne peut même pas se rendre compte de... Oh, merde. Merde. Je suis trop stupide pour comprendre ! »

Et Karin, trop stupide pour lui venir en aide. Une part d'elle-même (tempête sous un crâne) voudrait dire à Bonnie : la somme de ce qui nous constitue reste une réalité. Le fantôme a besoin de nous pour prendre forme. Même un module du divin aurait été retenu par la sélection naturelle pour sa valeur de survie. L'eau prépare quelque chose. Karin ne dit rien de tout cela : faute de mots. Tumeur lente à se développer, le doute a dû mettre du temps à s'installer en Bonnie. Elle est assez remuée pour adopter tout système de croyance au sens large que Karin pourrait lui soumettre. Elles se regardent un long moment, piégées par un secret honteux. Puis leurs sourires sans joie suffisent à sceller le pacte : liées par la ruse de la foi, novices converties à une nouvelle croyance, dans l'attente de la lésion qui les transformera.

Karin n'est pas sortie une seule fois de la maison de poupée, sauf pour se rendre à l'hôpital et tenter encore, sans succès, de parler à son frère. Elle n'est pas allée au Refuge depuis qu'elle a quitté celui de Daniel. Sa vie durant, elle a soupçonné en secret que tout ce que l'on apprend à vouloir, tout ce que l'on fait vraiment sien, nous est retiré un jour. À présent, elle sait pourquoi : rien ne nous appartient en propre. La nuit dernière, elle s'est vue en rêve, à des altitudes, bien au-dessus des méandres de la Platte. Des plaques de givre parsemaient les marécages, et les éteules emplissaient les champs. Pas la moindre forme de vie à l'horizon. Toutes les créatures de grande taille avaient disparu. Mais la vie était partout présente – microscopique, végétative, aussi bourdonnante qu'au sein de la ruche. Des voix sans langage, des voix qu'elle reconnaissait, l'invitaient à venir voir. Elle s'était éveillée revigorée, pleine d'une confiance inattendue.

Elle se prépare maintenant à affronter l'extérieur. Elle emprunte à la garde-robe de Bonnie (panoplies de pionnière exceptées) sa meilleure toilette : une tenue de soie vert cendré, bien ajustée, qui pourrait déclencher une vague de torticolis sur la Gold Coast à Chicago. Elle demande même à Bonnie de lui rehausser son maquillage. Une Bonnie plus âgée, plus grave, lève des échantillons de couleurs devant le visage de Karin et les étudie du coin de l'œil.

Karin lui touche l'épaule et demande : « Tu te rappelles le jour où tu as verni les ongles de Mark, quand il était encore en trauma ?

– Noir engelure, se souvient Bonnie.

– Noir engelure, acquiesce Karin. Fais-moi ça. »

Elles travaillent de concert, comme deux techniciennes. Bonnie recule pour admirer l'œuvre de ses mains. « Redoutable », dit-elle, ce qui doit être bon signe. « Armée et dangereuse. Assez pour attraper les hommes comme la grenouille happe les mouches. Il ne va pas comprendre ce qui lui arrive. Redoutable, je te dis. »

Immobile sur sa chaise, Karin pleure. Elle attire à elle l'artiste déconfite et la serre dans ses bras. Bonnie lui rend cette étreinte, s'agrippe à elle, complice *a priori*.

Puis Karin est au centre-ville, à l'endroit même où elle est venue lever Robert Karsh la première fois. Début de soirée : le bureau du promoteur se vide dans la rue. Karsh sort parmi les derniers. Quand il passe la porte et aperçoit Karin, il tombe en arrêt, surpris. Elle se tourne vers lui et franchit la distance qui les sépare en essayant de ne penser à rien ; elle fredonne ce mot, « redoutable », son talisman. Il vient à sa rencontre. Le menton haut, l'œil aux aguets.

« Nom d'un chien ! lance-t-il. Regardez-moi ça. » Il la désire, même en cet instant, même après ce qu'elle a fait. Peut-être plus encore, à cause de ce qu'elle a fait. Il veut l'entraîner derrière les buissons de fusains et la prendre sur-le-champ, comme un vertébré inférieur. « Eh bien, dit-il. Il semblerait que ton ami Daniel ait réussi à attirer l'attention du conseil. » Il n'a pas besoin d'ajouter : « la mienne aussi ». Il sourit. Ce sourire machinal, effrayant. Un sourire signé Karsh, auquel Karin ne peut s'empêcher de répondre. « Tu as vendu la mèche d'un bout à l'autre. Tu es allée raconter presque tout ce que je t'avais dit en confidence. Bon, peut-être pas tout, je te l'accorde. Mais tu n'as rien oublié du chapitre affaires. » Il sourit toujours, comme s'il s'adressait à sa petite Ashley, la fillette que Karin n'a jamais eu la permission de rencontrer. « À moins que ce chapitre-là ait été le seul de notre histoire ? Depuis le début.

– Robert ? » La voix de Karin s'envole un peu, mais finit par se poser. « J'aimerais te dire que oui. Seulement, je ne suis pas si futée.

– En tout cas, tu nous as bien mis des bâtons dans les roues. Compliqué le jeu. Ça m'a donné pas mal de fil à retordre. J'ai dû me démener pour tirer mes marrons du feu. Mais bon ! Ça empêche la routine de s'installer. Le prix à payer pour découvrir ce que je représente à tes yeux. »

Elle secoue la tête. « Tu l'as toujours su. Mieux que moi.

– Enfin bref. Si ce projet ne se monte pas ici, à Farview, on ira ailleurs, plus en aval. Tu crois pouvoir nous empêcher de bâtir ? Tu t'imagines que la croissance va s'arrêter comme ça ? Qui tu es ? Tu n'es pas même...

– Pas même quelqu'un.

– Je n'ai pas dit ça. Mais il faut bien comprendre que les installations dont la communauté a besoin finissent toujours par se construire. Tôt ou tard. Si ce n'est pas l'année prochaine... »

Évidence trop certaine pour être seulement contredite. En cet instant encore, les yeux de Karsh disent : *Allons quelque part. Trouvons-nous une chambre. Vingt minutes*. La robe de soie fait son office. Et Karin ne ressent rien, un rien qui la comble et lui donne des ailes. Elle reste là, clouée sur place, incapable de contenir ses hochements de tête. « J'ai foutu ma vie en l'air pour toi. » Stupéfaite d'avoir accompli ce geste, stupéfaite à l'idée de pouvoir peut-être l'accomplir encore. Elle le regarde, fouille dans les débris du passé. « Tu croyais me connaître. Tu crois me connaître ! » Sans doute, après des années d'effort, parviendrait-elle à le croiser dans la rue sans plus rien éprouver. Et Karsh aussi : Capgras mimétique, un sourire qui ne concède rien. Il reste là, hilare, comme s'il venait de soudoyer son institutrice avec une pomme contaminée.

Et pourtant, ils demeurent liés l'un à l'autre. Karin tourne les talons et file en ligne droite à travers la ville, cette ville qu'elle déteste et dont elle ne se débarrassera jamais. Jusqu'au bout de la rue, elle l'entend qui appelle, à moitié amusé : « Hé ! Ma jolie ! Mon lapereau. Reviens, quoi. Il faut qu'on discute. » Conciliante, compréhensive, bien sûr qu'elle reviendra, aujourd'hui, ou alors l'année prochaine, à la même saison.

Ils parlent plus longtemps qu'il ne saurait le dire. Et ses certitudes reculent à chaque réponse que Mark lui réclame. La meute de scouts, qui agite dans les bois ses loupiotes défectueuses, s'est dispersée. Toute sa vie, il a su qu'il n'était rien d'autre que cette armée de fortune. Mais à présent, une digue en lui vient de céder et le savoir devient réalité.

Ils parlent jusqu'à ce que les théories de Mark commencent à lui paraître plausibles, jusqu'à ce que Mark soit convaincu que Weber a saisi l'ampleur des faits. Ils parlent jusqu'à ce que les substances chimiques dans la perfusion étouffent l'activité des synapses et calment le jeune homme.

Mais quelque chose en lui lutte encore. Une main sous la nuque, l'autre sur le front. « Vous savez, ils peuvent mettre le paquet avec moi. Médicaments. Électrochocs. Chirurgie même, s'il le faut. Je leur ouvre bien volontiers mon crâne, à condition qu'ils ne ratent pas leur coup cette fois. Je ne peux pas continuer comme ça, le cul entre deux chaises. »

Il ferme les yeux et grogne comme un loup acculé. « Avoir l'impression que j'ai fabriqué toute cette histoire, ça me fout la gerbe. Comme de penser que moi, pauvre crétin, je suis le produit de mon invention. Mais reste une chose que je suis certain de ne pas avoir rêvé. » Il se contorsionne, tend le bras vers le tiroir de sa table de chevet, et en sort le billet. Le papier refuse de se dégrader : la plastification l'a rendu inaltérable. Mark le lance sur le rebord de la table. « Je vous jure que j'aurais préféré l'avoir inventé. Et qu'il n'y ait pas d'ange gardien. Mais voilà, ce fichu billet est là. Et je me demande bien ce que je dois en foutre ! »

Weber ne bouge pas, il attend que les substances chimiques emportent Mark, et qu'il s'endorme. Puis il emprunte le couloir de l'hôpital d'un pas chancelant. Il s'assoit un moment dans le terrarium en verre d'une salle d'attente remplie d'individus auxquels on a tous promis un miracle haute technologie. Dans un fauteuil aux coussins orange, une jeune femme d'à peine vingt ans lit à un enfant de quatre ans assis sur ses genoux un énorme livre illustré aux couleurs criardes. « T'es-tu jamais demandé comment a débuté le miracle de ta vie ? » Sa voix est douce et rassurante. « Tu ne descends pas du singe. Ni d'une sorte de méduse venue de la mer. Non ! Tu as commencé quand Dieu l'a décidé… »

Weber lève la tête et, comme si le pouvoir de sa volonté l'avait engendrée, la voilà devant lui. La sœur, en robe de soie verte. « Vous l'avez vu ? » demande-t-il. Le son de sa voix lui paraît étrange.

Karin fait signe que non. « Il dort. Il est inconscient. »

Weber acquiesce. *In-conscient*. Ça ne va pas, cette négation qui désigne une chose antérieure de tant de milliards d'années à ce qu'elle nie.

« Il va se remettre ? »

Il n'est rien dans cette question dont Weber puisse pénétrer le sens. Se remet-on jamais ? « Il est hors de danger. Pour le moment. » Ils restent l'un près de l'autre sans rien se dire. Il distingue les centaines de petits muscles autour des yeux de Karin, qui déchiffrent les siens à mesure qu'ils s'ajustent à ceux de la jeune femme. « Il a l'impression qu'il pourrait y avoir en lui une part d'oiseau. »

Elle sourit, lente douleur. « Ça me fait ça aussi.

– Il croit que les chirurgiens des urgences ont substitué son… »

Elle l'interrompt d'un brusque signe de tête. « Ce n'est pas nouveau, dit-elle. Et pas étonnant, quand on les regarde. »

Cette femme a sombré dans la démence : il y a quelque chose dans l'eau de la ville. « Les chirurgiens ? »

Le visage de Karin se crispe comme celui d'une enfant, une fillette qui vient de découvrir l'absolue supercherie des mots. « Non, les oiseaux.

– Ah ! Je ne les ai jamais vus. »

Elle ouvre des yeux comme s'il venait de lui avouer ne pas connaître la sensation du plaisir. Elle consulte sur sa montre. « Allons-y, dit-elle. Nous avons juste le temps. »

À l'approche du crépuscule, ils vont se cacher dans un affût enterré. Ils s'assoient sur la vieille bâche que Karin conserve dans son coffre ; elle, toujours en robe de soie, lui, en manteau et cravate. Elle l'a emmené dans un coin à oiseaux connu des seuls autochtones : une ferme inhabitée, propriété privée interdite d'accès. La fosse est glaciale, et le champ semé de moignons bruns et de grain perdu datant de l'an dernier. À la lisière du terrain serpentent les berges sablonneuses de la rivière. Quelques oiseaux se rassemblent déjà. Karin joint les mains devant son visage, comme une gosse qui apprend à prier. Weber regarde le bouquet d'oiseaux, une centaine de mètres plus loin, puis il la regarde. *Alors, c'est ça, le spectacle mythique ?*

Son air dubitatif la fait sourire. Elle secoue la tête et lui effleure l'épaule : attendez. La vie est longue par ici. Plus longue que vous ne le pensez. Plus longue que la pensée ne peut l'être.

L'espace d'un instant, dans la froideur du crépuscule, il se sent porté. Le ciel glisse du pêche au grenat, puis du grenat au sang. Un filament ondule sur le fond de lumière : une colonne de grues approche, surgie de nulle part. Elle émet un son, préhistorique, trop puissant et d'une trop grande portée pour des corps de cette taille. Un son que Weber se rappelle, d'avant le temps où il l'a entendu.

La femme et lui s'accroupissent près du sol. L'échine de Weber bourdonne sous l'effet du froid. Un autre filament flotte sur l'air immobile, et descend. Puis un troisième. Les fibres d'oiseaux s'assemblent et s'agrègent, l'étoffe défaite se reconstitue. Des filaments apparaissent aux quatre coins de l'horizon, le ciel cramoisi se veine d'un sang noir. Les ailes virent et embardent, tombent ou s'élèvent, puis entrent dans la ronde alentie d'un cyclone. Bientôt le ciel s'emplit d'affluents : une rivière d'oiseaux, miroir de la Platte, qui méandre à travers les nues. Et chacune de ses gouttes – appelle.

Les oiseaux sont immenses, bien plus grands qu'il ne l'avait imaginé. Leurs ailes battent l'air lentement, à pleines brassées, les longues rémiges s'arquent très haut au-dessus du corps puis replongent loin dessous, comme un châle sans cesse remonté sur des épaules oublieuses. Les cous se tendent et les pattes traînent ; au milieu, le léger renflement du corps semble un jouet d'enfant suspendu à des ficelles. Un oiseau se pose à six mètres de l'affût. Il agite ses ailes dont l'envergure dépasse la taille de Weber. Derrière l'animal, des centaines d'autres atterrissent. Et leur escale sur ce terrain privé n'est qu'une amusette, comparé au spectacle grandiose qui se donne dans de plus vastes sanctuaires. Les cris s'accumulent et se font écho. Un chœur unique et factieux, désaccordé, s'étire sur des kilomètres dans toutes les directions jusqu'au pléistocène.

Il songe : Sylvie devrait venir voir ça. La plus naturelle des pensées en ce monde. Sylvie et Jess. Pas Jess, mais Jessie à huit ou neuf ans, à l'âge où une cité des oiseaux l'aurait ébahie. S'était-il jamais rapproché de cette enfant ? Cette petite fille qui avait pris forme toute seule méritait-elle un père plus sensible ?

En colonnes, par escouades, les oiseaux redescendent sur terre. Tombés en disgrâce, ils titubent, frappés de pesanteur. Leur déchéance serait comique si elle n'était si douloureuse. Un millier de grues qui flottaient dans les airs succombent à la gravité. Elles repèrent les humains et passent leur chemin, s'enfoncent dans le présent aux méandres perpétuels. Depuis qu'il existe des prairies, des rives sablonneuses et l'idée que ces lieux offrent un abri sûr, les oiseaux se rassemblent sur les tresses de la rivière. En ce siècle, elles grappillent dans les champs de maïs. Au siècle prochain, elles se nourriront de toutes les miettes que l'endroit pourra encore fournir.

Le sol gelé engourdit Weber. La voix de Karin, venue d'une lointaine planète, le fait tressaillir. « Regardez ! Celle-là, là-bas. » Il lève la tête pour voir. C'est lui, dans ce dancing en bord de route, aux côtés de Barbara Gillespie, qui lutte pour livrer son corps à la joie. La grue danse, étrangement méthodique. Elle lance des brindilles en l'air. Se couvre la tête de ses doigts et se contorsionne comme un rappeur. Puis l'oiseau et sa compagne sont en alerte, le cou tendu, l'œil au loin, fixé sur un point invisible, leurs becs parallèles tracent des signes dans l'air. Ils alternent leurs mouvements, puis les synchronisent, et leurs cris en boucle parviennent à l'unisson.

Weber localise quelque chose dans les pirouettes de l'air. La clé de sa propre dissolution. Alors – télépathie ordinaire, phénomène que même la science serait capable d'expliquer – Karin lit dans ses pensées : « Pourquoi êtes-vous revenu ? Pour Mark ? Ou pour elle ? »

Il ne peut même pas jouer les imbéciles.

Le sourire de Karin s'ourle de mépris. « Tout le monde avait remarqué. Ça crevait les yeux.

– Remarqué quoi ? » Impossible qu'ils aient vu. Lui-même vient à peine de s'en apercevoir. Mais même sa science au pas lent cerne bientôt l'évidence : le premier intéressé est toujours le dernier informé.

Karin s'adresse à quelqu'un dans le champ. « Daniel dit qu'elle l'a appelé. Il y a un an, avant l'accident de Mark. Pour lui poser un tas de questions sur le Refuge. Il dit que c'est une espionne. Une enquêtrice qui travaille pour les promoteurs. Vous ne trouvez pas ça dément ? Autant que les théories de Mark ? »

Il répondrait s'il pouvait. Même s'il lui venait une pensée à l'esprit, il la livrerait. Mais il glisse et s'enfonce, sous la ligne des mots.

Elle l'examine. Leurs rôles se sont inversés : elle est le médecin et lui le patient. « Il vous est arrivé quelque chose.

– Oui », confirme-t-il. Il voit ce quelque chose, en voit des milliers qui sillonnent les champs, à un murmure de là.

Elle ferme les yeux et s'étend sur le sol gelé. Il s'allonge auprès d'elle, sur le côté, tête posée sur son bras replié. Il la regarde dans les derniers grains de lumière ambrée, scrute la rase campagne de cette femme, à la recherche de celle qu'elle était un an plus tôt. Maintenant c'est elle qui revient en arrière. « Je ne sais pas ce que j'attendais de vous. En vous écrivant. Je ne sais pas ce que j'attendais de Mark. Ni de personne. » D'un petit geste du poignet, elle désigne la preuve accablante, le champ où se pressent les oiseaux. Que peut-on attendre de plus ?

Elle détourne le regard, gênée. Elle se redresse, montre du doigt un couple de grues non loin de là : deux grands spécimens agités qui marchent, les ailes déployées, et glapissent. L'un trompette une mélodie, quatre notes de surprise spontanée. L'autre reprend le motif et l'altère. Ce son saisit Weber : la création bavarde avec elle-même et le laisse au-dehors. Vrai langage, que seule une grue peut décoder. Le couple retourne au silence et fouille le sol, en quête de preuves. Ce pourrait être des détectives ou des scientifiques. La vie incommunicable, y compris à la vie.

Il regarde cette femme, son visage empreint d'une pensée qu'ils partagent, aussi lisible que s'il l'avait inscrite de sa propre main : Quelle impression ça fait, d'être un oiseau ?

« Tenez ! déclare-t-elle en désignant d'un signe de tête les deux qui déambulent. Voilà de quoi parle Mark. » Ses narines se dilatent, rouges et à vif. Incrédule, elle secoue la tête. « Autrefois, il leur suffisait de sortir de leur enveloppe pour devenir nous. Ou alors, c'est nous qui quittions notre peau pour aller les rejoindre. Une très vieille histoire. » Elle observe le profil de Weber, mais quand il se tourne pour lui faire face, elle se dérobe. « Ce qui m'attriste, malgré tout, c'est qu'ils ne peuvent pas tomber amoureux. Compagnons pour la vie, ils suivent leur partenaire chaque année sur des milliers de kilomètres. Ils élèvent ensemble leurs petits. Ils font mine de s'être cassé une aile pour attirer un éventuel prédateur loin de leur progéniture. Ils vont jusqu'à se sacrifier pour elle. Mais l'amour, non. Demandez à n'importe quel scientifique. Les oiseaux ne connaissent pas. Les oiseaux n'ont même pas de moi ! Rien qui nous ressemble. Aucun rapport. »

Weber peut à peine entrevoir tous les griefs qu'elle nourrit à son égard. Il lui présenterait des excuses s'il pouvait parler.

Le plus grand des deux oiseaux se détourne et fixe Weber. Quelque chose regarde vers lui à travers les yeux de ce volatile préhistorique, un secret le concernant, mais qui n'est pas le sien. Un regard sauvage à l'état pur, toute cette intelligence brute que Weber a oubliée, celle qui consiste simplement à être.

Mais la femme parle. Elle dit des choses, des choses lointaines, et insiste beaucoup. Elle lui raconte la guerre de l'eau. La victoire des défenseurs de l'environnement, remportée pour un moment. Puis leur défaite annoncée, scellée pour toujours. Elle a vu tous les chiffres, il n'existe aucune puissance capable d'arrêter ce train en marche. Son visage prend les traits figés d'un masque hideux. Elle agite les bras devant l'oiseau interdit qui prend peur et s'éloigne en rase-mottes. « Ne pas vouloir cela, comment est-ce possible ? Vouloir que cela soit, exactement tel que c'est. Si seulement les gens savaient... »

Mais s'ils savaient, ce champ serait couvert de guetteurs de grues.

« Combien de temps nous reste-t-il, d'après vous ? demande-t-elle. Qu'est-ce qui cloche chez nous ? C'est vous, l'expert. Qu'est-ce qu'il y a dans notre cerveau qui refuse... ? »

Le ciel est noir à présent et Weber ne distingue plus ce que Karin lui montre du doigt. Prisonniers l'un et l'autre de leur affût personnel, ils voient tomber une nuit d'une inconcevable longueur.

Elle parle tout haut, comme si déjà ne restait plus que le souvenir. « Je me rappelle la première fois où mon père nous a emmenés ici. Nous étions petits. Moi, Mark et lui, assis dans ce champ. Ce même champ. Au petit matin, avant le lever du soleil. Il faut voir ces oiseaux le matin. Le soir, c'est du théâtre à l'état pur. Mais le matin, c'est une religion. Nous trois, dans l'aube, heureux encore. Et mon père, le plus grand sage de la terre. Je l'entends. Il nous expliquait comment les grues naviguaient. Il pilotait de petits avions, et il aimait observer la manière dont les oiseaux se fient à des repères pour retrouver cet endroit précis, année après année. Elles reconnaissent chaque champ. “Ça oui ! disait-il. Les grues ont de la mémoire. Elles s'accrochent aux choses comme la chauve-souris à la poutre d'une grange.” Et la première fois que j'ai vu ces oiseaux monter dans le ciel en tournoyant, puis disparaître, j'ai continué à regarder en l'air en pensant : *Hé ! Moi aussi. Emmenez-moi avec vous.* Une sensation atroce. Un vide. Vous savez : *Quelle faute ai-je commise ?* »

Du bout des doigts, elle s'effleure les sourcils. Il la connaît à présent, connaît cette chose en elle qui l'avait tant rebuté par le passé. La faiblesse de cette femme. Son besoin de bien faire aux yeux du monde.

« C'était une sacrée leçon pour nous. La façon dont il concevait son rôle de père. Il n'arrêtait pas de nous parler des liens du sang, de la famille, et même de la manière dont les oiseaux prenaient soin de la leur. Il nous flanquait la pétoche, à tous les deux. Il nous serrait dans ses bras à nous en faire mal, et il nous demandait de jurer : "S'il arrive quoi que ce soit, un jour – et c'est certain – vous deux, ne vous laissez jamais tomber." »

Elle avale tant ces derniers mots que Weber doit y suppléer. Puis elle détourne les yeux, forte de nouveau, plus calme que lui-même ne pourrait faire semblant de l'être, le regard posé sur les marais, au-delà du progrès qui va les détruire.

« Il était bizarre, mon père. Complètement coupé du reste des hommes. Il me disait toujours que je n'arriverais à rien. C'était presque garanti. » Elle se retourne et agrippe le bras de Weber dans le noir. Elle a besoin qu'il la contredise. Qu'il lui affirme qu'il n'est pas trop tard pour changer de vie. Pas trop tard pour se lancer enfin dans un vrai travail, le seul qui compte. « Si vous m'aviez élevée... Si vous nous aviez élevés, Mark et moi ? Quelqu'un comme vous, qui aurait su tout ce que vous savez. » Elle aurait peut-être répondu plus vite à cet appel, quand il était encore temps.

Weber garde le silence, trop effrayé pour acquiescer ou démentir. Mais elle a déjà obtenu de lui ce qu'elle attendait. Elle hoche la tête et dit : « Autonomes, impossibles, presque omnipotents, et infiniment fragiles... »

Il s'efforce de retrouver la source de ces mots, écrits par quelqu'un qu'il était autrefois. Le visage de Karin, que cette idée enflamme, le supplie de recouvrer la mémoire. Libres de toute entrave, si nous sommes entièrement fabriqués. Libres de jouer à être ceux que nous sommes, libres d'imiter, d'improviser, d'imaginer. Libres de lier notre esprit à ce que nous aimons. À toutes les choses que nous pourrions encore apprendre sur cette rivière. À tous ces endroits que l'eau pourrait encore aller voir.

Le cerveau en feu, il passe la nuit sans dormir dans son alcôve de location. Son portable sonne par deux fois, mais il ne répond pas. Il fixe la diode électroluminescente de son réveille-matin, rouge comme l'enfer, et regarde les minutes s'attarder. Il se rendra à Dedham Glen, demandera à consulter le dossier de cette femme. Non ; on ne le laisserait pas faire. Il n'en a pas l'autorisation. Il pourrait interroger son supérieur : Quand est-elle arrivée dans l'établissement ? Quel emploi occupait-elle avant ? Mais il n'obtiendrait au mieux que des réponses évasives.

À quatre heures du matin, il est garé devant chez elle. Au volant de sa voiture, dans l'obscurité totale, disposant de tout le temps nécessaire pour renoncer à incendier sa vie. Mais sa vie a déjà brûlé : Chickadee, Conscience Bay, Sylvie, le laboratoire, ses livres, Gerald le Grand, voilà des mois qu'ils sont partis en fumée. Weber ne peut même plus contrefaire son propre rôle. Même sa femme n'y croirait pas. Il se veut à terre, se pousse à la chute. Travaillé par ce besoin de n'être personne, de soustraire pour toujours l'endroit où il se trouve aux trépans des neurosciences. Il s'éloigne de la voiture et va errer sur le perron, parmi le chaos qu'il a déclenché.

Barbara vient à la porte, le visage gonflé, les yeux troubles, effleurée par un tout premier soupçon de conscience. Elle incline la tête et sourit, elle s'attendait presque à le voir. Alors, le dernier élément solide en Weber se dissout. « Ça va ? demande-t-elle, affable et incertaine. Je ne savais pas que vous étiez de retour. »

La tête de Weber oscille, simple comme bonjour.

Sans un mot, elle le fait entrer. Elle attend d'avoir allumé le plafonnier blafard du vestibule dépouillé (une petite maison de vacances abandonnée sur les rives d'un lac du nord, aux alentours de 1950) pour demander : « Vous avez vu Mark ?

– Oui. Et vous ? »

Elle baisse les yeux. « J'ai eu peur. »

Mais c'est impossible. La plus dévouée de ses gardes-malades, qui a vu ce garçon en bien pire état. Il surprend le regard de Barbara. Celui d'un agent double, qui fuit par-dessus l'épaule gauche de la jeune femme. Elle porte un peignoir pour homme de flanelle rouge et verte, dont dépassent ses bras et ses jambes, comme une erreur de plus. Elle pose les mains sur son visage gonflé. « Je suis horrible, non ? »

Elle est belle, de cette beauté mise à mal, qui vide Weber de sa substance.

Elle le conduit vers une kitchenette dissimulée dans un placard où, d'un geste hésitant, elle met une bouilloire d'eau à chauffer. Il rôde à côté d'elle. « Nous n'avons pas beaucoup de temps, lui dit-il. J'ai quelque chose à vous montrer. Avant le lever du soleil. »

Les doigts de Barbara serpentent sur la poitrine de Weber et le repoussent, doucement d'abord, puis avec force. Elle acquiesce. « Je vais m'habiller. S'il vous plaît... » Ouvrant les mains, elle met à la disposition de son visiteur les trois petites pièces de la maison.

Mais il n'y a rien à prendre. Dans la kitchenette : un service pour une personne et une collection dépareillée de casseroles cabossées et de bocaux. La table et les chaises du séjour proviennent à n'en pas douter d'une vente aux enchères. Une carpette ovale et une paire de rideaux travaillés au crochet. Un lourd vaisselier de ferme en vieux chêne et un secrétaire du même bois. Au-dessus du meuble, scotché au mur, un carton froissé porte une inscription au stylo : « Or je ne me fais aucun mal, et pourtant je suis mon propre Bourreau. »

Sur le secrétaire, un livre broché : *L'Immense Voyage* de Eiseley. La lecture du soir de cette aide-soignante. La quatrième de couverture dépeint l'auteur comme un enfant du pays, qui est né et a grandi sur ce coude de la Platte. Des dizaines de signets adhésifs et colorés marquent les pages. Weber se reporte au dernier repère : « Le secret, s'il nous est permis de reprendre un vocabulaire sauvage, réside dans l'œuf de la nuit. »

À côté du livre, un baladeur CD et une paire d'écouteurs. Et une petite pile de disques. Weber prend celui du dessus : Monteverdi. Barbara choisit cet instant pour sortir, trop vite, de la salle de bain, en boutonnant à la hâte son chemisier en coton bleu de cobalt. Elle voit Weber manipuler le disque. Elle est prise au piège ; ses sourcils se froncent, coupables. « Les Vêpres de 1610. Mais pour vous, 1595. »

Il brandit la pochette, accusateur. « Vous m'avez trompé.

– Non. Je l'ai acheté... depuis notre soirée. Un souvenir. Croyez-moi, je n'y entends rien du tout. »

Il replace le disque sur le dessus de la pile, sans regarder. Il ne veut pas voir les autres titres. Sa foi ne supporterait pas de nouvelles épreuves.

Barbara vient le rejoindre et l'enlace. Dans ses bras, il se dissout. À la base de son tronc cérébral, un poing se desserre. Un flot de dopamine, des piques d'endorphine emportent Weber dont la poitrine est secouée de spasmes. Les recherches les plus folles, publiées dans le plus audacieux des journaux... Il a précipité sa propre ruine, et c'est une jouissance au-delà des mots. Ni écrivain, ni chercheur, ni professeur, ni mari, ni père. Il est sorti de lui. Rien ne demeure, hormis les sensations, la chaleur, cette légère pression sur ses côtes.

La pièce est froide et chaque centimètre du corps de Barbara brûle. Weber se faufile dans d'étroites ruelles limbiques qui ont survécu, à l'écart, quand l'énorme néocortex a tracé sa voie comme une gigantesque autoroute. Il sent sa peau sous les mains de la jeune femme, sa peau trop blanche et parcheminée, ses bras nus, marbrés d'un fouillis de veines, les bosses obscènes de ses flancs. En un battement de cœur, son propre corps lui devient étranger, tous ces fantômes imbriqués, invisibles aux yeux de cette femme qui ne l'a jamais vu autrement.

Plus curieux encore, il ne se soucie pas de la façon dont elle le voit. Ne désire pas qu'elle le perçoive de telle ou telle manière, mais tel qu'il est, pour de bon : vide et sans grâce, dépourvu d'autorité. Sans frontière, semblable à n'importe qui.

« Attendez, dit-il. Il faut que je vous montre quelque chose. » Quelque chose qui n'appartient pas à Weber. *Le soir, c'est du théâtre à l'état pur. Mais le matin, c'est une religion.*

Dans les premiers soupçons de l'aube, ils rejoignent en voiture le champ de Karin. Weber retrouve le chemin : virages à gauche et virages à droite sont enregistrés dans son corps. La nuit s'est dispersée. Mais la volée est toujours là, qui foule l'eau. Weber et cette femme prennent place dans l'affût, à trois mètres à peine du groupe d'oiseaux le plus proche. Ils s'efforcent de ne pas faire de bruit, mais leurs mouvements alertent les grues postées en faction. La conscience d'un danger se répand dans la troupe. Les grues s'agitent, séparément et ensemble, puis elles se calment quand la menace s'éloigne. Dans la lumière grandissante, elles exécutent leurs sautillements habituels du matin, qui prennent ici et là l'élan timide d'un ballet.

« Je vous l'avais bien dit, chuchote-t-elle. Tout danse. »

Un à un, les oiseaux testent l'air en effectuant d'abord de petits bonds, comme des fétus poussés par la brise. Puis des milliers de grues prennent leur envol, en une seule vague. La surface moutonneuse du monde s'élève, volutes aspirées par d'invisibles colonnes de chaleur. Des bruits les portent vers les hauteurs du ciel, clapets et crécelles de bois, nuage de sons vivants qui roulent, tonnent et trompettent. Lentement, la masse déroule ses rubans et se disperse dans les bleuités.

Tant de joie en cette vie. Qui toujours s'élève et nous dépasse. Tant de joie, sans rime ni raison.

Weber entend sa propre voix résonner en un contrepoint éraillé de ce concert matinal. « "Ne pas être séparé, tenu à l'écart par le plus fin des voiles, de la mesure des étoiles."

– Qu'est-ce que c'est ? » demande-t-elle.

Weber s'efforce de rassembler ses souvenirs. « "L'intériorité – qu'est-ce donc, sinon le ciel amplifié, zébré d'oiseaux et creusé par les vents du retour ?" »

Un livre de Rilke qu'il avait offert à Sylvie, il y a une éternité, au sortir de la fac, quand ils trouvaient encore le temps de prononcer de vaines élégies.

« Le scientifique est poète », dit cette femme.

Mais il n'est ni l'un ni l'autre. Sans profession qu'il puisse reconnaître. Rien qu'il ait jamais imaginé pouvoir devenir. Et cette femme : cette aide-soignante. Seule au point de vouloir même de lui.

Elle glisse une main sous le col du manteau de Weber. Il la touche lui aussi. Ils suivent les surfaces de la peau, le piège qui les lie. Les doigts de Weber tremblent sur les seins de cette femme, et elle serait prête à le laisser faire, à guider sa main sans retenue, ici même, dans ce champ rempli d'oiseaux. Elle plaque sa poitrine contre la paume de Weber. Maladroits, ils s'engagent sur un chemin qui les surprend tous deux. Leurs bouches se rejoignent et la pensée s'en va. Tout s'en va, sauf ce besoin primitif.

D'un trait, une chose énorme et blanche traverse le champ. Weber sursaute, et Barbara avec lui. Il la repère le premier, mais c'est elle qui l'identifie. « Mon Dieu. Un cygne chanteur. » Des spectres hantent cet éclair de lumière, une terreur intime. Elle lui serre le bras, comme un garrot. « C'est impossible. On rêve. Il n'en reste que cent soixante. Nom d'un chien, voilà l'un d'eux ! »

L'apparition éclatante glisse par-dessus les champs. Ils ont tous les deux le souffle coupé. Weber s'agrippe à un ultime espoir. « C'est ça. Ce qui se trouvait sur la route. Il a dit avoir vu une colonne blanche... » Il scrute le visage de Barbara : la science a tant besoin de confirmation.

Elle suit l'oiseau des yeux, par peur de regarder Weber. L'occasion s'offre à elle de tout éclaircir. Mais elle dit : « Vous croyez ? »

Ils regardent l'oiseau fantôme jusqu'à ce qu'il disparaisse derrière la ligne des bois. Accroupis, ils observent, longtemps après que le champ s'est vidé.

Ils sont frigorifiés et maculés de boue. Elle l'attire de nouveau contre elle, sans réfléchir. Ils répandent l'un sur l'autre des effluves d'ocytocine, se couvrent de chaînes brutales. La délivrance – débarrassé de tout, s'évanouir dans la prairie – passe non loin de lui, presque à portée.

Un rire étranglé vient de trop près, un son qui n'appartient pas aux chœurs matinaux de la Platte. Stridulations d'un criquet en avance de plusieurs mois. Il chante de nouveau, dans la poche de la veste que Weber a laissée choir à ses pieds. Il lance un regard à Barbara, perplexe. Les yeux de la jeune femme disent : c'est votre téléphone. Il tâtonne et trouve la poche où se cache l'appareil. Pour la toute première fois, il regarde le numéro qui s'affiche. Il coupe la sonnerie et retourne se blottir contre Barbara. Désormais, tout ne sera plus que panique. Aussi étrange qu'une naissance. Il consignerait cela par écrit (le premier Capgras contagieux jamais observé) s'il pouvait encore écrire. Weber semble toucher au but, et Barbara le guide. Des pensées le traversent comme un ruisseau coule sur des galets : aucune n'est a lui. Vient alors le vide au terme du trajet. Ne restent que les mains qui tiennent, qui s'agrippent, prêtes au vertige sans fin.

Muets, ils regagnent la voiture.

« Par où ? » demande-t-elle.

Pas vraiment le choix. « Vers l'ouest. »

Plus d'autre direction pour eux. Elle conduit au hasard. Ils traversent une sorte de cours d'eau asséché. « La piste de l'Oregon », dit-elle. Des cicatrices creusées dans le sol confirment cette hypothèse, malgré un siècle et demi d'érosion.

Ils roulent en silence pendant des kilomètres. Il attend qu'elle dise ce qu'il pourrait à tout instant lui faire dire. Mais à présent, il s'est parjuré, lui aussi, et ne mérite rien. Quand ils commencent à se sentir flottants, ils s'arrêtent pour trouver de quoi manger dans une bourgade du nom de Broken Bow. « Encore une ville fantôme, dit-elle. La plupart des villes de la région ont connu leur apogée il y a un siècle. L'endroit se dépeuple. Retourne à la frontière.

– Comment sais-tu tout ça ? » Mais il connaît déjà la réponse ; il sait déjà comment.

Elle élude la question. « Dans les parages, il n'y a que les mourants qui s'éternisent. »

Ils achètent de l'eau, des fruits, du pain et emportent le tout dans les sables. Ils pique-niquent sur une dune que le vent pousse alors même qu'ils sont assis dessus. Leurs corps restent toujours en contact. Le pays est à l'abandon ; cette contagion gagne la terre entière. Au loin, résonnent en vibrato les accords mineurs d'un interminable convoi de camions.

Surprise, Barbara touche l'oreille de Weber. « Je viens de me rappeler le rêve que j'ai fait la nuit dernière. Superbe ! Nous jouions de la musique. Toi, moi, Mark et Karin, je crois. J'étais au violoncelle. Je n'ai jamais touché un violoncelle de ma vie. Mais la musique qui en sortait... incroyable ! Comment le cerveau peut-il réussir un coup pareil ? Faire semblant de jouer d'un instrument, passe encore. Mais qui a composé cette musique ? À la volée ? Je ne sais même pas déchiffrer. C'était les harmonies les plus somptueuses que j'aie jamais entendues. Et c'est forcément moi qui les ai écrites. »

Weber n'a pas de réponse à cette question et n'en donne donc aucune. Il ne peut que rendre son geste à Barbara en lui touchant l'oreille. Le rêve qu'il a fait cette nuit ne s'était pas reproduit depuis des mois : un homme accomplit le grand saut, figé sur place, devant une colonne de blancheur vaporeuse.

Ils sont assis au milieu de nulle part, à la dérive. Le téléphone de Weber se met à vibrer dans sa poche. S'il sonne ici, alors il peut sonner dans l'espace interstellaire. Avant même de répondre, Weber sait qui appelle. La présentation du numéro lui confirme son intuition : Jess. Sa fille ne lui téléphone qu'en dernière extrémité, ou pendant les vacances. Il doit répondre. Il n'a pas le temps de lui demander ce qui se passe qu'elle hurle déjà. « Je viens de parler à maman. Tu n'as pas fini de déconner ? Qu'est-ce qui te prend ? »

Weber n'a rien à quoi s'arrimer. Il ressent chacun des kilomètres qui le séparent de l'une et l'autre côte. Il dit : « Je ne sais pas », plusieurs fois de suite, sans doute. Ce qui a pour seul effet de mettre sa fille un peu plus hors d'elle-même. « Deviens adulte », lui crie-t-elle. Elle fait peut-être une crise de diabète. Weber commence à perdre le signal. « Jess ? Jess. Je ne t'entends plus. Écoute-moi. Je te rappelle. Promis... »

Quand il raccroche, Barbara est encore là. Elle lui pose une main hésitante sur la joue, et il la laisse faire. Le premier de ses châtiments. Cette main lui dit : Agis selon ton besoin. Rapproche-toi, éloigne-toi. Invente encore, ou renonce.

Il est cette patiente dont le souvenir lui revient en cet instant, cette femme à l'insula défaillante, perdue dans les affres de l'asomatognosie. Parfois, sur de courtes périodes, elle perdait la sensation de son corps. Squelette et muscles, membres et tronc, s'évanouissaient dans le néant. Et bien que privée de son corps, elle s'en tenait obstinément à ce mensonge, continuait de s'en remettre à ce kapo posté au carrefour temporo-pariéto-occipital, ce laquais du système nerveux qui n'hésite jamais à se charger de tout.

Ils reprennent la voiture, rien d'autre à faire. Vingt kilomètres plus tard, elle dit : « Il y a un endroit par là-bas que j'ai toujours voulu voir.

– C'est loin ? »

Elle fait la moue tout en calculant la distance. « Cent cinquante kilomètres. »

Il ne reste rien en Weber qui puisse élever une objection. Il désigne du doigt un objectif invisible, au-delà du pare-brise.

Au volant, Barbara se laisse gagner par l'insouciance, voire le vertige. Ils n'ont pas d'avenir, et encore moins de passé. Pendant deux heures, ils ne disent rien sur eux-mêmes. Et ne parlent guère de Mark non plus. Tout au plus lui demande-t-elle de citer dix choses essentielles que les neurosciences tiennent pour certaines. Weber devrait pouvoir en dénombrer des vingtaines. Mais la liste s'est altérée. Les choses essentielles ne paraissent plus certaines. Et celles qui le sont ne sauraient être essentielles.

Il aperçoit de loin leur destination qui émerge d'un champ où pousse le blé d'hiver. La plaine de Salisbury. Et son monument mégalithique. Ils ont dû se tromper d'itinéraire quelque part, mais les voilà parvenus en ce lieu. Quand il comprend, Barbara se met à rire. « Nous y sommes. Automobilehenge. »

Les immenses blocs de pierre grise se transforment en voitures : une trentaine d'épaves peintes à la bombe et plantées le nez en terre, ou posées en guise de linteaux par-dessus les autres. Réplique parfaite. Ils vont à pied faire le tour de ce cercle dressé. Weber parvient à une imitation douloureuse de l'allégresse. Le voilà : le mémorial idéal édifié à la gloire de l'ascension fulgurante de l'humanité, cette conscience dont la sélection naturelle a voulu tenter la brève expérience. Et partout, des milliers de moineaux nichent sur les essieux rouillés.

Ils dînent non loin de là, à Alliance, dans un endroit appelé Le Fumoir des Longhorns. Un téléviseur fixé au-dessus de leur box annonce la nouvelle. Les opérations pour la libération de l'Irak ont commencé. La guerre a mis si longtemps à se déclarer que Weber éprouve seulement une vague impression de déjà-vu. Ils regardent les séquences impénétrables qui passent en boucle, le président qui apparaît encore et encore : « Que Dieu bénisse notre pays et tous ceux qui le défendent. » Weber observe le visage de marbre de Barbara tandis qu'elle regarde l'écran. Elle regarde comme seule une journaliste peut regarder. Il la connaît depuis un certain temps. Mais il ne la voit qu'aujourd'hui, irrécusable. Le timbre de la jeune femme hésite un peu quand elle se met à parler. « Mark a raison, tu sais. Tout n'est que contrefaçon. Regarde ce pays, tu le reconnais, toi ? »

Ils passent trop de temps devant un trop grand nombre de reportages frénétiques dont l'absence de contenu frôle la charge explosive. Lorsqu'ils regagnent la voiture, la lumière baisse déjà.

« On cherche un endroit où s'arrêter ? » Elle détourne les yeux. Elle parle d'un abri, mais il n'existe plus d'abri depuis longtemps.

Weber ne veut rien, sinon cette ardoise effacée. Vierge de ce qu'il a fait, de ce qu'il est en train de faire. Rien ne l'attend nulle part. *Chercher un endroit où s'arrêter* : oui, nuit après nuit, ensemble, ils vont fouiller le monde, alors même que le pire est confirmé, alors même qu'il sait sur elle ce qu'il sait à présent. Finis les comptes rendus à distance. Finies les études de cas : il doit seulement se rendre aussi coupable qu'elle. Pourtant, les mots qui sortent de sa bouche anéantissent même cette possibilité. « Il faut rentrer. »

Elle ne peut masquer une demi-seconde d'effroi. Ses épaules frémissent devant la nasse. « Oh, mon cœur ! » dit-elle. À qui appartient ce nom ? Le doux nom d'un autre. Compagnon d'une précédente évasion avec lequel elle le confond. Ce n'est pas lui qu'elle veut ; elle veut simplement se soustraire aux recherches. Elle esquisse une objection. « Ma maison est si petite… »

Et la terre si vaste. « Il le faut », répète Weber. Oui, la vie est fiction. Mais quel qu'en soit le sens, cette fiction est manœuvrable.

Elle comprend ce qui se passe. Mais elle continue de faire semblant. Elle démarre la voiture et met le cap sur le sud-est. Au bout de quelques kilomètres, sur le ton de l'invite pure, sa voix demande : « À quoi penses-tu ? »

Il secoue la tête. Il ne peut pas répondre avec des mots. Son silence trouble Barbara. Elle se cramponne au volant, le visage contracté, prête au pire.

Du dos de la main, il lui effleure l'avant-bras. « Je pensais que j'avais l'impression de te connaître depuis toujours. »

Elle se tourne vers lui et s'écroule. Elle ne le croit pas, mais elle accepte ces mots. Déjà, une part d'elle-même sait où il les entraîne. Déjà, une part d'elle-même endure la sentence, avant qu'il ne l'ait prononcée.

Il choisit cet instant pour demander : « Quel événement étais-tu venue couvrir quand tu es venue ici ? »

Ils parcourent un kilomètre dans un silence atroce. Quelque chose en lui espère qu'elle ne dira rien. Quelque chose en lui ne veut pas de la vérité. Il ressent ce qu'il a reconnu en elle la première fois, cette terreur tapie juste sous la surface du calme plat. Du coin de l'œil, il perçoit qu'elle est une autre. Comme cette femme qu'il avait autrefois examinée (appelons-la Hermia), une femme dont le seul symptôme était de distinguer des enfants dans la partie gauche de son champ visuel, et même de les entendre rire ; mais sitôt qu'elle tournait les yeux pour les regarder, ils disparaissaient…

« Qu'est-ce que tu veux dire ? » finit-elle par demander. Sa voix est un émail vif posé sur des cendres.

Il n'a pas le droit de la forcer. Il n'est pas la justice ; il est la duplicité même. « Pour qui travaillais-tu ? » Il n'a pas réellement besoin de le savoir. Mais c'est un phénomène neurologique avéré : une activité dans le siège de la parole a un effet inhibiteur sur la souffrance.

Agrippée au volant, elle suit la route rectiligne. « Pour Dedham Glen, répond-elle. J'ai travaillé à la clinique tous les jours pendant un an. Je me suis fait douze cents dollars par mois. »

Enfin Weber comprend la cause des anomalies repérées sur le diagramme de Mark. Il sait maintenant ce qui s'est passé. « L'ami de Karin, dit-il. Le défenseur de l'environnement. Tu l'as interrogé au téléphone, il y a un an. »

Pagaille dans les yeux de Barbara. Ses narines rouges frémissent comme celles d'un lapin. Quelque chose d'encore tenace en elle libère en lui l'ultime petite parcelle qui n'aimait pas déjà cette femme. « L'eau », dit-elle. D'un ton neutre. Journalistique. « Il s'agissait d'un reportage sur l'eau. » Ils roulent un demi-kilomètre dans l'obscurité qui tombe. Barbara s'adresse à une machine. « La plupart des reportages ne parleront bientôt que de ça. » Elle se ressaisit, secoue ses cheveux, retourne toute la force de son vide contre Weber. Elle vise l'insouciance d'un magazine de mode. Cela devrait le faire fuir, n'était cette chose qu'il reconnaît en elle, et partage. Cet espoir insensé d'échapper aux recherches. « Je vais tout te dire. Que veux-tu savoir ? »

Il ne veut rien savoir. Même en cet instant, il veut disparaître avec elle, en un lieu où les mots ne peuvent atteindre.

« Je suis journaliste », confie-t-elle au pare-brise. Une nouvelle bourgade passe à vive allure. « Productrice pour CableNation News. Je trouve des sujets pittoresques, je prépare le terrain, j'établis un canevas, je sélectionne les entretiens, je fais le tri dans les enquêtes. Je me suis toujours efforcée de... d'être à la hauteur de chaque histoire. De comprendre, d'aller au fond des choses. C'est ce qui m'a perdue, je crois. J'étais rédactrice depuis sept ans, productrice depuis trois ans et demi. J'aurais pu entrer dans une grande rédaction. Tout allait bien jusqu'au jour où ils m'ont mise au placard. »

Weber regarde fixement les rides qu'il n'avait jamais remarquées dans le cou de Barbara. Les tendons font saillie sous la mâchoire serrée. Son visage va se fendre par le milieu et une créature parvenue au terme de sa croissance va surgir.

« J'étais dans une mauvaise passe. La panne sèche, comme on dit. Ça n'aurait jamais dû se produire. J'étais Superwoman. Bon sang ! J'ai fait Waco, avec toutes ces alignées de chaises pliantes, tous ces bons Américains venus assister au spectacle du barbecue humain. J'ai produit une série de reportages sur les bébés de cette crèche à Oklahoma City. J'ai couvert Heaven's Gate : trois jours de suicides collectifs. Rien ne m'atteignait. Je pouvais tout raconter. Je suis allée trouver les gens de Lower

Manhattan, après les tours, et je leur ai collé ma caméra sous le nez. C'est une semaine plus tard que j'ai commencé à perdre les pédales. On ne maîtrise plus rien, pas vrai ? Et on est en train de s'attirer des catastrophes. »

Elle a encore besoin qu'il la contredise. C'est ce qu'elle a toujours attendu de lui. Et même sur ce point, il la déçoit.

« Mon patron m'a envoyée consulter un marchand de pilules qui m'a donné le même traitement que celui déjà prescrit au reste de la nation. Ça m'a calmée un peu. Mais j'ai perdu de mon mordant. Mon travail était terne, mal ficelé. Je n'y arrivais plus. Alors ils m'ont retiré les informations et ils m'ont affectée à la rubrique "Insolite". Des sujets inoffensifs. Pitoyable. Le concierge qui meurt dans la misère en léguant un million de dollars à l'université locale. Les jumeaux réunis après quarante ans de séparation, et qui ont malgré tout des comportements identiques. C'est à ça que j'étais censée occuper mon escapade dans le Nebraska. Un peu de repos et de récupération. Une jolie petite histoire qui plairait à tout le monde – inratable, même pour moi.

– Les grues », dit Weber. La seule histoire du coin. L'éternel retour.

À cinq kilomètres de la ville, sur la route plate et monotone, elle tourne la tête pour le regarder. Son visage l'interroge et marchande. « Ils voulaient du Disney. J'ai essayé de donner plus d'ampleur à la chose. Alors j'ai creusé un peu. Il ne m'a pas fallu longtemps pour trouver l'eau. J'ai découvert qu'on allait dégrader cette rivière, et mon article n'y changerait rien. J'aurais beau raconter une histoire démoralisante qui pousserait les gens à vouloir chambouler leur vie, ça n'aurait aucun effet. L'eau était déjà condamnée. »

Kearney apparaît, dôme de lumière orange à l'horizon. Weber attend que Barbara ait terminé. Il comprend qu'elle a fini lorsqu'elle lui jette un regard de côté, farouche, furtif et implorant. « Alors, tu as tout plaqué, dit-il. Et tu es devenue aide-soignante ? »

Les épaules de Barbara tressautent. Mais elle se reprend assez vite. « Ils m'ont d'abord embauchée comme bénévole. Je bénéficiais d'une petite expérience... Il y a des années de ça, au lycée. J'avais décroché une licence d'aide-soignante en trois mois. Tu sais, ce n'est pas... de la neurologie. »

En cet instant encore, elle refuse de tout lui dire. Elle ne le fera pas d'elle-même. Alors il lui demande : « Tu savais qu'ils allaient l'envoyer là ? »

Les yeux de Barbara virent à l'acier. Un calme brutal s'empare d'elle. « Une de tes théories ? Qui crois-tu que je sois ? »

Je n'est qu'une diversion. La science de Weber sait cela depuis un certain temps. Il a soupçonné cette femme bien avant son identification formelle par Daniel. Peut-être même dès l'instant où il l'a vue. Devant elle, il a tout de suite senti la mystification, comme elle, devant lui : ce mensonge qui les liait, cette attirance. Reste un point cependant qu'il ne comprend toujours pas. « Je crois t'avoir déjà vue. Il y a quelques années. Quand ta chaîne a réalisé cet entretien...

– Oui », répond-elle avec aplomb tandis qu'elle s'engage sur la 10 à l'entrée de la ville. Elle a retrouvé sa voix de productrice. Celle de la journaliste capable de présenter n'importe quel sujet. « Alors pourquoi es-tu revenu plusieurs fois ? Pour mettre ta mémoire à l'épreuve ? Tu croyais pouvoir te servir de moi. Un peu de frisson, un peu de mystère. La vindicte populaire t'a mis à mal. Tu as voulu t'offrir une petite échappée, réécrire ta vie. Vivre une expérience extracorporelle. Dénoncer un crime. Tendre un piège. Et puis me juger. »

Il secoue la tête, pour eux deux. Quelque chose de plus grand que le jugement l'a ramené ici. Les vents du retour. Aujourd'hui, alors même qu'elle se montre froide et horrible, il la connaît plus effroyablement que jamais. Son visage fulmine et elle frappe le volant du plat de la main, ne sachant où poser le regard, poussée à découvert. D'un petit signe de tête, Weber va l'obliger à tourner, non en direction de son pavillon, ou d'une chambre d'hôtel anonyme. Il va la ramener là où l'histoire a commencé. Quand il parle enfin, sa voix n'est plus la sienne. « J'ignore quels sentiments tu as pu éprouver à mon égard... ce que j'ai pu représenter pour toi. Mais je sais combien tu es liée à ce garçon. »

Deux feux avant le Bon Samaritain, elle voit où il la force à se rendre. De sa main droite, elle l'agrippe. Ultime effort de séduction préventive : nous pourrions encore nous échapper, tous les deux. Disparaître le long de cette rivière.

Weber songe à ce qu'elle a déjà perdu : sa carrière, le cercle de ses relations, les amis qui pouvaient être les siens, une année de sa vie, et tout ce que Mark voudrait encore lui prendre. Cela ne suffit pas. « Parle-lui, dit-il. Tu sais qu'il le faut. »

Elle tourne la tête et jette quelques bribes d'explication. « J'ai essayé, affirme-t-elle. Je l'aurais fait. Mais il ne s'est pas rendu compte...

– Quand ça ? »

Entre eux cesse toute comédie. Mis à nu, ils se connaissent l'un l'autre. Elle crache son venin. « Pourquoi tu fais ça ? Je suis un nouveau cas ? Qu'est-ce que tu me veux ? Espèce de lâche, hypocrite et suffisant. »

Il acquiesce. Mais il a perdu consistance, il s'est vidé de son être, et des millions tiennent conseil en lui. « Tu peux y arriver. » Il examine ce fait, la seule certitude qu'il lui reste. « Tu peux y arriver. Je vais t'accompagner. »

Une nuit froide de février sur une route obscure du Nebraska. Seule à bord de sa voiture, elle roule au hasard. Des heures plus tôt, elle a filmé le spectacle du soir. Mais ses caméras n'ont pas réussi à capter toute la force de ce rassemblement irréel. Les oiseaux l'ont tant bouleversée qu'elle ne peut rejoindre son hôtel. L'équipe de tournage s'est égayée dans la nature depuis longtemps, et elle est seule, désemparée, aussi fragile et chancelante qu'à New York, l'automne dernier. Peut-être a-t-elle suspendu trop vite le traitement. À moins que ce ne soit la faute de ces grues, ces filaments portés sur l'air, qui s'amassent et trompettent, bernés par la mémoire de plusieurs millions d'années. Leur fin sera instantanée. Ils ne sauront jamais d'où le coup est parti.

Elle-même ne l'aurait jamais su si elle n'avait suivi le fil de cette histoire. Celle d'une guerre nouvelle, invisible et silencieuse, menée contre les zones humides : pour préparer ce reportage, elle a traqué les détails, en quête d'un contexte. L'espèce à laquelle elle appartient est prise d'une folie meurtrière, et à présent, plus que jamais, c'est chaque vie pour soi. Elle a les nerfs à vif, elle suffoque dans sa voiture de location, et l'entaille rectiligne de cette route l'épuise. Elle essaie de se calmer depuis des heures. Elle est allée s'attabler dans un restaurant, puis s'asseoir dans un cinéma, elle a marché dans les rues du centre mort, conduit sur des petites routes désertes, mais rien n'y fait : elle n'est toujours pas en état de dormir. Si elle tient encore deux ou trois heures, jusqu'au point du jour, jusqu'aux oiseaux...

Même l'antique polyphonie qui sort des haut-parleurs lui lacère l'âme. Elle coupe la radio de ses doigts fébriles. Mais le silence sur cette route de février, noire et glaciale, est plus insupportable encore. Elle ne résiste que trente secondes avant de rallumer le poste. D'une main tremblante, elle parcourt le spectre des stations, essaye de trouver quelque chose de réel. Elle tombe sur une émission et s'y tient, peu importe son contenu. C'est de la parlotte, mais seule la parlotte peut l'aider en cet instant.

Une voix de satin s'insinue au creux intime de son oreille. Pendant quelques instants, elle croit reconnaître des accents de Christian Revival – pas un croyant ne sera laissé sur le bord du chemin. Mais ces mots sont pires que la religion. Des faits. La voix féminine récite une litanie, entre le poème et la liste de courses. « Il a fallu deux millions et demi d'années à la race humaine pour atteindre le milliard d'individus. Il a suffi de cent vingt-trois ans pour y ajouter un second milliard. Trente-trois ans plus tard, nous étions trois milliards. Puis en quatorze ans, en treize, en douze... »

Tremblante, elle se range sur le bas-côté. Seule dans ce nulle part, en compagnie de ces chiffres. Un orage éclate dans un coin de sa tête. Des signaux déferlent, qui se déclenchent les uns les autres. Rien dans l'évolution de l'espèce ne l'a préparée à cela. Des cataractes électriques cascadent en elle, des transes provoquées par les faits, et lorsque la lumière des phares apparaît dans le rétroviseur, la seule décision rationnelle est d'ouvrir la portière pour se jeter à leur rencontre.

La voilà qui entre de nouveau dans l'hôpital. L'année dernière, ils l'ont arrêtée devant la porte condamnée des urgences. « Vous êtes sa sœur ? » Il avait suffi d'un signe de tête, lancé sans réfléchir, pour qu'ils la laissent entrer. Aujourd'hui, personne ne vient la défier. Tout le monde est libre de venir le voir. Même celle qui l'a expédié ici la première fois.

Il est assis dans le lit et se débat avec un vieux livre qu'il connaît bien. À son attitude, elle peut dire que le brouillard est en train de se lever. Le visage de Mark s'éclaire lorsqu'il la voit, ce mélange d'idéal et de gratitude instinctive. Mais l'embellie disparaît sitôt qu'il aperçoit l'expression de son regard.

Qu'est-ce qu'il y a, demande-t-il. Qui est mort ?

Elle se tient au pied du lit. Cette position seule pourrait suffire à déclencher le souvenir. Cette trace est encore présente, dans la charge de ses synapses. Mais elle doit quand même lui dire. C'est elle qui a laissé les premières empreintes. Le véhicule « de derrière » se trouvait devant. C'était elle sur la route. Il a versé dans le fossé pour ne pas la tuer.

Comment ça ? demande-t-il. Pourquoi ? Les pièces du puzzle ne veulent pas s'assembler.

Elle vit à cause de lui. Son cerveau est abîmé à cause d'elle.

C'est toi, mon ange gardien ? C'est toi qui as écrit le billet ?

Non, lui dit-elle. Ce n'est pas moi.

De nouveau, dans son souvenir, elle se tient devant lui, quelques heures à peine après la première fois sur la route vide. Il est encore intact, toujours réactif. Branché de partout, mais pas comateux. Cela viendra plus tard, avec l'excitotoxicité. Le choc de cette visite en sera le déclencheur. Maintenant, elle est là, à côté du lit, dans l'unité de traumatologie, et il la reconnaît. Il la regarde, terrifié. Elle est de retour, la colonne blanche qu'il a évitée d'un coup de volant. C'est une créature surnaturelle, revenue d'entre les morts. Mais elle a le visage en fusion et des sons étranglés sortent de sa bouche. Il se recroqueville, avant de comprendre : elle implore son pardon.

Il essaie de lui dire. Rien ne sort de sa gorge, hormis un sifflement sec. Elle se penche au-dessus de ses lèvres, mais toujours rien. De sa main droite, il érafle l'air, cherche de quoi écrire. Elle déniche du papier et un stylo au fond de son sac et les lui tend. D'une main abîmée, à moitié paralysée déjà par la pression qui grimpe dans le crâne, par le gonflement des lobes contre l'os immuable, il trace ces mots :

Je ne suis Personne
mais ce Soir sur la North Line
DIEU me conduit jusqu'à toi
pour que Tu puisses Vivre
et ramener quelqu'un d'autre.

À tâtons, il lui glisse le billet entre les doigts. Tandis qu'elle le lit, un aiguillon aveuglant le frappe à l'hémisphère droit. Il retombe sur le lit, son cri brisé en plein vol. Vient alors l'immobilité.

Elle l'a détruit par deux fois. Prise d'une panique reptilienne, elle abandonne le billet sur la table de chevet et disparaît.

Il sent venir l'angoisse, un égarement irrépressible. Alors même qu'elle le supplie, ses yeux la refusent. Sous ce regard fixe, la sainte se désintègre et retourne à ce qu'elle est.

Tu m'as laissé chercher pendant un an et tu ne m'as rien dit. Comment tu as pu faire une chose pareille ? Tu étais mon... Tu te serais mise en quatre pour moi...

Elle se tient devant lui, radiée. Elle a perdu jusqu'au droit de se défendre. Il arrache la note au tiroir de sa table de chevet, la brandit en l'air et lance une gifle à cette écriture blessée.

Si c'est ce qui s'est passé... qu'est-ce que je fous avec ce truc ? Enlève-moi ça de la vue.

Il lui jette à la figure le morceau de papier plastifié. Qui tombe à terre. Elle le ramasse et le serre contre sa poitrine.

Ça t'appartient. C'est ton fardeau, pas le mien.

Elle remue les lèvres, sa bouche demande. *Comment ? Qui ?* Mais aucun son ne sort.

Il laisse exploser sa colère. *C'est à toi d'y aller. À toi de ramener quelqu'un.*

Quelqu'un qui attend, muet, devant la porte, ramené par un billet qui passera à jamais de main en main. *Afin que tu puisses vivre.* Et désormais ce fardeau est le sien.

Cinquième partie

Et ramener quelqu'un d'autre

Et les hommes, ces myriades de petites mares isolées où grouille une vie corpusculaire, qu'étaient-ils, sinon cette façon qu'a l'eau d'aller courir loin des rivières, hors de leur portée ?

Loren Eiseley, *L'Immense Voyage*,
« Le cours de la rivière »

Qu'y a-t-il dans les souvenirs d'un oiseau ? Rien que rien d'autre ne puisse dire. Son corps est la carte des endroits où il s'est rendu, en cette vie et avant. Parvenue sur ces hauts-fonds, la jeune grue sait déjà comment y revenir. L'année prochaine à la même époque, elle sera de retour et trouvera un compagnon pour la vie. Puis l'année d'après, elle sera encore là et donnera la carte en pitance à son propre petit. Alors, un oiseau de plus aura en mémoire ce dont les autres oiseaux se souviennent.

Le passé de la jeune grue coule dans le présent de toute créature. Quelque chose en son cerveau apprend cette rivière, ce mot plus vieux de soixante millions d'années que le langage, plus ancien même que cette plate étendue d'eau. Ce mot restera quand la rivière ne sera plus. Quand la surface de la terre sera brûlée et gâtée, quand la vie sera réduite à presque rien, ce mot entamera son lent retour. L'extinction est courte ; la migration est longue. La nature et ses cartes tireront profit de ce que l'homme pourra lui infliger de pire. Les descendants de la chouette orchestreront la nuit. Rien ne nous regrettera. Les rejetons du faucon décriront des cercles au-dessus des champs envahis par la végétation. Les rynchops, les pluviers et les bécasseaux nicheront dans les forêts de poutrelles des centaines d'îles de Manhattan. Les grues, ou des volatiles qui leur ressemblent, iront suivre le tracé des rivières. Lorsque tout le reste aura disparu, les oiseaux continueront de trouver l'eau.

Quand Karin Schluter entre dans la chambre de son frère, celui qui refusait de la reconnaître s'en est allé. À sa place, un Mark qu'elle n'a jamais vu est assis dans un fauteuil, en pyjama rayé, et lit un livre dont la photo sur la couverture représente une prairie. Il lève le nez et la regarde comme si elle arrivait en retard à un rendez-vous prévu de longue date.

« C'est toi, lui dit-il. Te voilà. » Sous la voûte du palais, sa langue forme un calice : la moitié d'un K. Mais pris d'un frisson, il détourne les yeux.

Sur le visage de Karin, les muscles se révoltent. Une vague déferle. Il est revenu ; il la reconnaît presque. Ce qu'elle a tant voulu, tous ces mois, plus que tout. Les retrouvailles dont elle a rêvé pendant plus d'un an. Mais elle n'avait rien imaginé de tel. Le retour se fait sans heurt, trop progressif.

Il la regarde, transformé d'une façon qu'elle est incapable d'identifier. Il fait la grimace. « Qu'est-ce qui t'a retenue si longtemps ? » Elle s'effondre, enfouit son visage dans le cou de son frère. Entre eux, des rapides s'élancent. « Ne me mouille pas, lui dit-il. J'ai déjà pris un bain aujourd'hui. » Il écarte la tête de Karin et la tient entre ses mains. « Mais regarde-toi ! Certaines choses ne changeront donc jamais. »

Elle doit le dévisager une seconde avant de mettre le doigt sur la différence. « Mon Dieu, Mark. Tu portes des lunettes. »

Il les retire pour les observer. « Oui. Elles ne sont pas à moi. Je les ai empruntées au gars de la chambre d'à côté. » Il se les remet sur le nez et pose son livre par-dessus un autre, sur le rebord de la fenêtre. *Almanach d'un comté des sables*. « Je potasse. »

Elle reconnaît l'exemplaire. Il ne devrait pas se trouver là. « Où est-ce que tu as pris ça ? Qui te l'a donné ? » Elle met dans sa question plus de mordant que voulu. Malgré elle : les revoilà frère et sœur, trop tôt.

Il regarde le livre, comme pour la première fois. « Qui, d'après toi ? Ton petit ami. » Il se tourne vers elle, se déploie. « C'est un type compliqué. Mais il a beaucoup de théories intrigantes.

– Des théories ? Sur quoi ?

– Il pense qu'on est tous foutus. Que nous avons tous viré schizo, ou un truc dans le genre. Un brin loufoque, tu ne trouves pas ? »

Le traitement fonctionne – les séances d'électrochocs à petites doses – mais l'effet est si graduel qu'on ne constate presque pas de revirement. Le même sous-système faiseur d'opinion, qui a retranché Mark du monde, l'empêche à présent d'assister à son propre retour. Elle l'observe : sous ses yeux épouvantés, il redevient Mark, le Mark d'autrefois.

« On a tout foiré par ici, alors ton Danny se tourne vers l'Alaska. »

Elle s'assoit dans un fauteuil à côté de lui, bras croisés pour les empêcher de trembler. « Oui. J'ai appris ça.

– Il va se chercher un autre boulot. Passer l'été avec les grues, dans leur zone de reproduction. » Il hoche la tête devant l'énigme de tout être vivant. « Il en a ras le bol de nous, pas vrai ? »

Elle amorce une explication, puis s'arrête : « Oui, répond-elle.

– Il ne veut pas se trouver là quand nous foutrons tout en l'air pour de bon. »

La gorge de Karin se noue et ses yeux la piquent. Elle se contente d'acquiescer.

Il se penche sur le côté, le poing calé sous son oreille. Il a peur de lui poser la question. « Tu pars avec lui ? »

Elle aurait dû s'habituer à cette douleur depuis longtemps. « Non, lui répond-elle. Je ne crois pas.

– Où tu vas, alors ? Tu rentres chez toi, j'imagine. »

Le cerveau à la dérive, animal. Elle ne peut rien dire.

« Bien sûr, reprend-il. Retour à Siouxland. Sioux City, la ville de quatre sous. Hiboux, choux, genoux, Sioux...

– Je reste, Mark. Au Refuge, ils disent que je peux encore leur être utile. Ils sont un peu à court de main-d'œuvre en ce moment. » L'eau n'en a pas terminé avec elle.

Il regarde au loin, comme pour lire ses propres paroles inscrites sur la vitre inamovible. « Ça me paraît raisonnable. Maintenant que Danny est parti. Il faut bien que quelqu'un soit lui, s'il ne veut plus l'être. »

Voilà donc la fin de l'histoire. Son approche est si lente que ni lui ni elle ne sentent les rouages s'engrener. Karin voudrait voir Mark briser ses chaînes d'un seul coup, se relever de ce rêve enfiévré et voir le chemin qu'ils ont parcouru. Mais il va la détruire de nouveau, dans le sens inverse cette fois. Il soutiendra avoir toujours su qui elle était. Rien de ferme ne reflue en elle. Sans lésion à incriminer, il lui semble plutôt que toute cette construction est encore plus frêle que la précédente.

Il étire ses jambes puis les croise : imitation de la quiétude. « Alors, ils vont foutre Cain en taule ou quoi ? Ah non, j'oubliais. Il est blanc comme neige. Tu sais ce qu'on devrait lui faire, à celui-là ? L'expédier vers un prochain Irak. Se servir de lui comme otage. » Il redresse la tête, désarçonné. « C'était Barbara. Sur la route. C'était elle, depuis le début. »

Terrifié, il a six ans de nouveau. Et Karin fait tout ce qu'elle peut pour le réconforter. Il est si brisé qu'il la laisse faire, pour une fois. Il s'empoigne le front et le pétrit. Il se cache les yeux.

« Tu es au courant ? » Elle fait signe que oui. « Tu sais que c'est de sa faute ? » Il se prend le crâne entre les mains, la source de toute confusion. Elle acquiesce de nouveau. « Mais tu ne le savais pas... avant ? »

Elle secoue vivement la tête. « Personne ne savait. »

Il essaye de comprendre. « Et toi, pendant tout ce temps... tu étais là ? »

Il s'effondre en lui-même, ne veut pas d'une réponse. Quand il retrouve assez de sang-froid pour parler, ses mots font tomber Karin à la renverse.

« Elle dit qu'elle est finie. Qu'elle n'est plus rien maintenant. »

Karin fulmine, insultée par l'attention que son frère porte encore à cette femme. Révoltée qu'elle ait pu les laisser tomber, au terme d'un si long chemin. Un simulacre de plus. Une nouvelle idole déchue. « Nom de Dieu ! crache-t-elle. Être douée comme elle ! Et penser ne plus pouvoir rendre service à personne parce qu'on a merdé une fois ? Ici, c'est la foire d'empoigne. On compte les litres, les heures et les onces. Mais madame préfère se laisser crever. »

Mark la regarde, déconcerté. Un possible l'aiguillonne. La perte qu'il a subie ne compte pas. L'accident lui fait ce don. « Demande-lui », suggère-t-il, implorant. Il redoute d'en dire davantage.

« Pas moi. Jamais plus je ne lui demanderai quoi que ce soit. »

Il se redresse sur son siège, coincé dans l'étau d'une terreur animale. « Il faut que tu lui demandes de travailler pour toi. Je ne rigole pas. C'est de ma vie qu'il s'agit. » Il se calme et prend une inspiration. De nouveau, il ferme les yeux. En guise d'excuse, il désigne sa perfusion. « Mon vieux ! Il va falloir que je reprenne le contrôle des opérations. Je ne sais pas ce qu'ils bricolent. Ça m'a pris d'un coup : monsieur l'Émotif. Avec les saloperies qu'ils ont inventées, maintenant, ils doivent pouvoir me transformer en qui ils veulent. »

Elle n'a plus la sensation qu'il s'agit d'un délire. Demain sera pire qu'aujourd'hui.

Il la regarde, oubliant tout sauf ce besoin immédiat. D'une main, il enserre le poignet de Karin, en mesure la circonférence. « Tu ne manges plus.

– Si.

– De la nourriture ? demande-t-il d'un air sceptique. Elle n'est pas si maigre.

– Qui ça ?

– Comment donc ? Qui ça ? Ma sœur, voyons ! » Quand il aperçoit l'éclair de panique dans ses yeux, il part d'un rire clair et profond. « Tu devrais voir ta tête ! Calme-toi. Je te charrie, c'est tout. »

Mark se laisse aller dans le fauteuil, étire ses jambes couvertes d'un jogging noir, et croise les mains derrière la nuque. On dirait un sexagénaire à la retraite. Dans trois mois, elle aura de nouveau perdu son frère, ou bien sa sœur sera partie, ailleurs, là où ils ne pourront se suivre. Mais en cet instant, pour un court moment, ils se connaissent, à cause de leur temps d'exil.

« Au moins, je ne serai pas le seul à rester sur place. C'est comme ça. Là où je suis, je reste. D'ailleurs, où pourrait-on aller, avec toute cette pagaille ? »

Les yeux de Karin la brûlent et ses narines frémissent. Elle essaye de répondre : « Nulle part », mais n'y parvient pas.

« C'est vrai, non ? Combien de chez-soi a-t-on jamais ? » Il fait un geste en direction de la fenêtre grise. « Revenir ici, ce n'est pas si mal.

– Le plus bel endroit de la terre, confirme-t-elle. Six semaines par an. »

Ils restent assis un moment, sans vraiment parler. Elle peut l'avoir pour elle toute seule, encore une minute, tandis qu'il récupère. Mais bientôt, il s'agite de nouveau. « C'est ça qui me fout la trouille : si j'ai pu croire si longtemps... ? Alors, comment être sûr, même maintenant... ? »

Inquiet, il lève les yeux et la voit qui pleure. Effrayé, il recule. Mais comme elle ne s'arrête pas, il lui prend le bras et le secoue. Il essaie de le bercer, désemparé, ne sachant que faire pour l'apaiser. Il parle sans s'arrêter, psalmodie des mots dépourvus de sens, comme s'il s'adressait à une petite fille. « Allez. Je sais ce que tu ressens. On en a bavé, tous les deux. Mais regarde un peu ! » Il la tourne vers la baie vitrée : après-midi couvert et sans relief sur la Platte. « Ce n'est pas si mal, hein ? Pas plus mal en tout cas. Et même mieux, par certains côtés. »

Elle lutte pour retrouver sa voix. « Qu'est-ce que tu veux dire ? Pas plus mal que quoi ?

– Pas plus mal que nous. Que toi. Que moi. Qu'ici. » Il désigne le paysage derrière la fenêtre, approbateur : le Grand Désert américain. La rivière profonde de trois centimètres. Et leurs plus proches parents : ces oiseaux qui décrivent des cercles dans le ciel. « On peut bien appeler ça comme on veut. Ce n'est pas plus mal qu'en vrai. »

Il existe un animal perpendiculaire à tous les autres. Il vole à angle droit des saisons. Il se présente au poste de contrôle et, guidé par son instinct, franchit le portique de sécurité. Il navigue à la force de ses muscles dotés de mémoire. Seul le ronron des annonces automatisées retient son attention : « Nous prions les passagers de ne jamais laisser leurs bagages sans surveillance. Il est interdit de... »

La guerre s'impose dans tous les aéroports. À Lincoln, dans la salle d'embarquement, des téléviseurs l'assaillent. Les journaux en continu passent en boucle leurs vingt-quatre secondes d'information, et pas moyen d'en détacher les yeux. *Troisième jour.* À chaque coupure, sur des cuivres synthétisés, des basses profondes entonnent leur refrain. Palettes graphiques, Telestrators, cartes numérisées avec bataillons mobiles et généraux en retraite pour les commentaires à chaud. Des journalistes incorporés dans des unités, empêchés de rapporter les faits, déversent un flot méandreux de spéculations. Toutes les autres nouvelles du monde ont cessé.

Même spectacle à Chicago : un taxi approche d'un poste de sécurité, au nord d'une ville placée peut-être, ou peut-être pas, sous le contrôle de l'occupant. Le chauffeur demande de l'aide par gestes. Quatre soldats commettent l'erreur de s'approcher. Weber reste pétrifié devant le poste, même après la sixième diffusion : peut-être que, à la septième, les choses tourneront autrement.

De nouveau dans les airs, emporté vers l'est, sur cette voie de migration oblique, il devient transparent, plus fin qu'un voile. Une voix dit : « Nous vous prions de bien vouloir ne pas circuler dans la cabine et de ne pas bloquer les allées. » Il s'accroche à ces mots, ce gilet de sauvetage. Dans l'espèce humaine, une amarre s'est rompue. L'homme-enfant avait raison : il y a plus de vérité dans le syndrome de Capgras que dans ce lissage permanent effectué par la conscience. Il avait eu un patient naguère – Warren, d'*Au pays de l'inattendu* – un sujet de trente-deux ans, spéculateur sur séance pendant la semaine et alpiniste du dimanche, qui avait dévalé la paroi d'un profond ravin et s'était fracassé le crâne. Sorti du coma, Warren était entré dans un monde peuplé de moines, de soldats, de top-modèles, de bandits de cinéma, de créatures mi-homme, mi-animal, qui s'adressaient à lui le plus naturellement du monde. Weber effacerait sans hésiter chaque livre et chaque mot signés de sa main pour pouvoir raconter de nouveau l'histoire de Warren en sachant maintenant de quoi il parle.

Il est cerné. Même l'habitacle hermétique qui l'entoure est infesté par le vivant. Tout est animé, vert et prolifique. Des dizaines de millions d'espèces grouillent autour de lui. Peu sont visibles, et un plus petit nombre encore, répertoriées. Prêtes à toutes les ruses, à tout exploiter, tout tenter au moins une fois, rien que pour persévérer dans leur être. Weber regarde ses mains tremblantes où poussent des jungles de bactéries. Des insectes nichent au cœur du câblage de l'avion. Des pollens habitent dans la soute. Des champignons pullulent sous le revêtement en vinyle de la cabine. Sur la face extérieure du petit volet de son hublot, gelées dans l'air sans air, volent des archées, des bactéries multirésistantes et des extrémophiles, ces créatures qui vivent de rien, dans le noir, par moins vingt degrés, en se dupliquant. Le moindre programme génétique qui a survécu jusqu'à aujourd'hui est plus brillant que les plus subtiles pensées de Weber. Et plus brillant encore lorsque ses pensées seront mortes.

L'homme assis à côté de lui, qui débat en son for intérieur depuis l'est de l'Ohio, finit par rassembler son courage et demande : « C'est bien vous ? »

Weber tressaille. Sur ses lèvres, flotte un sourire bancal et fantomatique volé à l'un de ses patients. « Je ne crois pas, non.

– Si, bien sûr. Vous êtes ce type, le spécialiste du cerveau.

– Non », réplique Weber.

L'inconnu le dévisage d'un air soupçonneux. « Mais si. *L'Homme qui confondait sa vie avec une...*

– Vous faites erreur, insiste Weber. Moi, ma partie, c'est l'assèchement des zones humides. »

D'un pas léger, l'hôtesse va et vient dans l'allée centrale. Face à lui, une passagère enfourne dans sa bouche énorme une bouillie animale. Le corps de Weber se contracte à l'intérieur de son costume maculé de taches. Ses pensées filent comment des araignées d'eau. Il ne reste rien de lui, mis à part cet œil neuf.

Dans la cohue de ses pensées, les images des derniers jours rentrent au bercail. Assis derrière l'aile de l'appareil, il se repasse encore et encore l'ultime séquence : il la recadre, la remonte, la reprend. Mark, dans sa chambre au Bon Samaritain, qui regarde, déconcerté, comme le reste du monde, ces images de guerre sans substance, filmées en immersion. Il regarde obstinément, comme si scruter assez longtemps ces armées allait lui permettre de reconnaître un vieil ami. Au chevet du jeune homme, le neuroscientifique tressaille sous le téléviseur accroché au mur. Il oublie ce pour quoi il est venu, jusqu'à ce que son patient le lui rappelle. « Vous repartez déjà ? Qu'est-ce qui presse ? Vous venez à peine d'arriver. »

Weber est aussi dispersé que le vivant. Il lève les mains en signe d'excuse. La lumière les traverse sans peine.

Mark lui tend un vieux livre broché : *Mon Antonia*. « Pour le voyage. J'ai lu ça du temps où j'appartenais à un petit club de lecture. C'est un peu fleur bleue. Pour en faire un classique, il faudrait y rajouter une bonne poursuite en hélico. Une scène de plongée en apnée ou un truc dans le genre. Mais on y trouve l'authentique Nebraska. Et j'ai fini par y prendre goût. »

Weber s'approche pour recueillir cette histoire dont Mark ne veut plus. Une main serpente et empoigne la sienne.

« Doc ? Il y a quelque chose que je ne comprends pas. Je lui ai sauvé la vie. Je suis... l'ange gardien de cette femme. Vous vous rendez compte ? Moi ? » Dans sa bouche, les mots sont empesés et étrangers, pires fléaux que le billet mal interprété. « Qu'est-ce que je dois faire de tout ça ? »

Weber reste immobile, paralysé par l'éclair aveuglant. C'est la question qu'il se pose lui aussi. Où qu'il aille, elle sera toujours avec lui, impossible de s'en défaire. L'accidentel est devenu permanent. On ne peut rien faire pour autrui, hormis se souvenir : à chaque seconde, nous naissons.

Mark implore Weber ; dans ses yeux brasille cette terreur que seule la conscience autorise. « Ils ont besoin d'elle au Refuge. Demandez à ma sœur. Il leur faut une enquêtrice. Une journaliste. Peu importe ce qu'elle est. Ils ont besoin d'elle. » Sa voix voudrait nier toute implication personnelle. « Mon vieux, il ne faut pas qu'elle s'en aille. Cette femme-là, ce n'est pas comme un électron libre. Comme ces pauvres filles qui... Qu'elle le veuille ou non, elle a fait son trou par ici, elle est mouillée maintenant. Vous ne croyez pas que je pourrais... ? D'après vous, est-ce qu'elle... ? »

Incapable de savoir ce que quelqu'un pourrait faire. Incapable de savoir ce que cela fait d'être quelqu'un.

« Ma sœur refuse de lui demander. Et moi, je n'ose pas. Après notre dernière entrevue, elle n'a pas fini de me détester. Elle ne voudra plus jamais me parler.

– Vous pourriez essayer », dit Weber. Il refait semblant, sans avoir autorité pour cela. Sans autre attestation qu'une existence consacrée à l'étude de cas. « Je crois que vous pourriez essayer. »

Il essaie, lui aussi, rien que pour prolonger le temps. Le Grand Tour-opérateur se souvient peut-être de lui, mais il ne prend aucun appel. D'autres cependant adressent à Weber leurs messages, trop ténus pour être audibles. En contrebas, derrière le hublot en Plexiglas, vacillent les lumières de villes inconnues, des centaines de millions de cellules incandescentes qui échangent des signaux. Ici encore, la créature recouvre d'innombrables espèces. Elle fouit, rampe, vole, et chacune de ses trajectoires configure toutes les autres. Un métier à tisser lance des éclairs électriques, des synapses de la taille d'une rue façonnent un cerveau aux pensées longues de plusieurs kilomètres, trop vastes pour être déchiffrées. Un réseau de signaux formule une théorie du vivant. Des cellules, sous l'effet du soleil, de la pluie et d'une sélection perpétuelle, s'assemblent pour donner naissance à un esprit qui atteint maintenant la taille d'un continent, conscient au-delà du possible, omnipotent, mais aussi fragile que la brume ; des cellules qui ont encore quelques années pour découvrir comment se connecter les unes aux autres, et dans quelle direction elles pourraient aller, avant de fondre à nouveau et de retourner à l'eau dont elles sont sorties.

Weber feuillette le livre de Mark tout le long du voyage, il le parcourt au hasard, comme si cette archive enfouie pouvait encore prédire ce qui approche. Ces mots sont plus obscurs que la plus complexe des études sur le cerveau. De ces pages émanent des parfums de prairie, un millier d'espèces d'herbes folles. Il lit et relit, sans rien retenir. Il interroge les notes de Mark, griffonnées dans les marges, ces pattes de mouche désespérées, placées en regard de presque tous les passages susceptibles de mettre un terme à la confusion permanente. Les traits de surligneur finissent par s'élargir et s'affolent :

> La route du Destin passait par là ; elle nous avait renvoyés à ces coups du sort qui, très tôt, avaient arrêté tout ce que nous pourrions jamais être. À présent, je comprenais que cette même route allait de nouveau nous réunir. Quelles que fussent nos insuffisances, nous possédions ensemble ce passé précieux et incommunicable.

Weber redresse la tête et se fissure. Il ne reste aucune totalité à préserver, rien de plus solide que le toron de ces cellules étincelantes. Ce que laissent deviner les scanners, il l'a vu de près, dans le champ : de vieux ancêtres nichent encore dans son tronc cérébral, leur vol circulaire les ramène toujours le long de l'eau sinueuse. Avec maladresse, il approche cette vérité ; la seule qui ait assez d'ampleur pour le ramener chez lui, en chute libre vers l'incommunicable, vers le méconnaissable, vers ce passé irréparable qu'il a abîmé par le simple fait d'exister. Détruit et reconstruit à chaque pensée. Une pensée qu'il doit confier à quelqu'un, avant qu'elle aussi ne s'envole.

Une voix invite les passagers à débarquer. Debout dans la foule qui se lève, il cherche à atteindre son bagage à main et se répand sur tout ce qu'il touche. Mal assuré, remplacé par un imposteur à chaque pas, il emprunte la passerelle et pénètre dans un autre monde. Bien qu'il ait perdu tout droit d'espérer, il a besoin qu'elle soit là, de l'autre côté de la vitre, près du tapis roulant où arrivent les bagages. Qu'elle soit là, une petite pancarte à la main, frappée de caractères bien nets pour qu'il puisse les lire. « Monsieur mon homme », c'est ce que doit dire l'écriteau. Non : « Weber ». Elle tiendra ce mot à la main, et c'est ainsi qu'il doit la trouver.

Collection LOT 49
dirigée par Claro & Hofmarcher

Dès les années soixante, la fiction américaine a vu ses formes et son écriture prendre des chemins et se lancer des défis pour le moins singuliers. Des écrivains aussi différents que William Gaddis, Thomas Pynchon, William Burroughs, etc., ont bâti alors des œuvres souvent ambitieuses, parfois monstrueuses, toujours dérangeantes et jubilatoires. Qu'en est-il aujourd'hui de cette explosion novatrice ?

La collection LOT 49 – ainsi baptisée en hommage au roman de Pynchon, *Vente à la criée du Lot 49* – a pour ambition de publier les écrivains d'aujourd'hui qui, complices ou héritiers de cet âge d'or, bouleversent à leur tour la donne du langage et l'équilibre chimiquement instable de la narration – sans oublier certains de leurs précurseurs injustement négligés.

Souhaitant laisser le « champ libre » à ces nouveaux iconoclastes, LOT 49 se voudrait, à raison de trois ou quatre textes par an, le vivier chahuteur de ces futures « baleines blanches » de la fiction contemporaine de langue anglaise.

DANS LA COLLECTION LOT 49

NICHOLSON BAKER
Contrecoup
traduit de l'américain par Claro

BRIAN EVENSON
Contagion
traduit de l'américain par Claro
Inversion
traduit de l'américain par Julie et Jean-René Étienne

WILLIAM H. GASS
Le Tunnel
traduit de l'américain par Claro

MARK LEYNER
Mégalomachine
traduit de l'américain par Claro

BEN MARCUS
Le Silence selon Jane Dark
traduit de l'américain par Claro

DAVID MARKSON
Arrêter d'écrire
traduit de l'américain par Claro

RICHARD POWERS
Trois fermiers s'en vont au bal
traduit de l'anglais (États-Unis)
par Jean-Yves Pellegrin
Le Temps où nous chantions
traduit de l'anglais (États-Unis)
par Nicolas Richard

JOANNA SCOTT
Tourmaline
traduit de l'anglais (États-Unis)
par Philippe Mikriammos

WILLIAM T. VOLLMANN
Les Fusils
traduit de l'américain par Claro

CURTIS WHITE
Souvenirs de mon père mort devant la télé
traduit de l'anglais (États-Unis)
par Bernard Hoepffner
avec la collaboration de Catherine Goffaux

Mise en pages par DV Arts Graphiques à La Rochelle
Imprimé en France par Normandie Roto Impression s.a.s., 61250 *Lonrai*
Dépôt légal : avril 2008
N° d'édition : 937 – N° d'impression : 081173
ISBN 978-2-7491-0937-4